A BÍBLIA E O ANTIGO EGITO

Rodrigo Silva
Wilian Cardoso

A BÍBLIA E O ANTIGO EGITO

São Paulo, 2024

A Bíblia e o Antigo Egito
Copyright © 2024 by Rodrigo Silva
Copyright © 2024 by Wilian Cardoso
Copyright © 2024 by Novo Século Editora Ltda.

EDITOR: Luiz Vasconcelos
GERENTE EDITORIAL: Letícia Teófilo
PRODUÇÃO EDITORIAL: Érica Borges Correa
AUXILIAR EDITORIAL: Graziele Sales
PREPARAÇÃO: Eliana Moura Mattos
REVISÃO: Luciene Ribeiro
CAPA: Fabio Silveira/Levez Design Studio
ILUSTRAÇÕES DE MIOLO: Diego dos Santos
PESQUISA ICONOGRÁFICA: Roberta Montenegro
DIAGRAMAÇÃO: 3Pontos Apoio Editorial Ltda.

Texto de acordo com as normas do Novo Acordo Ortográfico da Língua Portuguesa (1990), em vigor desde 1º de janeiro de 2009.

Dados Internacionais de Catalogação na Publicação (CIP)
Angélica Ilacqua CRB-8/7057

Silva, Rodrigo
A Bíblia e o Antigo Egito/Rodrigo Silva, Wilian Cardoso. – São Paulo: Novo Século, 2024.
408 p.: il., color.

ISBN 978-65-5724-102-8

1. Egito - História antiga 2. Arqueologia 3. Bíblia I. Título II. Cardoso, Wilian

23-6176   CDD 932

Índices para catálogo sistemático:

GRUPO NOVO SÉCULO
Alameda Araguaia, 2190 – Bloco A – 11º andar – Conjunto 1111
CEP 06455-000 – Alphaville Industrial, Barueri – SP – Brasil
Tel.: (11) 3699-7107 | E-mail: atendimento@gruponovoseculo.com.br
www.gruponovoseculo.com.br

Sumário

Introdução 9

1. A redescoberta do Antigo Egito 19
   Napoleão, Egito e o fim do mundo 20
   Quando os mortos falam 24
   Perseverança que compensa 28
   Então chegou a arqueologia 34

2. O despertar de um Grande Império 37
   Como tudo começou 37
   A cronologia egípcia 40
   A cronologia pré-histórica e a Bíblia 45

3. Do Nilo às Pirâmides 49
   O milagre do Nilo 49

4. A morte no Antigo Egito 61
   O mito de Osíris 62
   O conceito de alma 64
   O Livro dos Mortos 68
   Outras crenças e rituais 72

5. As misteriosas pirâmides 79
   Mastaba: as origens 81
   Sacara: a primeira pirâmide 84
   Pirâmides verdadeiras: do erro à perfeição 95
   Engenharia de construção 100

6. Os hieróglifos: a língua dos faraós 111
   Parece grego, mas é egípcio 113
   Jogos com palavras 120
   Nomes ocultos em cartuchos reveladores 123
   Dos hieróglifos ao alfabeto 127
   O primeiro papel 132

7. Mênfis, a primeira capital do Egito 137
   Um lugar sem igual 138
   Entre monumentos e ruínas 140
   A glória do mundo é passageira 144

8. Tebas, a glória do Antigo Egito 147
   Imagens que valem mais que mil palavras 150
   A casa de Amon-Rá 155

9. Gênesis e a literatura egípcia 161
   De Adão até nossos dias 163
   As duas criações 167
   Luz que vem do Egito 169

10. Abraão e seus descendentes chegam ao Egito 174
    12ª dinastia: o auge do Médio Império 177
    Uma roupa especial 180
    Os hicsos 187

11. José do Egito 193
    Sonhos reveladores 194

Presentes de autoridade 197
Sete anos de fome... 199
Descobertas em Avaris 202
Um olhar mais atento sobre Avaris... 204

12. Israel no Egito... 209
    Êxodo: mito ou realidade?.. 209
    Nomes apagados 213

13. A 18ª dinastia... 216
    A data do êxodo: o Grande Ramessés II 220
    A data do êxodo: 18ª dinastia 224

14. Hatshepsut, a grande faraó mulher 229
    De rainha a faraó.. 229
    Morte, destruição e um dente 234

15. Surge um libertador.. 240
    Tirado das águas 240
    À luz da cultura egípcia... 248
    Nomes secretos... 255

16. Da escravidão à libertação 262
    O grande conflito egípcio 263
    Escravos no Egito... 267
    As dez pragas 270
    Nomes cobertos de sangue 279

17. O faraó do êxodo 284
    Tutmés III.. 287
    Amenhotep II 290

18. A saída do Egito 294
    Golfo de Ácaba 295
    Golfo de Suez.. 296

Lagos pantanosos 298
Rota de fuga 301
Versão Minimalista 323

19. A localização do Monte Sinai 326
    Jabal Musa 327
    Jabal Sin Bishar 330
    Jabal Hashem el-Tarif 330
    Har Karkom 330
    Hallat al Badr 331
    Jabal al-Lawz 332
    Jabal Maqla 333
    A Arábia 334
    A Terra de Midiã 336

20. Aquenáton, o Faraó Monoteísta 340
    A grande mudança 341
    O culto ao deus Atom 344
    Amarna: a antiga Aquetáton 348
    Fazendo arte em Amarna 355

21. O Egito e o reino de Israel 359
    Edomitas e egípcios 360
    Salomão como genro do Faraó 363
    Cavalarias egípcias 368
    Neco, rei do Egito 369

Conclusão 373

Introdução

A relação entre o Egito e a Bíblia não é tão simples. De acordo com várias passagens bíblicas, os israelitas permeiam o texto bíblico com referências e influências sobre certos costumes e linguajares específicos dentro do texto sagrado. Em nossos dias, essa herança é facilmente perceptível a cada passo, a cada observação aos seus símbolos antigos que ainda aparecem em itens de uso comum e na cultura popular como um todo (filmes, literatura, arte etc.). Os egípcios têm orgulho da superpotência que o Antigo Egito já foi, embora tecnicamente os egípcios de hoje não sejam os mesmos do passado, conforme descritos por seus monumentos e documentos antigos, como a Bíblia. De qualquer forma, sabemos pelas Escrituras que o Egito teve muitas riquezas, uma escrita misteriosa, uma religião imponente, um exército forte e reis poderosos. Abraão e muitos de seus descendentes viajaram para o Egito em tempos difíceis, em busca de comida e abrigo. Isso apenas confirma que o Egito era a nação mais poderosa e próspera daquela região.

Já na antiguidade, o Egito se tornou conhecido por seus avanços na construção, na medicina e na agricultura. Suas realizações são reconhecidas até hoje na matemática, na literatura (incluindo a produção inicial de papel e até mesmo a invenção do pão fermentado[1]), assim como na

---

[1] Mohamed Ea. "The ancient Egyptian bread and fermentation" *in* **Microbial Biosystems**, 5(1) (jun. 2020), p. 52-53; Michael Pollan. **Cozinhar**: uma história natural da transformação. Rio de Janeiro: Ed. Intrínseca Ltda., 2012, ebook.

arte, por exemplo, em técnicas únicas de cerâmica e vidro. Sem mencionar a arquitetura de monumentos colossais, que deixam muitos cientistas e historiadores muito intrigados a respeito dos métodos de engenharia de construção. Além disso, o Egito tinha um elaborado sistema religioso. A natureza pagã da terra é muito evidente, como se pode perceber tanto pela cultura material deixada por esse povo quanto pelas descrições feitas pela própria Bíblia. Os reis eram considerados deuses e a superstição era comum. Depois que os israelitas escaparam da escravidão egípcia, a Bíblia os instruiu a não seguir os caminhos do Egito (Lv 18:3).

Mas isso é apenas parte da história. A terra dos faraós também é, às vezes, o lugar de referência da Bíblia e, outras, um destino para pessoas que deixavam Israel por conta própria ou por serem forçadas a fugir. Como uma reversão da jornada do êxodo, em certos momentos os israelitas dirigiram-se para o sul em busca de asilo ou refúgio contra a opressão em tempos difíceis. Entre as personagens bíblicas que viajaram ao Egito a fim de escapar das adversidades estão Abraão e Sara (Gn 12:10-20), o rei Jeroboão de Israel (1Rs 11:40), um grupo de pessoas fugindo dos babilônicos (2Rs 25:26), o profeta Jeremias (Jr 43:5-7), e o próprio bebê Jesus com sua família (Mt 2:13-15). Existem até algumas passagens nos livros proféticos que contrastam a noção de que o Egito era um lugar de escravidão, aconselhando os israelitas a se mudarem para lá a fim de evitar o exílio na Babilônia. A visão bíblica do Egito é, portanto, mista: tanto um ponto de chegada quanto um ponto de partida, ao mesmo tempo um aliado e um adversário.

Enfim, a relação entre o Egito e a Bíblia é muito maior do que podemos imaginar. Na verdade, o Egito é mencionado quase setecentas vezes em toda a Bíblia, o que o torna, com exceção de Canaã, o local citado com mais frequência nas Escrituras. Nos tempos bíblicos, o Egito já era uma civilização antiga e as pirâmides já existiam há milhares de anos. O *status* de Israel como um povo recém-chegado pode ser comprovado pelo fato de muitos dos eventos descritos na Bíblia serem ambientados em uma era agora conhecida como o Novo Império (c. 1539-1075 a.C.), o mais recente dos principais períodos da história egípcia antiga. Egito e Israel compartilhavam uma fronteira na antiguidade assim como hoje, e, naturalmente, isso levou a um contato ocasional e a uma interação entre os povos das duas terras. Certas passagens bíblicas nos permitem ter alguma noção da natureza dessa relação. Quer ver?

Eu já visitei várias vezes o Egito e, sempre que volto para lá, nada me fascina mais do que os fabulosos tesouros de Tutancâmon, um jovem e quase anônimo faraó que morreu com apenas 18 ou 19 anos. Os artefatos encontrados em sua tumba encantam os turistas de todo o mundo que chegam ao Cairo para visitar sua coleção. Sozinha, sua famosa máscara mortuária pesa 11 quilos de ouro puro 24 quilates. A história da descoberta do tesouro de Tutancâmon é quase tão impressionante quanto o próprio tesouro em si. Mas qual a relação entre a Bíblia e o túmulo do faraó?

Pegue sua Bíblia e leia o que está escrito no Salmo 110:1, um texto que também se repete no Novo Testamento: "Disse o Senhor ao meu Senhor: 'Sente-se à minha direita, até que ponha os seus inimigos por estrado dos seus pés'".

O que quer dizer esse texto? O que seria um estrado, que outras versões traduzem como escabelo? Os tesouros de Tutancâmon respondem. Visitando o Grande Museu Egípcio em Gizé, na grande Cairo, pode-se ver um trono de ouro de Tutancâmon e um segundo trono portátil para ser usado nos passeios do rei. Embaixo de ambos está um pequeno tablado de madeira com inimigos desenhados nele. Ali, o rei punha seus pés, e este era o estrado ou escabelo. Percebeu? Ter um pequeno estrado de madeira embaixo dos pés com imagens representando os seus inimigos era uma forma de simbolizar a vitória final de um rei.

Esses objetos egípcios esclarecem muito a imagem que estaria por trás do Salmo 110. Veja também o que está escrito em Hebreus 10:13: "(...) aguardando, daí em diante, até que os seus inimigos sejam postos por estrado dos seus pés". O mesmo simbolismo pode também ser visto nas roupas do monarca. Um antigo par de sandálias faraônicas muito bem preservadas traz a figura de um núbio e um assírio, ambos inimigos do rei. O fato de Tutancâmon andar pisando em suas imagens denota mais uma vez a vitória final desse soberano.[2]

---

[2] Na verdade, há inúmeras imagens egípcias onde os faraós são frequentemente representados com os pés colocados na cabeça de seus inimigos (ou inimigos em potencial). Veja: Lodewyk Sutton. "A Footstool of War, Honour and Shame?: perspectives induced by Psalm 110:1" *in* **Journal for Semitics**, 25/1 (2016), p. 51-71; cf. também Nina M. Davies; Alan H. Gardiner. **Ancient Egyptian Paintings**. Chicago, IL: The University of Chicago Press, 1936, v. 3, p. 112.

Trono encontrado na tumba do Rei Tutancâmon. O estrado ou escabelo à frente do trono era usado para apoiar os pés do rei, o qual foi adornado com nove inimigos tradicionais do Egito, mostrando seu poder sobre eles.

Agora, faça um pequeno exercício de ler algumas passagens bíblicas à luz dessas descobertas. Veja como elas ficam mais claras. "E o Deus da paz, em breve, esmagará Satanás debaixo dos pés de vocês. A graça de nosso Senhor Jesus esteja com vocês" (Rm 16:20); "Eis que eu dei a vocês autoridade para pisarem cobras e escorpiões e sobre todo o poder do inimigo, e nada, absolutamente, lhes causará dano" (Lc 10:19); "Vocês pisarão os ímpios, pois eles se farão cinzas debaixo das plantas dos pés de vocês, naquele dia que prepararei, diz o Senhor dos Exércitos" (Ml 4:3).

Como você pode ver, a Bíblia, embora seja uma revelação de Deus a todo o mundo, foi escrita num ambiente cultural específico, com peculiaridades linguísticas e culturais que ajudam muito na compreensão do santo livro.

Quer mais um exemplo do tesouro de Tutancâmon? Então vamos lá: em um dos cantos do museu há também uma peça de marfim que era um descanso de cabeça, utilizado pelo rei em seus momentos de sono. Esses "travesseiros reais" geralmente traziam inscrições hieroglíficas que pediam aos deuses bons sonhos para o faraó, pois significavam um bom futuro para o reino, ao passo que seus pesadelos poderiam ser premonições de tragédias.

Impressão reconstruída em 1929 da placa IX, A, exibindo o faraó Amenhotep II sentado no colo de sua babá com seus inimigos sob seus pés.[3]

Ocorre que, para os egípcios, o faraó era uma espécie de divindade entre os homens; seus sonhos e sentimentos afetavam diretamente o reino. É por isso que o sonho do Faraó recebe tanto destaque na história de José do Egito (Gn 41). Veja, isso não significa que a Bíblia endossasse todas as práticas de seu ambiente cultural, mas, ao que tudo indica, Deus se utilizou de meios conhecidos para revelar verdades que fossem claras até mesmo para os povos pagãos. A mensagem divina foi transmitida em uma linguagem que o próprio faraó reconheceria.

Em uma foto tirada em 1922, poucos dias depois de encontrarem o túmulo de Tutancâmon, aparecem Howard Carter, seu descobridor, e Lord Carnarvon, que financiou o projeto.[4] Logo abaixo, na entrada, há um cesto de vime.

Apoio de cabeça em mármore da coleção de Tutancâmon. Usado no lugar de um travesseiro, a nuca do rei ficava apoiada no suporte curvo. A figura esculpida representa Shu, o deus do céu, e os dois leões na base representam os horizontes leste e oeste. Além de ser um objeto funcional, também possuía significados simbólicos e rituais relacionados à ideia da vida.

---

[3] Norman de G. Davies. **The Tomb of Ḳen-Amūn at Thebes**. Nova Iorque: Plantin Press, 1935, v. 2, plate IX, A.

[4] Zahi Hawass. **The Golden Age of Tutankhamun**: divine might and splendor in the New Kingdom. Cairo: The American University of Cairo Press, 2004, p. 56.

O arqueólogo Howard Carter (à esquerda) e Lord Carnarvon, financiador das escavações, em frente à entrada da câmara mortuária de Tutancâmon no ano de 1922. Ao canto direito pode-se ver um dos cestos de junco usado pelos egípcios.

Não se trata, como alguns podem imaginar, de um cesto de tirar pedras utilizado pelos arqueólogos. Este, na verdade, era um cesto antigo de 3.300 anos, feito de junco. Vários deles foram encontrados em tumbas egípcias, especialmente na de Tutancâmon.

O mais incrível é como estavam bem preservados. Esse, em especial, tem um formato de barco e continha frutas para o faraó comer no além. Além de o junco ser abundante na região do Antigo Egito, acredita-se que seu cheiro era um repelente natural contra crocodilos que habitavam as águas do rio Nilo. Essa informação lança bastante luz sobre a atitude de Joquebede, mãe de Moisés, que, para livrar o menino das mãos de faraó, quando já não podia mais escondê-lo, colocou-o às margens do rio Nilo dentro de um cesto de junco e o vedou com piche e betume.

Outra descoberta que traz maiores esclarecimentos sobre esse fato está nos cestos encontrados na tumba mortuária de uma mulher chamada Hatnefer, fruto de uma expedição pelo Museu Metropolitano de Arte de Nova York (Metropolitan Museum of Art), em 1936. A validade desse achado, para nós, deve-se ao fato de Hatnefer ter sido mãe de Senemute, famoso oficial e confidente da faraó mulher Hatshepsut.[5] Os cestos em formato

---

[5] Peter F. Dorman. "The career of Senenmut" in Catharine H. Roehrig. **Hatshepsut**: from queen to pharaoh. Nova Iorque: The Metropolitan Museum of Art, 2005, p. 107.

Cesto de armazenamento de alimento para a vida pós-morte, Novo Império 18ª dinastia (c. 1492-1473 a.C.). Encontrado na tumba de Hatnefer, mãe de Senemute, famoso oficial da faraó Hatshepsut.

oval eram pertencentes à 18ª dinastia, que, segundo a cronologia tardia, teria sido o período do Êxodo e, consequentemente, da época em que Moisés viveu, podendo ilustrar ainda mais o tipo e estilo de cesto em que teria sido colocado enquanto bebê. Isso, a propósito, encaixa-se muito bem à ideia de "caixa" representada pela palavra hebraica *tevah*, ao descrever o cesto de Moisés (cf. Êx 2:3,5), e a palavra egípcia *tebet*.[6]

Esses poucos exemplos, até mesmo o tesouro de Tutancâmon, ajudam no estudo cultural da Bíblia Sagrada. A arqueologia bíblica envolve, sobretudo, a região conhecida por Levante (que, além das fronteiras de Israel e da Palestina, inclui modernos países como Síria, Jordânia, Egito, Arábia Saudita, Iraque, Líbano, Turquia e Grécia),[7] e também Itália e Irã.[8] Nesses países desenrolou-se a história narrada nos textos bíblicos. Alguns

---

[6] Benjamin J. Noonan. **Non-Semitic Loanwords** *in* **the Hebrew Bible**. University Park, PA: Eisenbrausn, 2019, p. 217; Judah Zobel "tēḇâ" *in* G. Johannes Botterweck; Heinz-Josef Fabry; Helmer Ringgren. **Theological Dictionary of the Old Testament**. Grand Rapids, MI: Eerdmans, 1975, v. 15, p. 550.

[7] Amihai Mazar. **Archaeology of the Land of the Bible - 10,000-586 B.C.E.** Nova Iorque, NY: Doubleday, 1992, p. 2-3.

[8] Eric H. Cline. **Biblical Archaeology**: a very short introduction. Oxford: Oxford University Press, 2009, p. 1; Douglas A. Jacoby. **A Quick Overview of the Bible**: understanding how all the pieces fit together. Eugene, OR: Harvest House Pub., 2012, ebook.

especialistas, porém, ainda incluem o Iêmen (identificado como o Sabá bíblico),[9] a Etiópia, a Núbia, o Sudão (por ser a terra de Cuxe)[10] e a Espanha, que para alguns seria a Tarsis da história de Jonas.[11]

Seja como for, considerando que o cristianismo primitivo se expandiu por essas regiões e também pelo norte da África, todo esse mundo mediterrâneo é campo de estudo para um arqueólogo bíblico. E quando começou a exploração desses lugares em busca de elementos que ajudassem a contar a história antiga da humanidade? Bem, de certa forma foi a rainha Helena, mãe do imperador Constantino, que dirigiu a primeira expedição às terras bíblicas.[12] Reza a lenda que ela, em pessoa, teria descoberto a verdadeira cruz de Cristo e o local do Calvário, mas, certamente, é impossível chamar isso de "escavação arqueológica".

A série de lendas envolvendo seus achados e a frenética busca por relíquias sagradas que adentrou a Idade Média não nos permitem classificar isso como um sério trabalho arqueológico; quando muito, podemos chamar esse período e essas atividades de "protoarqueologia", pois não era um trabalho que pudesse ser pautado pelo rigor científico. Foi somente após a campanha de Napoleão Bonaparte no Egito que a arqueologia assumiu ares de ciência com escavações sistematizadas.

---

9 John Simpson. **Queen of Sheba**: treasures from ancient Yemen. Londres: British Museum Press, 2002, p. 8; Kenneth Anderson Kitchen. **On the Reliability of the Old Testament**. Grand Rapids, MI: Wm. B. Eerdmans Publishing, 2003, p. 116.

10 John N. Oswalt. "כושי", *in* R. Laird Harris, et al. **Dicionário Internacional de Teologia do Antigo Testamento**. São Paulo: Vida Nova, 1998, p. 711-712; Kevin Burrell. **Cushites in the Hebrew Bible**: negotiating ethnic identity in the past and present. Leiden: Brill, 2020, p. 4ss; ver também David M. Goldenberg. **The Curse of Ham**: race and slavery in early Judaism, Christianity, and Islam. Princeton, NJ: Princeton University Press, 2003, p. 17-25; Peter Unseth, por outro lado, discorda que Cuxe seja identificado com fronteiras políticas de qualquer estado africano moderno, mas sim que sua localização se refere a diferentes lugares de acordo com o contexto bíblico, veja: "Hebrew Kush: Sudan, Ethiopia, or where?" *in* **Africa journal of Evangelical Theology**, v. 18, n. 2 (1999), p. 143-159.

11 John Day. "Where was Tarshish?", *in* Iain Provan e Mark Bola (eds.). **Let Us Go Up to Zion**. Leiden: Brill, 2012, p. 359-369.

12 William H. C. Frend. **The Archaeology of early christianity**: a history. Minneapolis: Fortess Press, 1996, p. 1-10.

Isso se deu por volta de 1799, datando dessa época a descoberta da famosa pedra de Roseta.

Essa pedra, diga-se de passagem, foi a chave interpretativa que permitiu aos linguistas decifrar a antiga escrita hieroglífica, usada no Egito no tempo dos faraós.[13] Assim, as antiguidades que Napoleão levou para a França, assim como os ingleses para Londres, deram origem aos famosos museus Britânico e do Louvre. Nisso, entra uma questão ética delicada: até hoje os países de origem reclamam o retorno de artefatos que, a seu ver, pertencem à soberania nacional. O Egito gostaria de ter de volta todas as peças espalhadas por museus da Europa e dos Estados Unidos, coisa que os países envolvidos se recusam a fazer.

Por outro lado, argumenta-se que, devido às constantes guerras no Oriente Médio e consequente destruição de artefatos por grupos radicais como Talibã e Estado Islâmico, tal coleção – hoje preservada em segurança na Europa – estaria para sempre destruída. O valor dessas peças é tão grande, que poderiam ser consideradas patrimônio universal da humanidade, e não apenas de uma nação.

Seja como for, esse é um tema controverso, que não parece nunca chegar a um denominador comum que agrade a todos. A exibição de antiguidades levadas para a Europa logo despertou o interesse de diferentes museus, que começaram a enviar seus representantes para o Oriente Médio a fim de escavar novos sítios e trazer antigos tesouros. Famílias ricas também começaram a financiar expedições, na esperança de constituir uma coleção particular de objetos preciosos. O resultado foi uma enxurrada de ladrões de sepultura em busca de artefatos para vender aos ricos, além do surgimento de escavações clandestinas e de um mercado ilegal de antiguidades, que dura até hoje. Mas nem tudo foram espinhos: também houve, certamente, frutos positivos dessa nova corrida arqueológica pelo Antigo Oriente. A Bíblia pôde finalmente ser compreendida em sua cultura original, e isso foi um tremendo ganho para os estudos da palavra de Deus.

---

[13] Brian M. Fagan; Nadia Durrani. **A brief history of archaeology**: classical times to the twenty-first century. 2ª ed. Nova Iorque: Routledge, 2016, p. 35-36.

A redescoberta do Antigo Egito

Por muitos e muitos séculos, viajantes europeus e árabes passaram pela planície de Gizé, no deserto do Saara, admirando as pirâmides e a esfinge que estava quase totalmente soterrada, exceto pela cabeça que sobressaía sobre a areia. Infelizmente, muitos registros desses viajantes se perderam.

Os fragmentos que chegaram até aqui, muitos deles escritos em latim, são notas de diários que falam de aventureiros árabes e monges cristãos, que, inspirados nos escritos de Heródoto, queriam conhecer quais monumentos eram aqueles que tanto fascinaram os antigos gregos e romanos.

O astrônomo e matemático de Oxford, John Greaves, que visitou duas vezes as pirâmides entre 1636 e 1640, concluiu que elas não poderiam ser obra da engenharia humana.[1] Sua anotação, embora escrita em um latim bem difícil de se ler, dá a impressão de que ele não cria que as pirâmides fossem tão grandes a ponto de projetar uma sombra mensurável.

---

[1] Howard Vyse. **Operations Carried on at the Pyramids of Gizeh in 1837**: with an account of a voyage into Upper Egypt, and an appendix. Cambridge: Cambridge University Press, 2014, v. 1, p. 286-287.

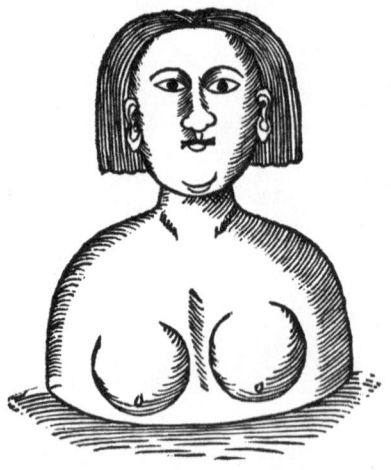

Ilustração da esfinge do diário de viagem de Johann Helffrich publicado conforme sua imaginação. Helffrich a identifica como Ísis, no entanto, afirma que a imagem é oca e pode ser alcançada através de uma passagem subterrânea.

Johannes Helffrich, que visitou o lugar quase cem anos antes, em 1565, anotou em seu diário que a esfinge era oca e os sacerdotes entravam em sua cabeça por uma passagem subterrânea. Uma vez dentro dela, eles discursavam ao povo na língua faraônica fazendo-os acreditar que era a própria estátua que estaria falando. Ele certamente estava equivocado e sua suposição se baseava na mitologia grega segundo a qual a esfinge era um medonho ser feminino capaz de propor charadas antes de devorar suas vítimas.[2] No entanto, apesar da visão distorcida, sua descrição é importante, uma vez que ajudou a despertar o interesse pelas antiguidades e pela história do Egito na Europa renascentista.

Demoraria ainda algum tempo até que os soldados de Napoleão chegassem ao Egito inaugurando uma nova era para a história da egiptologia que coincide com os começos da arqueologia moderna.[3] O que era para ser uma estratégia de guerra terminou inaugurando a egiptologia enquanto ciência.

Napoleão, Egito e o fim do mundo

Corriam os meses de 1798, um ano de grande efervescência para toda a Europa. A Revolução Francesa marchava para seu fim, quando o Papa Pio

---

[2] C. W. Ceram. **A Picture History of Archaeology**. Londres: Thames and Hudson, 1957, p. 87-8.
[3] Jock M. Agai e M. Y. Saragih. "The Contribution of Napoleon Bonaparte to Egyptology" in **Budapest International Research and Critics Institute**, v. 4, n. 3 (ago. 2021), p. 4799, 4801.

VI foi preso e destituído do poder a mando do próprio Napoleão. Então, o antigo código de Justiniano, que desde o século VI determinava a hegemonia papal em toda Europa, foi substituído por um novo código napoleônico de natureza secular e antirreligiosa.[4]

Teólogos das mais diferentes confissões religiosas viam nisso um sinal apocalíptico de que chegara o tempo do fim do mundo.[5] Richard Kyle diz que "em particular, a Revolução Francesa fomentou o interesse pela profecia. A turbulência da revolução criou um clima apocalíptico, levando muitos a acreditar que o fim estava próximo. A demolição do poder papal na França era de interesse especial para os estudiosos da Bíblia na Grã-Bretanha e na América, que acreditavam que o papado deveria ser destruído antes que o milênio chegasse".[6]

Provavelmente, por causa disso e, a partir desse contexto, muitos protestantes começaram a nutrir esperanças sionistas de um retorno dos judeus para a Palestina.[7] De igual modo, sociedades bíblicas começaram a ser organizadas, produzindo novas traduções e espalhando cópias da Bíblia para todas as partes do mundo não europeu.

Meses após a prisão de Pio VI, as tropas francesas invadiram o Estado Papal estabelecendo a República Romana no lugar do antigo Estado do Vaticano. O catolicismo teria de esperar até 1929 para recuperar parte das terras que foram expropriadas pela França.

---

[4] Tompaul Wheeler. **Bible Readings**: straight answers from God's word. Hagerstown, DC: Review and Herald, 2008, p. 182.
[5] John Adolphus. **History of France from 1790-1801.** Londres: George Kearsley, 1803, v. 2, p. 397; David Hempton. **Religion and Political Culture in Britain and Ireland.** Cambridge: Cambridge University Press, 1996, p. 98; George Bell. "Downfall of Antichrist" in The Evangelical Magazine, v. 4 (1796), p. 56; Froom Le Roy. The Prophetic Faith of Our Fathers. Washington, DC: Review and Herald, 1946, v. 2, p. 591-596; v. 3, p. 716; E. B. Elliot. **Horæ Apocalypticæ**: a commentary on the Apocalypse, critical and historical; including also an examination of the chief prophecies of Daniel. 5ª ed. Londres: Seeley, Jackson, and Halliday, 1862, v. 3. p. 226-240, 244.
[6] Richard Kyle. **The Last Days Are Here Again**: a history of the end times. Grand Rapids, MI: Baker Books, 1998, p. 87.
[7] Robert O. Smith. **More Desired than Our Own Salvation**: the roots of Christian Zionism. Oxford: Oxford University Press, 2013), p. 236; Nahum Sokolow. **History of Zionism**: 1600--1918. Londres: Longmans, Green and Co., 1919, v. 1, p. 80-90.

Concomitantemente a esses eventos, Napoleão levou a cabo uma campanha militar pelos territórios otomanos, que iam desde o Egito até a Síria. Seu objetivo era interceptar e enfraquecer tropas inglesas que seguiam para reforçar o domínio da Índia, sua principal colônia.[8]

Em seus discursos oficiais, Napoleão dizia que sua intenção era defender os interesses comerciais da França, inaugurar o conhecimento científico da região e unir-se ao sultão indiano para garantir a liberdade da Índia. Muitos, é claro, duvidam das boas intenções napoleônicas. Sabedor de que a base da economia inglesa estava nas colônias, das quais a Índia era a mais proeminente, Napoleão queria enfraquecer o seu maior inimigo bloqueando o caminho inglês até o celeiro de especiarias. Se lograsse êxito, não só derrotaria os ingleses como se tornaria o principal cliente dos indianos, rendendo muitos dividendos para o tesouro francês.[9]

Foi com esse intuito que, em 19 de maio de 1798, Napoleão partiu de Toulon com cerca de 300 navios e 35 mil soldados.[10] Seu primeiro enfrentamento se deu em 12 de junho com a conquista da ilha de Malta. Somente depois é que desembarcariam no Egito em 1º de julho.[11]

Aportando em Alexandria, o exército foi se deslocando até chegar ao Cairo, onde houve o confronto com a cavalaria dos mamelucos, conhecido como a "Batalha das Pirâmides". Foi nesse combate que Napoleão, visando motivar seus soldados, teria supostamente dito: "Vede, soldados, o topo dessas pirâmides! Daqui, desses monumentos, quarenta séculos de história vos contemplam".[12] O problema com a historicidade dessa frase – segundo alguns pronunciada do topo de um dos monumentos – é que a dita batalha ocorreu a cerca de 25 quilômetros de Gizé. Seria impossível para qualquer membro da tropa ver uma pirâmide nesse contexto.

---

[8] Nina Burleigh. **Mirage:** Napoleon's scientists and unveiling of Egypt. Nova Iorque, NY: Harper Collins, 2007, p. 11-13.

[9] Juan Cole. **Napoleon's Egypt:** invading the middle east. Nova Iorque, NY: Palgrave Macmillan, 2007, p. 13.

[10] Os números variam de uma fonte para outra, cf. Robert K. Peterson. "The Napoleonic Campaigns and Historical Perception" in https://www.montana.edu/historybug/napoleon/plague-syria.html acessado em 18/10/2021; veja também Cole. **Napoleon's Egypt**, p. 1ss.

[11] Cole, p. 20.

[12] *Ibid.*, p. 63.

Como se não bastasse o lado folclórico dessa história, a Batalha das Pirâmides parece ter sido o único movimento bem-sucedido de Napoleão no Egito. Aproximadamente um mês após vencerem os mamelucos a caminho do Cairo, os franceses tiveram sua frota completamente destruída pelas esquadras inglesas que as atacaram enquanto o exército estava em solo. Assim terminou o intento napoleônico de conquistar a região.

Sua estratégia foi um fracasso do ponto de vista militar e Napoleão só não saiu mais derrotado, quando deixou o Egito em outubro de 1799, por causa do saldo positivo que sua campanha gerou para o mundo das artes. É que junto a seus soldados ele levara consigo um batalhão especial de mais de 160 estudiosos, incluindo: artistas, botânicos, cientistas e historiadores que tinham a incumbência de mapear e descrever o território egípcio tanto para fins acadêmicos quanto militares. Esse grupo, oficialmente conhecido como a *Comissão das Ciências e das Artes do Egito*, acabou fornecendo maior contribuição para a história do que as forças de combate francesas. Suas anotações e desenhos foram compilados e se transformaram numa enciclopédia de 24 volumes intitulada *Déscription de l'Egypte ou Recueil des observations et des recherches qui ont été faites en Egypte pendant l'expédition de l'armée française* (Descrição do Egito ou coleção de observações e pesquisas realizadas no Egito durante a expedição do exército francês). Ela demorou vinte anos para ficar pronta, tendo seu primeiro volume publicado em 1809 e o último em 1829.

Um grande ganho para a cultura da humanidade, essa obra serviu de "mola propulsora" para toda a arqueologia moderna e deu origem ao campo da *Egiptologia*, que tornou conhecido a todo território europeu a história dessa antiga e importante civilização que governou grande parte do mundo antigo e exerceu grande influência sobre muitos povos e em especial sobre o povo da Bíblia. Inúmeros objetos encontrados pelos soldados foram catalogados e enviados para a França, alimentando exposições como a do Museu do Louvre. Se deveriam hoje permanecer na França ou voltar para o Egito, esse é um longo debate e tal polêmica está fora de nossa temática. Um desses achados, porém, provavelmente o mais importante de todos, acabou indo parar nas mãos dos inimigos da França. Estamos falando da Pedra de Roseta.

Quando os mortos falam

A antiga língua dos faraós tem sido atestada desde meados do 4º milênio a.C., o que sem dúvida a coloca como uma das escritas mais antigas da humanidade ao lado do cuneiforme, inventado pelos sumérios. Evoluindo em diferentes fases, que vão do egípcio antigo ao copta da era cristã, seus traços fonéticos quase desapareceram por volta do século XVII e a leitura dos hieróglifos muito antes disso.[13]

Viajantes gregos e romanos nunca esconderam o profundo fascínio pelos monumentos que viam ao visitarem o Egito. Assim foi com Heródoto, Diodoro, Estrabão, Plínio, o velho, entre outros.[14] Todos ficaram profundamente comovidos com a sabedoria evidente do lugar, vista na grandeza de seus monumentos. Eles também se impressionaram com a misteriosa escrita repleta de desenhos bem representados e que podiam conter segredos misteriosos e verdades profundas. Contudo, apesar desse interesse, não se sabe de qualquer autor grego ou romano que pudesse ler os hieróglifos.[15]

---

[13] Apenas a Igreja Copta ainda mantém algo do antigo idioma na liturgia de seus serviços religiosos. Contudo, alguns autores acreditam que a língua copta pode ter sobrevivido de modo fragmentado em alguns bolsões isolados do Alto Egito até o século 19. James Edward Quibell. "When did Coptic become extinct?" in **Zeitschrift für ägyptische Sprache und Altertumskunde**, 39 (1901), p. 87. No vilarejo de Pi-Solsel (Az-Zayniyyah ou El Zenya ao norte de Luxor), falantes passivos foram registrados até a década de 1930, e vestígios do vernáculo copta tradicional existem em outros lugares como Abidos e Dendera. Mas são registros esparsos que não desmentem a certeza de que o idioma deixou de ser falado no século 17.

[14] Cf. Heródoto. **An Account of Egypt**. Los Angeles, CA: Enhanced Media Publishing, 2016; Diodoro. **The Historical Library of Diodorus, the Sicilian**: in fifteen books. To which are added the fragments ff Diodorus, and those published by H. Valesius, I. Rhodomannus, and F. Ursinu. Memphis, TN: General Books, 2012, v. 1; Estrabão. **Geography**: book XVII in http://www.perseus.tufts.edu/hopper/text?doc=Strab.+17.1&fromdoc=Perseus%3Atext%3A1999.01.0239 acessado em 18/10/2021; Plínio, o Velho. **Natural History**: book XXVII (caps. 16-18), in http://www.perseus.tufts.edu/hopper/text?doc=Perseus%3Atext%3A1999.02.0137%3Abook%3D36%3Achapter%3D16 acessado em 18/10/2021. Além desses, Ptolomeu, em seu tratado geográfico, também descreveu sobre o Egito e Plutarco estudou sua mitologia.

[15] Horapolo, um tipo de mago egípcio, tentou decifrar os hieróglifos. Sua obra é uma antologia de quase duzentos hieróglifos datada do século 5. Sua abordagem, no entanto, é um tanto alegórica, afirmando que os hieróglifos foram usados pelos escribas faraônicos na descrição de aspectos naturais e morais do mundo. A Egiptologia moderna considera o livro confuso, repleto

Antigos hieróglifos escritos numa parede.

A evidência sugere que, para muitos, aquelas inscrições constituíam uma forma simbólica ou alegórica de representar conceitos que jamais poderiam ser decifrados.[16]

Talvez isso explique a origem da palavra "hieróglifo". Um termo de origem grega que significa "escrita entalhada". Hieróglifo, portanto, quer dizer um entalhe sagrado em forma de escrita. Foi assim que Plutarco se referiu àquelas inscrições[17] e acredita-se que a razão pela qual os gregos lhes deram esse nome seria pelo fato de serem consideradas uma escrita sagrada, utilizada apenas por sacerdotes, membros da realeza e escribas que tinham o poder de interpretar seus símbolos e reproduzi-los.[18]

Em português costuma-se escrever hieróglifo e hieroglifo, ou seja, com ou sem acento, o que não deve ser motivo de preocupação para ninguém, pois ambas as grafias são consideradas corretas pelos gramáticos. São variantes prosódicas nas quais a sílaba tônica pode ser tanto a antepenúltima (RÓ, com acento) quanto a penúltima (GLI, sem acento). O que não se

---

de simbolismos barrocos e especulações teológicas. Cf. Umberto Eco. **The Search for the Perfect Language**. Cambridge, MA: Blackwell Pub. Ltd., 1995, p. 145-158; ver também Horapolo. **The Hieroglyphics of Horapollo.** Princeton, NJ: Princeton Uni. Press, 1993.

[16] Keith Schoville. "The Rosetta Stone in Historical Perspective" in **Journal of the Adventist Theological Society**, v. 12, Iss. 1, art. 1 (2001), p. 4-5. Disponível em: https://www.andrews.edu/library/car/cardigital/Periodicals/Journal_of_the_Adventist_Theological_Society/2001/2001_01.pdf. Acesso em 14/07/2021.

[17] Plutarco. **Moralia**. Cambridge, MA: Harvard University Press, 1936, v. 5, Isis and Osiris § 10.

[18] Eco. **The Search for the Perfect Language**, p. 148.

pode confundir é hieroglifo com hieroglífico, pois o primeiro é um substantivo e o segundo um adjetivo, de modo que o primeiro se refere ao nome da escrita e o segundo ao modo de reproduzi-la.

Seja como for, os hieróglifos eram expressos em símbolos e desenhos, que podiam representar ideias, conceitos, objetos, animais e até emoções ou sentimentos. Num capítulo mais adiante, você terá algumas noções de como foram decifrados e de como eram escritos. Por enquanto, é importante compreender que aqueles textos desenhados em paredes, pedras, tábuas de madeira e papiro eram a descrição de mundo feita pelos antigos habitantes do Egito cuja voz silenciou-se na história. A esperança, pois, dos exploradores seria a de que alguém conseguisse quebrar o código e decifrar esses antigos desenhos permitindo que os mortos voltassem a falar.

E fique tranquilo, não há nenhum misticismo nisso. Não se trata de ver e ouvir fantasmas, muito menos do retorno de uma múmia que fora amaldiçoada. Aquelas inscrições eram como um "áudio" de milênios esperando algum aplicativo decodificador que pudesse reproduzir seu som e revelar seu conteúdo. E é aí que entram em cena Champollion e a Pedra de Roseta.

"Antes de Champollion", escreveu o historiador John Ray, "as vozes antigas do mundo antigo que podiam ser ouvidas eram da Grécia, de Roma e da Bíblia... Agora, os egípcios estavam começando a falar com sua própria voz".[19]

Começando pelo achado, ele ocorreu de maneira bastante incidental. Enquanto os soldados de Napoleão trabalhavam sob um escaldante calor para fortalecer as defesas, uma parede derrubada deixou em descoberto uma pedra preta – na verdade um granodiorito, que é uma rocha ígnea escura semelhante ao granito. A pedra estava quebrada e certamente foi reutilizada no passado para servir como alicerce para a parede que os soldados haviam derrubado. Não há notícias de que os outros pedaços tenham sido encontrados, mas o fragmento descoberto media 112,3 cm de altura em seu ponto mais alto, 75,7 cm de largura e 28,4 cm de espessura, pesando apro-

---

[19] John Ray. *The Rosetta Stone and the Rebirth of Ancient Egypt*. Cambridge, MA: Harvard University Press, 2007, p. 98.

Pedra de Roseta hoje em exposição permanente no Museu Britânico de Londres.

ximadamente 762 quilos.[20] Isso ocorreu nas proximidades da cidade de Rachid, que fica na região do Delta do Nilo, chamada pelos franceses de Roseta. Por isso o achado ficou conhecido pelo nome Pedra de Roseta.

Não era algo incomum para os soldados tropeçar em relíquias egípcias. O solo estava repleto delas. A novidade, nesse caso, é que ali estava um texto antigo escrito em hieróglifos, com sua respectiva tradução em outros dois idiomas, entre eles o grego antigo; o que poderia ser a chave para a decifração que muitos estavam esperando. Quem percebeu isso foi o engenheiro Pierre-François Bouchard que acompanhava as tropas e imediatamente interrompeu o trabalho de demolição enviando uma mensagem aos seus superiores.

Assim que souberam, os especialistas correram para o local do achado e confirmaram que aquele artefato trazia uma inscrição grafada em três diferentes escritas, que juntas perfaziam dois idiomas. O grego, que estava na base, e o egípcio, escrito nas formas hieroglífica e demótica (uma forma cursiva dos hieróglifos). Até Napoleão ficou entusiasmado com o potencial da descoberta. Então, ele disse perante o Instituto Nacional de Paris: "Não

---

[20] Richard Parkinson. **Cracking Codes**: the Rosetta stone and decipherment. Berkeley, LA: University of California Press, 1999, p. 19.

parece haver dúvida de que a coluna com os hieróglifos contém a mesma inscrição que as outras duas... Assim, aqui está um meio de adquirir certas informações desta, até agora, linguagem ininteligível".²¹

Um dos presentes que sabia ler grego automaticamente conseguiu decifrar a última parte da escrita. Mas havia partes faltantes que nunca foram encontradas. Então Bouchard e outros oficiais embalaram a pedra e enviaram-na para o Cairo. A notícia da descoberta só chegou à França em setembro daquele ano. Foi depois disso que Napoleão discursou no Instituto Nacional.

Mal sabiam os militares que o que haviam retirado do solo desencadearia uma das maiores odisseias intelectuais da história. Aquela inscrição tripla, podia oferecer aos estudiosos a chance de decifrar os símbolos antigos de uma vez por todas – revelando detalhes desse notável período da história que eram até então desconhecidos. No entanto, seriam necessárias décadas até que o trabalho de dois estudiosos brilhantes permitisse decifrar todo o conteúdo.

Afinal de contas, o que eles sabiam graças à parte escrita em grego era que ali estava uma inscrição comemorativa e um decreto dos sacerdotes de Mênfis elogiando Ptolomeu V, que governou o Egito em seu período helenístico do século II a.C. Mas as partes em egípcio, especialmente aquela contendo os hieróglifos continuavam confundindo a cabeça dos especialistas. No entanto, a Pedra de Roseta forneceu aos estudiosos pelo menos duas coisas principais: 1) a prova de que os hieróglifos eram de fato a escrita do egípcio antigo, e 2) uma inscrição bilíngue, em que um dos idiomas já era bem conhecido.²²

Perseverança que compensa

Logo após sua descoberta, a Pedra de Roseta já havia se tornado objeto de disputa entre a França e a Inglaterra, que tinha triunfado com a derrota das

---

21 *Apud* Andrew Robinson. "The Meaning of Egyptian Hieroglyphs" in **BBC Focus Science and Technology**, UK, n. 257 (verão 2013), p. 91.
22 Parkinson. **Cracking Codes**, p. 31.

tropas napoleônicas no Egito. As manobras militares haviam atrasado os preparativos para levá-la a Paris, de modo que a Pedra continuou por um bom tempo no Cairo.

Finalmente em 1801, tropas britânicas aliadas aos otomanos expulsaram as últimas milícias francesas que ainda estavam em Alexandria e, deste modo, a Pedra de Roseta foi parar nas mãos dos britânicos, como espólio de guerra. Para não cair em posse do império otomano, os ingleses não perderam tempo e a transportaram para Londres, em fevereiro de 1802, ironicamente a bordo de uma fragata francesa que havia sido capturada.

Chegando ao porto de Portsmouth, o artefato foi logo recebido pelo representante do Rei Jorge III e, depois de uma breve estadia num salão da Sociedade de Antiquários de Londres, seguiu para o Museu Britânico onde está exposto até os dias de hoje.[23]

Mas a revanche dos franceses ainda estaria porvir. E não por uma desforra de guerra, mas de descoberta acadêmica. E quem haveria de dar um xeque-mate no assunto seria um jovem francês chamado François Champollion de apenas 18 anos.

Várias cópias foram feitas da pedra e enviadas a várias instituições e universidades para tradução do grego e para decifração das outras duas escritas. Champollion teve contato com uma cópia da inscrição no ano de 1808. E em poucos dias, com base na inscrição de um papiro, ele conseguiu estabelecer o valor de cada um dos caracteres de uma linha inteira. Apesar da rapidez de sua descoberta, aquele não foi um trabalho fácil. Lutando com a falta de recursos e o risco de ser convocado para a guerra, Champollion recebeu a pior notícia que poderia: outra pessoa já havia decifrado os hieróglifos.

Para alívio de Champollion, aquela era uma notícia falsa. O que havia acontecido é que um erudito chamado Alexandre Lenoir, conhecido de Champollion, tinha publicado uma tentativa de decodificação muito primária dos hieróglifos.[24] Sua obra revelava-se especulativa, sem capricho e

---

[23] *Ibid.*, p. 22-23.
[24] Jed Z. Buchwald; Diane G. Josefowicz. **The Riddle of Rosetta**: how an English polymath and a French polyglot discovered the meaning of Egyptian hieroglyphs. Princeton: Princeton University Press, 2020, p. 175.

incompleta. Lê-la só fez com que Champollion aumentasse ainda mais seu desejo de traduzir a pedra.

A conquista de Champollion, no entanto, não surgiu do nada. Grande parte de sua pesquisa foi construída sobre desenvolvimentos e trabalhos anteriores ao seu. Em paralelo aos esforços de Champollion, outros estudiosos já haviam tentado desvendar a escrita egípcia, como Jean-Jacques Barthélemy, o qual propôs que o conteúdo dos cartuchos eram nomes próprios; Johann Åkerblad, que trabalhou sobre o texto demótico e identificou alguns de seus fonemas; e Silvestre de Sacy, o qual sugeriu que nomes estrangeiros seriam escritos com sinais fonéticos. Alguns, é claro, desmotivavam o esforço por considerarem a escrita apenas um simbolismo ideogrâmico dos faraós sem significado gramatical.[25]

Bem antes de Champollion, em 1814, houve alguém que chegou muito perto de decifrar o idioma perdido, o médico, físico e fisiologista inglês Thomas Young (1773-1829). Suas ideias apareceram pela primeira vez de modo anônimo num artigo intitulado "Egito" publicado em 1819 na *Encyclopaedia Britannica*.[26] Ali, Young delineou as primeiras etapas cruciais na decifração dos hieróglifos e da escrita demótica.

Seguindo o conselho de Sacy, Young buscou os nomes que estavam dentro de um contorno alongado e arrematado por um traço a que os franceses deram o nome de *cartouche*, "cartucho" em português. Foram os soldados que apelidaram assim aqueles traços por lembrarem os cartuchos de suas armas. O nome pegou e Young logo percebeu que dentro dos cartuchos estariam nomes próprios de soberanos do Antigo Egito que teriam sido transliterados do grego.[27]

Então, olhando a tradução grega, Young notou que pelo menos seis cartuchos continham o nome de Ptolomeu, governante grego do Egito na época. Assim, dentro dos cartuchos, ele descobriu os caracteres fonéticos *p-t--u-l-m-y-s*, usados para escrever o nome grego *Ptolemaios*. Além disso, cons-

---

[25] *Ibid.*, p. 362.
[26] *Ibid.*, p. 226-27.
[27] Andrew Robinson. **Lost languages**: the enigma of the world's undeciphered scripts. Londres: Thames & Hudson, 2009, p. 61.

tatou a semelhança entre diversos sinais e a inscrição demótica, algo bastante significativo, já que muitos consideravam as duas escritas totalmente diferentes. Esse foi o primeiro indicativo de que as duas escritas eram relacionadas entre si, o demótico parecia ser uma imitação dos hieróglifos misturados com letras de um desconhecido alfabeto. Sendo assim, eles tinham valores simbólicos e fonéticos decifráveis. Depois disso, ele sugeriu alguns prováveis valores fonéticos para 13 símbolos e a tradução de 218 palavras demóticas e 200 hieroglíficas, incluindo nomes próprios, objetos, números e um suposto alfabeto demótico.[28]

Young havia chegado muito perto, mas sendo ainda jovem, abandonou o projeto indo se dedicar a outras coisas. Talvez por isso, foi rapidamente ultrapassado por Jean-François Champollion (1790-1832), que, apenas três anos depois, em 1822, anunciou haver finalmente decodificado o antigo idioma egípcio.

Além da pedra, Champollion utilizou cópias de inscrições hieroglíficas e gregas do obelisco de Filas em 1822, nas quais William John Bankes havia anotado os nomes *Ptolemaios* e *Kleopatra* nos dois idiomas.[29] Com base nesses achados, Champollion identificou outros caracteres fonéticos a partir do nome de Cleópatra – *k-l-i-u-p-a-d-r-a-t*. Juntando essa informação aos sinais dos nomes estrangeiros na Pedra de Roseta, ele rapidamente construiu um alfabeto de caracteres hieroglíficos fonéticos, completando seu trabalho em 14 de setembro e anunciando-o publicamente em 27 de setembro em uma palestra realizada na sociedade científica francesa de humanidades, a *Académie Royale des Inscriptions et Belles-Lettres* (Academia Real de Inscrições e Belas Letras). No mesmo dia, escreveu uma carta a Bon-Joseph Dacier, secretário da Academia, conhecida como *"Lettre à M. Dacier"* (carta ao sr. Dacier), na qual apresentou detalhes de sua descoberta.[30]

A grande contribuição de Champollion foi perceber que os diferentes tipos de sinais eram uma mistura de fonogramas e ideogramas que se har-

---

[28] *Ibid.*, p. 61-64.
[29] Parkinson. **Cracking Codes**, p. 32.
[30] Buchwald; Josefowicz. **The Riddle of Rosetta**, p. 372.

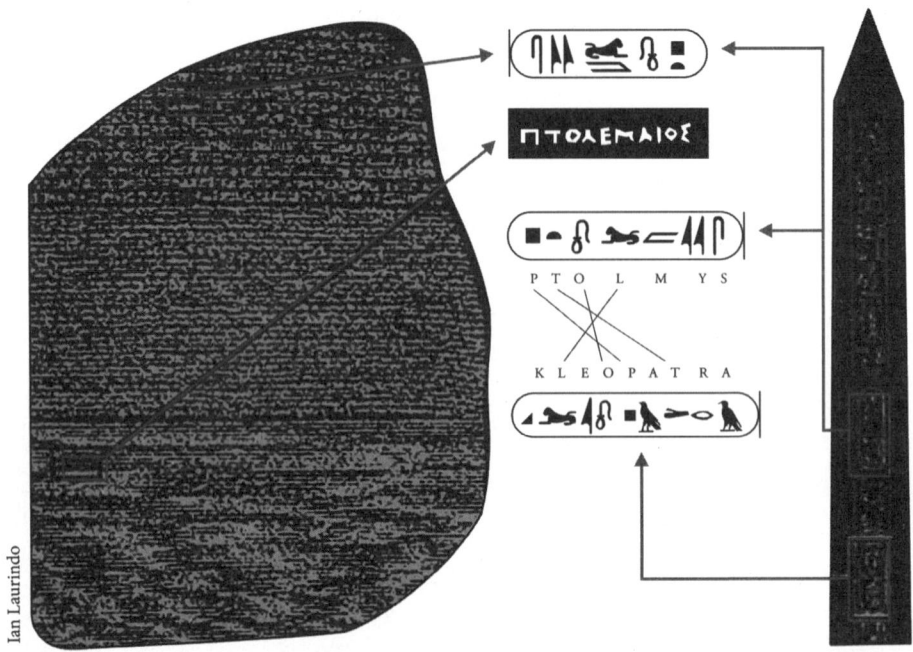

Comparação entre os nomes contidos nos cartuchos da Pedra de Roseta com os do Obelisco de Filas e a sua equivalência em grego. Método inicial usado por Champollion para decifração dos hieróglifos.

monizavam e complementavam entre si para a formação das palavras (veja com mais detalhes no capítulo 6). Ou seja, por meio de um cálculo simples sobre o número de palavras contidas no texto grego e o número total de hieróglifos, Champollion percebeu que os hieróglifos não poderiam ser exclusivamente ideográficos, mas sim uma combinação entre sinais representando sons e outros, ideias, em vez de ser uma coisa ou outra, conforme muitas vezes sugerido no passado por estudiosos que o antecederam no estudo dos hieróglifos.

Young era inglês e Champollion, como já dissemos, francês. Nenhum queria que o país do outro ganhasse nessa corrida hieroglífica. Numa resposta dada um ano após o anúncio oficial de Champollion, Young enfatizou que muitas de suas descobertas foram publicadas e enviadas a Paris em 1816, bem antes de Champollion. Embora Young houvesse, de fato, dado

Imagens de Champollion (à direita) e Young.

uma grande contribuição, encontrando corretamente o valor sonoro de alguns sinais, não foi capaz de deduzir as regras gramaticais do antigo idioma, nem de decifrar sua forma escrita. Isso, fora o fato de ter erroneamente acreditado que o demótico era inteiramente alfabético.

Dois anos mais tarde, em 1824, Champollion publicou sua obra-prima, cujo título era quase maior que a capa do livro: *Précis du système hiéroglyphique des anciens Égyptiens, ou Recherches sur les éléments premiers de cette écriture sacrée, sur leurs diverses combinaisons, et sur les rapports de ce système avec les autres méthodes graphiques égyptiennes* [Detalhes do sistema hieroglífico dos antigos egípcios, ou pesquisa sobre os elementos primários dessa escrita sagrada, em suas várias combinações e na relação desse sistema com outros métodos gráficos egípcios], por sr. Champollion, o jovem (curiosa forma de se apresentar, não?!). Seja como for, o lançamento dessa obra confirmou a criação de uma nova disciplina chamada *Egiptologia*.

Mais tarde, as descobertas de outros textos bilíngues provaram que muitas das teorias de Champollion são verdadeiras e ainda hoje formam a base

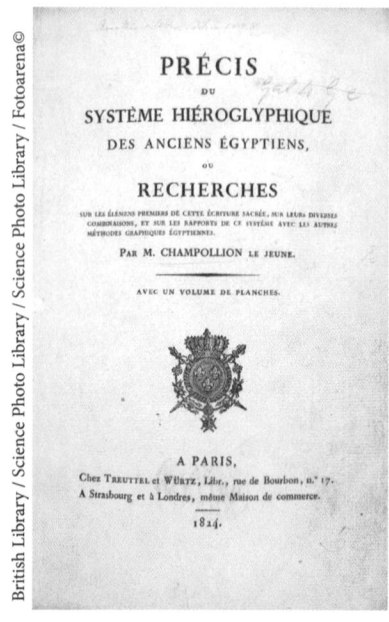

Capa do livro de Champollion publicado em 1824.

para diversos trabalhos de tradução. No entanto, as complexidades da escrita, seus muitos usos diferentes e sua evolução natural no correr do tempo dentro do Egito, fazem com que o estudo sobre esse idioma ainda não esteja acabado.

Além disso, as análises feitas pelos árabes no período medieval são com frequência desconsideradas na história da decifração dos hieróglifos, mas diversas fontes árabes, datadas do século VII d.C., lançam luz sobre as primeiras tentativas de interpretação da antiga língua egípcia. Isso incluiu a ideia de que os hieróglifos eram tanto fonéticos, isto é, cada símbolo representando um som, quanto simbólicos – muito semelhante ao *insight* de Champollion um milênio depois.[31]

Então chegou a arqueologia

Diferentemente do que alguns podem imaginar, os achados de Napoleão, o deciframento da Pedra de Roseta e as inúmeras incursões no Egito feitas por nomes como Belzoni, Banks, Salt e outros não constituem propriamente o início de uma escavação científica. Que foram grandes descobertas, não resta a menor dúvida, mas aquela arqueologia moderna, com o rigor metodológico que a caracteriza, teve de esperar até 1880 para ser inaugurada. O pioneiro desta vez seria o britânico William Matthew Flinders Petrie.

Petrie tinha então 26 anos quando chegou pela primeira vez ao Egito para inspecionar a Grande Pirâmide de Gizé e desenvolver outros trabalhos de campo em Abidos, Tanis e Amarna. Apaixonado pelo que fazia,

---

[31] Okasha El-Daly. **Egyptology**: the missing millennium, ancient Egypt in medieval Arabic writing. Londres: UCL Press, 2005, p. 65.

dedicou os próximos cinquenta anos em escavações no Egito até se voltar para a arqueologia da Palestina em 1920.

A multiplicidade de lugares onde escavou e a velocidade com que avançava no território é, até hoje, motivo de admiração no mundo da arqueologia. Ele via seu ofício de arqueólogo como uma missão de vida, cujo objetivo era coletar o maior número de informações que pudesse antes que a modernidade e o crescimento dos grandes centros urbanos tornassem impossível o resgate de nosso passado.

Uma de suas grandes contribuições foi a criação de uma linha cronológica da cerâmica local, que permite unir os diferentes estilos de artefatos a períodos definidos da história antiga. Esse método, hoje chamado de *datação sequencial* ou *seriação*, ainda é utilizado na arqueologia do Oriente Médio e ajuda na datação tanto dos estratos quanto dos sítios escavados. Ou seja, a cerâmica encontrada no sítio ajuda a dizer se aquele edifício é do período X ou Y.[32]

Fortemente recomendado por outros eruditos, Petrie tornou-se pesquisador oficial do *Egypt Exploration Fund* em 1884 e primeiro professor de arqueologia e filologia da *University College* de Londres em 1892.[33] Mesmo lecionando confortavelmente em Londres, ele não parou de viajar para o Egito nos períodos de férias, levando consigo alunos que eram treinados nas mais diversas técnicas de escavação e restauro.

Como naquele tempo não havia os controles de antiguidades que existem atualmente, Petrie acabou montando uma coleção particular de artefatos que hoje está exposta no *Petrie Museum of Egyptian Archaeology*, em Londres. Petrie morreu em Jerusalém no ano de 1942 e foi sepultado no cemitério protestante do Monte Sião.

Assim, nomes como Champollion, Young, Petrie, e tantos outros, de uma forma ou de outra, pouco a pouco contribuíram com suas descobertas e criatividade para o desenvolvimento e o estabelecimento da arqueologia, bem

---

[32] Brian M. Fagan; Nadia Durrani. **A brief history of archaeology**: classical times to twenty-first century. Nova Iorque, NY: Routledge, 2016, p. 100.
[33] Idem.

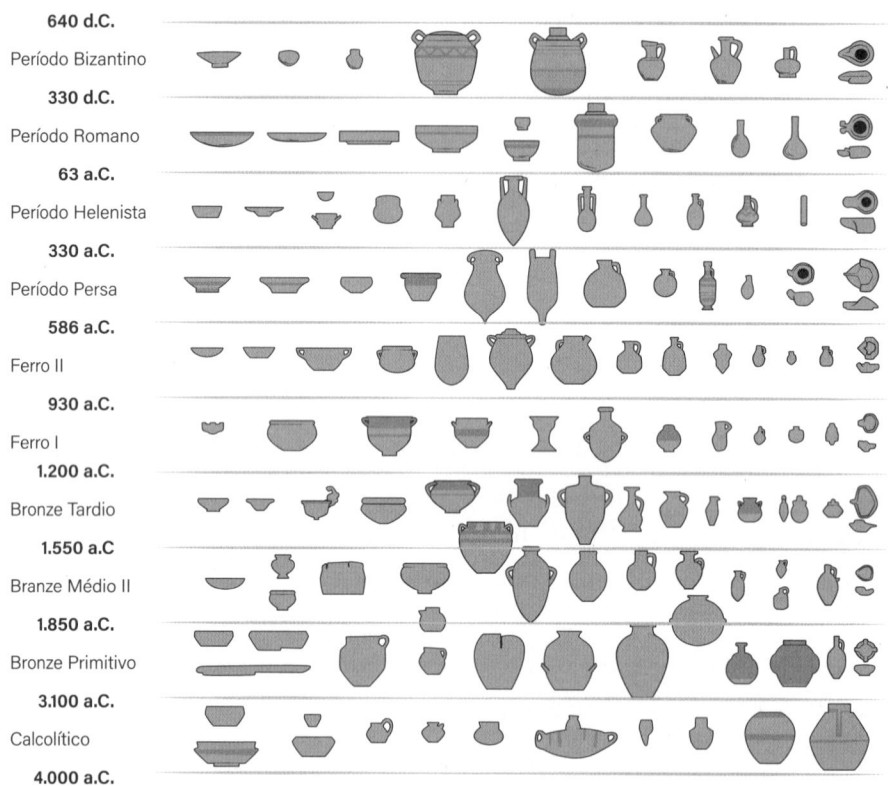

Modelo de seriação demonstrando tipos de cerâmicas características de diferentes períodos arqueológicos – do Calcolítico ao período Bizantino.

como da egiptologia, que não apenas revelava sobre o até então misterioso povo egípcio, mas também tem fornecido informações valiosas, ainda hoje, para a compreensão de determinadas situações, contextos, palavras e outras informações contidas no texto bíblico.

2

O despertar de um Grande Império

Como tudo começou

Erguendo-se firme e bem preservada em pleno deserto a oeste do Rio Nilo, a grandeza misteriosa das pirâmides egípcias fascina e intriga a humanidade há milhares de anos. Saqueada por bandidos, investigada por exploradores e simbolizada nas mais diferentes culturas, inclusive do mundo ocidental, a obra arquitetônica dos faraós resistiu a muitas investidas, e ainda se pode ver uma parte de sua grandiosidade, embora admita-se que o que restou hoje sejam menos de 10% de tudo que construíram.

Na região existiu, de fato, uma das maiores civilizações do mundo antigo, mas como começou o Antigo Egito? Quem foram seus primeiros habitantes? Por que resolveram morar às margens do rio Nilo? O curioso é que, se você observar o território do Egito, verá que ele é quase 90% um imenso deserto serpenteado pelo Delta e o leito do Nilo. A Bíblia refere-se a essa região como sendo a terra de Cam (1 Cr 4:40; Sl 78:51; 105:23, 27; 106:22).[1]

---

[1] O nome hebraico para o Egito é *mitsraim* que segundo Gênesis 10:6, é o nome de um dos filhos de Cam, o qual teve por irmãos Cuxe, Pute e Canaã; essas famílias juntas formavam o ramo camita dos descendentes de Noé.

Vários nomes já foram usados para fazer referência ao Egito. Porém, um dos mais antigos e conhecidos é *Kemet*, cujo significado é "terra negra" – algo que os estudiosos geralmente acreditam ser uma referência ao solo fértil do lodo negro deixado pelo Nilo após sua inundação.[2] Esse nome contrasta fortemente com o lado ocidental da região, cuja aridez e o cultivo são impossíveis por causa das areias vermelhas do deserto, local chamado pelos egípcios de *deshret* ("terra vermelha").[3]

Assim, nos séculos finais do 5º milênio, graças às mudanças geográficas sofridas naquele território, como a desertificação do norte da África, as populações nômades e seminômades foram pouco a pouco sendo atraídas para as margens do Nilo essencialmente por dois fatores principais: a inesgotável e abundante fonte de água para mantimento e sobrevivência, e a fertilidade natural da terra fornecida pelo húmus do Nilo. Mais tarde, a região do Nilo começou a presenciar a chegada de imigrantes vindos principalmente da Líbia (oeste), da Etiópia (sudeste) e do Oriente Médio. Não é possível estimar o número de pessoas que povoaram os momentos iniciais da história do Egito, mas esses foram historicamente significativos e contribuíram em grande medida para seu crescimento demográfico. Essas populações estabeleceram pequenas aldeias agrícolas, que mais tarde se tornaram cidades-estados chamadas *sepat* – ou seja, o equivalente a um distrito ou nomos – administradas por um líder local ou nomarca – o protótipo do que viria a ser mais tarde a realeza egípcia.[4] Em sua maioria, essas pessoas estavam envolvidas com trabalhos agrícolas, mas visto que o cultivo não era um empreendimento fácil, tanto por causa da região desértica desfavorável quanto pela dependência da sazonalidade do Nilo, com o passar dos anos, os nomos acabaram se unificando formando assim dois reinos separados: o Alto Egito (no sul) e o Baixo Egito (no Norte).

---

[2] Rosalie David. **Pyramid builders of Ancient Egypt:** a modern investigation of pharaoh's workforce. Nova Iorque: Routledge, 2003, p. 18.

[3] Curiosamente, é possível que nossa palavra para deserto tem sua origem do termo egípcio *deshret*. Cf., Charles K. Maisels. **Early civilizations of the old world:** the formative histories of Egypt, the Levant, Mesopotamia, India and China. Nova Iorque: Routledge, 2005, p. 34.

[4] Ian Shaw; Paul Nicholson. "nome" in **The British Museum dictionary of Ancient Egypt.** Cairo: British Museum Pub., 2002, p. 204.

| Capítulo 2 | O DESPERTAR DE UM GRANDE IMPÉRIO | 39 |

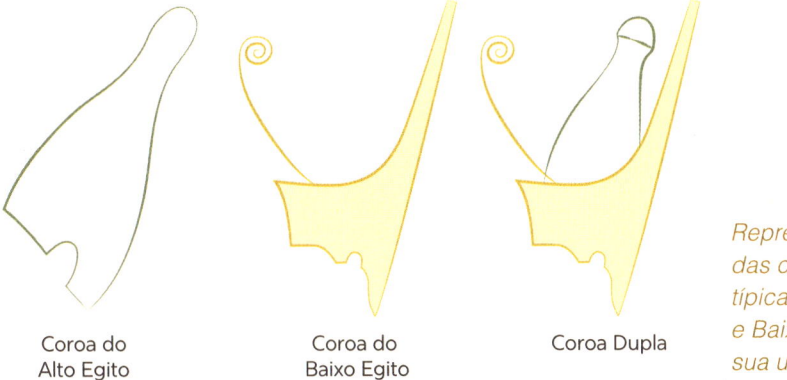

Coroa do Alto Egito   Coroa do Baixo Egito   Coroa Dupla

Representação das coroas típicas do Alto e Baixo Egito e sua unificação.

Como e quando essas duas partes foram unidas criando um reino unificado é uma questão de debate entre arqueólogos e historiadores. No entanto, resumidamente, crê-se que após a unificação dessas cidades-estados, mais tarde houve a união dos dois Egitos.[5] A partir disso, os faraós começaram a ser representados usando duas coroas – uma branca, em referência ao Alto Egito, e outra vermelha, representando o Baixo Egito.

A grande unificação, portanto, é atribuída a Menés, o qual teria reunido ambos os reinos por volta do ano 3.100 a.C., tornando-se o primeiro faraó, ou "o senhor das duas terras", conforme o título em muitas inscrições da época, inaugurando assim a primeira dinastia do Egito. Essa união garantiu a centralização política e administrativa de vários nomos, algo que facilitou a organização do trabalho da sociedade nas obras públicas, para manter o controle das águas e a construção de sistemas de irrigação do solo, garantindo a ampliação da agricultura e da pecuária e, consequentemente, levando ao crescimento das cidades. Com o Egito unificado, tais províncias passaram agora a ser unidades administrativas dentro de todo o território, e os antigos nomarcas tornaram-se subordinados ao faraó.

---

[5] À guisa de curiosidade, o nome hebraico para Egito – *Mitsraim*, sempre ocorre em uma forma plural chamada dual, o que indica elementos que aparecem em pares. Deste modo, acredita-se que o motivo dessa localidade ser expressa no dual deve-se ao fato do Egito ser formado por duas regiões que antes eram separadas: o Alto e Baixo Egito.

Assim, com o passar do tempo, toda essa civilização habitando ao redor das margens do Nilo foi desenvolvendo-se e ocupando uma faixa de terra cuja largura de leste a oeste chegava em torno de 10 a 20 quilômetros e sua extensão quase mil quilômetros. Ela se tornou muito dependente do rio, tanto para a supervisão das atividades agrícolas e pecuárias, quanto para o transporte de produtos e a comunicação entre os diversos vilarejos e cidades. A navegação tornou-se uma atividade tão comum e necessária entre os muitos locais banhados pelo Nilo, que a construção de estradas foi pouco desenvolvida pelos egípcios.

A cronologia egípcia

Andar pelas areias do Deserto do Saara é um exercício que traz grande fascínio cultural e intelectual. Simplesmente não há como deixar de se emocionar ao saber que essa areia e essa terra, aparentemente sem vida, testemunharam dezenas de episódios fantásticos da história. É um dos lugares mais inóspitos do mundo, mas foi onde começou a história dos egípcios e onde inicia uma aventura para conhecer melhor esse fascinante povo do passado.

Uma das primeiras perguntas feitas ao contemplarmos um monumento antigo é quanto à sua idade. Há quanto tempo aquilo foi construído? Por quanto tempo está de pé? No caso do Egito, é quase sempre difícil ou, algumas vezes, impossível responder a essas questões no que diz respeito aos séculos anteriores ao cristianismo. A dificuldade reside no fato de que o conhecimento cronológico dessa antiga civilização, em se tratando das épocas mais remotas, é incompleto.

Foi o historiador e sacerdote egípcio Mâneto, o qual viveu no período ptolomaico do século III a.C., a escrever um antigo tratado de história e cronologia egípcia dividindo didaticamente os faraós em famílias ou dinastias. Essa obra forma a base do sistema moderno de datação do Antigo Egito. Seu texto foi originalmente redigido em grego e recebeu o nome de *Egiptiaca*, uma coleção de três volumes sobre a história do Antigo Egito, comissionada pelo rei Ptolomeu II em seu esforço de unificar as culturas egípcias e gregas. Para isso, Mâneto certamente teve acesso aos arquivos do templo onde oficiou como sacerdote, documentos esses que estão perdidos e não podem mais ser consultados. O próprio texto de Mâneto está desaparecido há séculos. O que temos dele são citações e sumários, compostos tempos depois de sua escrita. Mesmo assim, ninguém pode afirmar com certeza se os copistas não acabaram mutilando o texto original, já nas primeiras décadas após seu lançamento.

Mâneto dividiu a história humana em 30 dinastias (com uma adição posterior de uma 31ª). Essa divisão, ainda hoje, forma a estrutura universalmente aceita pelos especialistas de cronologia egípcia antiga, sendo adotada, inclusive, por Champollion ao organizar a sequência de nomes faraônicos descoberta enquanto ele fazia sua decifração dos hieróglifos. A obra original infelizmente acabou se perdendo, embora apresentasse erros e omissões consideráveis. No entanto, os fragmentos chegados até nós foram preservados em documentos cristãos e judaicos que sofreram corrupções e são bastante contraditórios. Mas, sua importância na preservação da tradição histórica egípcia é enorme, e sua influência tem sido geralmente positiva.[6]

Resumidamente, podemos dividir a história política do Egito em três grandes partes, chamadas de Impérios ou Reinos, os quais são igualmente intercalados por momentos de crise, chamados Períodos Intermediários sem fortes famílias no poder.

1. Antigo Império (c. 2575-2150 a.C.): período da edificação das grandes pirâmides (como as de Gizé, por exemplo), do aumento na produtividade agrícola, do desenvolvimento de grandes construções (como templos e palácios) e do conhecimento científico (matemática, medicina, astronomia etc.). Mesmo sendo um momento de grande prosperidade, a área territorial não foi alargada, exceto por uma campanha ao sul, a qual conquistou parte da Núbia, reino também localizado às margens do Nilo.

2. Médio Império (c. 1975-1640 a.C.): poder central estabelecido ao redor de 2100 a.C. Nesse período, há um aumento na produção agrícola, e a autoridade do estado é ampliada, além da construção de diversas novas obras de irrigação. Nesse meio-tempo, os hicsos, povo de origem semita, hábil no uso de cavalos e carros de guerra, conquistam e tomam posse do Egito por um período de noventa anos.

---

6 Shaw; Nicholson. "Manetho", p. 169.

3. Novo Império (c. 1539-1075 a.C.): momento mais significativo da história egípcia. O Egito anexou diversas terras estrangeiras ao seu controle, como a região de Canaã, Síria, Fenícia, incluindo algumas localidades pertencentes à Mesopotâmia. Esse controle sobre o corredor do Antigo Oriente Médio, que incluía Canaã e Síria, foi crucial para impedir invasões de povos semitas oriundos da Mesopotâmia, para dominar a principal rota comercial da região, e bem como para aumentar a entrada das riquezas egípcias por meio da cobrança de tributos sobre várias cidades da região em troca de proteção. O Novo Império foi seguido por um período chamado Novo Império Tardio, que durou até 343 a.C., momento do início dos avanços helênicos na região.

Durante esses períodos, o poder passou de uma dinastia para outra. Uma dinastia reinava até ser derrubada ou até não haver herdeiros para governar. Cada império termina com turbulências devido a insurreições de lutas internas ou por causa de invasões. É válido ressaltar que uma dinastia é formada por um grupo familiar poderoso, o qual mantém sua posição por vários anos. No Antigo Egito essas famílias muitas vezes governavam por um número considerável de anos. Tais dinastias ajudaram a manter o Egito unido, o que não foi tarefa fácil. Líderes enfrentaram períodos de caos, rivais ambiciosos, assim como estrangeiros que buscavam conquistar o território.

Tempo	Período	Eventos importantes
Pré-3100 a.C.	Pré-dinástico	▪ Estabelecimento das áreas ao redor do Nilo devido às mudanças climáticas e geográficas que originaram o deserto do Saara (c. 7500 a.C.) ▪ Início da construção de túmulos e rituais de sepultamento (c. 4000 a.C.) ▪ Desenvolvimento da escrita hieroglífica (3000 a.C.)
3200-3000 a.C.	Protodinástico	▪ Tinis assume o controle de cidades importantes do Alto e Baixo Egito, e se torna a cidade-capital das primeiras dinastias ▪ Nemés unifica o Egito

(*continua*)

O DESPERTAR DE UM GRANDE IMPÉRIO

Tempo	Período	Eventos importantes
3000-2500 a.C.	Dinástico inicial	- Dinastias 1 e 2 - A nova capital do Egito é construída em Mênfis
2575-2150 a.C.	Antigo Império	- Dinastias 3 a 6 - Construção da pirâmide de Djoser, feita em pedra e com degraus (c. 2600 a.C.) - Pirâmide Vermelha, primeira pirâmide de lados lisos - Construção das grandes pirâmides de Gizé (c. 2580 a.C.) - Início da arte de embalsamamento
2125-1975 a.C.	1ª período intermediário	- Dinastias 7 a 11 - A unificação do Egito se desfaz - Mudanças climáticas alteraram os ciclos de inundações do Nilo, provocando muitos anos de fome
1975-1640 a.C.	Médio Império	- Dinastias 12 a 13 - Mentuhotep II unifica o Egito novamente (c. 2055 a.C.) - Senusret III amplia o Egito com campanhas militares na Núbia (c. 1878 a.C.) - No fim do período começa a história dos patriarcas de Gênesis
1630-1520 a.C.	2ª período intermediário	- Dinastias 14 a 17 - Nova cisão no Egito durante a 14ª dinastia (com os hicsos governando no norte) - A 17ª dinastia tebana unifica o Egito e derrota os hicsos - Provavelmente nesse tempo ocorreu a história de José
1539-1075 a.C.	Novo Império	- Dinastias 18 a 20 - Hatshepsut governa como primeira mulher faraó - O faraó Aquenáton institui o monoteísmo no Egito e constrói uma nova capital (Akhetaten) - Reinado do famoso faraó menino Tutancâmon - Reinado de Ramessés II, que governou por 67 anos e teve inúmeros templos construídos - Êxodo e a libertação do povo de Israel
1075-715 a.C.	3º período intermediário	- Dinastias 21 a 25 - Novamente o Egito é dividido em duas regiões: Alto e Baixo Egito

(continua)

Tempo	Período	Eventos importantes
715-332 a.C.	Período Tardio	- Dinastias 26 a 31 - Os persas conquistam o Egito (525 a.C.) - Egito retoma a independência (404 a.C.)
332 a.C. - 395 d.C.	Greco-Romano	- Alexandre, o Grande invade o Egito - Governo ptolomaico mantém o estilo egípcio de governo (304-30 a.C.) - Romanos conquistam o Egito (30 a.C.) - Ascensão do cristianismo no Egito (300 d.C.)

Além dos textos de Mâneto, há algumas listas reais contendo o nome dos faraós encravados nas paredes de diferentes templos. As mais importantes são: a lista de Turim, a pedra de Palermo e a lista real de Abidos. O problema é que muitas delas estão incompletas e incluem apenas o nome dos reis, mas nenhuma data ou período de seu governo. As datas, portanto, vêm de outra fonte, e essas listas ajudam apenas a correlacionar a sequência dos nomes faraônicos. Alguns dos nomes não aparecem na listagem ou por terem sidos danificados, ou porque o documento foi quebrado, rasgado ou apagado, afinal são objetos de mais de três mil anos. Muitos nomes também foram omitidos por razões políticas da época, quando determinado faraó não queria, por exemplo, o nome de um rival antecessor na lista. Isso tudo dificulta um pouco a precisão dos dados em todos os termos cronológicos.

Cronologia egípcia tradicional simplificada

Antigo Império	Dinastias 1-6	2575-2150 a.C.
1º Período Intermediário	Dinastias 7-11	2125-1975 a.C.
Médio Império	Dinastias 12-13	1975-1640 a.C.
2º Período Intermediário	Dinastias 14-17	1630-1520 a.C.
Novo Império	Dinastias 18-20	1539-1075 a.C.
3º Período Intermediário	Dinastias 21-25	1075-715 a.C.
Período Tardio (Persa)	Dinastias 26-31	715-332 a.C.
Período Helênico		332-30 a.C.
Período Romano		30- a.C.

A cronologia pré-histórica e a Bíblia

O termo "pré-histórico" significa literalmente "antes da história", ou seja, todos os eventos que sabemos ocorridos antes da invenção da escrita. Em referência ao Egito, Pré-História é tudo aquilo que, de modo geral, abrange os anos anteriores a 3000 a.C., pois a escrita começou no Egito por volta dessa época. Mas o estudo da Pré-História é relativamente recente (séc. XVIII). Antes, as pessoas usavam a Bíblia como referência para tentar descobrir até onde foi a história humana.

No século XVII, o bispo James Usher, clérigo irlandês, usou a Bíblia para determinar uma linha do tempo do mundo antigo. A partir das gerações listadas em Gênesis, chegou à conclusão de que o mundo começou em 4004 a.C. Contudo, Usher não foi o único a calcular uma linha do tempo para a história por meio da Bíblia. O renomado cientista e matemático Isaac Newton também tentou elaborar a cronologia do Antigo Egito usando os mesmos parâmetros. Em seu livro sobre a cronologia sobre o assunto, Newton concluiu que os egípcios haviam traçado sua história muito além do ano de 4004 a.C. Então, concordou com seus contemporâneos: a pré-história não poderia ter passado dessa data.

Porém, em 1859, dois grandes eventos criaram as bases do estudo pré-histórico que conhecemos hoje e reorientaram a percepção de que a história havia começado em 4004 a.C. A descoberta arqueológica de ferramentas da Idade da Pedra, juntamente a ossos de animais extintos, levou os estudiosos a concluir que a história era mais antiga do que Usher propusera. O segundo evento foi a publicação do livro *A origem das espécies*, de Charles Darwin, o qual sugere que os seres humanos são produto de uma evolução, cujo processo levou milhares de anos. A partir disso, as pessoas começaram a pensar que o mundo era muito mais antigo do que o bispo Usher imaginava.

Por isso, ao tratarmos da cronologia do Egito, bem como de outros povos e sua história, falamos de 10 mil, 7 mil, 5 mil anos etc., períodos que são contraditórios às descrições cronológicas apresentadas pela Bíblia, conforme Usher e outros já haviam percebido. Isso, naturalmente, suscita questões como: teriam as pirâmides sido construídas antes do dilúvio? Como entender a cronologia da história egípcia com as conclusões temporais extraídas das Escrituras?

Bem, a princípio uma pirâmide tão antiga quanto a Pirâmide de Gizé não apresenta danos significativos causados pela água. Segundo a Bíblia, o dilúvio foi incrivelmente destrutivo, pois inundou por completo a superfície da terra. Isso alterou a geografia terrestre significativamente. Em segundo lugar, as pirâmides foram construídas sobre camadas de rochas contendo fósseis, que, da perspectiva bíblica, seriam oriundos do dilúvio nos dias de Noé. Ou seja, o dilúvio, de alguma forma, teve de ser anterior à construção das pirâmides. Além do mais, a palavra hebraica para Egito, *Mitsraim*, refere-se a um dos filhos de Cam, nascido *após* o dilúvio (Gn 10:6). Logo, os descendentes de Mizraim não poderiam ter construído, por exemplo, a Grande Pirâmide de Gizé até depois do dilúvio e, aliás, somente após a construção da torre de Babel, motivo pelo qual a família de Mizraim se mudou para a região do rio Nilo.

Como dissemos antes, muitas das datas aceitas para formar a cronologia dos eventos do Antigo Egito vieram dos escritos de Mâneto e de antigas listas faraônicas. Mâneto, cujo trabalho, apesar dos empasses, é a obra principal usada como parâmetro da datação das dinastias egípcias pela egiptologia moderna, assumiu que os reinados dos faraós foram consecutivos e assim os calculou de forma sequencial, levando a uma cronologia extremamente longa. O grande problema, aparentemente, é que alguns desses faraós reinaram ao mesmo tempo nos diferentes reinos do Egito – Alto e Baixo. Além disso, às vezes, pais e filhos parecem ter reinado simultaneamente também. Assim, as datas para os faraós podem ser exageradas. É como se pegássemos todos os governadores do Brasil e empilhássemos seus mandatos sequencialmente do Rio Grande do Sul ao Amapá. assim, é óbvio, a datação do país seria muito maior do que realmente é.

O falecido Dr. Willard Libby, prêmio Nobel em Química e pioneiro das técnicas de datação por radiocarbono, declarou as seguintes palavras em seu discurso de aceitação do Nobel em 1960: "Eu e o Dr. Arnould ficamos chocados quando nossos conselheiros de pesquisa nos informaram que a história se estendia fazia apenas cinco mil anos. [...] Você lê declarações nos livros de que tal e tal sociedade ou sítio arqueológico datam, por exemplo, de vinte mil anos. Mas aprendemos, abruptamente, que esses números, isto é, essas antigas eras, não são conhecidos com precisão. Na verdade, se baseiam no período convencional da primeira dinastia egípcia, que é a mais antiga data histórica de que se tem alguma certeza estabelecida".[7]

Obviamente essas incertezas quanto à datação da história em geral não devem nos desanimar nos estudos da arqueologia egípcia; pelo contrário, esses dados apenas mostram as dificuldades de se ter algumas convicções e, ao mesmo tempo, tranquilizam os que pensam que existe uma ciência exata que estaria em desacordo com o texto bíblico. Apenas para se ter uma noção das mudanças já ocorridas no paradigma cronológico do Egito, os pioneiros da egiptologia, Flinders Petrie e Leonard Wooley, dataram a primeira dinastia em torno de 5000 a.C., data essa que hoje não é mais aceita por nenhum estudioso, tendo sido recuada para 3100 a.C. e há aqueles que acreditam poder ser ainda mais recente.

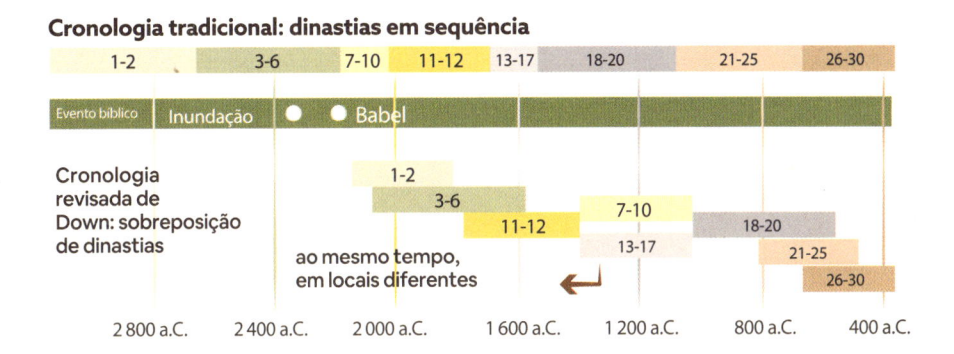

Cronologia tradicional: dinastias em sequência

| 1-2 | 3-6 | 7-10 | 11-12 | 13-17 | 18-20 | 21-25 | 26-30 |

Evento bíblico: Inundação ● ● Babel

Cronologia revisada de Down: sobreposição de dinastias

	1-2					
	3-6					
		7-10				
	11-12					
			13-17			
				18-20		
					21-25	
						26-30

ao mesmo tempo, em locais diferentes

2 800 a.C. — 2 400 a.C. — 2 000 a.C. — 1 600 a.C. — 1 200 a.C. — 800 a.C. — 400 a.C.

Muitos faraós egípcios podem ter governado simultaneamente em diferentes regiões, conforme proposto pelo arqueólogo David Down em sua cronologia revisada.[8]

---

[7] Willard F. Libby. "Radiocarbon Dating" in **Nobel Lectures**: Chemistry 1942-1962. Amsterdã: Elsevier Publishing Company, 1964, p. 600.

[8] Cf. David K. Down; John Ashton. **Unwrapping the Pharaohs**: how Egyptian archaeology confirms the biblical timeline. Green Forest, AR: Master Books, 2006.

Além disso, vários estudiosos, como Peter James, David Rohl, Donovan Courville e David Down, têm trabalhado na construção de uma *cronologia revisada* do Antigo Egito. Alguns tomam a Bíblia como ponto de partida, enquanto outros começam com pontos de referência históricos, como a batalha de Tebas, buscando reorganizar as dinastias à forma mais consistente entre a história bíblica e o reinado simultâneo de diferentes faraós. Infelizmente, todo esse trabalho é ainda muito hipotético. É necessária a descoberta de novas evidências que lancem nova luz sobre a identidade de um faraó. No entanto, nada deve abalar a fé daquele que acredita na confiabilidade da Palavra de Deus.

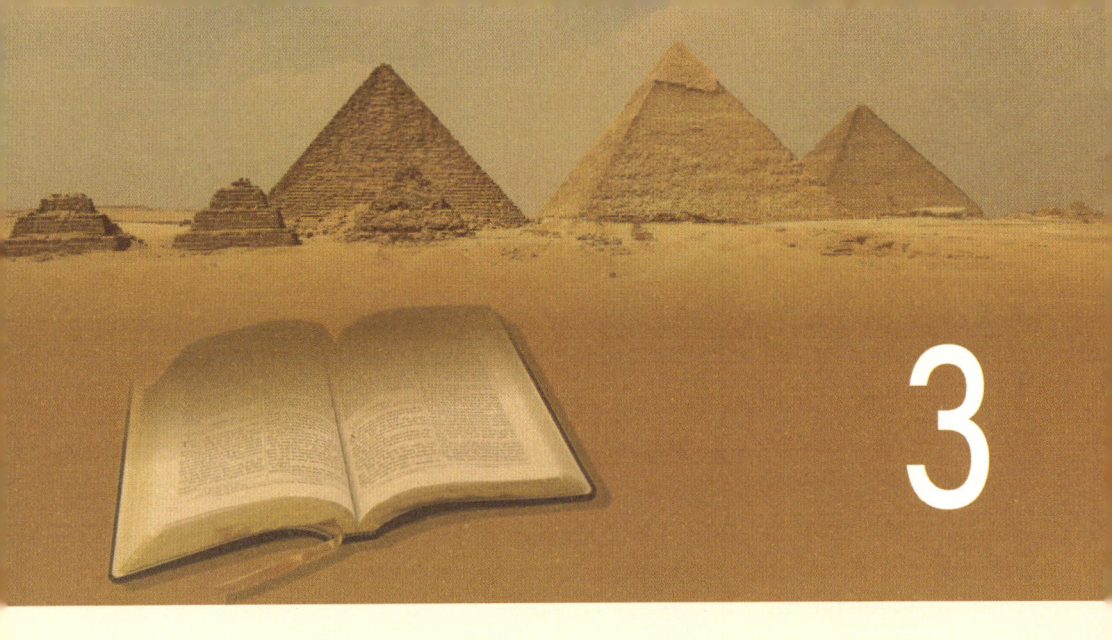

Do Nilo às Pirâmides

O milagre do Nilo

O Egito é uma terra de contrastes marcantes, o ambiente e as forças naturais sempre exerceram forte impacto sobre a vida e a crença do povo. Um exemplo disso está em regiões onde há de um lado um conjunto de árvores indicando fertilidade abundante e do outro, o deserto, morto e sem sinal de vida.

De fato, quando procuramos pelo Egito em um mapa temático, é notório que são as margens do Nilo que perfazem a linha de vida em pleno deserto do Saara. O Nilo é o rio mais extenso do mundo. Localizado ao nordeste do continente africano, sua nascente está na parte sul da linha do Equador e sua foz, no mar Mediterrâneo. Sua bacia hidrográfica ocupa uma área de 3.349.000 km², abrangendo países como Uganda, Tanzânia, Ruanda, Quênia, República Democrática do Congo, Burundi, Sudão, Sudão do Sul, Etiópia e Egito.[1] São ao todo mais de 7 mil quilômetros de extensão se contarmos a partir da sua fonte mais remota,

---

[1] Adams Oloo. "The Quest for Cooperation in the Nile water conflicts: the case of Eritrea" in **African Sociological review**, 11, 1, 2007, p. 11.

situada no Lago Vitória, onde recebe o nome de Nilo Branco.²

Por toda história milenar egípcia, os antigos egípcios desenvolveram uma cultura material distinta, moldada em grande parte por sua geografia local, seus recursos naturais e seu relacionamento com o rio Nilo. Na verdade, o Nilo foi de extrema importância para o desenvolvimento da sociedade do Antigo Egito. Numa região desértica, o rio assumiu funções prioritárias. Os egípcios usavam sua água para beber, pescar e regar a agricultura por meio de canais de irrigação. Após a cheia do rio, este deixava nas margens um lodo escuro (húmus), que era extraído e usado para fertilizar o solo para fins de plantio. Essa onda de água e nutrientes transformou o vale do Nilo em terras agrícolas produtivas e possibilitou que a civilização egípcia se desenvolvesse no meio de um deserto. Além disso, o curso do rio foi extremamente útil por servir como via de transporte de mercadorias e pessoas.

Por isso, quando pensamos no rio Nilo, é automático ver a imagem do Egito em nossa mente, o que é fácil de entender, dada a grande importância desse rio para o país ao longo da história e da sua própria existência. Nos primórdios da civilização egípcia, foi a cheia do Nilo que atraiu grupos nômades do deserto a abandonarem seu costume migratório e voltarem-se

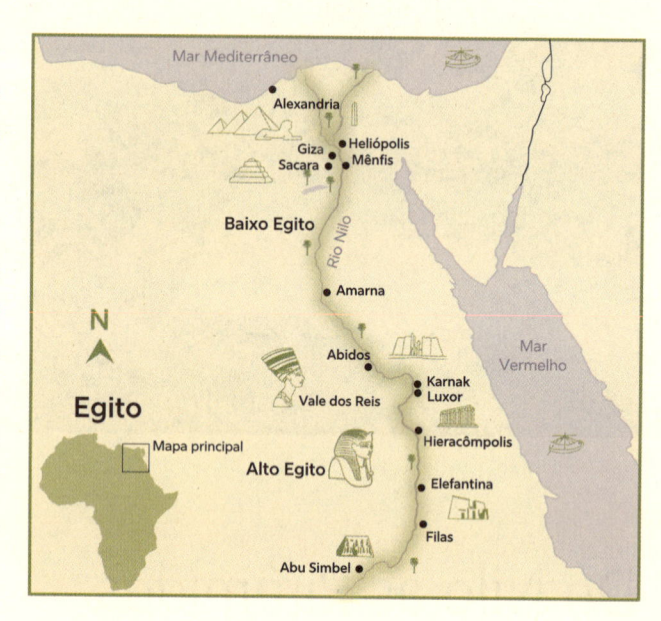

Mapa do Nilo cortando a região desértica do Antigo Egito.

---

2   John A. Shoup. **The Nile**: an encyclopedia of geography, history, and culture. Santa Barbara, CA: ABC-CLIO, 2017, p. 19.

para a agricultura e a pesca, às margens do rio, criando esse vasto e poderoso império.[3] O famoso historiador grego Heródoto foi um dos antigos autores, mas não o único, a falar da importância do rio nesses termos: "O Egito é um presente do Nilo".[4]

Os antigos egípcios viam o Nilo como uma dádiva dos deuses. Eles o equiparavam à própria vida e organizavam a vida diária de acordo com os níveis altos e baixos de sua água. Por isso, o Nilo e sua inundação tornaram-se essenciais para a cosmovisão egípcia. Ao contrário da maioria dos povos que geralmente se orientavam pelo Leste, o nascer do sol, os egípcios se guiavam pelo Sul, de onde vinha o rio. Igualmente, o ano e o calendário foram ajustados tomando-se como referência os fenômenos do Nilo e o movimento das estrelas. O ano novo se iniciava próximo a julho, quando ocorria o primeiro mês de inundação; isso coincidia com o aparecimento da estrela *Sopdet* (considerada Sirius pelos egiptólogos) após 70 dias de invisibilidade. *Sopdet*, inclusive, tornou-se o parâmetro astronômico egípcio para o calendário de 365 dias.[5] E, para ser mais exato, esse calendário era composto de 12 meses com 30 dias cada. Já o ano era dividido em 3 estações baseadas nos ciclos do Nilo: *akhet* ("inundação"); *peret* ("crescimento"), quando a terra reaparecia e podia ser cultivada; e, *shemu* ("seca") quando as águas estavam baixas e a colheita podia ser feita.[6] Assim, a fim de extrair o melhor do rio, os povos que foram se estabelecendo ao longo de suas margens tiveram de descobrir como lidar com o rio e sua cheia anual. Com isso acabaram desenvolvendo novas habilidades e tecnologias específicas. É mais um caso de geopolítica, quando uma organização populacional é afetada pelo meio ambiente que a circunda.

O Nilo até mesmo desempenhou um papel-chave na construção das pirâmides, essas enormes edificações que estão entre os lembretes mais re-

---

[3] J. E. Manchip White. **Ancient Egypt**: its culture and history. Nova Iorque: Dover Publications, 2013, p. 1.
[4] Heródoto. **História**. Rio de Janeiro: Nova Fronteira, 2019, 2.5.
[5] Richard H. Wilkinson. **The Complete Gods and Goddesses of Ancient Egypt**. Londres: Thames & Hudson, 2003, p. 167.
[6] Barry J. Kemp. **Ancient Egypt**: anatomy of a civilization. Nova Iorque: Routledge, 2018, p. 12.

conhecíveis de sua civilização (veja o próximo capítulo). Além de questões práticas, o vasto rio também influenciou profundamente a visão dos antigos egípcios de si mesmos e de seu mundo, ajudando a moldar sua religião e sua cultura. Em outras palavras, o Nilo é uma linha cortando o deserto, trazendo vida no meio do nada. Ou, como bem expressou o egiptólogo Toby Wilkinson, "sem o Nilo, não haveria Egito".[7]

É claro que um nome diz muito acerca daquilo que é assim nomeado, especialmente se levarmos em conta seu significado. As origens do nome "Nilo" ainda são um mistério e há várias hipóteses não conclusivas a esse respeito; a única coisa que se sabe é que foram os gregos que resolveram chamar o rio assim como o conhecemos hoje. Os gregos o chamavam de *neilos*, provavelmente uma derivação da raiz semítica *nahal* que significa "curso d'água". Mas e quanto aos egípcios mais antigos? Como eles chamavam seu rio?

Para os antigos egípcios, o Nilo era conhecido como *ar* ou *awr* que significa "negro" (muito semelhante ao nome hebraico para Nilo – *ye'or*), outra referência à cor do sedimento deixado pelo rio durante as cheias, a matéria-prima para toda a vida no Egito.[8] Na verdade, não havia um nome específico para o Nilo. Muitas vezes ele era simplesmente referenciado como *iteru*, "o rio". Em outras palavras, o rio era tão importante para o Egito que nem precisava de um nome próprio. Só existia aquele mesmo; e tudo o que eles eram e tudo de que precisavam provinha dele; logo, bastava dizer "o rio" e todos sabiam de qual estavam falando.

A cada primavera, a neve das montanhas da África Oriental derretia, enviando uma torrente de água que transbordava as margens do Nilo e inundava todo vale ao seu redor. A forte correnteza do rio colhia, por meio de seu curso, pedaços de solo e plantas formando um tipo de lama preta. À medida que a inundação anual recuava, esse lodo era deixado na faixa das

---

[7] Toby Wilkinson. **The Nile**: a journey downriver through Egypt's past and present. Nova Iorque: Alfred A. Knopf, 2014, p. 12.
[8] Daniel Hillel. **The Natural History of the Bible**: an environmental exploration of the Hebrew Scriptures. Nova Iorque: Columbia University Press, 2006, p. 88.

margens do Nilo. O lodo era rico em nutrientes e fornecia ao povo do Egito duas ou três colheitas por ano.

Os egípcios também perceberam que, se a água subisse demais, as vilas poderiam ser destruídas; se ficasse muito baixa, a terra se transformaria em pó e traria fome. Alguns registros em templos indicam que uma inundação a cada cinco anos era ou muito baixa ou muito alta. Na verdade, a fim de aferir os níveis do Nilo, os egípcios inventaram um medidor da elevação das águas, que hoje chamamos de *nilômetro*. Tal medidor consistia em uma estrutura calibrada em côvados egípcios em que a altura, bem como o nível geral das águas poderiam ser medidos. Assim, eles estabeleceram que uma leitura de 16 côvados era ideal e significava abundância para a terra; 12 côvados indicava que o rio não produziria lodo suficiente para uma safra completa, e, nesse caso, muitas famílias passariam fome naquele ano. Por sua vez, a medida de 18 côvados apontava a possibilidade de inundações desastrosas, significando a inundação de campos de cultivo e o desaparecimento de casas inteiras.[9] Vários modelos de nilômetros foram criados com

Três modelos de nilômetros já encontrados: em parede, em poço e em coluna.

[9] Zaraza Friedman. "nilometer" in Helaine Selin (ed.). **Encyclopaedia of the History of Science, Technology, and Medicine in Non-Western Cultures**. 3ª ed. Amherst, MA: Springer, 2016, v. 2, p. 3387.

o tempo. Um tipo básico usava uma coluna vertical simples submersa no rio com medidas marcadas em côvados egípcios. Outra variedade, era uma construção em forma de poço com uma escada de pedra que levava do terreno alto a uma profundidade correspondente a um nível inferior do Nilo, cujas paredes eram demarcadas para realizar as aferições.

Como diversos povos do passado, os egípcios entendiam pouco de ciências naturais, sendo assim, os eventos físicos eram percebidos por eles como milagres. Essa compreensão limitada os levou a buscar explicações sobrenaturais para esses acontecimentos vitais para sua sobrevivência. Naturalmente, dentre os diversos fenômenos que os cercavam estava o Nilo e seu ciclo de inundações. Logo, dada a importância das inundações e todas as consequências provindas disso – húmus, alagamento, secas etc., o imaginário egípcio chegou a criar e venerar uma divindade da inundação e da fertilidade, retratada como um homem barrigudo, geralmente de pele azul. Assim, para eles, o portador da água e da fertilidade não era o rio propriamente dito, mas sua inundação, chamada *Hapi*, que se tornou deificada. Hapi era uma figura de abundância, e geralmente representada como um ser andrógeno, uma divindade antropomórfica tendo silhueta de homem, mas com seios e ventre femininos.[10] Ele foi considerado um dos maiores deuses do panteão dos antigos deuses egípcios, por ser o deus criador dos egípcios e de todo o mundo.

A inundação anual do Nilo era tida como "a chegada de Hapi".[11] Por causa do húmus provido pelo rio, Hapi tornou-se símbolo de fertilidade e um dos deuses egípcios mais antigos. Seus seios eram representações de sua provisão e cuidado ao trazer o produto vital para a agricultura.[12] Devi-

---

[10] Richard H. Wilkinson. **The Complete Gods and Goddesses of Ancient Egypt**. Londres: Thames & Hudson, 2003, p. 107.

[11] *Ibid.*, p. 106.

[12] Apenas traçando um paralelo, é curioso que a primeira vez que Deus se auto apresenta nas Escrituras, a Abraão especificamente (Gn 17:1), Ele se identifica como o Altíssimo, cuja palavra em hebraico é *Shadai*. O significado desse termo é altamente controverso, mas desde o famoso arqueólogo Albright até muitos outros estudiosos modernos, tem sido defendido que esse termo possui alguma conotação relacionada ao seio, visto que a palavra "seio" em hebraico é *shad*. Assim, *Shadai* indicaria uma característica maternal de Deus em prover e suster suas criaturas, daí

do a essa natureza fértil, Hapi, às vezes, foi tomado como o "pai dos deuses", um pai cuidadoso que ajudava a manter o equilíbrio de todas as coisas. Era a ele quem os sacerdotes recorriam quando queriam fartura de alimento. Tais sacerdotes, portanto, estavam rotineiramente envolvidos em rituais dedicados a Hapi nos nilômetros, a fim de garantir os níveis constantes de fluxo exigidos para uma boa inundação anual.

Com o tempo, Hapi foi sendo associado com o rio em si; e seu nome tornou-se uma derivação da palavra egípcia usada para o Nilo. Por causa disso, a pronúncia do nome verdadeiro do rio era evitada, assim como os egípcios evitavam pronunciar o verdadeiro nome de outros de seus deuses. Por isso preferiam, na conversa do dia a dia, apenas dizer "o rio", pois para os egípcios o desconhecimento do verdadeiro nome de um deus era sinônimo da mais profunda reverência por esse nome.

Diferentemente das outras forças da natureza, como o sol, a lua, o céu etc., a relação com o Nilo era próxima e pessoal. Sua origem e comportamento eram para o povo um mistério, mas entendia-se que, sem ele, a vida no Egito não seria possível. Essas características, ações e motivações humanas relacionadas ao Nilo como um deus podem ser vistas em um antigo *Hino a Hapi*, datado dos tempos de Ramessés II. Veja o trecho a seguir:

"Salve, ó Hapi,
emergindo da terra, chegando para trazer o Egito à vida,
oculto de forma, a escuridão do dia,
aquele cujos seguidores cantam para ele, enquanto rega as plantas
[...]
Portador de alimentos ricos em provisões,
criador de todo o bem,
senhor da reverência, doce perfume,
aquele cuja vinda traz paz,
criador de plantas para os rebanhos,

Altíssimo, ou seja, aquele que é autossuficiente e sustentador de tudo (cf. David Biale. "The God with Breasts: El Shaddai in the Bible" in The University of Chicago Press, **History of Religions**, v. 21, n. 3, fev. 1982, p. 240-256).

provedor de açougue para cada deus.
[...]
A ti são canções iniciadas com a harpa
A ti eles cantam com palmas,
Por ti, jovens e crianças clamam,
A ti as multidões se reúnem.
Aquele que vem com riquezas, adornando a terra,
aquele que renova a cor dos corpos dos homens,
que anima o coração da mulher grávida,
que ama a multidão dos rebanhos.
[...]
Hapi em sua caverna é o poderoso.
Seu nome não é conhecido no submundo,
e os deuses não emergem com ele."[13]

Esse hino, assim como muitos outros do mesmo tipo, deixa claro que a enchente do Nilo era o evento central do ano agrícola, uma época em que o húmus era depositado sobre os campos alagados durante a inundação em todo o vale do Nilo. Além disso, esses hinos fazem menções a festas, durante as quais se ofereciam grandes quantidades de produtos destinados à inundação, isto é, a Hapi. Isso nos faz supor que tais festivais continham ocasiões em que esses hinos eram cantados.

Contudo, parece que Hapi era um deus discreto no panteão egípcio, visto que não há nenhum templo em sua homenagem nem grandes rituais de adoração, embora possa ter existido em algum período. Entretanto, Hapi foi cultuado com grande respeito e sua influência sobre a religião dos faraós era maior que a de qualquer outro personagem. Por isso, o hino diz que seu nome era desconhecido, isto é, reverenciado, até mesmo pelos deuses do submundo.

---

[13] H. W. Helck. 1972. **Hymn to the Nile Flood**. Transliteração e tradução usando a cópia do Papiro Chester Beatty V como fonte principal. Trechos das estrofes 1, 4, 11 e 13. Disponibilizado por University College London em https://www.ucl.ac.uk/museums-static/digitalegypt/literature/floodtransl.html, acessado em 13/03/2022.

Mas existe algo a mais nesse hino. Ele menciona a alegria que o rio traria às mulheres grávidas, e isso talvez lance alguma luz sobre o episódio bíblico em que a filha do faraó vai até o Nilo e recebe o pequeno Moisés como se este fosse um presente dos deuses. Por isso, ela não rejeitou o menino.

Além de Hapi, outros deuses também foram conectados com o Nilo. O deus principal mais intimamente ligado ao Nilo era Osíris: no mito de Osíris, ele era um rei do Egito que foi morto por seu irmão Set na margem do Nilo e lançado em um caixão. Seu cadáver foi cortado em pedaços. Mais tarde, sua irmã e consorte Ísis conseguiu remontar seu corpo e revivê-lo para conceber um filho póstumo, o deus Hórus. Osíris, no entanto, não retornou a este mundo, mas tornou-se rei do submundo. Sua morte e renascimento estavam ligados à fertilidade da terra. Em um festival celebrado durante a inundação, figuras úmidas de barro de Osíris eram plantadas junto com a cevada, cuja germinação representava o renascimento tanto do deus quanto da terra.[14]

Para os egípcios, também Maat, deusa da justiça, da verdade e da harmonia, havia fixado as ordens e harmonias do universo, fazendo com que o sol nascesse, que as estrelas

Hapi de pele azul, senhor dos peixes e das aves dos pântanos, deus da inundação do Nilo. Imagem de um relevo na parede do templo de Ramessés II em Abidos.

---

14 Ernest A. Wallis Budge. **The Mummy**: A Handbook of Egyptian Funerary Archaeology. Revised and enlarged edition. Nova Iorque: Cosimo, 2011, p. 462.

seguissem seu curso e o Nilo inundasse na medida certa para a provisão da vida; mas, se os rituais religiosos não fossem rigorosamente obedecidos, o equilíbrio estaria ameaçado, e era justamente o Nilo que oferecia a água e os elementos necessários para todos esses ritos.[15]

Deixando de lado as superstições e a religiosidade egípcia, a inundação anual do Nilo era relativamente confiável, o que fazia da agricultura egípcia a mais segura e produtiva do Antigo Oriente Médio. Quando as condições eram estáveis, os alimentos podiam ser armazenados contra a escassez. Diferentemente de Canaã e outros lugares que eram dependentes das chuvas, o Egito contava exclusivamente com as cheias do Nilo. É por isso que muitas vezes vemos personagens bíblicos que em períodos de fome e seca procuram abrigo no Egito, devido à sua maior estabilidade agrícola. Mas essa situação nem sempre era ideal. Inundações elevadas podiam ser muito destrutivas; em contrapartida, o crescimento das plantações também podia ser impedido por causa de inundações fracas. Era tão forte essa influência do Nilo sobre o Antigo Egito que, em muitos casos, foram sua cheia e sua baixa que causaram profundas mudanças na história do império. Por exemplo:

- Entre 3000 e 2800 a.C. o declínio da cheia do Nilo, de cerca de 1,5 metros foi responsável pela devastação da Núbia, região sul do Antigo Egito.
- Entre 2250 e 1950 a.C. uma nova baixa no nível das águas causou o secamento do lago Moeris, resultando no fim do Antigo Império.
- Já entre 1840 e 1770 a.C., período dos patriarcas bíblicos, uma descontrolada inundação do Nilo causou o enfraquecimento do Médio Império, que, em decorrência disso, foi atacado e conquistado pelos Hicsos, que assumiram o controle de uma boa parte da região.
- Entre 1170 e 100 a.C. novamente a queda no nível das águas acompanhou o declínio do Novo Império.

Aquela famosa história Bíblica de José e os anos de fome e fartura, relatada no livro do Gênesis, certamente teve relação direta com as cheias e as

---

[15] Carol Lipson. **Rhetoric Before and Beyond the Greeks**. Nova Iorque: SUNY Press, 2004, p. 81.

baixas do rio. Não à toa, os sonhos do faraó estavam ambos relacionados ao Nilo, fosse pelos animais que dele emergiam ou pelas espigas dos cereais que eram cultivados no Egito, graças ao fluxo do rio. "Passados dois anos completos, Faraó teve um sonho e eis que estava em pé junto ao **rio Nilo**. Do **rio** subiam sete vacas de boa aparência e gordas e pastavam no meio dos juncos. Após elas subiam do **rio** outras sete vacas, de aparência feia e magras; e pararam junto às primeiras, **na margem do rio**. As vacas de aparência feia e magras engoliam as sete vacas de boa aparência e gordas. Então Faraó acordou." (Gn 41:1-4).

A propósito, as principais colheitas no Antigo Egito eram de cereais, como o trigo farro[16] para pão e cevada para cerveja, os principais alimentos da dieta egípcia. De fácil armazenamento, os grãos eram colhidos e estocados em celeiros até estarem prontos para serem processados. As quantidades colhidas a cada temporada excediam em muito as necessidades do país, por isso os produtos eram exportados (ou vendidos *in loco*) para países vizinhos, proporcionando uma rica fonte de renda para o tesouro interno do Egito.

Outras plantas importantes eram o linho, usado para exportação e fabricação de cordas e tecidos, e o papiro, encontrado na natureza ou cultivado. O papiro era consumido quase integralmente: suas raízes podiam ser comidas e seus caules usados na manufatura de barcos, esteiras e do típico "papel" egípcio, o qual também era exportado em grande escala. Muitas outras variedades de frutas e legumes eram cultivadas, como melões, tâmaras, figos, alho, cebola, pepino, alface etc. (cf. Nm 11:5).[17] A carne vermelha também era consumida, mas esse não era um alimento comum; além disso, havia o costume de caçar pássaros nos pântanos. Além disso, o Nilo pro-

---

[16] Farro era o cereal e a espécie de trigo mais cultivada no Antigo Egito. E, curiosamente, acredita-se que esse trigo recebeu esse nome por causa dos romanos que, ao invadirem a região, adotaram o uso do grão o qual chamaram "trigo dos faraós", derivando daí a palavra *farro* e, consequentemente, "farinha".

[17] Maria Rosa Guasch-Jané. "food" in Lisa K. Sabbahy. **All things Ancient Egypt**: an encyclopedia of the ancient egypt world. Vol. 1 (A-K). Santa Bárbara, CA: ABC-CLIO, 2019, p. 177.

duzia uma grande quantidade de peixe, que era a principal proteína animal para a maioria das pessoas.[18]

O Nilo também demarcava a geografia da região: ele era usado como parâmetro para dividir e delimitar o reino e as construções. As tumbas e necrópoles, por exemplo, foram todas construídas no lado oeste do Nilo, pois o Oeste (direção em que o sol se põe) estava associado com o mundo dos mortos. Além disso, como ele corre para o norte em direção ao mar Mediterrâneo, antes da unificação, o norte era conhecido como Baixo Egito; o sul, Alto Egito, especificamente a região do Delta. Vale adicionar que além de se referirem ao Egito pelo nome *Kemet*, os egípcios também o chamavam de *Tawy*, que significa "as duas terras", isto é, o Alto e o Baixo Egito. Essa nomenclatura pode ser vista em vários textos e foi usada principalmente para designar o faraó como o "senhor das duas terras". Antes da criação da primeira dinastia, cada parte tinha seu respectivo rei. Contudo, após a unificação feita por Menés, todo aquele que usava as duas coroas era chamado de "o grande faraó", senhor supremo do reino unificado do Egito.

O Nilo foi, de fato, central em praticamente todas as áreas da vida e da cultura egípcias, sendo tanto a razão para a migração dos primeiros habitantes àquela região, quanto a causa da permanência e da subsistência deles lá. O desenvolvimento de sua cultura, incluindo sua religião e suas crenças, foi profundamente influenciado pela relação dos colonos com o Nilo e por sua interpretação dos fenômenos intrínsecos a ele. De certa forma, não há como entender o Egito e tudo que ele produziu, e que causa fascinação até hoje, sem entender o Nilo e as interações de seus antigos habitantes com ele. Definitivamente, o Egito foi gerado pelo Nilo. E é para as ações desse filho que nossos olhos se voltam mais especificamente daqui em diante.

---

[18] *Ibid.*

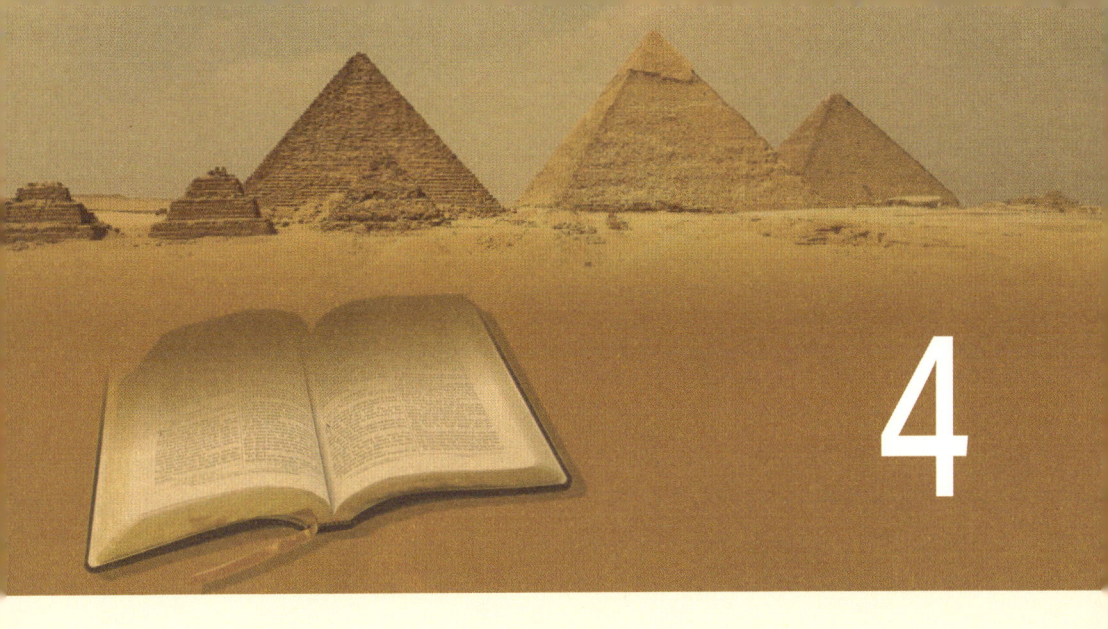

A morte no Antigo Egito

Durante todos os períodos da história egípcia, os antigos egípcios parecem ter passado muito tempo pensando na morte e fazendo provisões para sua vida no além. A imponência das suas construções e a onipresença de seus monumentos funerários testemunham essa obsessão. Para entendermos o verdadeiro significado egípcio das pirâmides e sua função para a cultura local, é necessário antes entender um pouco o conceito de "morte" no imaginário do Antigo Egito. Afinal, diante de sepulturas colossais surgem perguntas como: por que será os egípcios tinham tanto zelo pelo morto e pela temática da morte? Quais eram suas crenças? Em que medida seriam semelhantes e diferentes da doutrina bíblica? Então, vamos lá!

De forma sucinta, podemos dizer que os egípcios dividiam seu mundo em 3 grupos de seres: os vivos (*ankhu*), os mortos (*akhiu*) e os deuses (*netcheru*). Os deuses eram para eles as forças originais da natureza, cuja vontade prevalecia sobre toda a vida. Os mortos eram aqueles que sobreviveram ao julgamento e podiam viver na vida após a morte.[1] E os vivos, por sua

---

1 James P. Allen. **Middle Egyptian**: an introduction to the language and culture of Hieroglyphs. 3ª ed. Cambridge: Cambridge University Press, 2000, p. 38.

vez, seriam aqueles que vivem fisicamente aqui na terra. E é precisamente em torno da dinâmica relacional entre esses grupos que jaz a essência da cultura egípcia, seus conceitos e cosmovisões.

Podemos dizer que duas ideias centrais passaram a exercer grande influência sobre o conceito de "morte". A primeira, extraída do mito de Osíris, é a ideia de um deus morto que mais tarde é ressuscitado e confere aos seus devotos o dom da imortalidade; essa vida após a morte inicialmente foi procurada pelos faraós e, depois deles, por pessoas comuns. A segunda ideia é o conceito de um "julgamento pós-morte", no qual as ações e a qualidade do indivíduo enquanto vivo influirão sobre seu destino final, isto é: se bom, ele receberá a vida eterna; se não, a morte eterna. Sobre isso, é importante pontuar que, na perspectiva egípcia, a morte da alma poderia ser, sim, uma realidade. Ou seja, a vida após a morte era como uma segunda chance de vida para a alma, porém agora dentro do campo espiritual e usufruindo de uma existência muito mais gloriosa do que a terrestre. Sendo assim, se a alma passasse nos testes pós-morte, ela seria abençoada com a vida eterna; caso contrário, seria destruída e deixaria de existir para sempre.

Como mencionado acima, o mito de Osíris foi uma lenda folclórica muito popular para a sociedade egípcia antiga, tornando-se a história mais elaborada e influente da mitologia egípcia, ajudando a formar os principais conceitos sobre a morte no imaginário popular, dando origem às grandes criações culturais daquele povo. Por ser um mito, naturalmente há muitas versões, mas em tese o mito relata os eventos desencadeados pelo assassinato de Osíris, um deus importante e extremamente popular entre os egípcios.

O mito de Osíris[2]

Infelizmente, a única versão da história do mito de Osíris que sobreviveu até nossos dias vem de relatos gregos posteriores, que conhecemos principalmente pelas obras de Plutarco. Veja os pontos principais da trama:

---

[2] Adaptado de "Story of Isis and Osiris", versão provida por Albany Institute of History and Art. Disponível em: https://www.albanyinstitute.org/ancient-egyptian-art-and-culture.html, acessado em 18/04/2022.

Após a relação entre o deus terra, Geb, com a deusa céu, Nut, esta concebeu três filhos: Osíris, Ísis e Set. Desde o ventre, enquanto Osíris e Ísis nutrem uma relação de amor um pelo outro, Set, por outro lado, guardava sentimentos de ódio, especialmente para com seu irmão, Osíris. Após seu nascimento, Osíris uniu-se em casamento com Ísis e foi estabelecido como rei de todo o Egito. Ele trouxe novas leis ao povo egípcio e o ensinou a cultivar corretamente e a viver pacificamente em suas aldeias. Osíris tornou-se um rei muito sábio, poderoso, amado e respeitado por todo o povo. Mas, infelizmente, seu irmão Set, por inveja do poder de Osíris, começou a traçar um plano para matá-lo e assumir o trono. Durante a noite, Set entrou no quarto de Osíris, com cuidado para não acordar ninguém, a fim de medir o corpo do irmão. Com as medidas certas, Set mandou fazer uma caixa de madeira decorada com tinta brilhante e folhas de ouro.

Mais tarde, Set promoveu um grande banquete, tendo Osíris como convidado de honra. Depois de muita festa, cânticos, danças e brincadeiras, Set trouxe o enorme baú de madeira e anunciou que a primeira pessoa a se encaixar perfeitamente nele poderia ficar com a peça. Um a um os convidados começaram a entrar na caixa, mas ninguém foi capaz de caber nela. Até que, finalmente, Set e seus amigos convenceram Osíris a tentar a sorte. Osíris entrou no baú e, assim que se deitou nele, Set fechou a tampa e a selou. Em seguida, levou a caixa até o rio Nilo e a jogou nele, assumindo, a partir daí, o trono sobre todo o Egito.

Quando Ísis ouviu a notícia da morte do marido, correu às margens do rio e, após vários dias de busca, encontrou o baú de madeira. Ísis o abriu e removeu o corpo morto de seu amado Osíris. Ela se transformou em um pássaro e bateu suas asas poderosas. O vento gerado pelo bater das asas deu ao cadáver o sopro da vida por um dia. Durante esse tempo, Osíris e Ísis mantiveram relações, fazendo com que ela concebesse seu filho Hórus. Para dar à luz Hórus, Ísis escondeu o caixão de Osíris entre os juncos e partiu secretamente para um lugar apropriado.

Infelizmente, Set avistou o baú familiar e, em sua fúria, despedaçou o corpo de Osíris, espalhando os pedaços por todo o Egito, a fim de que ninguém pudesse restituí-los. Ísis imediatamente começou a procurar as partes, com a esperança de juntá-las. Com o auxílio de outros deuses, ela eventualmente encontrou os pedaços do marido, exceto o pênis, do qual acabou criando um modelo feito de madeira. Depois de reunir todos os pedaços e realizar certos rituais mágicos, Osíris voltou à vida, porém, restrito ao submundo dos mortos, enviado lá para governá-lo, sendo a única pessoa a viver após a morte. Osíris foi, portanto, ressuscitado. Tornou-se um deus e senhor da vida após a morte, aquele que foi o primeiro a conquistar a morte (soa familiar, não é?!).

Enquanto isso, Ísis voltou para criar seu filho em segredo. Quando ele alcançou idade suficiente, Hórus decidiu se vingar de Set pelo assassinato de seu pai. Ambos lutaram acirradamente, até que Hórus obteve a vitória. Ele assumiu o trono do Egito e, como na era de seu pai, restaurou a ordem e a prosperidade, tornando-o tão grande e poderoso como antes.

O mito e toda a sua complexa simbologia são parte integrante das antigas concepções dualistas egípcias de realeza e sucessão, conflito entre ordem e desordem, sexualidade e renascimento e, especialmente, morte e vida após a morte. Além disso, também expressa o caráter essencial das divindades; sendo muitos elementos de adoração na religião egípcia antiga derivados dele.

O conceito de alma

É importante lembrar que a atitude dos antigos egípcios em relação à morte foi influenciada por sua crença na imortalidade. Eles consideravam a morte uma interrupção temporária, em vez da cessação da vida. Assim, para garantir a continuidade da vida depois da morte, as pessoas prestavam homenagem aos deuses, tanto durante quanto após sua vida na terra. Então, quando morriam, eram mumificadas, para que a alma voltasse ao corpo, dando-lhe fôlego e vida. Equipamentos domésticos, comidas e bebidas poderiam ser colocados em mesas de oferendas do lado de fora da câmara funerária da tumba para suprir as necessidades da pessoa no outro mundo. Textos funerários com feitiços ou orações também eram incluídos para ajudar os mortos em sua jornada no além.

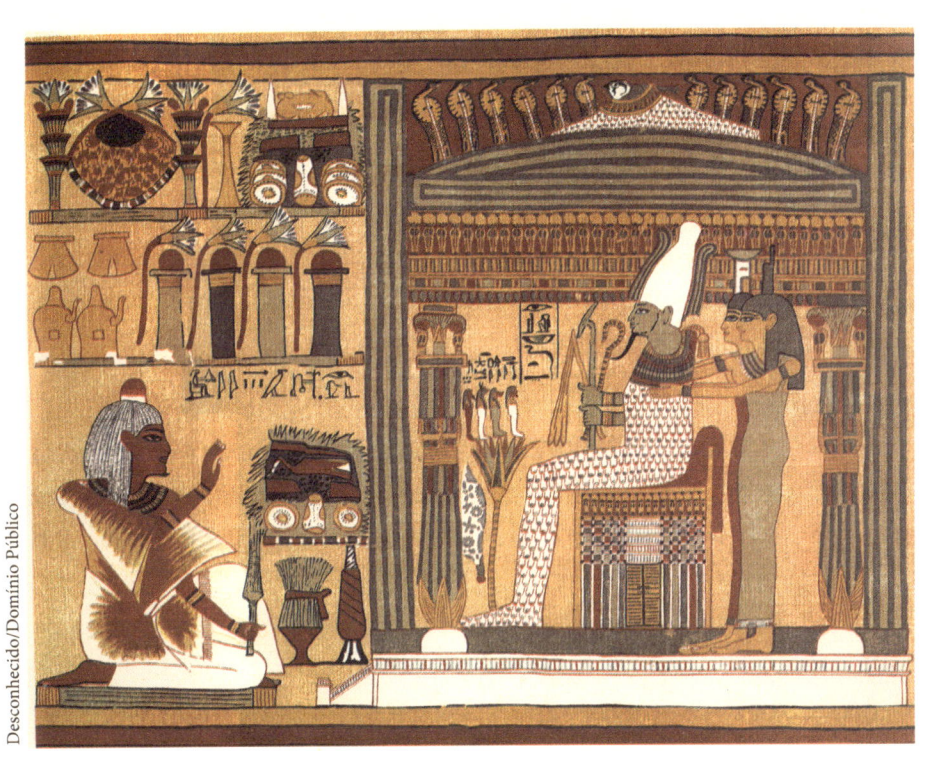

Cena do Livro dos Mortos de Ani. O falecido Ani se ajoelha diante de Osíris, juiz dos mortos. Atrás de Osíris estão suas irmãs Ísis e Néftis.

Tomando tudo isso como base, é possível entender que a preservação física do corpo era central em todas as preocupações com a vida após a morte. O povo egípcio era uma sociedade prática, por isso seria totalmente inconcebível para eles a ideia de uma existência desencarnada.

Para entender o conceito de alma no Antigo Egito, vale lembrar da crença egípcia segundo a qual o mundo havia sido criado a partir do caos. E que todas as coisas existentes no mundo vieram por meio de palavras mágicas pronunciadas pelo deus Rá.[3] Devido a isso, eles nutriam a crença de que o mundo, e tudo que estava sobre ele, continha uma essência mágica dentro de si. Nessa concepção, a alma é essa mágica ou energia presente em cada coisa criada.

---

3 Geraldine Pinch. **Magic in Ancient Egypt**. Londres: British Museum Press, 1994, p. 9-10.

Resumidamente, os antigos egípcios acreditavam que a vida humana era composta por pelo menos dois elementos básicos: o corpo (*kha*) e a alma (*ba*). A alma, por sua vez, seria dividida em muitos componentes. A ideia de "alma" e as partes que a englobam, porém, tiveram diferentes variantes de um período para o outro, às vezes chegando a mudar de uma dinastia para outra, podendo conter três, cinco ou mais partes. A maioria dos antigos textos funerários egípcios faz referência a vários componentes da alma. Veja os principais deles:

1. *khet*: é a forma física, um termo que implicava decadência natural, podendo ser preservado por meio da arte de mumificação, mas cuja existência era necessária, a fim de que a alma tivesse a chance de ser julgada no submundo. Portanto, era essencial que o corpo fosse o mais preservado possível.
2. *sah*: é a representação espiritual do corpo físico. A forma capaz de poder se comunicar com todas as entidades do pós-vida.
3. *ib*: é o coração que, para os egípcios, era a sede da emoção, do pensamento, da vontade e da intenção, conforme evidenciado pelas muitas expressões na língua egípcia que incorporam essa palavra. Ou seja, aquilo que seria a mente para nós era o coração para eles.[4] O coração era um elemento-chave no processo do julgamento. Logo, assim como o corpo físico, o coração também precisava ser cuidadosamente preservado, pois, no momento do julgamento, o coração seria colocado sobre uma balança e pesado contra a pena de Maat, a deusa da justiça e da verdade. Desse modo, se o coração fosse mais pesado do que a pena, o falecido era considerado culpado e sua alma seria imediatamente devorada pela deusa Amut. Portanto, a fim de que o coração não falasse algo que pudesse condená-lo, ele era colocado dentro do corpo mumificado e sobre ele, fixava-se um coração de pedra em forma de escaravelho, contendo palavras que ajudassem o coração a se tornar leve e, então, obter o veredito esperado.

---

[4] Allen. **Middle Egyptian**, p. 99.

4. *ka*: é a essência vital. Considerado a cópia do indivíduo, algumas vezes também chamado de "duplo". É um dos elementos mais importantes para a existência pós-vida. Era dotado com todas as qualidades e defeitos da pessoa. É incerto onde o *ka* residia durante a vida, mas "ir para o *ka*" era um eufemismo para se referir à morte.[5] Após a morte, o *ka* precisava comer, beber etc., e podia manusear objetos, ou seja, realizar atividades comuns de uma pessoa viva. É por isso que oferendas e utensílios eram depositados na tumba dos mortos. Na verdade, os egípcios criam que todas as coisas, não apenas as pessoas, tinham um *ka*; assim, enquanto no mundo físico aquilo que é consumido e manipulado é o objeto real, no mundo espiritual seria somente sua forma *ka*. Por essa razão, as oferendas e os utensílios deixados para o morto têm a ver com sua forma *ka* mais do que com sua utilidade como objeto material.

5. *ba*: é tudo aquilo que faz de um indivíduo único, semelhante ao conceito de "personalidade". A personalidade que resumia as qualidades que faziam com que cada pessoa fosse única e diferente das outras. Esse conceito era mais ligado ao corpo físico e não à alma ou ao espírito.[6] O *ba* podia assumir a forma desejada, mas, em geral, era apresentado na forma de um falcão com cabeça humana; que flutuava em torno da tumba durante o dia, alimentando o falecido com água e comida. Sua função mais importante era tornar possível que o morto abandonasse a tumba para se reunir ao seu *ka*, de modo que pudesse viver para sempre e se tornar um *akh*.

6. *akh*: é o componente invisível e imortal da personalidade de um indivíduo. O ser imortal representado pela união mágica entre o *ba* e o *ka*. Ou seja, um *akh* é uma pessoa viva que conseguiu sua passagem para a vida após a morte e que escapou da segunda morte passando

---

[5] "death in Ancient Egypt" in **Britannica**. Disponível em https://www.britannica.com/science/death/Ancient-Egypt, acessado em 18/04/2022.
[6] Allen. **Middle Egyptian**, p. 100.

no julgamento da pesagem do coração na corte de Osíris. Em outras palavras, o *akh* é a pessoa viva no mundo do além.

7. *ren*: é o nome dado no nascimento ao indivíduo, daí o símbolo de existência. Na concepção egípcia, uma pessoa existia tanto quanto seu nome fosse pronunciado. Ele representa a identidade de uma pessoa, suas experiências e as memórias de toda a sua vida. Dessa perspectiva, quanto mais o nome fosse escrito em documentos e inscrições, ainda que a pessoa estivesse morta, ela seria considerada viva.

8. *shut*: é a sombra ou a silhueta da pessoa, uma representação da continuidade na integridade do ser.

O Livro dos mortos

O *Livro dos mortos* é um antigo texto funerário composto por uma coleção de feitiços criados pelos egípcios para auxiliar a alma do falecido a navegar e a enfrentar os desafios pelos quais passaria na vida após a morte até alcançar a eternidade. Eles imaginavam que, após a morte, a alma fazia uma espécie de jornada pelo *Duat*, o submundo, até chegar ao *Aaru*, um tipo de paraíso. Tal jornada, no entanto, era bastante perigosa, contendo vários obstáculos, sendo para isso necessário ajuda da mágica. Tecnicamente, o termo "Livro dos mortos" é uma nomenclatura moderna. Os antigos egípcios se referiam a esse conjunto de textos como *ru-nu-peret-em-heru*, que significa "declarações para aparecer de dia".[7] A razão de nosso nome apoia-se na crença egípcia, segundo a qual o ocaso equivale ao raiar do Sol no mundo dos mortos. Assim, estar vivo após a morte é poder desfrutar do brilho solar eternamente. Quando o sol nasce sobre os vivos pela manhã, o *ba* do morto (a alma em forma de um pássaro) poderia pegar uma carona no divino barco solar e navegar pelo céu ou visitar o mundo dos vivos por um dia.

---

[7] John H. Taylor. **Ancient Egyptian Book of the Dead**: journey through the afterlife. Londres: British Museum Press, 2010, p. 55.

Apesar de o termo "livro" ser usado para designar esse documento, o que nos leva a pensar em uma história ou em um texto produzido por um único autor e reimpresso repetidamente da mesma forma, esses escritos, na verdade, têm vários autores e cada versão tem suas próprias variações. Ou seja, não é uma obra definitiva e canônica. Nunca houve uma padronização dos textos e não existem duas cópias da obra exatamente iguais. Eles foram criados especificamente para cada indivíduo que tivesse condições de comprar um. Por isso, o livro era personalizado com o nome do comprador, e, quanto mais abastada fosse a pessoa, mais condições ela teria de adquirir um livro com maior número de feitiços.[8] Diferentemente da Bíblia, ele não é uma coleção de doutrinas, uma declaração de fé ou algo do tipo, muito menos uma coleção de frases mágicas no sentido de que um vivo pudesse recitar suas palavras para ressuscitar os mortos ou transformar algo dentro do mundo físico, conforme retratado nos filmes de Hollywood. Isto é, nenhum dos feitiços tinha qualquer poder no mundo dos vivos.

O livro é simplesmente um guia prático ou manual com algumas palavras mágicas úteis e muitas instruções sobre cada obstáculo presente na jornada rumo à eternidade, especificando como o morto deveria proceder adequadamente para vencer tal entrave.[9] Nesse caso, as palavras lhe concederiam o conhecimento sobre o que fazer e/ou dizer a cada etapa da jornada diante de si e, assim, garantiria a vida eterna.

Na verdade, a literatura egípcia é cheia de descrições das habilidades mágicas dos magos para se transformarem ou modificarem alguma coisa, a ponto do Antigo Egito ser lembrado como uma terra de magia e feitiçaria. Exatamente como vemos no livro de Êxodo, como quando Moisés e Arão enfrentaram os poderes mágicos dos feiticeiros egípcios (Êx 7:11-12).

Esses feitiços, no entanto, passaram por várias fases de construção. Inicialmente, tais textos foram inscritos nas paredes das pirâmides, dentro de sarcófagos, amuletos, inclusive nas bandagens e máscaras das múmias,

---

[8] Bonson. **Encyclopedia of Ancient Egypt**, p. 48.
[9] Geraldine Pinch. **Egyptian Mythology**: a guide to the gods, goddesses, and traditions of ancient Egypt. Oxford: Oxford University Press, 2004, p. 26.

mas, especialmente durante o Novo Império, o livro se tornou extremamente popular e começou a ser difundido e comercializado em rolos de papiros, que eram colocados no interior dos caixões. Nessa última fase, os rolos contêm belas ilustrações coloridas que descrevem cenas importantes do pós-morte. E é óbvio que um material tão elaborado, dotado de tantas técnicas, teria sido muito caro para uma pessoa comum financiar, podendo ser viável apenas para pessoas com *status* elevado e maior poder aquisitivo. Dependendo de quão rico fosse, o interessado poderia comprar um documento pronto, contendo espaços em branco para pôr o seu nome ali; em outros casos, poderia escolher quais feitiços gostaria que aparecesse em seu livro personalizado.

Alguns dos feitiços ajudavam o morto a controlar seu próprio corpo. Já que eles criam que uma pessoa era composta por muitas partes, eles temiam que elas pudessem se separar no momento da morte. Por isso, há encantamentos que servem para garantir a unidade do corpo. Também existem feitiços para proteção, pois esperava-se que durante a jornada eles seriam atacados por cobras, crocodilos, insetos etc., uma ideia baseada nas ameaças conhecidas da vida real, só que muito mais assustadoras e perigosas. Além disso, a passagem por portões e outros locais exigia o conhecimento de palavras secretas, bem como do nome dos guardiões, deuses etc., e tudo isso poderia estar contido no livro.[10]

Mas, se o falecido não tivesse as palavras certas para se proteger, ele poderia ser punido de várias maneiras: ser torturado ou virado de cabeça para baixo (o que implicava comer fezes e beber urina para sempre); Porém, a pior coisa seria a chamada "segunda morte", isto é, quando a alma era impedida de voltar para o corpo mumificado, a residência eterna pós-morte, resultando em extinção total da existência.[11] Essa perspectiva torna clara que a entrada inicial no submundo era repleta de perigos e situações ameaçadoras e aterrorizantes, por isso ter um Livro dos Mortos seria como

---

[10] Bunson, **Encyclopedia of Ancient Egypt**, p. 47.
[11] Foy Scalf (ed.). **Book of the Dead**: becoming god in ancient Egypt. Chicago, IL: The Oriental Institute of the University of Chicago, p. 56.

se um estudante moderno obtivesse antecipadamente todas as respostas de uma prova que está prestes a fazer. No caso dos egípcios, contudo, estava em jogo a continuidade da vida, daí o livro ser um bem mais do que necessário, totalmente indispensável para a garantia da tão almejada vida eterna.

Com o tempo, próximo ao século VII a.C., o texto se fixou em torno de quase 200 feitiços, embora o número deles em um livro ainda variasse conforme a exigência e condições dos compradores. O feitiço mais famoso (por estar ligado à etapa mais importante da jornada) é o número 125, o qual retrata o julgamento do falecido no tribunal de Osíris, quando o coração seria pesado sobre uma balança, a fim de determinar se a alma era digna ou não do paraíso. Esse feitiço contém a chamada "confissão negativa" – uma lista com 42 pecados que, ao ser interrogado, o morto precisava negar tê-los cometido enquanto em vida.[12]

Curiosamente, com exceção dos mandamentos 1, 2, 4 e 5 dos Dez Mandamentos de Êxodo 20 (ter um único deus, não adorar imagens, guardar o sábado e honrar pai e mãe), as mesmas regras morais, de forma muito similar, podem ser encontradas no rol de pecados do Feitiço 125, juntamente com muitas outras leis mencionadas no resto do Pentateuco. Mas antes de traçar qualquer dependência literária entre o Decálogo hebreu e o Livro dos Mortos egípcio, precisamos lembrar que as proibições relativas a homicídio, adultério, e roubo, além de outras regras envolvendo justiça social, são comuns em muitas culturas antigas. Essa semelhança apenas atesta que as leis bíblicas surgiram em um mundo o qual reconhecia uma distinção entre certo e errado em tais áreas da vida humana.[13]

Além do mais, quão diferente é o sistema egípcio daquilo que as Escrituras nos oferecem. Enquanto o Livro dos Mortos era exatamente isso, um livro para os mortos, a Bíblia é um livro de continuidade de vida para aqueles que estão vivos. Por um lado, o livro egípcio era fortemente elitista, trazendo aflição e desânimo para os menos privilegiados, as Escrituras, contudo, podiam ser acessadas por todos aqueles que estivessem dispostos

---
[12] *Ibid.*, p. 39.
[13] David L. Baker. **The Decalogue**: living as the people of God. Londres: IVP, p. 19.

a dar atenção às suas palavras de verdade e promessas de esperança. Quantas outras comparações podemos fazer? Apesar de existirem textos que ditem uma conduta desejável para o ser humano, e listem delitos específicos condenados pelo corpo social, nada se compara à Palavra de Deus.

Outras crenças e rituais

Segundo a crença egípcia, logo após o falecimento, o indivíduo perdia acesso a todos os prazeres e às regalias que desfrutava em sua existência terrestre. Para recuperar seus benefícios em sua nova existência, ele tinha de ser aprovado perante o julgamento dos deuses. Após a morte, como vimos, a alma começaria uma jornada em busca da vida eterna, que poderia ou não ser alcançada dependendo de sua habilidade em superar os desafios pelo caminho, mas também em ser justa o suficiente para passar pelo Julgamento do deus Osíris, a etapa final dessa jornada.

Conforme o Feitiço 125, ao chegar ao Salão da Verdade, a alma era conduzida pela deusa Maat até o tribunal onde estariam Osíris, Tot, Anúbis e mais 42 deuses juízes. Perante a audiência divina, o falecido precisava pronunciar a Confissão Negativa, declarando-se inocente dos 42 pecados listados ali. Uma vez que isso era feito, Osíris e as outras divindades confeririam a veracidade da declaração. A comprovação, portanto, era realizada por meio da pesagem do coração do morto. Como uma parte da alma, o coração seria testado sobre uma balança contra a pena branca da verdade da deusa Maat. Se o coração fosse mais pesado do que a pena significava que o julgado havia mentido em sua declaração e, portanto, seu coração seria devorado por Amut, uma deusa com cabeça de crocodilo, corpo de leão e pernas de hipopótamo, e a alma como um todo deixaria de existir para sempre. Porém, se o coração fosse verdadeiro, seu peso se equilibraria com o da pena, e então, a alma seria considerada justa e digna de herdar a eternidade. Após o veredito positivo, a alma, por fim, era conduzida a cruzar o Lago dos Lírios para descansar no *Aaru*, o campo dos juncos, onde encontraria tudo o que havia perdido na vida terrena e poderia desfrutar disso eternamente.

Livro dos Mortos de Hunefer (19ª dinastia), quadro 3, contendo a cena que descreve a alma diante do julgamento de Osíris. Atualmente aos cuidados do Museu Britânico.

Segundo todo esse sistema de crenças, a morte consistia em um processo no qual a alma se desprendia do corpo, passando para uma nova existência, porém, considerada uma continuação da vida na terra. O corpo físico, agora mumificado, era a morada eterna da alma, daí haver uma grande preocupação em conservar o corpo dos que faleciam, pois, sendo o ser uma unidade integral, qualquer parte faltante comprometia toda sua existência. Por isso os egípcios desenvolveram várias técnicas de mumificação capazes de preservar um cadáver durante anos e anos a fio.

Como vemos, boa parte dessa visão de mundo foi oriunda do mito da morte e ressurreição de Osíris: a alma precisava imitar ou reencenar a jornada de Osíris, a fim de que o destino dele se tornasse também o destino da alma, embora, a rigor, não se tratasse de uma ressurreição, mas de uma reanimação do corpo físico dentro do mundo dos mortos.

Toda essa crença de vida após a morte causou nos egípcios uma verdadeira febre de preservação de coisas materiais para aqueles que morriam, inclusive de seu próprio corpo, por meio da mumificação. Afinal, depois da morte o defunto poderia desfrutar tudo o que estivesse em seu túmulo. É por isso que, quando Howard Carter descobriu a fantástica tumba de Tutancâmon, viu que ela estava repleta de objetos pessoais do faraó menino.

É interessante que, como acontece hoje em dia, a sociedade dos tempos egípcios era formada por pobres e ricos – mais pobres que ricos –, e nem todos tinham condições financeiras de ter uma tumba sofisticada com tudo do bom e do melhor. Então a solução viera na forma de casinhas de argila modelada com as coisas básicas que uma pessoa normalmente precisaria: pão, água, cama etc. A primeira dessas casas foi encontrada por Flinders Petrie, data de 1700 a.C. Ele interpretou que seriam casas da alma, mas hoje muitos egiptólogos entendem como sendo uma forma barata de substituir os grandes túmulos nas camadas menos abastadas da sociedade. Quem não podia ser enterrado num suntuoso mausoléu tinha uma dessas casas para que sua alma pudesse também desfrutar de algum conforto no mundo do além.

Outro curioso ritual prescrito no Livro dos Mortos era a cerimônia de *abertura da boca*. Segundo a crença, antes que uma pessoa pudesse ser julgada pelos deuses, ela precisava ser "despertada" para a vida espiritual por meio de uma série de ritos funerários destinados a reanimar seus restos mumificados na vida após a morte (assim como Ísis fizera com Osíris). Esse ritual, que, presumivelmente, teria sido realizado durante o enterro, destinava-se a reanimar cada seção do corpo (sentidos, cabeça, membros etc.), para que o corpo espiritual pudesse estar consciente e se mover na vida após a morte. Por meio desse rito, acreditava-se possível devolver ao defunto, ou a uma estátua que o representasse, os sentidos de olfato, paladar, visão e audição, de modo que o falecido pudesse participar da vida por meio de uma imagem, por exemplo. A existência desse ritual é comprovada desde a época do Antigo Império, tendo sido realizado até o período romano.

Os textos das pirâmides, de caráter funerário mais antigos entre os egípcios, já apresentavam várias fórmulas a serem recitadas pelos sacerdotes durante essa cerimônia, a qual era bastante elaborada, podendo durar vários dias, caso se realizasse num defunto oriundo da classe abastada. Era conduzida pelo sacerdote e frequentemente pelo filho mais velho do falecido.

Capítulo 4　　　　　　　　　　　　　　　A MORTE NO ANTIGO EGITO　　75

Livro dos Mortos de Hunefer (19ª dinastia), quadro 5, contendo a cena que descreve a cerimônia da abertura da boca. Atualmente aos cuidados do Museu Britânico.

Ao olhar todo rigor e cuidado dos egípcios pelos corpos de seus mortos, especialmente os ricos mortos, não podemos deixar de pensar no que se passava na mente de um hebreu fiel à revelação do Deus de Abraão e preso no Egito; alguém, talvez, como José ao chegar à terra dos faraós. O choque cultural com suas próprias crenças foi algo bastante desafiador, muito diferente da tradição abraâmica.

A versão bíblica, por outro lado, é totalmente oposta a tudo isso que acabamos de ver. De acordo com as Escrituras, Deus criou o homem do pó da terra e lhe soprou nas narinas o fôlego de vida, de modo que o homem passou a *ser* uma alma vivente, ou seja, um ser vivo (Gn 2:7). A criação dessa alma, portanto, não nos torna uma entidade extracorpórea que sobrevive à custa de rituais, e sim pessoas que vivem graças à atuação de um único Deus, o criador do céu e da terra (Sl 146:4). Conforme está escrito, e mesmo declarado pelo próprio Jesus, a morte na Bíblia é comparada a um sono (cf. Dt 31:16; Sl 13:3; Jo 11:11), cujo despertar não depende da ação humana, mas da vontade do próprio Deus, o qual despertará os mortos para a vida em uma terra restaurada, assim como deveria ser desde o princípio. Jesus é o primogênito dos mortos, aquele que morreu, ressuscitou e hoje vive eternamente, para que aquele que nele crê tenha o mesmo destino que o dele.

Era justamente por não conhecer o verdadeiro Deus da vida que os egípcios cultuavam tanto a morte. Como, aliás, muitos fazem hoje em dia. Mas será que a morte é mais poderosa que Deus? É claro que não! Como poderia a morte – ou qualquer outro "inimigo" – ser mais forte que o Deus Todo-poderoso? Deus tem o poder de reverter a morte por meio da ressurreição e é isso que promete fazer aos que morrerem em Cristo. Não em Anúbis, ou em Osíris, mas em Cristo. Foi o próprio Jesus quem disse:

"E, quanto à ressurreição dos mortos, vocês não leram o que Deus lhes disse: 'Eu sou o Deus de Abraão, o Deus de Isaque e o Deus de Jacó'? Ele não é Deus de mortos, mas de vivos!" (Mt 22:31, 32).

Jesus se referia à conversa entre Deus e Moisés diante da sarça ardente, quando este estava foragido do Egito. De acordo com Jesus, as palavras do Senhor ao homem indicam que a promessa da ressurreição com certeza vai se cumprir. Como assim?

Considere o contexto. Quando o Eterno falou com Moisés, na sarça ardente, os patriarcas Abraão, Isaque e Jacó já tinham morrido havia muito tempo. Mesmo assim, Ele disse: "Eu sou o Deus deles", não "Eu era". Deus falou desses três patriarcas como se ainda estivessem vivos. Por quê?

Jesus explicou: "Ele não é Deus de mortos, mas de vivos". Pense um pouco no que essas palavras significam. Se não existisse ressurreição e promessa da vida eterna, Abraão, Isaque e Jacó continuariam para sempre nas garras da morte. Diferentemente, da reanimação egípcia da alma para uma vida extracorpórea, a promessa de Deus é a de uma ressurreição do corpo humano de volta à consciência precisamente como aconteceu com Lázaro, com a filha de Jairo e principalmente com o próprio Jesus. O Deus bíblico, quando criou esse mundo, criou-o como uma realidade física, pondo sobre ele seres igualmente físicos. Deus planejou um mundo no qual tudo era "muito bom" para se viver. E, a despeito desse mundo perder seu equilíbrio perfeito, é nesse mundo que está nossa única oportunidade de existência. Nesse caso, se houvesse a mínima possibilidade de um paraíso espiritual eterno para as almas justas e de um inferno para as injustas, conforme popularmente interpretado, o Deus da Bíblia seria um deus de cadáveres, como eram os deuses do Egito.

Vale lembrar que, diferentemente do que muitos creem hoje sobre a vida após a morte, os egípcios não criam que a alma vivia em um paraíso celestial, mas sim neste mundo, com os vivos, porém dentro do plano espiritual. Então, depois de passar a noite dormindo em seu túmulo, a alma acordava todas as manhãs ao nascer do Sol, a fim de desfrutar de uma vida ideal, obviamente, livre das preocupações inerentes à existência física. Sendo assim, por ser um espírito, ela existia no mesmo nível dos deuses, compartilhando inclusive dos mesmos poderes.[14] Ou seja, uma alma egípcia poderia alcançar no além duas novas condições: imortalidade e divindade. Isso te lembra alguma coisa?

A fala da serpente à Eva englobava essas duas atribuições: "Então a serpente disse à mulher: É certo que vocês **não morrerão**. Porque Deus sabe que, no dia em que dele comerem, os olhos de vocês se abrirão e, **como Deus**, vocês serão conhecedores do bem e do mal" (Gn 3:4-7). A ideia primordial da serpente não acabou no Éden, mas se estendeu, se ampliou, e se fixou na cultura de muitos povos antigos, e mesmo hoje continua repercutindo entre nós.

Agora, temos de admitir que mesmo o conhecimento mais superficial da antiga civilização egípcia torna notório que nenhuma outra cultura colocou tanto esforço na prática da mumificação não apenas de corpos humanos, mas de milhares de animais. Nenhuma outra sociedade deixou para trás túmulos tão complexos e enormes como as pirâmides de Gizé, e para nenhum outro povo a construção de túmulos foi mais importante do que a construção de casas e palácios. Quem mais fabricou sarcófagos tão sofisticados e bonitos? Que outra nação desenvolveu uma escrita tão excepcional, rica em detalhes, cuja literatura ilustra dramaticamente o destino da alma após a morte? Sem dúvida, somente o Egito! Logo, ao olhar para esse Egito do passado, somos lembrados de que seus habitantes tinham uma vida centrada na morte; nós, hoje, no futuro; porém, ao abrir o Livro dos Vivos,

---

[14] Allen. **Middle Egyptian**, p. 38.

somos lembrados de que essa vida é a única que temos, de que o nosso esforço está exclusivamente na fé de que Aquele que um dia morreu está vivo, e o destino que Ele tomou se tornará o nosso destino também, simplesmente se Nele acreditarmos. Não depende de uma imitação do que Ele fez, nem de algo que tenhamos ou precisemos fazer para Ele, mas de uma promessa que Ele nos deixou. Uma Palavra que transforma corações de um jeito que nenhum feitiço jamais conseguiu, Sua verdade está disponível a qualquer um, em qualquer lugar, a qualquer momento.

As misteriosas pirâmides

O Nilo também desempenhou um papel importante na criação dos túmulos monumentais, conhecidos por pirâmides. Um antigo diário de papiro de um funcionário envolvido na construção da Grande Pirâmide de Gizé, por exemplo, descreve como os trabalhadores transportaram blocos maciços de calcário em barcos de madeira ao longo do Nilo e, em seguida, encaminharam os blocos por meio de um sistema de canais até o local onde a pirâmide estava sendo construída.

Mas não somente em relação ao transporte que o Nilo teve sua contribuição na existência das pirâmides; na verdade, o imaginário egípcio que deu surgimento a essa complexa ideia arquitetônica também tem suas origens no grande rio. Isso porque o Nilo desempenhou um papel-chave na crença egípcia sobre a vida após a morte, que é a *raison d'être* das colossais pirâmides. O aumento das águas trazendo as inundações foi interpretado como a "morte" da terra, enquanto o descer das águas, que possibilitava o crescimento das plantações e da colheita, representava a "vida". Assim, os egípcios acreditavam que o Nilo era o caminho fluvial que levava da vida para a morte; depois, o mesmo caminho a ser percorrido pela alma para que entrasse na vida após a morte – uma espécie de imitação da jornada diária do deus Rá, que velejava em um barco desde o nascer do sol (vida) até o pôr do sol (morte), viajando durante a noite pelo submundo para, finalmente, iniciar um novo ciclo ao renascer a cada dia.

As pirâmides egípcias são antigas estruturas de pedra. A maioria delas foi construída como tumbas para os faraós e seus consortes durante os períodos do Antigo e Médio Império (c. 2575-1640 a.C.). Ou seja, a construção massiva de pirâmides foi um período relativamente curto na história egípcia, que começou com a terceira e terminou com a sexta dinastia faraônica. O número total de pirâmides atualmente conhecidas no Egito está em torno de 118.[1] Muitas delas, é claro, foram reduzidas a areia e escombros, mas, ainda assim, são reconhecidas por arqueólogos como antigos monumentos piramidais.

Se existe, porém, uma curiosidade acima de qualquer outra que podemos citar sobre os egípcios, era sua estranha devoção pela morte, conforme pudemos perceber no capítulo anterior. Portanto, não é espanto saber que as pirâmides também estão ligadas a essas antigas crenças. Isso se reflete igualmente em suas obras arquitetônicas e mais proeminentemente pela enorme quantidade de tempo, dinheiro e trabalho envolvidos na construção desses antigos túmulos.[2]

De fato, a maioria das ricas coleções de antiguidades egípcias conservadas até hoje não vem da vida comum do dia a dia, mas dos túmulos e das sepulturas. A explicação para isso é relativamente simples. Ocorre que tumbas datando tanto do período pré-dinástico quanto da duração de três milênios de história egípcia foram encontradas em número considerável, ao passo que restos de casas e até mesmo palácios são bastante raros.

Chega a ser paradoxal que um grandioso reino construído em pleno deserto às margens do Rio Nilo tenha assim desaparecido. Mesmo capitais importantes como Mênfis e Tebas desapareceram quase completamente,

---

[1] Mark Lehner. **The Complete Pyramids**: Solving the Ancient Mysteries. Londres: Thames & Hudson, 2008, p. 34.
[2] Talbot Hamlin. **Architecture through the Ages**. Nova Iorque: Putnam, 1954, p. 30.

sem deixar vestígios. Nada resta dos palácios daqueles reis cujas pirâmides constam, desde a antiguidade, entre os monumentos mais célebres do mundo. Nem mesmo sabemos se esses palácios estariam em Mênfis ou nas proximidades das pirâmides. Talvez a desolação do antigo império egípcio possa ser compreendida à luz das profecias bíblicas. Somente Deus, o verdadeiro autor das Escrituras, pode prever o futuro com precisão. Assim Ele falou por intermédio do profeta Jeremias acerca do destino das antigas cidades egípcias de Mênfis e Tebas: "Prepare a sua bagagem para o exílio, ó moradora, filha do Egito. Porque Mênfis se tornará em desolação, ficará em ruínas e desabitada. O Egito é uma bela novilha, mas uma mutuca do Norte já vem atacá-la; sim, já vem" (Jr 46:19-20). E foi isso mesmo que aconteceu. As ruínas gigantescas de Mênfis foram saqueadas por conquistadores árabes, que usaram seus destroços na construção de suas cidades.

Tebas, antes chamada Nô-Amom, ou apenas Nô, e seus próprios deuses tiveram um fim similar. Sobre essa cidade, que havia sido capital do Egito e o principal centro de adoração do deus Amon, Deus disse: "Eis que eu castigarei Amon, deus de Tebas, e também Faraó, o Egito, os seus deuses e os seus reis, o próprio Faraó e os que confiam nele. Eu os entregarei nas mãos dos que querem matá-los..." (Jr 46:25-26).

Conforme profetizado, esse rei babilônico conquistou o Egito e a importante cidade de Tebas, destruindo-a quase completamente. Anos mais tarde, a cidade sofreu outro ataque, dessa vez pelas mãos de Cambises II, rei da Pérsia (525 a.C.).[3] Daí em diante, sua decadência foi constante até que, por fim, foi completamente destruída pelos romanos. A Bíblia realmente cumpre seu papel de anunciar ao mundo as profecias de Deus.

Mastaba: as origens

Os primeiros edifícios funerários construídos pelos egípcios, contudo, são o que hoje denominamos *mastabas*. Uma *mastaba* era uma construção retangular pequena e baixa com teto plano, feita inteiramente de tijolos; mais

---

[3] Pierre Briant. **From Cyrus to Alexander**: a history of the Persian empire. Winona Lake, IN: Eisenbrauns, 2002, p. 54.

tarde, de pedras. Recebeu esse nome a partir do árabe, porque, quando avistada de longe, se assemelha a um "banco de pedra". Mas, para os egípcios, ela era conhecida pelo nome *per-djet*, "casa da eternidade".[4]

Devido ao clima seco do Egito, os restos mortais de uma pessoa são naturalmente preservados; uma vez que os egípcios desenvolveram um sistema complexo sobre o conceito da vida após a morte, é natural considerar a necessidade dos corpos de casas ou abrigos para descansar. Assim, com o tempo, os habitantes da região acabaram percebendo que um corpo enterrado na areia se conservava muito melhor do que fora dela; consequentemente, isso levou os egípcios a desenvolverem suas próprias técnicas de mumificação.[5] E é precisamente esse o objetivo de uma *mastaba*. A fim de que o cadáver pudesse ficar sobre a terra e não dentro dela, essa construção fornecia ao corpo uma proteção mais adequada para que não fosse violado por animais e ladrões de sepulturas, ou qualquer outra adversidade.

Uma *mastaba* era como uma casa para os mortos, e os túmulos precursores das famosas pirâmides. Inicialmente, até pelo menos o período do Antigo Império e do Primeiro Período Intermediário, apenas a realeza ou altos funcionários eram enterrados nessas tumbas. Com o passar do tempo, no entanto, os homens mais ricos exigiram túmulos mais sofisticados e complexos, que se desenvolveram cada vez mais, até surgirem os complexos funerários conhecidos por pirâmides. Porém um formato não anulou o outro. Os dois coexistiram e as *mastabas* continuaram recorrentes, pois eram uma alternativa mais barata para o povo comum.

Os primeiros modelos eram simples e arquitetonicamente pouco complexos; mais tarde, porém, uma sala, a capela do túmulo, foi estruturada a fim de acomodar as imagens, ofertas, inscrições e tudo quanto pudesse estar relacionado à vida terrena e/ou espiritual do falecido. Assim, as câmaras de armazenamento poderiam ser abastecidas com alimentos e equipamentos, e as paredes começaram a ser decoradas com cenas que mostravam as atividades diárias do morto.

---

[4] Alan H. Gardiner. **Egypt of the pharaohs**. Nova Iorque: Oxford University Press, 1964, p. 57.
[5] Alexander Badawy. **Ancient Egypt and the Near East**. Cambridge: MIT Press, 1966, p. 7.

Quem olhava de cima via uma estrutura simples de tijolos, mas as antigas *mastabas* consistiam em duas seções básicas: a superfície e a subterrânea. Podemos dizer que a área subterrânea continha o cerne do monumento, uma vez que abrigava a câmara funerária onde era colocado o sarcófago do morto. Essa seção era ligada com a superfície por meio de um poço vertical que conectava as duas partes. Assim, as câmaras funerárias eram escavadas profundamente na rocha e revestidas com madeira ou tijolos.

Na seção da superfície, dois compartimentos foram se desenvolvendo gradualmente. O primeiro era um nicho oculto chamado *serdab*, usado para estocar tudo aquilo que pudesse ser considerado essencial para o conforto do morto na vida após a morte, tais como: comidas, bebidas, roupas e outros itens preciosos. Esse compartimento também abrigava uma estátua do falecido, chamada estátua *ka*, que servia como representação do rosto do morto a fim de auxiliar a alma a reconhecer o local onde estava seu corpo mumificado e assim poder voltar para ele. O alto das paredes do *serdab* continha pequenas fendas permitindo à alma sair e retornar ao seu corpo durante sua jornada diária. Os antigos egípcios acreditavam que o *ba* tinha de retornar ao corpo durante a noite; do contrário, morreria. Além disso, ainda que a estátua do *serdab* pudesse ser vista da câmara ao lado, sua função, na verdade, era "permitir que a fragrância do incenso queimado, e possivelmente os feitiços falados nos rituais, chegassem à estátua".[6]

Mais tarde, no entanto, uma porta simbólica, talhada na pedra, começou a ser incluída no *serdab* para servir como local de passagem para a alma. Para os egípcios antigos, essa *porta falsa* era um tipo de fronteira entre o mundo dos vivos e o dos mortos. Sobre ela se inseria inscrições e imagens que exaltavam as boas práticas e realizações do falecido. Era por meio dela que uma divindade ou espírito poderia entrar e sair. A porta falsa tornou-se o elemento principal da capela de um túmulo, onde os membros da família poderiam colocar oferendas para o falecido em uma laje especial

---

[6] Dorothea Arnold. **When the pyramids were built**: Egyptian art of the Old Kingdom. Nova Iorque: Metropolitan Museum of Art, 1999, p. 12.

situada em frente à porta.[7] A maioria das portas falsas foi alocada na parede oeste da capela funerária, isso porque, para os egípcios, o oeste estava associado à terra dos mortos (a direção do pôr do sol). Em muitas *mastabas*, tanto o marido quanto a esposa, e outros parentes enterrados, tinham sua própria porta falsa.

A partir da 3ª dinastia, no entanto, as portas falsas desenvolveram-se em pequenas capelas repletas de pinturas e imagens, constituindo o segundo compartimento da superfície.

É possível notar que tanto o ritual fúnebre quanto a arquitetura local eram muito importantes, pois acreditava-se que ali o morto teria, pela eternidade, o usufruto de sua nova vida no mundo de Osíris, isto é, no mundo dos mortos. É precisamente essa estrutura que serviu como base para o desenvolvimento das complexas e colossais pirâmides.

Porta falsa do selador real Neferiu (c. 2150-2010 a.C.). Museu de Arte Metropolitana de Nova Iorque.

Sacara: a primeira pirâmide

Considerando que só temos ruínas parciais do Antigo Egito, como muitas *mastabas* que se deterioraram com o tempo, chegando até nós somente

---
[7] Allen. **Middle Egyptian**, p. 95.

Capítulo 5 — AS MISTERIOSAS PIRÂMIDES

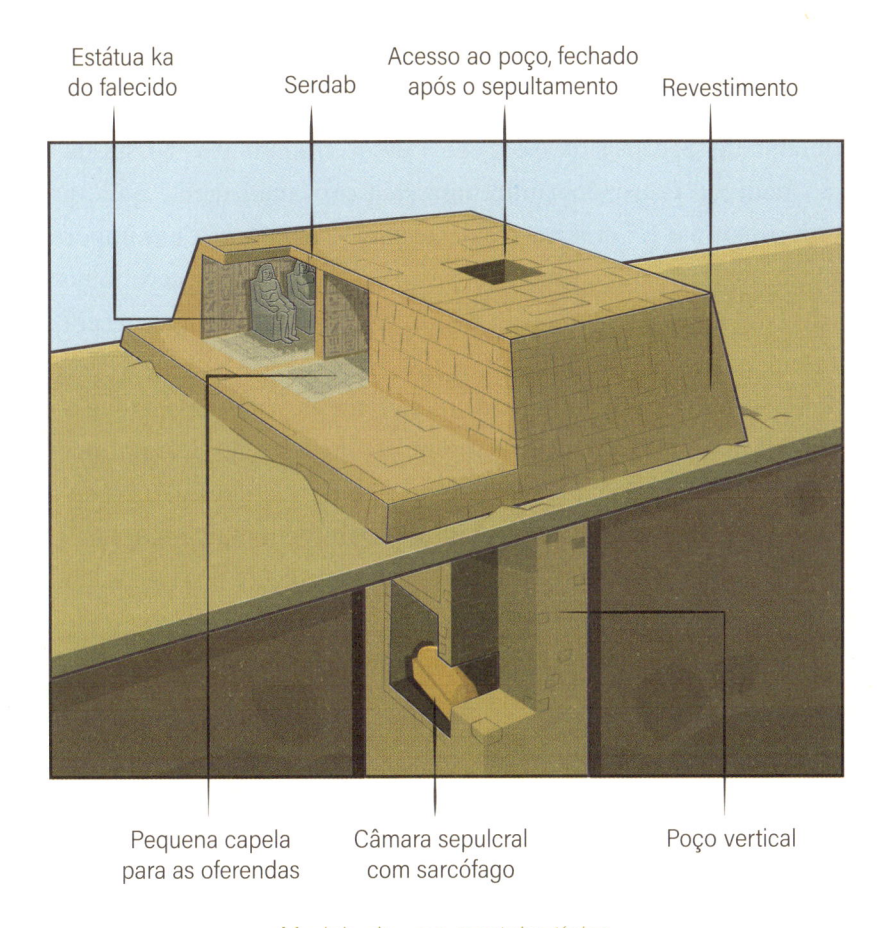

Modelo de uma mastaba típica.

- Estátua ka do falecido
- Serdab
- Acesso ao poço, fechado após o sepultamento
- Revestimento
- Pequena capela para as oferendas
- Câmara sepulcral com sarcófago
- Poço vertical

aquelas construídas com pedras, e que os principais detalhes da cultura egípcia estão mais guardados no mundo dos mortos que no mundo dos vivos, vamos voltar nossos olhos agora para Sacara, a mais antiga necrópole egípcia. Trata-se de um setor a noroeste da antiga cidade de Mênfis, a mais antiga capital dos egípcios, onde inicialmente os faraós abrigaram seus corpos e de seus entes queridos. Os mais antigos faraós da 1ª e 2ª dinastias, com suas respectivas esposas e ministros, estão nela sepultados em monumentais edifícios.

As pirâmides mais antigas foram inicialmente construídas em forma de degraus, o que leva alguns a sugerir que, na verdade, elas podem ser um tipo de adaptação dos zigurates mesopotâmicos datados de cerca de 4000 a 3000 a.C.[8]

Atualmente, Sacara situa-se a cerca de 40 quilômetros ao sul da moderna cidade do Cairo, cobrindo uma área com mais de 6,2 quilômetros de comprimento e 1,5 quilômetro de largura. Permaneceu um importante complexo funerário para tumbas de pessoas comuns e para cerimônias por mais de 3 mil anos, passando pelo domínio grego até os tempos da era cristã, durante o império romano (séc. V d.C.).[9]

Muitos estudiosos dizem que nela estariam as sepulturas daqueles que viveram durante a 1ª dinastia, e mesmo daqueles que viveram antes do período dinástico, participando da fundação do Antigo Egito como altos oficiais do rei. Suas tumbas, no entanto, seriam bem mais modestas e não teriam o *glamour* das estruturas mais elaboradas da era dos faraós.

O nome Sacara (*Saqqara,* em árabe) é considerado por alguns egiptólogos uma derivação do nome *Sokar,* um deus falcão da necrópole de Mênfis, considerado na mitologia egípcia o protetor da necrópole.[10]

Entre os muitos monumentos funerários situados em Sacara está uma imensa pirâmide escalonada. Mas, para entendermos essa parte do complexo funerário, temos de voltar ao período da 3ª dinastia egípcia, com a qual iniciou-se o chamado Antigo Império, um período de glórias que marcou profundamente a vida dos que moravam nas ribeiras do grande Nilo.

Sacara é documentada historicamente como a primeira pirâmide de todo o Egito, e os egiptólogos a atribuem ao faraó Djoser da 3ª dinastia. De fato, a engenhosidade, a engenharia e o novo estilo arquitetônico dessa pi-

---

[8] Colbert Held; John T. Cummings. **Middle East Patterns, Student Economy Edition**: places, people, and politics. 6ª ed. Nova Iorque: Routledge, 2016, p. 63. É importante esclarecer que em termos de propósitos e funções, as pirâmides e os zigurates diferem grandemente. As pirâmides foram originalmente pensadas como os locais de descanso final da alma dos faraós falecidos, e foram construídas com poços muito estreitos que se estendem de dentro para a superfície externa com o objetivo de elevar a alma do faraó aos céus. Os zigurates, por outro lado, foram planejados para abrigar os deuses. De modo que, eles são as moradas terrestres dos próprios deuses. Não é à toa que somente os sacerdotes pudessem entrar nos zigurates.

[9] Violaine Chauvet. "Saqqara" in Donald B. Redford (ed.). **The Oxford Encyclopedia of Ancient Egypt**. Vol. 3. Oxford: Oxford University Press, 2001, p. 176.

[10] Idem.

râmide são geralmente conferidos ao vizir do faraó, o polímata e sacerdote Imhotep.[11] Muito de sua vida foi engrandecido e alguns supõem que existam certos aspectos lendários em sua biografia, mas o fato é que Imhotep consta como um dos homens mais sábios de seu tempo.[12]

Em uma estátua, por exemplo, ele aparece sentado segurando um papiro ao colo, o que evidencia sua destreza na arte de escrever. Mas ele tinha ainda outros atributos: além de vizir e sacerdote, foi filósofo, mago, astrônomo, escritor, arquiteto, engenheiro e médico. Dizem, inclusive, que a atribuição que se dá a Hipócrates como pai da medicina é um tremendo erro, que só se concretizou porque a descoberta histórica de Imhotep chegou tarde demais. Afinal, este vivera 2100 anos antes de Hipócrates e suas contribuições para a ciência médica foram simplesmente estupendas.[13]

Apesar de muito ligada à superstição e à magia, a medicina egípcia era tremendamente avançada para aquele tempo. Complexas cirurgias com bons resultados chegaram a ser realizadas. Hoje

Imhotep foi o responsável pela construção da primeira pirâmide de pedra monumental do Egito, no início da 3ª Dinastia (cerca de 2650-2600 a.C.).

---

[11] Barry J. Kemp. **Ancient Egypt**. Nova Iorque: Routledge, 2005, p. 159.
[12] Embora muitos egiptólogos creditem a idealização e construção de primeira pirâmide a Imhotep, os próprios egípcios, sejam contemporâneos ou em escritos posteriores sobre ele, não lhe atribuem as mesmas realizações. Veja: John Romer. **A History of Ancient Egypt**: from the first farmers to the great pyramid. Londres: Penguin Books, 2013, p. 294-295.
[13] Leonard F Peltier. **Fractures**: a history and iconography of their treatment. São Francisco, CA: Norman Pub., 1999, p. 16.

sabe-se, por exemplo, que a trepanação, uma cirurgia com perfuração craniana, já era conhecida no Egito.[14]

O estudo ósseo de várias múmias também revelou a existência de próteses ortopédicas e dentárias, utilizadas milênios no passado, e parte disso graças à genialidade de Imhotep. Dizem, inclusive, que o caduceu, símbolo da medicina associado a Esculápio, seria na verdade uma evolução da vara de Imhotep, quando este se tornou o deus egípcio da medicina.

De fato, quando Moisés ergueu no deserto uma serpente de bronze numa estaca, talvez estivesse usando o antigo símbolo de Imhotep, que todos conheciam, para ilustrar a vinda do Messias futuro – Jesus, o verdadeiro médico dos médicos.

Enfim, em relação à pirâmide de Djoser, a genialidade de Imhotep reside no fato de ele propor uma pirâmide que, em essência, foi formada pela sobreposição de *mastabas*. Ou seja, a primeira pirâmide, uma estrutura construída em seis degraus, foi elaborada pelo empilhamento de *mastabas* cada vez menores em relação às anteriores, criando assim um aspecto de escada.[15] A razão para esse formato escalonado é geralmente entendida como um tipo de caminho pelo qual a alma do faraó falecido poderia ascender aos céus e se unir a Rá na sua jornada.[16]

Assim, a Pirâmide de Djoser, como é comumente conhecida, é o mais antigo edifício colossal de pedra no Egito. Foi construída no século XXVII a.C., durante a 3ª dinastia para o enterro do faraó Djoser. Tal pirâmide é a característica central de um vasto complexo mortuário em um enorme pátio cercado por estruturas e decorações cerimoniais. O complexo está orientado pelas direções norte e sul em sua extensão, em uma possível referência ao Baixo e Alto Egito.

---

[14] S. Collado-Vázquez; J. M. Carrillo. "Cranial Trepanation in *The Egyptian*" in **Neurología**, v. 29, n. 7, Set. 2014, p. 435.
[15] Miroslav Verner. **The Pyramids**: the mystery, culture, and science of Egypt's great monuments. Nova Iorque: Grove Press, 2002, p. 109-124.
[16] Stephen Quirck. **The Cult of Ra**: sun worship in Ancient Egypt. Londres: Thames & Hudson, 2001, p. 118–120.

Pirâmide escalonada de Djoser, cuja arquitetura foi atribuída ao seu vizir Imhotep.

Todo esse complexo funerário é dotado de uma única entrada que conduz até a grande pirâmide escalonada. A fachada dessa entrada foi feita para se parecer com feixes de junco, e o número dos feixes representariam as principais províncias do Alto e Baixo Egito. A entrada dava acesso a um corredor longo e estreito, mas que desempenhava uma importante função naqueles dias. O recinto tem um dossel de pedras calcárias esculpidas para parecerem troncos e, no fim da passagem, o corredor conduz a uma grande abertura feita de pedra maciça, imitando uma porta com dobradiças esculpidas e que está permanentemente aberta. Esse corredor conta com vinte pares de colunas de 6 metros de altura cada, construídas pelo empilhamento de blocos de pedra, 2 mil anos antes de os gregos usarem o estilo das colunas dóricas. Também foram encontrados por ali traços de tinta vermelha nas colunas, bem como de tinta preta nos muros; com isso, se conseguia o efeito de fundir os muros às sombras, criando a ilusão de que as colunas se mantinham erguidas por si próprias.

No fim da colunata está uma transversal sala hipostila com oito colunas ligadas em pares por blocos de calcário, dando acesso ao Átrio Sul. O Átrio Sul é um grande pátio que se estende entre o Túmulo Sul e a Pirâmide de Djoser. Dentro do átrio estão pedras curvas que se acredita serem marcadores territoriais associados ao festival *heb-sed*.

O *heb-sed* era um importante ritual concluído pelos reis egípcios para renovar seus poderes, e que ocorria normalmente após 30 anos do faraó sobre o trono, sendo repetido daí em diante a cada três anos. A cerimônia celebrava a continuação do governo de um faraó, na qual ele deveria dar demonstrações de sua vitalidade. Era como um jubileu, e acredita-se que as representações feitas na festividade eram uma reencenação ritual da unificação do Egito. Inicialmente, o faraó apresentava oferendas a uma série de deuses e, em seguida, era coroado, primeiro com a coroa branca (Alto Egito) e depois com a vermelha (Baixo Egito). Por fim, vestido com um saiote contendo um rabo de animal preso às costas, o faraó realizava uma corrida ritual pelo pátio e depois era carregado em uma grande procissão para visitar as capelas dos deuses de todo Alto e Baixo.[17] Tal ritual testificava ao povo a força física e a habilidade do rei para continuar governando, e, consequentemente, ratificava sua autoridade sobre todo o Egito.

No pátio, logo à direita, ficava o Templo T, o qual continha várias salas internas onde o faraó podia se preparar para rituais e cerimônias. Suas salas também foram dispostas pela orientação norte-sul, representando o Alto e o Baixo Egito, o domínio plano do faraó.

Por trás desse templo, estava o Pátio Heb-sed, que servia para prover um espaço onde o faraó pudesse realizar o mesmo ritual *heb-sed*, porém na vida após a morte. Conforme pode-se perceber, o festival *heb-sed* era não só antigo, mas de intenso significado para os egípcios, como atesta sua representação tanto nos espaços quanto nas inscrições dos templos funerários reais desde o tempo de Djoser.

Atrás da grande pirâmide ficava o Templo Norte, e a leste dele está o *serdab* abrigando a estátua *ka* do rei.

---

17 Jill Kamil. **The Ancient Egyptians**: life in the Old Kingdom. Cairo: AUC Press, 1996, p. 47.

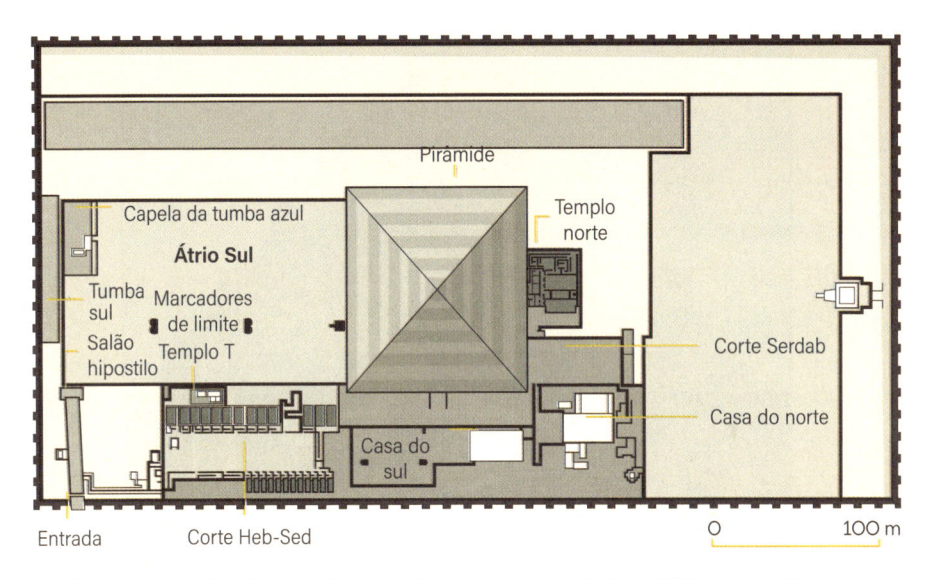

Representação do grande complexo mortuário do faraó Djoser em Sacara.

A pirâmide escalonada tem uma altura de 62 metros e uma base sólida de 121 por 129 metros, ou 1221 metros quadrados de área construída.[18] Ela foi feita de pedras que imitavam tijolos de adobe, como os anteriormente usados nas construções das *mastabas*. Sendo a primeira obra desta natureza, a pirâmide de Sacara foi uma construção feita na base de tentativa e erro. Sua superestrutura é composta de seis degraus e foi construída em seis etapas.

Foram anos de trabalho árduo, mas diferentemente do que muitos pensam, não empregou mão de obra escrava. Os que trabalharam ali eram atraídos com salários em forma de cereais, leite, cerveja e isenção de impostos.

Não se impressione, no entanto, com o gigante monumento acima da terra, pois, internamente, a colossal pirâmide é maciça, constituída por uma grande massa de pedras sólidas. No entanto, conforme vimos em relação aos compartimentos das *mastabas*, cerca de 27 metros abaixo da pirâmide,

---

[18] Sem autor. **Ancient Egypt and the Near East**: an illustrated history. Marshall Cavendish Reference, 2011, p. 11.

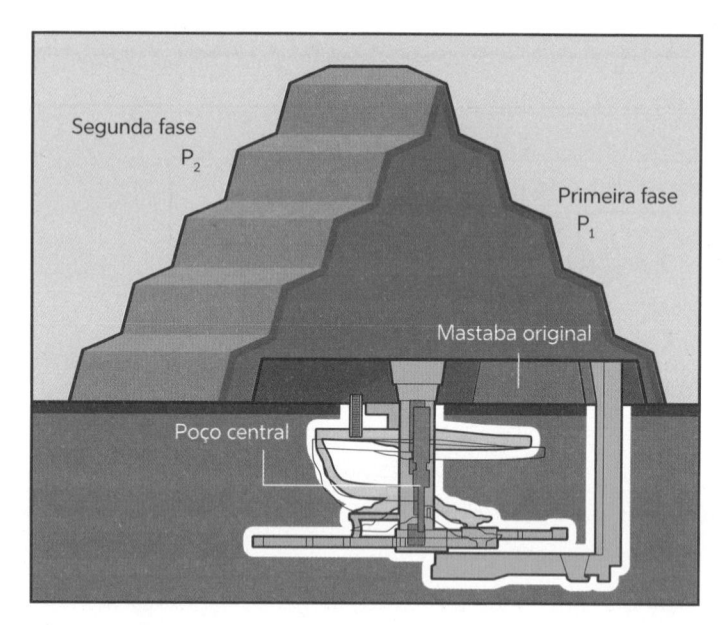

Visão simplificada do complexo de túneis subterrâneos sob a Pirâmide de Djoser.

há um complexo de túneis onde ficava o sarcófago do rei e muitos deles nunca foram explorados. Essa subestrutura, portanto, consiste basicamente em um grande poço central que dá acesso a um labirinto de corredores e salas. Com mais de 5 quilômetros de poços, túneis, câmaras e galerias, essa subestrutura não tem paralelo em tamanho e complexidade entre as outras pirâmides do Antigo Império.[19] Acredita-se que a rocha para construir a pirâmide em si tenha sido extraída disso. A Pirâmide de Djoser é tão revolucionária que representa um grande salto em frente a tudo o que veio antes dela. Sua influência seria sentida na construção das demais pirâmides egípcias por centenas de anos.

Agora uma correção importante precisa ser feita. Alguns estudiosos fazem uma associação errônea entre Imhotep e José do Egito.[20] Estes alegam

---

[19] Lehner. **Complete Pyramids**, p. 87.
[20] Entre os defensores dessa hipótese está o famoso neurocirurgião pediátrico Ben Carson, que advogou ela em um discurso acadêmico em 1998. Sobre essa identificação de José com Imhotep, veja: Tom Chetwynd. "A Seven Year Famine in the Reign of King Djoser with other Parallels between Imhotep and Joseph" in **Catastrophism and Ancient History**, IX, n. 1, jan., 1987,

que José, o filho de Jacó, seria o construtor dessa pirâmide, cuja finalidade era estocar comida nos anos de fome da região. Contudo, embora haja muitas similaridades entre ambos os personagens, essa hipótese é muito improvável por vários fatores, entre eles o fato de José ter nascido muitos séculos depois e de sua história não ter se passado em Mênfis.

Guardada por uma fileira de serpentes esculpidas, há outra tumba no extremo sul, fora do complexo mortuário de Djoser. Conhecida como Pirâmide de Unas, pois abrigava o corpo de Nefer Asut Unas, o último faraó da 5ª dinastia.[21] Essa pirâmide também é dotada de uma câmara funerária subterrânea localizada a 30 metros de profundidade. É uma das câmaras mortuárias mais profundas do Egito.

Na entrada, ao norte, há um corredor inclinado que conduz a uma antecâmara localizada sob o eixo central da pirâmide. Do seu lado leste, encontra-se o nicho *serdab*, enquanto do lado oeste – a câmara mortuária central. Contra a parede oeste da câmara do túmulo está o sarcófago do faraó com portas falsas de alabastro à direita e à esquerda. As paredes dessa câmara estão cobertas com inscrições conhecidas como "Textos da Pirâmide", os mais antigos textos religiosos egípcios conhecidos, relacionados à vida após a morte e que mais tarde seria a base para o Livro dos Mortos no Novo Império.[22] Acredita-se que alguns desses textos estariam em um antigo idioma semita, porém escrito com hieróglifos egípcios.[23] A importância desse achado está na descoberta de que, por volta de 2300 a.C., muito antes de Abraão, os egípcios já tinham contato com povos semitas, o que torna perfeitamente possível o encontro de Abraão, que era semita, com o faraó do Egito, conforme descrito em Gênesis 12:10-20.

De acordo com o relato bíblico, Abraão, que na época ainda se chamava Abrão, veio ao Egito porque havia fome em Canaã. De fato, não era inco-

---

p. 49-56; Emmet Sweeney. **The Genesis of Israel and Egypt**. Nova Iorque: Algora Pub., 2008, p. 93-96.
[21] Verner. **The Pyramids**, p. 332.
[22] Nicolas Grimal. **A History of Ancient Egypt**. Oxford: Blackwell Publishing, 1992, p. 126.
[23] Ver. Richard C. Steiner. **Early Northwest Semitic Serpent Spells in the Pyramid Texts**. Winona Lake, IN: Eisenbrauns, 2011.

mum o Egito ter mais comida, pois enquanto Canaã dependia da chuva para a agricultura, o Egito tinha irrigação constante vinda do rio Nilo.

Difícil é compreender que costume social estaria por trás do estranho comportamento de Abraão em aceitar mentir quanto ao *status* de sua esposa, quase fazendo com que ela se tornasse mulher de faraó. Alguns comentaristas dizem que Abraão poderia adotar Sara como irmã para aumentar sua proteção social,[24] outros argumentam que ele a tornaria parte de um pretenso negócio para não ser confundido como espião ou inimigo do rei, mas nenhuma dessas soluções tem respaldo arqueológico que as valide.

Talvez o mais simples seria admitir que Abraão usou de algum artifício cultural hoje desconhecido por nós e que, tenha sido como for, cometeu um grande erro ao confiar mais naquilo que ele poderia fazer por si do que naquilo que Deus faria. Nisto, é interessante que a Bíblia não esconde os erros dos grandes homens de Deus do passado; assim fazendo, não somente mostra idoneidade do relato como apresenta esperança para nós, que igualmente cometemos nossos deslizes.

Considerando a possibilidade de os patriarcas terem passado por essas terras, o que viram ali certamente impressionou seus olhos: uma estrutura monumental, mundana, diferente da aridez de Canaã e do mau cheiro de cabras e ovelhas. Mas, a despeito de seus erros, Abraão tinha um objetivo em mente: cumprir com a ordem de Deus, caminhando para uma terra que o Senhor em pessoa prometera dar a ele e a seus descendentes. Assim ele partiu, errante pelo mundo, mas confiante na promessa, por isso foi corretamente chamado de "o amigo de Deus" (2Cr 20:7; Is 41:8).

Hoje, Sacara ainda impressiona, mas são apenas ruínas sobre ruínas e nada mais do que isso. Sua glória ficou no passado, porém a fé e o legado de Abraão permanecem firmes, motivando bilhões de pessoas ao redor do mundo a depositarem sua fé na mesma promessa e, como ele, aguardar, não em uma tumba secreta escondida embaixo da terra, mas na realidade da existência de uma cidade celestial, cujo arquiteto é o próprio Deus.

---

[24] James K. Hoffmeier. "The Wives' Tales of Genesis 12, 20, & 26 and the Covenants at Beer-Sheba" in **Tyndale Bulletin**, 43.1, 1992, p. 96.

Pirâmides verdadeiras: do erro à perfeição

Após sofrerem inúmeras transformações, uma revolução arquitetônica aconteceu na tumba dos reis – eles trocaram a pirâmide escalonada por uma pirâmide cujos lados fossem lisos. Essa transição em estilo e forma, acredita-se ter ocorrido ainda na 3ª dinastia com Huni, o último faraó, porém, continuada pelas mãos de seu sucessor, o filho Seneferu, fundador da 4ª dinastia (2613-2494 a.C.).[25]

Seneferu construiu pelo menos quatro pirâmides que sobrevivem até hoje, e introduziu grandes inovações no projeto e construção de pirâmides. Isso por si só evidencia que além de habilidoso construtor e comerciante, Seneferu era muito vaidoso e queria fazer para si algo sem precedentes. Muitos indícios levam a crer que ele foi o maior construtor de pirâmides de toda história do Egito e que o seu reinado conciliou mais uma vez a formidável atividade arquitetônica com um espírito de paz e um desenvolvimento econômico harmonioso.[26]

A primeira de suas realizações piramidais, encontra-se em Meidum, região a mais ou menos 50 quilômetros ao sul de Mênfis. Acredita-se que essa seja a segunda pirâmide construída após a pirâmide de degraus de Djoser.[27] Em sua forma atual, a pirâmide de Meidum, parece mais com uma torre retangular do que com uma pirâmide propriamente dita. A forma que apresenta não foi proposital, mas se deve em parte ao método empregado para sua construção, cujas principais características se tornaram conhecidas principalmente por meio das escavações empreendidas por Sir Flinders Petrie em 1891.

O plano original era construir uma pirâmide de sete degraus, mas foi posteriormente reconstruída para uma base de oito degraus. O arquiteto, talvez sucessor de Imhotep, mais tarde decidiu usar um preenchimento de calcário sobre os degraus para transformá-la de uma pirâmide de degraus

---

[25] Ian Shaw (ed.). **The Oxford History of Ancient Egypt**. Oxford: Oxford University Press, 2000, p. 482.
[26] Verner. **The Pyramids**, p. 174.
[27] Bülent Atalay. **Math and the Mona Lisa**: the art and science of Leonard da Vinci. Washington: Smithsonian Books, 2006, p. 64.

Pirâmide de Meidum, uma tentativa de transformar uma pirâmide escalonada em uma de lados lisos.

em uma *pirâmide verdadeira*, assim são nomeadas as pirâmides de lados lisos. Embora essa técnica tenha sido usada na construção de outras pirâmides verdadeiras, tais modificações, contudo, foram afetadas por erros adicionais que acabaram comprometendo severamente a estabilidade da estrutura e é provável que durante um aguaceiro a construção de Seneferu entrou em colapso, enquanto ainda estava em construção.[28] Assim, por causa de sua aparência incomum, a pirâmide é muitas vezes chamada de *pirâmide falsa*. Apesar do desastre da obra, seu projeto evidencia que os antigos egípcios estavam explorando uma forma mais avançada de construção de pirâmides, rapidamente após o sucesso da pirâmide de degraus.

A segunda obra de Seneferu e, aparentemente, segunda tentativa de construir uma pirâmide verdadeira, está agora mais perto de Mênfis, na região de Dashur, próximo da nova residência do faraó, há cerca de 10 quilômetros ao sul de Sacara. Ali foi iniciada a construção de uma pirâmide que, dessa vez, foi projetada desde o início para ter lados lisos; no entanto, mais uma vez as coisas não saíram conforme o planejado, pois parece ter havido um erro de cálculo por parte dos arquitetos do faraó. Seu formato, visível até hoje, permite perceber a grotesca falha cometida. O fundamento sobre o qual a estrutura foi construída não era estável o suficiente para suportar todo o peso inicialmente planejado. Assim, a estrutura começou

---

28 Kurt Mendelssohn. **The Riddle of the Pyramids**. Londres: Thames & Hudson, 1974, p. 82.

Pirâmide Curvada, primeira tentativa de construir uma pirâmide verdadeira desde a planta.

como uma pirâmide verdadeira, mas no meio do caminho, seu ângulo de inclinação inicial diminui abruptamente de 55 para 45 graus, concedendo-lhe uma aparência peculiar, o que acabou lhe rendendo o nome de Pirâmide Curvada.[29] A mudança no ângulo provavelmente foi feita durante a construção para dar mais estabilidade ao edifício e evitar o dano de alguma câmara interna.

De modo curioso é irônico saber que o homem que entrou para a história como o maior construtor de pirâmides, superior a Djoser e seu arquiteto, tem dois erros de edificação perpetuados nos registros da arquitetura mundial. Contudo, percebendo suas deficiências e aprendendo com seus

---

[29] Verner. **The Pyramids**, p. 177.

erros, o rei Seneferu ordenou a construção de uma terceira pirâmide, a segunda em Dashur, conhecida como Pirâmide Vermelha, chamada assim por causa da cor rubro clara de sua superfície de granito, exposta devido à perda de sua cobertura de pedra calcária polida. Essa pirâmide parece ter sido construída com extrema cautela, levando-se em conta os erros das construções passadas. Embora com uma altura de mais de 100 metros, figurando entre as três maiores pirâmides de todo o Egito, por outro lado, é a de menor grau de inclinação – apenas 43 graus.[30] Uma vez concluída, essa pirâmide foi considerada um sucesso. Era a maior estrutura criada pelo ser humano em todo o mundo. Integralmente construída, sem falhas, e com todos os lados lisos, tem a fama de ser a primeira pirâmide verdadeira da história. Muitos creem que Seneferu estaria sepultado dentro dela.[31]

Episódios como esse na história, mostram que nem tudo está perdido quando um erro é cometido. Entre tentativas e erros, a persistência do monarca finalmente lhe rendeu uma obra perfeita, digna de louvor. Além de toda a engenharia, os recursos, a mão de obra, a preparação etc., construir uma pirâmide exigia uma enorme quantidade de tempo, em especial levando-se em conta a tecnologia disponível na época. A Pirâmide Vermelha, por exemplo, demorou 17 anos para ser finalizada. Ainda assim, Seneferu é responsável por quatro delas, sendo considerado o primeiro faraó a escrever seu nome dentro de um cartucho. O mais curioso é que Quéops, seu filho, o construtor da maior pirâmide de todas – a Grande Pirâmide de Gizé, talvez tenha sido seu legado mais importante. De fato, Seneferu foi um grande construtor em muitos sentidos, marcando seu nome na história egípcia.

A maior e mais famosa de todas as pirâmides, a Grande Pirâmide de Gizé, foi construída pelo filho de Seneferu, Khufu, mais conhecido como Quéops, forma grega posterior de seu nome. Foi com essa grande construção que se atingiu o clímax desse estilo arquitetônico de pirâmides verda-

---

[30] *Ibid.*, p. 186.
[31] Susanna Thomas. **Seneferu**: the pyramid builder. Nova Iorque: Rosen Publishing Group, 2003, p. 84.

Grande Pirâmide de Quéops (Khufu), Gizé, Egito

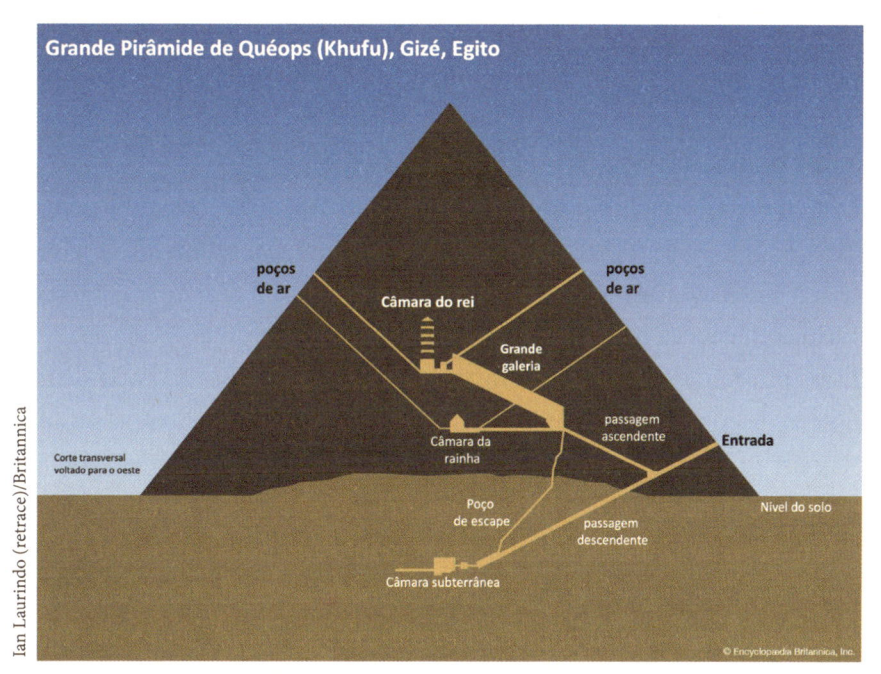

Complexos de túneis e câmaras no interior da Grande Pirâmide de Gizé.

deiras entre os egípcios. A Grande Pirâmide de Gizé é a mais antiga das Sete Maravilhas do Mundo Antigo e a única a permanecer praticamente intacta até hoje.

Originalmente, a grande pirâmide tinha pouco mais de 146 metros de altura, sendo a maior construção humana do mundo por mais de 3.500 anos, até a edificação da Antiga Catedral de São Paulo na cidade de Londres. Atualmente, por causa da perda de sua cobertura polida, a pirâmide foi reduzida a uma altura de 137 metros. A base mede cerca de 230 metros quadrados, e seus lados se elevavam em um ângulo de 51 graus. Os cientistas estimam que seus blocos de pedra pesem em média mais de duas toneladas cada, com o maior chegando até quinze toneladas.[32] É composta por cerca de 2,3 milhões de grandes blocos, pesando um total de 6 milhões de toneladas. Um feito como nenhum outro.

---

[32] Mark Lehner; Zahi Hawass. **Giza and the Pyramids**: the definitive history. Chicago: University of Chicago Press, 2017, p. 143.

O interior da pirâmide, assim como de outras, é basicamente constituído por uma grande massa de pedras sólidas; os poucos espaços existentes são tumbas reais. O local de descanso final do faraó era geralmente dentro de uma câmara funerária subterrânea sob a pirâmide.

Duas outras grandes pirâmides foram construídas em Gizé: uma pelo filho de Quéops, o faraó Quéfren; a outra, por Miquerinos, filho de Quéfren. Também localizada em Gizé, está a famosa Esfinge, uma enorme estátua de um leão com cabeça humana, esculpida durante o tempo de Quéfren.

Essas pirâmides não estão sozinhas; na verdade, elas fazem parte de um complexo de construções que incluem pequenas pirâmides, templos, capelas, barcos funerários etc. Á falta de informações ou registros antigos, no entanto, torna difícil saber com exatidão qual teria sido o uso de todos esses edifícios do complexo. É possível que o corpo do faraó fosse trazido de barco pelo Nilo até o local da pirâmide, onde seria mumificado em um local apropriado, antes de ser definitivamente colocado dentro da pirâmide.

Engenharia de construção

Como as gigantescas Pirâmides, cercadas por tantas outras construções, foram parar no deserto de areia? É fato que existem muitas especulações sobre como elas surgiram. Por muito tempo, tem sido sugerido teorias mirabolantes advogando que o ser humano comum e arcaico seria incapaz de alcançar esse feito. Por isso, as pirâmides seriam obra de inteligência extraterrestre, de restos da civilização de Atlântida e até mesmo seriam edificações feitas por gigantes antediluvianos. Obviamente tudo isso não passa de especulação e sensacionalismo. Contrariando essas teorias absurdas, os egiptólogos detêm algumas evidências que explicam as técnicas de construção usadas pelos antigos egípcios para erguer as pirâmides.

Os egípcios tinham ferramentas como formões, cinzéis, brocas e serras, sendo o cobre o único metal a que tiveram acesso. Mesmo não sendo tão tenaz, com o auxílio de pó abrasivo, feito com areia e/ou pó de rocha, certamente conseguiria cortar uma pedra relativamente macia como o calcário.

Poucos sabem, mas as pirâmides verdadeiras eram revestidas por uma pedra polida de calcário branco, tornando-se perfeitamente brancas, reluzindo à luz do sol. Infelizmente, essa cobertura não resistiu à ação do tempo, bem como à depravação das atividades humanas, como roubos e guerras. O fato é que a pedra para esse revestimento peculiar provinha de uma pedreira localizada em Tora, quase 15 quilômetros ao sul de Gizé.[33]

O mistério do deslocamento das pedras foi resolvido por meio de um achado revolucionário – o Diário de Merer. Merer foi um funcionário envolvido na construção da Grande Pirâmide de Gizé. O papiro de 4500 anos é o mais antigo do mundo e descreve como barcos de madeira e engenhosos sistemas de abastecimento de água transportavam blocos de calcário e granito de até 15 toneladas.[34] No diário, Merer detalha como ele e uma equipe de 40 trabalhadores de elite enviaram as pedras rio abaixo de Tora para Gizé ao longo do rio Nilo.

Os egípcios aproveitavam a cheia do Nilo, no verão, para abrir diques gigantes a fim de desviar a água e canalizá-la para a área de montagem. Um sistema de canais artificiais, criando um porto interior, permitia que os barcos atracassem muito perto do local da construção.

O grande problema, contudo, seria deslocar esses blocos enormes e pesados através da areia do deserto. Sabe-se que as pedras eram extraídas de pedreiras próximo à área de construção. Na verdade, o local escolhido para erigir uma pirâmide, certamente se deve ao fato de estarem próximos de tais pedreiras.[35]

No passado, havia muitas teorias sobre como os egípcios transportaram os blocos pela areia. Pensava-se por exemplo, que as pedras eram carregadas sobre troncos de madeira e puxadas com cordas. Mas, de acordo com estudos recentes, uma nova hipótese, mais plausível, tem sido aceita. Para mover as pedras por terra, os egípcios usaram um truque bastante sim-

---

[33] Grimal. **A History of Ancient Egypt**, p. 27.
[34] Pierre Tallet. **Les papyrus de la Mer Rouge I:** 'Le journal de Merer' (papyrus Jarf A et B). Cairo: Ifao, 2017, p. 160.
[35] A grande esfinge de Gizé, por exemplo, não foi carregada até o local, mas, obviamente, esculpida em um dos depósitos naturais de calcário daquela região.

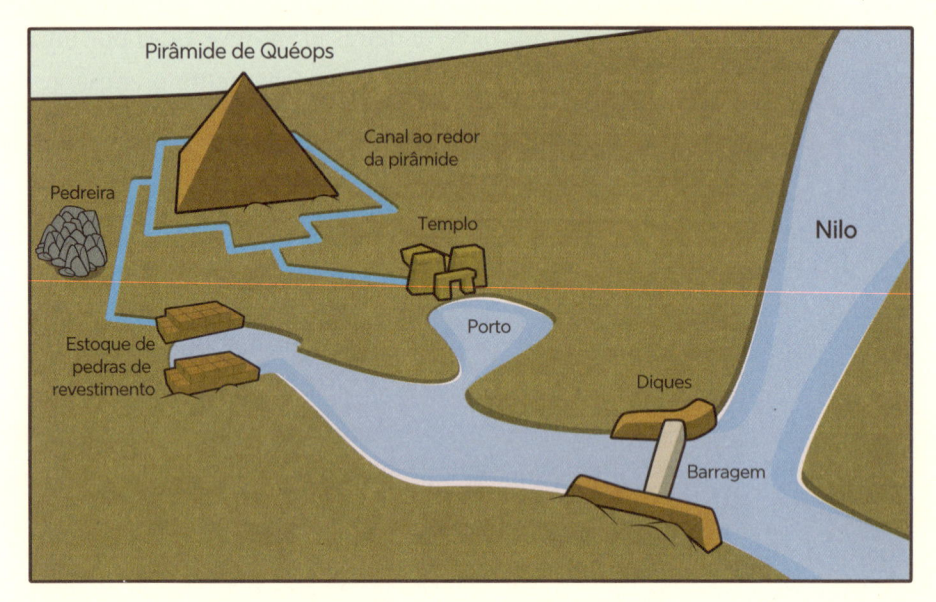

Modelo hipotético da configuração dos canais e poços para auxiliar no transporte de blocos e outros materiais até o local de construção. Tendo como base especialmente as informações contidas no Diário de Merer.[36]

ples: eles possivelmente as colocavam sobre um enorme trenó que podia ser empurrado ou puxado por equipes de trabalhadores e, para evitar que o trenó afundasse, a areia era umedecida com água, reduzindo assim o atrito e facilitando a movimentação do trenó.[36]

Essa descoberta foi inspirada por uma antiga pintura de parede egípcia, que data do século XIX a.C. Nela se vê uma enorme estátua sendo transportada pela areia em um trenó. A pintura tem um detalhe que há muito intrigava os egiptólogos: um trabalhador que parece estar despejando água na areia em frente ao trenó, enquanto outros parecem estar carregando água para reabastecer seu estoque. Por muito tempo, a cena do jovem derramando água tinha sido considerada uma espécie de ritual. Porém, um grupo multinacional de físicos liderado pelo professor Christian Wagner, da Universidade Saarland, na Alemanha, levantou a hipótese de ser uma medida

---

[36] Esse modelo foi proposto por John Polywka em **Secret of the Pyramids**. Disponível em https://www.secretofthepyramids.com/projects/project-three-water-transportation-at-giza, acessado em 20/05/2022.

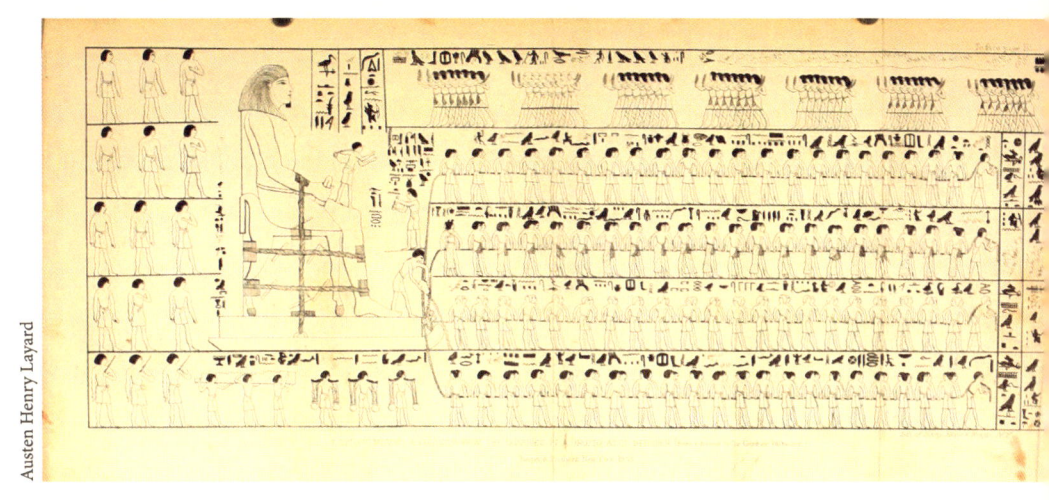

Desenho de uma pintura de parede do túmulo de Djehutihotep, governante de uma antiga província egípcia (c. 1880 a.C.). Uma pessoa parada sobre a estátua na parte frontal do trenó despeja água na areia.

prática para reduzir o atrito entre o trenó e a areia. A equipe, então, conduziu uma série de experimentos usando um trenó sendo arrastado por diferentes tipos de areia. No fim, além de confirmar a hipótese, a pesquisa apresentou resultados reveladores, como o fato de a areia egípcia ser ideal para a diminuição do atrito em comparação a outras.[37] Ou os egípcios tiveram a sorte do seu lado ou seu conhecimento físico foi maior do que imaginávamos.

Isso só explica como as pedras foram levadas de um local para outro, mas não como elas foram erguidas no ar e empilhadas umas sobre as outras. Em relação a isso, a maioria dos egiptólogos concorda que, quando as pedras chegavam ao local da pirâmide, um sistema de rampas feitas de areia teria sido usado para conduzir as pedras para cima. No entanto, não existe certeza de como eles teriam projetado essas rampas. Poucas evidências acerca das rampas sobrevivem, por isso vários projetos hipotéticos têm sido propostos nos últimos tempos, como rampas retas e/ou em espiral ao

---

[37] Christian Wagner, et al. "Sliding Friction on Wet and Dry Sand" in **Physical review Letters**, PRL 112, n. 175502 (maio, 2014), p. 1-4.

redor da construção.[38] Tais explicações visam entender qual seria a configuração ideal das rampas, tendo em vista o menor grau de inclinação para que o trabalho de elevação das gigantes pedras fosse o mais eficiente possível, a ponto de os trabalhadores terem conseguido empilhar, no caso da Grande Pirâmide, cerca de 2 milhões de blocos.

Existe, contudo, uma outra hipótese, que propõe uma explicação um pouco mais ousada sobre como os egípcios teriam empilhado tais pedras. Embora seja apenas uma teoria e nunca, de fato, tenha sido testada, vale a pena destacar aqui. *A teoria do poço d'água*, como é conhecida, especula se a abertura de canais, conforme descrito no Diário de Merer, foi usada não apenas para transportar blocos até o local, mas também para elevá-los ao topo da pirâmide. Ou seja, além dos canais que conduziam até as pirâmides, os egípcios teriam criado poços que deslocariam a água também para cima, usando-se para isso da pressão da água causada pela cheia do Nilo. Dessa forma, os egípcios teriam de fazer os blocos flutuarem sobre a água, o que poderia ser conseguido amarrando toras de cedro ao redor do bloco, inflando peles de animais com ar ou papiro, ou simplesmente colocando-os sobre plataformas flutuantes que seriam puxadas por cordas, assim as pedras boiariam pelos poços chegando até o local desejado. Para isso usava-se uma série de bloqueios, que consistiam em comportas para nivelar a água a cada degrau (semelhante ao sistema de eclusas utilizado na locomoção de embarcações marítimas).[39] Isso permitiria o transporte de inúmeras pedras de forma rápida e eficiente. Além disso, a pedra de calcário também poderia ter sido esculpida dentro da água, o que tornaria o trabalho bem menos árduo, tanto em relação à força executada quanto em relação ao cansaço provindo pelo sol escaldante, já que o calcário fica muito macio quando encharcado. Dessa forma, fazia-se um friso na pedra com um cinzel e depois colocava-se madeira nele. Então, em contato com a água a madeira

---

[38] Dick Parry. **Engineering the Pyramids**. Cheltenham, RU: The History Press, 2004, p. 118-120.
[39] Chantal Ford. "Just how the hell were the Egyptian Pyramids actually built?" in **Contiki** disponível em https://www.contiki.com/six-two/18341/how-were-the-egyptian-pyramids-built/real-talk/, acessado em 19/05/2022.

inchava, fazendo a pedra se partir facilmente. A ideia é genial e, ao mesmo tempo revolucionária, ainda que não possa ser comprovada é muito mais plausível do que pensar em uma "mãozinha alienígena".

De qualquer forma, a água parece ter sido o fator primordial para facilitar a construção das pirâmides. Em outras palavras, assim como sem o Nilo não haveria o Egito, sem suas águas igualmente não existiriam as pirâmides.

Outra questão intrigante diz respeito aos reais construtores das famosas obras faraônicas. Seriam eles os escravos? A visão hollywoodiana nos legou a ideia de que escravos semitas, que para alguns seriam os hebreus, teriam construído as pirâmides. Isso, porém, é algo completamente equivocado na visão dos principais especialistas da história do Egito. A primeira dificuldade com essa ideia estaria no fato de que, quando os hebreus estiveram no

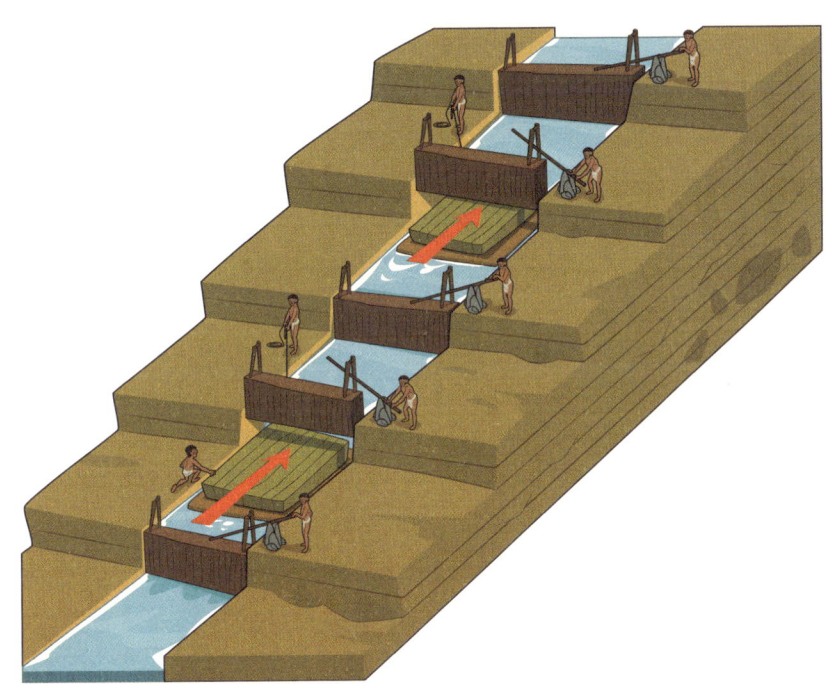

Modelo hipotético de como seriam os poços que canalizariam água para cima do local onde estava sendo construído a pirâmide a fim de facilitar e acelerar o deslocamento dos blocos de pedras.

Egito, essas pirâmides já teriam mil anos de existência. Segundo a Bíblia, o primeiro personagem bíblico a pisar no Egito foi Abraão que viveu em torno do início do 2º milênio a.C., o equivalente ao período do Médio Império egípcio. Os escravos israelitas, descendentes de Abraão, que são mencionados em Êxodo, teriam vivido muito tempo depois, durante o período do Novo Império. A era das grandes pirâmides, por outro lado, ocorreu durante as primeiras dinastias do Antigo Império.

Além disso, os arqueólogos encontraram diversas tumbas simples de operários localizadas próximas às grandes pirâmides, o que indica que quem as construiu não foram escravos, mas cidadãos egípcios livres. Esses túmulos são de pedreiros que morreram enquanto estavam construindo as pirâmides; se fossem escravos, não estariam no mesmo espaço junto ao grande monumento faraônico.

Uma prova adicional foi colhida por Howard Vyse e John Perring, dois exploradores ingleses do século XIX.[40] Dentro das câmaras funerárias no interior da pirâmide de Gizé, foi encontrado uma série de grafites nas paredes, que datam da época de construção da pirâmide. Entre outras informações descritas ali, estavam os nomes de várias equipes de trabalho que cortaram e transportaram os blocos de pedra. Na principal delas, onde aparece o nome do faraó Quéops dentro de um cartucho, está escrito: *Khufu semru aper*, que seria traduzido como "equipe dos companheiros de Quéops".[41]

Obviamente essa inscrição parece referir-se mais a uma unidade de operários que teriam feito aquela parte da pirâmide de forma voluntária. Outras inscrições foram encontradas nas adjacências das pirâmides, indicando a mesma coisa. A maioria dos historiadores modernos concorda que as pirâmides foram construídas por trabalhadores egípcios livres – talvez agricultores, que no período das inundações do Nilo não teriam atividades

---

[40] James Bonwick. **The Great Pyramid of Giza**: history and speculation. Mineola, NY: Dover, p. 49.
[41] Howard Vyse. **Operations carried on at the pyramids of Gizeh in 1837**: with an account of a voyage into upper Egypt, and an appendix. Vol. 1. Londres: James Fraser, Regent Street, 1840, p. 259.

a realizar nos campos e poderiam se disponibilizar para trabalhar nas construções, a fim de aumentar suas entradas.

Por volta de 430 a.C., Heródoto, historiador grego, visitou as pirâmides e relatou ter visto na parede externa uma inscrição que informava aos visitantes quanto dinheiro havia sido gasto na alimentação dos construtores. Aparentemente, eles viviam de uma dieta de rabanetes, cebolas e alho, e o custo de alimentá-los, durante os 20 anos da edificação da pirâmide, foi de 1600 talentos de prata (Livro II, Euterpe, CXXV).[42] A propósito, acredita-se que a cebola era fortemente recomendada para prevenção de doenças, tais como o escorbuto. Por isso, é possível que esse fornecimento de alimentos específicos, fosse uma tentativa de manter a força de trabalho ativa, de forma que os trabalhadores estivessem sempre saudáveis o suficiente para concluir o trabalho em questão.[43]

Infelizmente, tal inscrição citada por Heródoto nunca foi vista, talvez estivesse na base do revestimento externo, que foi destruído por terremoto e pela ação humana. O fato é que cenas funerárias mostrando o dia a dia dos trabalhadores revelam momentos de pausa para o lanche, quando era comum serem servidos de pães e cerveja, visto que trigo e cevada eram os principais grãos produzidos no país e constituíam a alimentação basilar do Egito.

A cerca de 400 metros ao sul da Grande Esfinge, os arqueólogos acharam um sítio hoje chamado em árabe de Heit el-Ghurab, que também é conhecido por Cidade Perdida dos Construtores das Pirâmides; o qual data do período da 4ª dinastia (c. 2613-2494 a.C.). O sítio contém muitos recursos típicos de uma cidade, como padarias, residências para a classe trabalhadora e para a elite, prédios administrativos etc.[44] A cidade era cercada por muros em praticamente todas as direções. Há ampla evidência de grandes quantidades de processamento de carne e peixe que teriam sido usadas para alimentar uma enorme soma de trabalhadores, conforme in-

---

[42] Heródoto. **História**. Rio de Janeiro: Nova Fronteira, 2019.
[43] Alfred E. Harper. "Recommended dietary allowances and dietary guidance" in Kriemhild C. Ornelas, Kenneth F. Kiple (eds.). **Cambridge world history of food**. Nova Iorque: Cambridge University Press, 2000, p. 1607.
[44] Kemp. **Ancient Egypt**, p. 189.

dicado pelo impressionante número de ossos de animais encontrados no sítio. Com base nisso, os estudiosos estimam que o número total de operários que trabalharam na edificação das pirâmides teria sido em torno de 10 mil pessoas.[45] Então, ligando-se esses dois fatores: os ossuários achados no local e a estimativa de pessoas que ali trabalharam, Richard Redding, arqueozoólogo e pesquisador da Universidade de Michigan, que tem trabalhado há mais de 20 anos no sítio, calcula que seria necessário cerca de 1814 quilos de carne para alimentar toda aquela população diariamente.[46] Ou seja, ainda que a empreitada para a construção das pirâmides tenha sido uma obra faraônica em todos os sentidos, há evidências suficientes para descartar qualquer mão de obra escrava.

Na verdade, foi por conta dos elevados recursos do Egito, advindos de sua hegemonia administrativa e alta produtividade agrícola, tornando-o cada vez mais rico, que levou os faraós em sua arrogância a gastarem fortunas com empreendimentos tão dispendiosos como as pirâmides. Essa megalomania, contudo, custará caro para o reino, pois, a escassez de recursos deixados, somando-se a outros fatores adversos, provocará uma crise no reino que culminará em um período escuro, o primeiro estágio conturbado do império egípcio – o primeiro período intermediário – uma época de cisões, motins e crises.

Agora, a razão para a escolha da forma piramidal para essas construções é incerta, mas há aqueles que propõem um motivo religioso por trás. Segundo a cosmogonia egípcia, a primeira coisa a surgir das águas primordiais, antes da criação, foi um monte chamado *benben* sobre o qual o deus Rá emergiu para dar início ao processo criacional. Logo, assim como no mito, o monte é símbolo da vida; da mesma forma, a pirâmide seria como uma representação do monte primordial simbolizando a continuidade da

---

[45] Heródoto relatou que seus guias egípcios lhe disseram que foram utilizados cerca de 100 mil homens na construção da pirâmide, os quais eram empregados de três em três meses. A evidência arqueológica, contudo, faz supor que o número tende a ser muito menor, conforme propõe Redding e outros. Cf. Heródoto, Livro II, Euterpe, CXXIV.

[46] Richard Redding; Brian V. Hunt. "Pyramids and Protein" in **Ancient Egypt research associates**. Disponível em https://www.aeraweb.org/news/pyramids-and-protein/, acessado em 19/05/2022.

vida mesmo após a morte.⁴⁷ Por outro lado, há os que advoguem que a forma seja uma comparação aos raios do sol, já que a maioria das pirâmides foi revestida com calcário branco polido e fortemente refletivo, a fim de dar-lhes uma aparência brilhante quando vistas à distância. Além do mais, as pirâmides eram geralmente nomeadas em egípcio antigo pela maneira com que se referiam à luminescência solar, por exemplo: o nome formal da Pirâmide Curvada era "brilho do sul".

Vale lembrar também que todas as pirâmides egípcias foram construídas na margem oeste do Nilo – lado esquerdo para quem olha no mapa –, onde o sol se põe – fenômeno natural associado ao reino dos mortos na mitologia egípcia.

Por várias razões, a construção desses intrigantes monumentos diminuiu significativamente com o tempo, deixando as pirâmides posteriores cada vez menores e inexpressivas, menos bem construídas e muitas vezes edificadas às pressas. Ao fim da 6ª dinastia, a construção de pirâmides havia terminado em grande parte, sendo retomado seu uso apenas no Médio Império (c. 1975-1640 a.C.). Porém, no lugar de pedras, preferiram utilizar tijolos de barro como principal material de construção, material que se deteriorou pela passagem do tempo e não marcou a história significativamente como as primeiras dinastias.

Por fim, apesar de tantas informações e evidências sobre fatos diversos, muitos mistérios ainda orbitam ao redor das incríveis pirâmides. Porém, uma coisa é certa: a tecnologia e engenharia dos antigos egípcios ainda impressionam até hoje, e tudo para glorificar a morte de uma pessoa. Pena que lhes faltava o conhecimento principal, que somente o Deus verdadeiro tem o poder de livrar o homem da morte, concedendo-lhe a vida eterna.

Rituais e liturgias podem ser realizados; ações de magia e espíritos podem ser invocados, mas somente o Criador verdadeiro tem o poder da vida. Somente Ele pode dar aquilo que os egípcios tanto almejavam, e, não somente os egípcios, mas nós também devemos sempre procurar um ca-

---

47 Miroslav Verner. "Pyramid" in Donald B. Redford (ed.). **The Oxford Encyclopedia of Ancient Egypt**. Vol. 3. Oxford: Oxford University Press, 2001, p. 87.

minho seguro e correto que nos leve à vida eterna. Então, como transpor o portal da morte? Como alcançar uma vida eterna com propósito e direção? A história egípcia deixa conosco a lição da grandeza, mas também da humildade. Tudo que fazemos um dia passa, se torna pó, ou permanece como objeto da antiguidade; somente as promessas de Deus são duradouras, somente o reino dos céus é imensurável. A única coisa que deve brilhar nesse mundo é uma vida de fé, obediência e bondade, como um reflexo da luz que vem do caráter do Sol da Justiça. A admiração continua tendo seu momento, mas o brilho das luzes humanas jamais apagará o cintilar das estrelas e da glória de Deus.

Os hieróglifos: a língua dos faraós[1]

Os primeiros traços da escrita egípcia datam do 4º milênio a.C. e seu uso se estende até por volta do século IX d.C. A língua egípcia, tanto falada quanto escrita, passou por muitos estágios. O copta, como ficou conhecido seu último estágio, expirou como língua falada durante a Idade Média, quando finalmente foi substituído pelo árabe, o idioma oficial do Egito moderno. Hoje, é uma língua morta, embora continue a viver no Egito, em uma forma fossilizada dentro da liturgia da igreja copta.

Apesar de nossas descobertas serem apenas uma fração diminuta de tudo o que os antigos egípcios escreveram, podemos dizer que aquilo que foi preservado é muitíssimo maior do que o *corpus* literário de qualquer outro idioma

---

[1] Algumas das informações contidas nesse capítulo, especialmente em relação à gramática egípcia, quando não referenciadas, foram tiradas em sua maioria das seguintes obras: Allen. **Middle Egyptian**; Claude Obsomer; Sylvie Favre-Briant. **Hierogliphic Egyptian**: a practical grammar of Middle Egyptian. Bruxelas: Safran Publishers, 2015; e, Alan H. Gardiner. **Egyptian Grammar**: being and introduction to the study pf hieroglyphs. 3ª ed. revisada. Oxford: Griffith Institute, 2007. Naturalmente o conteúdo apresentado aqui é totalmente elementar. A língua egípcia é muito mais complexa e ampla do que as regras simples que você verá, contudo, o objetivo é despertar sua curiosidade e abrir a possibilidade para que, caso queira, possa estender seu conhecimento sobre esse idioma tão antigo, misterioso e interessante.

antigo. Por isso, nos últimos anos, vários linguistas têm despendido crescente atenção ao estudo dessa língua e sua relação com outros idiomas antigos.

É nesse sentido que o egípcio representa um campo muito importante para a linguística comparada e histórica, bem como para o estudo da teologia cristã; afinal, foi lá no Egito, o verdadeiro centro onde esse idioma era falado, que ocorreram importantes acontecimentos relatados na Bíblia Sagrada.

Não há indícios de que os antigos egípcios tivessem produzido uma gramática de sua língua, como fizeram os gregos e latinos, por exemplo.[2] Por isso, o conhecimento sobre ela e a sistematização de suas regras é o resultado de longas e intrincadas investigações modernas. Mas, ao que tudo indica, houve alguns estágios de desenvolvimento do idioma.

A origem da escrita egípcia se dá ao redor de 3000 a.C., que os gregos nomearam de escrita hieroglífica, que quer dizer "escrita sagrada" ou "escrita dos templos", pois era majoritariamente usada para enfeitar monumentos sagrados, como templos, pirâmides e palácios. Ainda que essa não fosse a forma como os antigos egípcios se referiam à sua língua escrita, em uma coisa os gregos acertaram, o nome que os egípcios deram aos hieróglifos realmente estava associado à sua religião e crenças, pois o chamavam de *metu netcher* – "as palavras dos deuses". Visto que para eles, os hieróglifos tanto teriam sido uma invenção dos deuses, que fora concedida aos mortais, quanto o meio de comunicação entre os egípcios e seus deuses dentro dos recintos sagrados.[3]

A língua em si é geralmente dividida em três fases: egípcio antigo, médio e tardio. Na verdade, seguindo a sugestão de Claude Obsomer, podemos, adicionalmente, simplificar essas fases em apenas duas: a primeira, onde o idioma sofreu poucas mudanças (composta pelo egípcio antigo e médio), e uma segunda fase mais analítica, quando a língua passou por um aumento perceptível nos seus marcadores gramaticais (que inclui o egípcio tardio, demótico e copta).[4]

---

[2] Lionel Casson. **Libraries in the Ancient World**. New Haven, CT: Yale University Press, 2001, p. 45.
[3] Penelope Wilson. **Hieroglyhs**: a very short introduction. Oxford: Oxford University Press, 2003, p. 18.
[4] Obsomer; Favre-Briant. **Hierogliphic Egyptian**, p. 12.

Consequentemente, a escrita também passou por ligeiras mudanças. Com o tempo, o modo de escrever a escrita egípcia evoluiu para formas mais simplificadas, primeiramente para o hierático, surgido por volta de 2600 a.C., que era uma variante cursiva dos desenhos hieroglíficos, mais comum em papiros ou na pintura de placas de barro.[5] Então, mais tarde, aproximadamente do século VII a.C. até o início da Idade Média, surge o demótico, estágio em que os hieróglifos iniciais tornaram-se bastante estilizados e muito mais abstratos. Enquanto o hierático ainda carrega alguns traços pictográficos, é muito difícil vincular os sinais demóticos com seu respectivo hieróglifo. Essa era, porém, uma escrita comum, para redigir documentos públicos e administrativos.

Sabe-se que durante o período greco-romano (332 a.C.-395 d.C.), a cultura desses povos conquistadores tornou-se cada vez mais influente no Egito. Já no século II d.C., com a expansão do cristianismo, os cultos egípcios tradicionais foram pouco a pouco desaparecendo. Então, os egípcios cristianizados desenvolveram um alfabeto, com base no alfabeto uncial grego, que é conhecido como copta, o último estágio no desenvolvimento da língua e escrita egípcia.

Essa mudança foi bastante significativa, pois representa uma grande ruptura cultural, uma vez que o copta foi a primeira escrita alfabética usada na língua egípcia. Assim, devido à praticidade dessa nova escrita alfabética, que conta com a memorização de um pequeno número de símbolos, bem como o contínuo distanciamento entre a língua e a antiga religião, o uso e a compreensão dos hieróglifos desapareceu. O idioma escrito dos antigos deuses mergulhou no esquecimento por quase dois milênios, até a grande descoberta de Champollion.

Parece grego, mas é egípcio

A população do Antigo Egito é relativamente desconhecida, mas alguns historiadores estimam que havia algo perto de 1 milhão e meio de pessoas vivendo lá na época do Antigo Império, chegando a atingir 4,9 milhões

---
[5] *Ibid.*, p. 14.

no período greco-romano.[6] Dessa população, provavelmente, menos de 2% sabia ler e escrever (algo inferior a 20 mil pessoas).[7] Precisamente devido à complexidade para interpretação e composição dos sinais, bem como o elevado número deles. Esses e outros fatores tornavam a alfabetização uma dedicação de uma vida, portanto, resguardada para poucos. Por isso, a profissão de escriba era muito respeitada, ao ponto de um escriba formado não precisar nem pagar impostos. Embora este capítulo seja apenas introdutório, visando simplesmente fornecer um conhecimento básico dessa escrita tão atraente e enigmática, certamente ao fim deste estudo você saberá mais sobre hieróglifos do que um antigo egípcio comum jamais soube. Portanto: anime-se!

Primeiramente, vamos começar pela orientação. Os hieróglifos podem ser escritos em dois *sentidos*: direita para a esquerda ou esquerda para a direita, e em duas *direções*: horizontal ou vertical. O sentido vertical, contudo, é especialmente adotado (não exclusivamente) em representações artísticas, como nas paredes de templos ou túmulos. Além disso, numa mesma inscrição pode-se ter todas as direções e sentidos empregados simultaneamente. Felizmente, a identificação da orientação do texto é bem simples.

Direções: a maioria das inscrições contém linhas (horizontais ou verticais) que separam o texto em filas (quando horizontal) ou colunas (quando vertical).

Sentidos: a identificação do sentido é feita pela simples observação do sentido para o qual os desenhos hieroglíficos estão apontando, ou "encarando". Por exemplo, se os desenhos estiverem olhando para a direita, a leitura é realizada da direita para a esquerda, e vice-versa.

---

6 Steven R. Snape. **The Complete Cities of Ancient Egypt**. Londres: Thames & Hudson, 2014, p. 73-74.
7 John Baines. "Literacy and Ancient Egyptian Society" in **Royal Anthropological Institute of Great Britain and Ireland**, v. 18, n. 3 (set. 1983), p. 584.

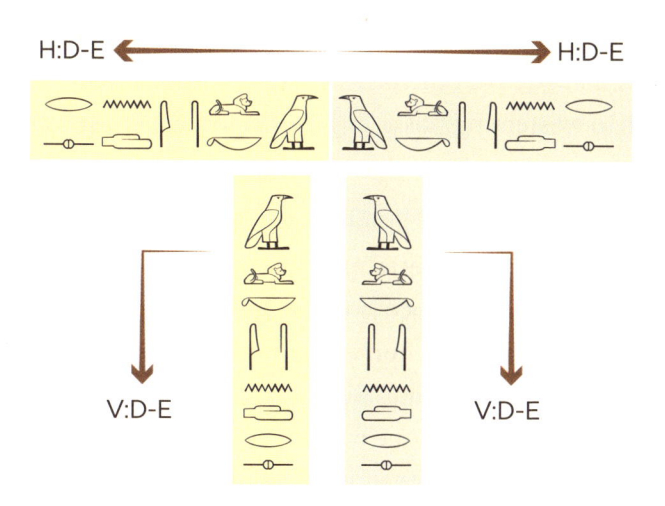

A direção da escrita é indicada pelas flechas ao redor das inscrições.
(D: direita – E: esquerda – H: horizontal – V: vertical)

Antes de entender a dinâmica do funcionamento da escrita hieroglífica, precisamos pontuar dois detalhes importantes para a compreensão desse sistema:

Vogais: Uma coisa importante a se considerar é que não há hieróglifos para vogais, apenas consoantes. Obviamente, para um falante e estudioso do idioma, isso não era um problema. É quase como um jogo da forca, no qual você tem alguns sons e precisa adivinhar o resto. Por exemplo: *vc cnsg lr st prgnt*? Talvez com um pouco de dificuldade, mas creio que você conseguiu entender o que foi escrito ali. Por ser um idioma morto, ainda hoje, não sabemos com precisão quais eram as vogais entre as consoantes nas palavras egípcias. Por conta disso, os estudiosos convencionaram usar a vogal "e" como som vocálico padrão. Portanto, o som do egípcio pronunciado por nós é totalmente artificial, mas isso em nada diminui a diversão que o estudo dessa língua e cultura nos proporciona.

Transliteração: Uma vez que a língua egípcia é representada por muitos símbolos que são completamente desconhecidos para nós, a transformação desses símbolos nos caracteres latinos, que formam o nosso alfabeto, é chamada de *transliteração*. Porque o egípcio tem determinados sons que não existem na nossa língua, é comum a criação de caracteres padronizados que representem esses sons na escrita transliterada . Assim, por exemplo, para esse símbolo 𓏤 (imagem de uma traqueia e um coração) a transliteração seria *nfr* e pronunciamos como "néfer", que significa "belo"; e, talvez, você já tenha ouvido falar da rainha Nefertiti, esposa de Aquenáton, cujo nome significa "a mais bela chegou". Já esse hieróglifo ☉ representa tanto o sol quanto o deus Rá, e por isso é pronunciado *ra*; mas, uma vez que não há originalmente vogais em egípcio antigo, a transliteração correta é *r'*, onde esse apóstrofo é o sinal usado para representar uma gutural que hoje pronunciamos como a vogal "a".

Os hieróglifos são tipicamente vistos como sinais pictográficos, isto é, figuras que se assemelham àquilo que elas significam, por exemplo: se o desenho se parece com uma estrela, ele representa precisamente isso – uma estrela. Contudo, a realidade dos hieróglifos é um pouco mais elaborada do que isso. A escrita, na verdade, é composta por três tipos básicos de sinais:

1. logograma: quando um símbolo representa uma palavra;
2. fonograma: quando um símbolo representa um som;
3. determinativo: um símbolo que geralmente é colocado no fim da palavra com o objetivo de marcar sua categoria semântica e assim auxiliar o leitor na identificação do vocábulo lido.

Por conta disso, o número de sinais usados pelos egípcios se tornou extremamente extenso, chegando, no egípcio antigo, a mais de mil hieróglifos diferentes, que mais tarde foram reduzidos para cerca de 750 durante o Médio Império (c. 1975-1640 a.C.).[8]

---

[8] Ola El Aguizy; Fayza Haykal. "Changes in Ancient Egyptian Language" in **Égypte/Monde arabe** [online], Première série, Les langues en Égypte, mis en ligne le 08 juillet 2008, consulté le 19 avril 2019. Disponível em http://journals.openedition.org/ema/1025, acessado em 23/04/2022.

O mais confuso é que, dependendo do contexto, o mesmo hieróglifo pode ser interpretado de formas variadas, ou seja, um sinal qualquer pode ser ou um logograma, ou um fonograma ou um determinativo.

Veja só, a figura ⌑ é o pictograma para casa. Assim, como logograma ele representa a palavra "casa" que em egípcio antigo se pronuncia *per* (*pr*). Por outro lado, como fonograma, ele pode indicar o som *pr* em qualquer vocábulo que contenha essa sílaba, por exemplo, na palavra *péret* (***prt***) que significa "inverno". E, por fim, se esse sinal aparecer no fim de uma palavra, ele serve para alertar o leitor que a palavra que ele acabou de ler pertence à classe de palavras relacionadas à ideia de casa, abrigo ou construção.

Hieróglifos	Transliteração	Pronúncia	Tradução	Tipo
⌑	*pr*	per	casa	logograma
	prt	péret	inverno	fonograma
	is	is	túmulo	determinativo

A propósito, vale ressaltar que é justamente dessa palavra que vem o termo faraó. No antigo egípcio a expressão *per-aa* (*pr-aA*) é formada a partir de duas palavras: *per* que significa "casa" e *aa* que significa "grande", daí, faraó literalmente significa "casa grande". Uma designação para o palácio real que acabou sendo usado como metonímia para se referir ao rei.

Ok, agora que já viu as diferentes formas de interpretar um sinal hieroglífico, você precisa saber também que existem três tipos de fonogramas em hieróglifos egípcios:

1. Uniliterais: são sinais que representam uma única consoante, como que equivale à consoante *m*.
2. Biliterais: sinais que representam duas consoantes, como ⌑ que constitui o som *pr*.

3. Triliterais: sinais que indicam três consoantes, como 𓄤 que representa o som *nfr*.

Isso pode soar confuso no início, mas algo parecido também ocorre em português. A letra *x* geralmente produz o som como o *ch*, contudo, em muitas palavras de origem grega ou latina, ela passa a representar o som de duas consoantes, a saber, o *k* e o *s*, como na palavra "tá**x**i".

Aprender os sinais uniliterais ou monoconsonantais, isto é, que equivalem a um som consonantal, é relativamente fácil, pois existem apenas 24 deles. Isso porque esses representam todos os fonemas que compõem o egípcio antigo. Poderíamos dizer que é um tipo de alfabeto, embora, nunca tenha sido padronizado dentro da escrita da mesma forma como os alfabetos fonéticos são para nós hoje.

Fonogramas	Transliteração	Som	Significado
	A	a (gutural, mas lido "a" como em **a**mor)	Abutre-do-Egito
	i	i (como em **i**greja)	Folha de junco
	y	i (como em **i**greja)	Folhas de junco Duas linhas
	a	a (gutural, mas lido "a" como em **a**mor)	Braço
	w	u (como em **u**va)	Pinto –
	b	b (como em **b**oi)	Pé
	p	p (como em **p**ai)	Banqueta
	f	f (como em **f**é)	Víbora-de-chifres
	m	m (como em **m**ãe)	Coruja

(continua)

(continuação)

Fonogramas	Transliteração	Som	Significado
	n	n (como em **n**avio)	Água Coroa vermelha
	r	r (vibrante como em ma**r**é)	Boca
	h	h (aspirado como em **h**ouse)	Abrigo de junco
	H	rr (gutural como em ca**rr**o)	Pavio de linho torcido
	x	rr (gutural como em ca**rr**o)	Placenta (?)
	X	rr (gutural como em ca**rr**o)	Barriga e rabo de um animal mamífero
	s	s (como em **s**er)	Pano dobrado Conector
	S	x (como em **x**ícara)	Piscina
	q	k (como em **k**araokê)	Inclinação de uma duna
	k	k (como em **k**araokê)	Cesta com alça
	g	g (duro como em **gu**erra)	Suporte de jarro
	t	t (como em **t**empo)	Pão
	T	tch (como em **tch**au)	Corda para prender animais
	d	d (como em **d**edo)	Mão
	D	dj (como em **j**eans)	Cobra

Desses 28 sinais uniliterais, 16 sons são semelhantes aos do alfabeto latino e podem ser pronunciados da mesma maneira: b, d, f, g, h, i, k, m, n, p, r, s, x, t, w, y. Outros 2: *tch* e *dj* são familiares para nós, apesar de não termos uma letra que os represente. O restante, contudo, tem certas peculiaridades, cujas principais são:

- A e a podem ser aproximados do som de "a", mas na verdade representam sons guturais, cuja reprodução é um tanto complexa.
- H, x, X são como o som "rr' pronunciado bem forte na garganta.
- Quatro fonemas (y, w, n, s) podem ser representados por dois hieróglifos diferentes. De modo geral, não existe uma regra para um uso ou outro.

Agora que já conhece esses símbolos, você pode tentar representar o seu nome com os hieróglifos que contenham os sons mais próximos dos fonemas do seu nome.

Jogos com palavras

Talvez não seja novidade dizer que os antigos egípcios adoravam jogos. Sim! Os egípcios não passavam o tempo todo apenas trabalhando ou se preparando para a vida após a morte. Eles também gostavam de jogar muitos jogos de tabuleiro. Tais partidas eram jogadas com versões egípcias antigas de dados que mais se pareciam com varetas, chamadas de "bastões de arremesso" ou "ossos dos dedos". Isso porque seus jogos eram todos de azar. O elemento azar provia uma forte conexão entre a religião e os jogos, que poderiam ser utilizados também para a adivinhação.[9] Para eles, o acaso simbolizava que seu destino estava nas mãos dos deuses.

Enfim, o ponto é que assim como os jogos estavam conectados com a religião, a escrita, que também estava, foi elaborada para ser lida como um tipo de jogo entre os sons e os símbolos que constituíam as palavras.

Princípio rébus: é um tipo de quebra-cabeça linguístico que consiste em exprimir novas palavras por meio da combinação de símbolos ou imagens, cujos sons individuais associados, independentemente de seu

---

[9] Stephen Quirke. **Exploring Religion in Ancient Egypt**. Oxford: Wiley Blackwell, 2015, p. 200.

significado, servem como representações silábicas para expressar o vocábulo pretendido. Por exemplo: a palavra "soldado" pode ser representada por um rébus contendo a figura de um "sol" ao lado da figura de um "dado". Esse princípio é amplamente utilizado na escrita egípcia na composição de palavras maiores.

Repetidor: um sinal repetidor, também chamado de complemento fonético, é um hieróglifo complementar, geralmente uniliteral, usado para diferenciar outro hieróglifo, biliteral ou triliteral, com múltiplas leituras. Um repetidor não deve ser lido, pois sua função é apenas auxiliar à leitura correta. Por exemplo, a palavra "casa" *per* é escrita simplesmente com o hieróglifo equivalente à casa: ⌐⌐ . Porém, muitas vezes pode ser complementado pelo sinal uniliteral ⌒ (*r*). Assim, formando a sequência ⌐⌐, que não deve ser lida como *perer* (*prr*), visto que a função de ⌒ é repetir ou complementar o último som do sinal ⌐⌐ . Isso pode parecer estranho, mas é extremamente útil, já que alguns hieróglifos têm mais de um som para o mesmo símbolo. Note, o símbolo ⎥ (figura de um cinzel) pode representar dois sons: *ab* ou *mr*. Então, na palavra ⎥𝄞𓃰 , sabemos que devemos lê-lo como *ab*, visto que o hieróglifo que o segue é o pé, que representa a letra "b" e serve como repetidor do último som do hieróglifo do cinzel que o precede. Dessa forma, a leitura correta dessa palavra que significa "elefante" é *abu* (*Abw*). Já na palavra ⎥⌒△ , o hieróglifo do cinzel deve ser lido como *mr*, pois agora o repetido é a figura da boca que equivale ao som "r"; logo, a leitura da palavra é *mer* (*mr*), que significa "pirâmide". É óbvio que para identificar os sons ou a polivalência de cada sinal, biliteral ou triliteral, é necessário um dicionário e/ou a memorização.

Determinativo: O determinativo é um classificador de palavras colocado ao fim de praticamente cada palavra do texto, como dito acima, visando auxiliar o leitor a definir o significado do que está sendo lido. Por exemplo, a palavra *péret* pode significar tanto "inverno" quanto "passeio" (assim como *manga* pode significar uma fruta ou uma parte da roupa), contudo, é quase impossível confundir seu sentido na escrita, uma vez que, além do contexto, cada ideia pertence a uma classe diferente: "inverno" tem a ver com tempo e "passeio" com a ação de andar. O determinativo para palavras relacionadas ao tempo é a figura do sol ☉, enquanto o determinativo para palavras que envolvem a ação de andar é expresso por um par de pernas em movimento ⋀. Portanto, entre *péret* 𓉐𓂋𓏏☉ e *péret* 𓉐𓂋𓏏⋀, você consegue descobrir qual significa "inverno" e qual "passeio"?

Écfrase:[10] Em poucas palavras, significa a interação entre a escrita e a arte. Como vimos até aqui, a escrita hieroglífica é composta por imagens que descrevem elementos da realidade. Essas imagens tornam-se arte devido à sua natureza pictórica explícita, e da mesma forma, a arte torna-se texto porque a imagem egípcia é uma escrita figurativa com uma estrutura sintática básica de sujeito-verbo-objeto. Assim, a arte egípcia é sempre acompanhada de texto, e por isso, na maioria das vezes, os egípcios criavam uma conexão da arte com o que estava escrito. É como se a arte acompanhasse o texto para imitar artisticamente o que está escrito, ou seja, uma escultura ou pintura é como um texto, mas em forma artística. Além disso, muitas dessas inscrições eram recitadas em voz alta como parte de rituais; a inscrição tornava-se um ser vivo porque, na concepção egípcia, falar era um processo de criação. O texto, portanto, não apenas descrevia a arte, mas fazia com que a imagem ganhasse vida fisicamente. Logo, há uma clara simbiose entre texto e imagem no Antigo Egito, pois um complemento e solidifica a aparência do outro. Essa relação simbiótica e entrelaçada de texto e imagem é melhor vista em um exemplo da estátua do faraó Ramessés II, onde o rei é retratado como uma criança com um disco solar sobre a cabeça, com uma das mãos na boca e a outra segurando uma planta de junça; às suas

---

[10] Embora a écfrase seja mais complexa do que é apresentada aqui, e esteja mais relacionada com uma descrição retórica da arte, decidi escolher esse termo para retratar a dinâmica entre arte e literatura da cultura egípcia porque, de qualquer modo, ele contém uma ideia de interação entre linguagem artística e falada/textual.

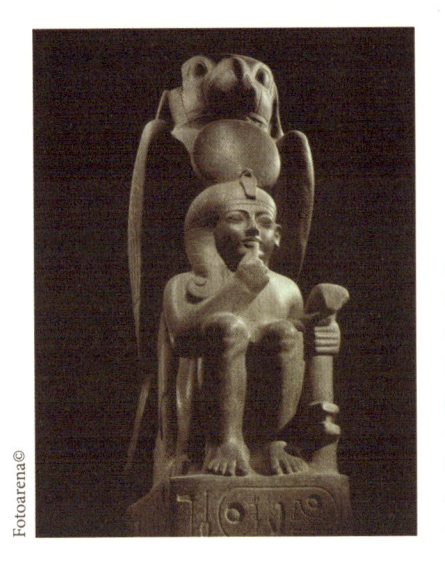

Capítulo 6   OS HIERÓGLIFOS: A LÍNGUA DOS FARAÓS   123

*Estátua do faraó Ramessés II na forma de uma criança sentada sob a proteção de Rá-Horaqueti, o falcão. A estátua é um trocadilho entre arte e literatura usando o princípio rébus, onde os três elementos dela: o deus Hórus (como **Ra**), a criança (**mes**) e a planta de junça (**su**) na mão dele, formam o nome egípcio do monarca – Ra-mes-su.*

costas está a figura do deus Rá-Horaqueti (uma fusão entre Rá e Hórus) na forma de falcão. Na representação hieroglífica, o disco solar ☉ é o símbolo que representa tanto o deus quanto o som *rA* (*rA*); a figura de uma pessoa com a mão na boca 𓀁 é o sinal para a palavra "criança", que se pronuncia *mes* (*ms*); e o hieróglifo para a planta de junça 𓇓 é pronunciado como *su* (*sw*). Portanto, a união das três imagens: falcão-criança-junça, não é somente uma imagem em escultura, mas um rébus para o nome do rei: *Ra-mes-su* (*rA-ms-sw*) – Ramessés. Ou seja, a estátua tanto representa o rei fisicamente, como também soletra seu nome; que, a propósito, significa "nascido/filho de Rá".[11] Genial, não é mesmo?!

Nomes ocultos em cartuchos reveladores

Outra convenção de escrita em hieróglifos egípcios antigos foi em torno de nomes reais, particularmente os dos faraós. A utilização de vários nomes tornou-se um aspecto importante por todo o reinado faraônico. Até a 4ª dinastia, os reis tinham apenas um nome, mas a partir do Médio Império,

---

[11] Richard H. Wilkinson. **Reading Egyptian Art**: hieroglyphic guide to ancient Egyptian painting and sculpture. Londres: Thames & Hudson, 1992, p. 10-11.

os faraós tinham um total de cinco nomes ou epítetos diferentes, sendo cada nome uma característica particular do reinado: Três nomes enfatizavam o papel do rei como um deus, e os outros dois, destacavam a divisão do Egito em duas terras unificadas sobre as quais o faraó tem e é autoridade máxima.[12]

1. ***Nome de Hórus:*** essa é a forma mais antiga do nome do faraó. Muitos antigos faraós, das primeiras dinastias, são conhecidos apenas por esse título.[13] Normalmente, o título é acompanhado de uma imagem de Hórus, o deus falcão, do qual o faraó é a encarnação; e envolto por uma estrutura retangular que representa a fachada de um palácio chamada *serekh*.

2. ***Nome Nebty:*** *nebty*, cuja tradução literal significa as "duas senhoras". É um termo associado com as deusas heráldicas do Alto e Baixo Egito: *Nekhbet*, o abutre, deusa padroeira de todo o Alto Egito, e, *Wadjet*, a serpente, a divindade patrona do Baixo Egito. O *status* do rei como um unificador e soberano de ambas as terras que compõem o Egito era intensamente valorizado e motivo de orgulho dos faraós antigos, símbolo de seu poder e soberania. Haja vista o faraó Djoser ter construído seu complexo funerário com construções em posições geográficas representativas do lado norte e sul do Egito.

3. ***Hórus de Ouro:*** o título recebe esse nome porque normalmente apresenta a imagem de um falcão empoleirado sobre o hieróglifo para ouro. É difícil explicar a real intenção desse nome, mas visto que o ouro estava fortemente associado, na perspectiva egípcia, à ideia de *eternidade*, pode ser que esse título transmitisse a existência eterna do monarca.

4. ***Prenomen:*** esse termo é equivalente ao nome do trono do faraó, que juntamente com o *nomen*, era o único título escrito dentro de um cartucho. Em geral, esse nome acompanha um termo adicional que faz referência ao faraó como rei do Alto e do Baixo Egito.

---

[12] Shaw. **The Oxford History of Ancient Egypt**, p. 6.
[13] Idem.

5. *Nomen:* esse termo se refere ao nome de nascimento do faraó, concedido a ele logo no momento de seu nascimento. Geralmente é acompanhado pela expressão egípcia *sa-Rá* ("filho de Rá") e, com frequência, aparece nas inscrições como o quinto ou último nome na sequência de títulos faraônicos, e sempre dentro de um cartucho.

Desses nomes, os mais conhecidos são o *prenomen* e o *nomen* por serem escritos dentro de uma estrutura oval que foi cunhada pelos franceses de *cartouche*. O termo veio dos soldados franceses que consideraram a figura semelhante ao cartucho de suas armas.[14] Os egípcios, contudo, chamavam a estrutura de *shenu* – "aquilo que está cercado", pois seu formato circular representava a eternidade; por isso acabou tornando-se um símbolo de boa sorte e proteção contra o mal, concebido como um tipo de escudo contra espíritos malignos tanto em vida quanto após a morte. Pois, conforme vimos, o nome é uma das entidades que compõem uma alma. A destruição de uma parte implica a extinção do todo, daí, proteger o nome era proteger a própria vida.

Os cartuchos acabaram tornando-se importantes indicadores para os arqueólogos e egiptólogos, já que além de aparecerem em diversas inscrições, muitos amuletos exibindo o nome do rei também foram construídos nesse formato, auxiliando assim a datação dos artefatos e a compreensão dos objetos encontrados. Prova disso é a própria decifração dos hieróglifos que teve como passo inicial a identificação dos nomes contidos nos cartuchos e a comparação de seus símbolos com os sinais dos cartuchos de outras personalidades (conforme visto no capítulo 1).

Agora, você pode estar se perguntando: por que o faraó precisava de tantos nomes? Porque cada nome simbolizava uma manifestação do poder do faraó. Como a maioria das civilizações do Antigo Oriente Médio, o Egito acreditava que o nome poderia ser usado para invocar o poder da figura que o sustentava; portanto, uma pessoa poderia controlar um deus usando seu nome verdadeiro. Ou seja, conhecer o nome era sinônimo de ter poder sobre o ser.

---

14 J. E. Manchip White. **Everyday Life in Ancient Egypt**. Mineola, NY: Dover pub., 2011, p. 175.

Nome de Hórus: Kher Kanakht Khaemuaset
"Touro Poderoso de Hórus, levantando-se em Tebas"

Nome Nebty: Nebty Uakhnesytmireempet
"Aquele das duas senhoras, Duradouro no reino, como Rá nos céus"

Hórus de Ouro: Kher-nebu Sekhempaktydjeserkhau
"Poderoso de força, Sagrado de aparência, do Hórus de ouro"

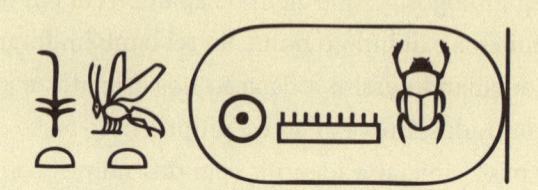

Prenomen: nsu-bity Menkheperre
"rei do Alto e Baixo Egito, Duradouro de forma é Rá"

Nomem: sa-rá Djehutimes Neferkeperu
"filho de Rá, Tutmés, bela de formas"

Exemplo dos cinco nomes reais do faraó Tutmés III (18ª din., 1479-1425 a.C.).

O nome era muito importante para os antigos egípcios. Na história egípcia "o Nome Secreto de Rá", por exemplo, Ísis almeja tornar-se uma deusa tão poderosa quanto Rá, para isso, ela engana o deus, a fim de obter seu nome oculto e adquirir seus poderes. Saber o verdadeiro nome de alguém permitia uma pessoa ter poder sobre a outra. Eles acreditavam também que se o nome de uma pessoa falecida fosse danificado, a alma do morto seria destruída. De acordo com um antigo mito, ao nascer, cada egípcio recebia dois nomes: um comum, para identificação, e um segundo nome secreto doado pela deusa Renenutet, o qual nunca era revelado para que a pessoa pudesse manter-se protegida contra o mal.[15]

Isso soa familiar, não é mesmo?! Na criação, Deus dá nomes às coisas, e igualmente concede a Adão o privilégio de exercer sua autoridade ao nomear os animais e mesmo sua própria esposa. Moisés, por outro lado, ao interceder em favor de Israel, pede a Deus que seja riscado do livro divino, isto é, que seu nome fosse apagado dos registros celestiais (Êx 32:32-33). O grande líder estava disposto a abandonar sua existência em prol de seu chamado para cuidar do povo de Deus.

Dos hieróglifos ao alfabeto

Até pouco tempo atrás, afirmava-se que a invenção do alfabeto teria ocorrido em torno dos séculos XII ou XI a.C., sendo esse fato usado como argumento em uma tentativa de provar que Moisés não poderia ter escrito o Pentateuco (os cinco primeiros livros da Bíblia), visto que, em seu tempo, não haviam ainda inventado esse tipo de redação e os hieróglifos não tinham vocabulário e gramática suficientes para produzir esses livros.[16]

Embora seja verdade que uma língua alfabética, como é o caso do hebraico, representaria melhor as ideias de Gênesis do que a escrita hieroglífica, não se pode esquecer que os egípcios já haviam produzido, nos dias

---

[15] James George Frazer. **The Golden Bough**: a study in magic and religion. Auckland, NZ: The Floating Press, 2009, p. 580.
[16] Douglas Petrovich. **The world's oldest alphabet**: Hebrew as the language of the proto-consonantal script. Jerusalém: Carta Jerusalem, 2016, p. 186, 188.

de Moisés, livros de conteúdos bastante complexos como teogonias, sagas e até tratados médicos.

As evidências, no entanto, não param por aqui; escavações arqueológicas nas ruínas da cidade de Ur têm comprovado que ela era uma metrópole muito civilizada. Em suas escolas, os meninos aprendiam leitura, escrita, matemática e história.[17] Isso muitos e muitos anos antes de Moisés.

Além disso, três alfabetos foram descobertos: um junto ao Sinai, um em Biblos e outro em Ras Shamra, que igualmente são bem anteriores ao tempo de Moisés.[18] Recentemente, outra evidência adicional foi encontrada no Egito.

Não é difícil os arqueólogos anunciarem ano após ano o achado de mais uma tumba milenar contendo múmias e objetos antigos. Entre esses achados, por exemplo, em 1995, em um túmulo às margens do Nilo, foi encontrado um pedaço de calcário com uma antiga inscrição que os especialistas acreditam ser uma das primeiras versões do alfabeto semítico, o mesmo que deu origem ao hebraico escrito.

Quem fez o anúncio foi o egiptólogo Thomas Schneider, autor de vários livros e professor da Universidade da Colúmbia Britânica.[19] A tumba escavada remonta a 1450 a.C., período em que viveu Moisés, de acordo com a cronologia bíblica. Ela também sugere que, quando a Bíblia diz que "Moisés escreveu todas as palavras do Senhor" (Êx 24:4), ele não só poderia escrever o texto em escrita alfabética, como não foi o único a fazê-lo usando a escrita semítica, já conhecida por alguns no Egito de sua época.

Em 1905, uma pequena esfinge contendo na base uma inscrição alfabética protocananita e datada do século XVIII a.C., foi encontrada por Sir

---

[17] Gernot Wilhelm. "Schule" in Michael P Streck, et. al (eds.). **Reallexikon der assyriologie und vorderasiatischen archäologie**. Vol. 12. Berlim: De Gruyter, 2009, p. 294-310.
[18] Manu Marcos Hubner. "O Alfabeto Hebraico: origem divina *versus* humana" in **Cadernos de língua e literatura hebraica**, v. 1, n. 10 (julho 2021), p. 229-251.
[19] Amanda Borchel-Dan. "First written record of Semitic alphabet, from 15th century BCE, found in Egypt" in **The times of Israel**. Publicado em 22 de maio de 2018. Disponível em https://www.timesofisrael.com/first-written-record-of-semitic-alphabet-from-15th-century-bce-found-in-egypt/, acessado em 26/04/2022.

Flinders Petrie e confirmada por vários especialistas. A escrita foi decodificada por Sir Alan Gardiner, e foi cunhada pela egiptóloga israelense Orly Goldwasser como a Pedra de Roseta do alfabeto protossinaítico.[20]

Esses são apenas alguns exemplos fragmentários que confirmam a possibilidade de Moisés ter escrito o Pentateuco, pois havia, sim, escrita alfabética em seu tempo. O mais interessante é que Moises foi, segundo Atos 7:22, educado na língua dos egípcios. Apesar de ter sido educado entre os hebreus nos seus primeiros anos de vida, o egípcio seria o seu idioma materno, ou aquele no qual aprendeu a ler e a escrever: "Moisés foi instruído em toda a ciência dos egípcios e era poderoso em suas palavras e obras". No entanto, por alguma razão, ele escolheu não escrever as revelações de Deus nesse idioma hieroglífico, apesar de toda sua beleza e erudição.

Acredita-se que os semitas pretendiam criar uma forma de escrita mais simples e democrática que os hieróglifos egípcios e os sinais cuneiformes dos sumérios, ambos pictográficos. Os dois códigos exigiam enorme destreza dos escribas e tinham um número restrito de leitores, já que um escriba precisaria dedicar toda a sua vida para reconhecer tantos sinais, bem como aprender a desenhá-los com a perfeição e a destreza artística requerida. Por outro lado, um alfabeto fonético com um número limitado de uns 30 sons poderia ser aprendido em um espaço de tempo bem curto.

De fato, havia pelo menos mil ou mais caracteres hieroglíficos diferentes, enquanto as línguas alfabéticas variavam entre 20 e 30 caracteres. Por isso, é possível que Moisés tenha escolhido a escrita alfabética para escrever o Pentateuco, por essa ser mais acessível ao povo. É, de fato, curioso que o surgimento do alfabeto fonético tenha ocorrido precisamente nesse período histórico, pois esse sistema que se tornaria o padrão de escrita para praticamente o mundo inteiro, já estava pronto para que Moisés pudesse registrar a revelação divina. Entender e estudar hebraico, aramaico e grego, línguas alfabéticas em que a Bíblia foi escrita, são empreendimentos muito simples comparado aos complexos e truncados hieróglifos egípcios ou os

---

[20] Richard Parkinson. **Cracking codes**: the Rosetta Stone and decipherment. Berkeley, LA: University of California Press, 1999, p. 182.

cuneiformes mesopotâmicos. É Deus agindo, como sempre, na "plenitude do tempo".

O mais interessante é que, além de muitas dessas escritas alfabéticas serem datadas da época de Moisés, também foram encontradas no mesmo lugar onde ele recebeu a incumbência de escrever um livro para Deus – a região do Sinai.

Deus sempre sabe mesmo o que faz. Pense bem: se Moisés tivesse menosprezado a escrita alfabética e optado pelas duas escritas clássicas da época – hieroglífica e cuneiforme –, nós teríamos um grande problema para ler a Bíblia, sabe por quê? A compreensão dessas línguas ficou por séculos perdida e elas só foram decifradas no século XIX.

No caso dos hieróglifos e do demótico propriamente ditos, sua decifração se deveu a François Champollion, que, em 1822, decifrou o conteúdo da Pedra de Roseta, permitindo a compreensão da antiga língua dos faraós. A menos que tivéssemos alguma tradução antiga, como a versão grega da Septuaginta, precisaríamos esperar até 1822 para poder ler o conteúdo original do Gênesis e dos demais livros do Pentateuco, caso tivessem sido escritos em hieróglifos. Já pensou?!

A arqueologia trabalha com fragmentos de história e, a partir de evidências de campo, levanta suas hipóteses. Ainda existem muitos mistérios quanto às origens da escrita alfabética.

Como mencionado anteriormente, um dos pioneiros do reconhecimento dessas letras batizadas de *abjad*, quando um alfabeto é composto apenas por consoantes, foi Sir Alan Gardiner, um eminente egiptólogo inglês, que deu o primeiro passo para a decodificação desse antigo alfabeto. Ele foi capaz de decifrar a expressão, que inclui símbolos equivalentes às letras hebraicas *lamed*, *bet*, *ayn*, *lamed* e *tav*, formando a palavra semita *leba'alat* (*lb'lt*), que quer dizer, "para a senhora".[21]

Gardiner descobriu que esse novo sistema de escrita foi projetado usando os desenhos dos hieróglifos egípcios, mas pronunciados na língua dos

---

[21] Joseph Naveh. **Early history of the alphabet**: an introduction to west semitic epigraphy and paleography. Jerusalém: Magness Press, 1997, p. 23-24.

criadores que eram semitas, usando um princípio chamado *princípio acrofônico*, isto é, quando o som inicial da palavra representa o som equivalente do símbolo. Então, o símbolo *per* que significa "casa", em egípcio, era a palavra *bet* na língua semita antiga e, em vez de representar a sílaba *bet*, como fazem os hieróglifos, simplesmente indica o som "b", pois *bet* começa com esse som. Desse modo, esses antigos semitas da península do Sinai, tomaram emprestado dos egípcios sinais que pudessem na sua língua representar todos os sons que a compõem. Essa ideia simples, deu surgimento ao primeiro alfabeto fonético, causando uma revolução na arte da escrita e, consequentemente, na história mundial. A simplicidade desse sistema influenciou muitas culturas que adaptaram essa escrita na representação simbólica de seu próprio idioma.

Foi provavelmente com esse tipo de letra e sistema, adaptados ao hebraico, que Moisés escreveu o Pentateuco original. Mais tarde, por influência do fenício, grego e aramaico, a língua dos hebreus foi evoluindo até a formação do hebraico quadrático, uma nova forma de escrita dos caracteres que foi adquirida pelos judeus durante o cativeiro babilônico e é usada até hoje em Israel no hebraico moderno e nas edições da Bíblia Hebraica.

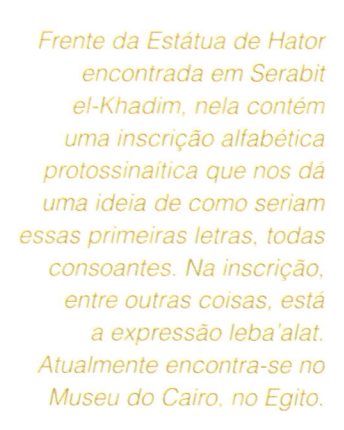

Frente da Estátua de Hator encontrada em Serabit el-Khadim, nela contém uma inscrição alfabética protossinaítica que nos dá uma ideia de como seriam essas primeiras letras, todas consoantes. Na inscrição, entre outras coisas, está a expressão leba'alat. Atualmente encontra-se no Museu do Cairo, no Egito.

Mas, para escrever coisas além de inscrições nas paredes dos templos e sarcófagos, era necessário ter o papel, não é mesmo?!

O primeiro papel

Não se pode esquecer que, diferente dos sumérios e mesopotâmios, os quais usavam argila ou pedras para escrever, entalhando seus fonemas nos tabletes, os egípcios optaram pela invenção de um tipo de papel que suprimia a falta de pedra e argila em seu ambiente; afinal, eles moravam em pleno deserto. Logo, com exceção da areia, sua fonte exclusiva de recursos estava no Nilo. De fato, é dele que, mais uma vez, os egípcios extraem outra impressionante e revolucionária invenção. A ideia foi criada a partir do papiro, uma planta aquática muito comum nas margens dos rios africanos, especialmente no rio Nilo, e faz parte da família das ciperáceas, cujas folhas são longas e fibrosas, um pouco semelhantes às folhas da cana-de-açúcar.[22] No Antigo Egito, o papiro era utilizado para vários propósitos: como a alimentação dos animais, sendo suas raízes consumidas pelas pessoas mais simples. O hieróglifo 𓇗 representa o caule de uma planta de papiro e é o sinal usado para se referir à palavra *uadj*, "papiro".

Até hoje, artesãos do Egito, do Sudão e da Etiópia utilizam a planta como faziam os seus ancestrais milênios atrás, na prática de confeccionar cestos, sapatos, redes e até mesmo pequenas embarcações (por meio da formação de feixes), que, com um pouco de sorte, podem ser vistas navegando pelas águas do rio Nilo. Uma fábrica de papiros no Cairo, por exemplo, continua usando as mesmas técnicas milenares para compor o papel de papiro, conforme usado nos tempos faraónicos, na qual, podemos ver a arte e a forma de se produzir lindos quadros que encantam os visitantes.

Considerando que o antigo Nilo era um rio selvagem, repleto de crocodilos e hipopótamos, os egípcios criam que, navegar num barco feito de

---

[22] "Papiro" in **Wikipédia**, disponível em https://pt.wikipedia.org/wiki/Papiro, acessado em 09/05/2022.

papiro era um meio seguro, pois a planta poderia afugentar esses animais.[23] Apesar de ser provavelmente uma mera superstição do povo, tal crença talvez explique por que Joquebede, mãe de Moisés, o colocou num cesto de juncos – isto é, de papiro – e o deixou flutuando às margens do Nilo. O cheiro do papiro, pensou ela, afastaria os crocodilos, protegendo o menino.

Rapidamente, os egípcios perceberam como essa planta alcançou outros povos e se tornou uma das principais matérias-primas na reprodução de livros, cartas, tratados jurídicos e obras literárias, inclusive do mundo greco-romano. Espalhado por todo o Antigo Oriente, o papiro se tornou o papel de muitas outras civilizações. Pode ser que Moisés tenha usado papiro quando começou a escrever seus primeiros livros, embora, segundo sua vivência como apresentada na Bíblia, como pastor em Midiã, o uso de peles de animais (pergaminho) também era muito provável.

O que pouca gente sabe é que o próprio nome da Bíblia tem tudo a ver com o papiro. A cidade portuária fenícia, Gebal (cf. Ez 27:9), tornou-se no mundo antigo a maior importadora de papiro do Egito, e a principal exportadora dele para a região do Egeu. Com o tempo, em uma espécie de metonímia, os gregos passaram a associar o papiro, chamado por eles de *biblos*, com o porto de onde compravam. Assim a cidade de Gebal ficou mundialmente conhecida como Biblos.

Papiro nos deu nossa palavra "papel", mas *biblos*, eventualmente, deu aos gregos sua palavra para "livro": *biblion*. Hoje, tomamos emprestado como prefixo para qualquer coisa relacionada a livros, como: "biblioteca", "bibliografia", "biblioteconomia" etc. Os gregos, porém, quando precisavam se referir a vários livros, utilizavam a forma plural grega: "*biblia*". Daí, vem o nome do sagrado livro do cristianismo, que é, em si, uma coletânea de vários *livros*. Essa referência, no entanto, possivelmente provém da tradução grega da expressão hebraica *sefarim* – "livros", conforme declarada por Daniel em seu livro, quando fez uma pesquisa nos escritos proféticos: "eu,

---

[23] John Gaudet. **Papyrus**: the plant that changed the world from Ancient Egypt to today's water wars. Nova Iorque: Pegasus books, 2014, p. 76.

Daniel, entendi, pelos *livros*..." (Dn 9:2). Tudo isso aconteceu por influência de uma fantástica planta chamada papiro.

A ideia de que escritos sagrados pudessem vir de Deus ou dos deuses rapidamente se espalhou pelo mundo antigo, formando a base da reverência que temos até hoje por livros que estariam acima dos demais pelo simples fato de serem atribuídos a uma fonte divina.

Por volta do ano 2000 a.C., os fenícios, que viviam na cidade de Biblos, desenvolveram uma escrita mais ou menos alfabética, com pelo menos 80 letras diferentes, embora a quantidade de caracteres fosse aos poucos diminuindo. Só para se ter uma ideia, os habitantes de Ebla, por exemplo, usavam apenas trinta sinais, e os alfabetos, derivados dos fenícios, ficaram em torno de aproximadamente vinte símbolos. Tudo isso com base naquele alfabeto protocananita descoberto na Península Sinai, que trouxe uma revolução no mundo da escrita, uma vez que os sistemas de escrita mais antigos, como os hieróglifos e o cuneiforme mesopotâmico, exigiam, cada um, o conhecimento de quase mil sinais.[24]

Dentre os alfabetos que adotaram esse sistema simplificado dos fenícios estão o grego, o hebraico e o aramaico – idiomas usados na composição das Escrituras Sagradas.

Quando Abraão peregrinou em direção à terra prometida, como todos os demais povos nômades vindos da Mesopotâmia, certamente usou a escrita cuneiforme, apesar de ter tido contato com os hieroglíficos ao passar pelo Egito (Gn 12:10-20). Porém, até então, não temos nenhum indício de que Deus ordenara Abraão ou qualquer um dos primeiros patriarcas a escrever um livro que contivesse revelações inspiradas por Ele. Ao que tudo indica, coube a Moisés a tarefa de não só tirar o povo hebreu do Egito, mas também escrever os primeiros livros do que, no futuro, seria chamado de Bíblia Sagrada.

Agora, qual idioma e forma escrita Moisés usou para preparar os primeiros livros da Bíblia? Realmente não sabemos, embora seja muito provável que tenha sido o hebraico clássico, conforme apontam a tradição de documentos à nossa disposição atualmente. Porém, como mencionamos

---

[24] Irving Finkel; Jonathan Taylor. **Cuneiform**. Londres: The British Museum, 2015, p. 6.

acima, ele certamente utilizou a escrita protocananita.²⁵ O caso é que, o texto hebraico que possuímos hoje, seria uma adaptação estilística feita por um antigo copista (e/ou editor), a partir daquilo que Moisés escrevera originalmente.

Não se trata de reescrever o texto, muito menos de alterá-lo em excesso. O que os copistas/editores fizeram foi uma organização dos textos originais, talvez compilando-os e colocando pequenas informações – isto é, anotações textuais que facilitassem ao leitor/ouvinte a identificação, principalmente, de termos e lugares que estavam no texto e poderiam soar estranho para a audiência de sua época temporal.

Este é o caso da referência à cidade de Ur dos caldeus, que aparece três vezes em Gênesis, relacionada à vida de Abraão (11:28; 11:31; 15:7). A cidade de Ur jamais tivera a designação "dos caldeus" nem no tempo de Moisés, e muito menos no de Abraão, pois os caldeus – isto é, os babilônicos – não governaram a região até o ano 1000 a.C. Esse é um típico exemplo de anotação "pós-mosaica".²⁶

É como se um editor moderno pegasse a carta original de Pero Vaz de Caminha e a transcrevesse assim: "No dia seguinte [22 de abril], quarta-feira... à hora de vésperas [entre 15h e 18h], avistamos terra! Primeiramente um grande monte, muito alto e redondo... Ao monte alto, o Capitão deu o nome de Monte Pascoal [que fica na Bahia]; e à terra, Terra de Vera Cruz [isto é, o Brasil]". O que o editor acrescentou entre colchetes não violou nem modificou acentuadamente o texto original, mas o tornou mais claro para o leitor moderno. Antigos editores hebreus fizeram o mesmo no texto mosaico, porém, sem o uso dos colchetes. Nós, hoje, novos leitores modernos, precisamos novamente de uma atualização por um editor atual.

Naturalmente, não vamos mexer nos textos como fizeram esses copistas/editores da antiguidade, visto que eles tinham uma autoridade que não temos, mas, nossa atualização moderna do texto é precisamente isso que

---

25 James K. Hoffmeier. **Ancient Israel in Sinai**: the evidence for the authenticity of the wilderness tradition. Oxford: Oxford University Press, 2005, p. 181.
26 Kenneth A. Mathews. **New American Commentary**: Genesis 11:27-50:26. Vol. 1b. Nashville: Broadman and Holman, 2005, p. 100.

estamos fazendo: utilizar ciências como a egiptologia, a arqueologia, a história e a geografia; e o conhecimento das línguas e das culturas antigas etc. Essas ciências trazem luz sobre detalhes obscuros e outros não tão confusos, mas que, mesmo assim, não imaginávamos o que poderia estar implícito, dada a distância de um tempo e de uma cultura bem diferente do que estamos acostumados.

Mênfis, a primeira capital do Egito

Ao redor de 2900 a.C., quando o Alto e o Baixo Egito se tornaram um grande império, os faraós declararam Mênfis, que fica ao sul do Delta do Nilo, como sua capital. Mesmo após deixar de ser a capital, a cidade continuou sendo importante para a história egípcia, a ponto de hoje não restar mais nada em pé.[1] Na verdade, grande parte do seu material foi reutilizado na construção de muitas mesquitas e edifícios do Cairo. Mesmo assim, suas ruínas ainda têm muito o que contar.

Segundo uma tradição contada por Mâneto, sacerdote e historiador egípcio que viveu durante o reino ptolomaico, Mênfis teria sido fundada por Menés, algumas vezes identificado com Narmer, o primeiro faraó do Egito.[2] Apesar de isso nunca ter sido completamente comprovado, de qualquer forma, considerando-se que a 1ª dinastia é normalmente datada em torno de 3100 a.C., seria realmente difícil ter muita coisa em pé hoje. Além disso, não há por que negar que Mênfis tenha sido a primeira capital do império depois da unificação do Alto e do Baixo Egito, mas a fração que

---

[1] Shaw. **The Oxford history of Ancient Egypt**, p. 279.
[2] Douglas J. Brewer. **Ancient Egypt**: foundations of a civilization. Harlow, IN: Pearson, p. 125.

podemos ver dela atualmente está localizada, principalmente, em torno da pequena aldeia de Mit Rahina.

Um lugar sem igual

A escolha de Mênfis como capital certamente se deve à sua localização geográfica ideal, situada ao sul, não muito distante do ápice do Delta, ou seja, do ponto em que o rio Nilo se ramifica em diversos braços, formando uma espécie de triângulo (daí *delta*, por causa da forma da letra grega). Dali o faraó podia exercer controle não apenas sobre a região do Baixo (o Delta) ao Alto Egito, mas também sobre o movimentado tráfego do Nilo. Além disso, o Nilo e os morros para além dele dificultavam o acesso pelo leste, enquanto o deserto, as montanhas e mesmo o vale dos mortos a oeste, eram vistos como uma fortaleza tanto física quanto espiritual sobre a cidade. Desse modo, Mênfis, na fronteira entre o Alto e o Baixo Egito, retinha a chave para todo o território, bem similar ao atual Cairo, localizado a mais ou menos 30 quilômetros.

Mênfis teve vários nomes ao longo de sua história, o nome original da cidade era *Hiku-Ptah* ou *Hut-Ka-Ptah*, em referência ao grande templo de Ptah que ela abrigava. Porém, mais tarde, ficou conhecida como *Inbu-Hedj*. No entanto, uma vez que Mênfis foi crescendo e se tornou uma grande cidade, também passou a ser conhecida por outros nomes que, na verdade, eram referências a bairros ou distritos que, em determinados momentos, exerceram grande importância para a região. Por exemplo, de acordo com um texto do Primeiro Período Intermediário, Mênfis foi chamada de *Djed-Sut* ("lugares eternos"), que é o nome da pirâmide de Teti.[3] Por causa de sua localização precisamente centralizada entre os dois lados do Egito, em outras eras foi chamada de *Ankh-Tawy*, "a vida das duas terras". O nome atual, contudo, vem do início do Antigo Império, na 6ª dinastia, quando ficou conhecida como *Men-nefer* ("duradouro e belo"), na época em que Pepi I construiu sua pirâmide na região de Sacara. Esse nome, então, tor-

---

[3] Pierre Montet. **Géographie de l'Égypte Ancienne**. Pt. 1. Paris: Imprimerie nationale et librairie C. Klincksieck, 1957, p. 28–29.

nou-se *Menfe*, em copta, que, mais tarde, foi transliterado como "Mênfis" em grego.[4]

Mênfis tornou-se a sede do império desde o início do período dinástico (c. 3200-2500 a.C.) até o Antigo Império (c. 2575-2150 a.C.), e, mesmo quando deixou de ser a capital, continuou como um importante centro comercial e cultural. Seu porto principal, por exemplo, continha uma grande quantidade de oficinas, fábricas e armazéns que distribuíam alimentos e mercadorias por todo o reino.

Religiosamente, a cidade estava sob a proteção do deus Ptah, considerado um deus criador e patrono dos arquitetos e artesãos. Nela, fora construída uma das obras mais destacadas da cidade – o grande templo de Ptah, chamado *Hut-ka-Ptah*, cuja tradução seria "recinto do *ka* de Ptah". Esse foi um dos antigos nomes de Mênfis e acredita-se que foi do nome desse templo, adaptado em grego como *Aigyptos* por Mâneto, que deu origem ao termo "Egito".[5]

O nome *Inbu-Hedj* era, na verdade, um dos 42 nomos ou divisões administrativas do Antigo Egito, sendo esse designado como distrito primário, ou o número 1, do qual Mênfis era a principal *niut* (cidade). O significado desse termo seria algo como "paredes brancas" ou "fortaleza branca", isso porque Mênfis foi construída de tijolos de barro pintados de branco, a cor heráldica do Alto Egito.[6]

Na antiga arte egípcia, o branco representava pureza, limpeza, simplicidade e sacralidade. Por essa razão, ferramentas, objetos sagrados e até as sandálias dos sacerdotes eram brancas. Muitos outros objetos e instrumentos religiosos simbólicos eram feitos de alabastro branco, como vasos de oferta e libação, jarros canopos e até a mesa de embalsamamento, incluindo o próprio revestimento externo das pirâmides. Animais sagrados, como hipopótamos, bois e vacas, eram, de modo análogo, retratados em branco. Os sacerdotes sempre usavam branco, assim como os atendentes do templo

---

[4] Bunson. **Encyclopedia of Ancient Egypt**, p. 236.
[5] *Ibid.*, "Aha", p. 14,
[6] Margaret R. Bunson. "Memphis" in **Encyclopedia of Ancient Egypt**. Revised edition. Nova Iorque: Facts on File, Inc., p. 235.

e todos que participavam das festividades ou rituais religiosos.[7] Diferentemente de outras cores, a obtenção de tinta branca era relativamente fácil, pois era feita a partir de giz ou gesso, que eram abundantes no Egito.

A palavra *hedj* também significava "prata" (porém, escrita com o determinativo para metais) e estava relacionada ao ouro. A prata era percebida como um metal branco ou, mais especificamente, uma espécie de ouro branco (*nub hedj*), e representava a cor do sol ao amanhecer, da lua e das estrelas. Muito apreciada no Egito fazendo parte das joias faraônicas, diferentemente do ouro, era bastante escassa na região.

O algodão egípcio era geralmente de cor creme, mas o tecido branco, como o linho não tingido, era descrito como "branco e altamente valorizado". É possível perceber a importância dada pelos egípcios à cor branca em um dos lamentos feitos em um antigo papiro conhecido como as "Admoestações de Ipuwer"; nele, o autor mostra como as coisas se tornaram ruins no Egito, quando lamenta que: "Ninguém tem roupas brancas neste tempo".[8]

Em outras palavras, assim era Mênfis no passado: uma representação da santidade e de toda a beleza que os egípcios podiam expressar, bem diferente do que vemos hoje ao visitar as esquecidas ruínas dessa cidade, que um dia foi gloriosa.

Entre monumentos e ruínas

Mesmo depois de ter deixado de ser a capital de todo o império unificado, Mênfis continuou como uma cidade importante para muitos faraós. Reis posteriores costumavam construir monumentos nessa antiga capital, entre eles Ramessés II, da 19ª dinastia, mais conhecido como Ramessés, o Grande.

Na verdade, um grande número de esculturas representando Ramessés II foi descoberto em Mênfis. Entre as mais impressionantes, está uma

---

[7] Alan B. Lloyd (ed.). **Gods, priests, and men**: studies in the religion of pharaonic Egypt by Aylward M. Blackman. Londres: Routledge, 2011, p. 18, 20.
[8] Miriam Lichtheim. **Ancient Egyptian literature**. Vol. 1: the old and middle kingdoms. Berkeley, CA: University of California Press, 2006, p. 151.

estátua monumental esculpida em calcário e medindo cerca de 10 metros de comprimento. A estátua era tão pesada que foi encontrada deitada, sendo mais fácil construir um prédio em torno dela do que tentar reerguê-la. O explorador italiano Giovanni Battista Caviglia (1770-1845) a descobriu perto do portão sul do templo de Ptah em 1820. A estátua é exibida deitada porque os pés e a base estão quebrados. Mas, originalmente, eram duas estátuas iguais. A segunda, também foi encontrada por Caviglia no mesmo ano.

Mênfis, na verdade, não tem nada a ver com Ramessés. A cidade data bem antes dele, mas sabe-se que o grande monarca amava ganhar fama com obras que outros construíram; isto é, ele gostava de pôr sua marca em coisas que não tinha feito, e nesse caso não foi diferente. Em outra estátua sua, também em Mênfis, o faraó, que é também uma divindade, faz as vezes de Nefertum, o filho de Ptah e Sekhmet, que juntos formavam uma tríade divina cujo centro de adoração era em Mênfis. Os antigos egípcios acreditavam que os deuses eram como famílias humanas. Uma das mais proeminentes era formada pelo grande deus Ptah, sua mulher Sekhmet e seu filho Nefertum, deus do sol e dos perfumes, cujo símbolo era a flor de lótus.

Ramessés realmente gostava de ter seu rosto e corpo lembrado pelo povo, pois em outro conjunto de estátuas, há outra imagem sua e ao lado dela uma estela monolítica sobre a qual eram

Ramessés II (ao centro) representado como Nefertum na tríade divina junto a Ptah e Sekhmet.

esculpidas figuras ou gravados textos cuja função principal era transmitir um significado simbólico de caráter mágico, religioso, funerário, político etc.

Outra obra curiosa em Mênfis, que tem sobrevivido até hoje, é conhecida por *Esfinge de Mênfis* ou *Esfinge de Alabastro*. Ela foi esculpida durante o Novo Império, possivelmente entre os anos 1700 e 1400 a.C., durante a 18ª dinastia. Uma esfinge é uma criatura mítica com o corpo de um leão, na maioria das vezes com uma cabeça humana e ocasionalmente com asas. Não se sabe ao certo qual faraó teria mandado esculpi-la, mas suas feições faciais se parecem muito com outras esculturas pertencentes ou a Hatshepsut, ou a Amenhotep II, ou a Amenhotep III.

A principal atração de Mênfis, no entanto, é o que restou do Templo de Ptah, a mais famosa e imponente construção da cidade. Inicialmente, durante o período pré-dinástico, Ptah teria sido um deus da fertilidade, mas foi elevado à posição de "Senhor da Verdade" e "Criador do Mundo" já a partir do início do Período Dinástico. Ele era o deus protetor de toda área ao redor de Mênfis e tornou-se a divindade padroeira da cidade depois que ela foi construída em sua homenagem. Na mitologia egípcia menfita, Ptah é o deus criador e divindade principal de Mênfis. Todos os homens, e toda a vida, teriam surgido do desejo de seu coração manifestado por meio da voz de suas palavras.[9]

Todos os deuses, patronos de outras cidades, teriam sido criados por Ptah, daí ele ser conhecido como "pai de todos os deuses", pois criou o *ka* (espírito) dos outros deuses, assim como o mundo e as suas criaturas, e a própria cidade de Mênfis. Mais tarde, foi associado com Tatenen, a divindade representante da colina primordial no momento da criação. Além disso, Ptah, por ser o deus criador, acabou sendo combinado também com Sokar, um deus do submundo. Por isso, Sokar era a divindade padroeira da necrópole de Sacara e outros locais famosos onde as pirâmides reais

---

[9] James P. Allen. **Genesis in Egypt**: the philosophy of ancient Egyptian creation accounts. New Heaven, CT: Yale Egyptological Seminar, 1988, p. 38-41.

foram construídas. Gradualmente, junto com Osíris, eles formaram uma nova tríade divina chamada Ptah-Sokar-Osíris.[10]

Ptah também era representado pelo touro sagrado, Ápis. No templo, um touro vivo, era separado e marcado como touro Ápis e adorado como a encarnação de Ptah. Na morte do animal, realizava-se luto público e era enterrado com todas as honras devidas de uma divindade em um setor de Sacara chamado de *serapeum*, um local de sepultamento específico para os bois sagrados. No século passado, quando se abriu ali o túmulo, os investigadores encontraram os cadáveres embalsamados de mais de 60 touros e vacas. A escolha de um novo touro Ápis e sua entronização em Mênfis eram cerimônias igualmente suntuosas.

É a partir dessas informações que começamos a entender o que estava em jogo, aos israelitas criarem uma imagem de um touro dourado a fim de representar o deus invisível que os tirara do Egito. Pode ser que esse tipo de adoração tivesse influenciado os israelitas rebeldes na sua ideia de adorar o Deus de Israel por meio de um bezerro de ouro (Êx 32:4, 5). Eles haviam saído do Egito, mas o Egito ainda não havia saído deles.

Na verdade, talvez não paremos para prestar atenção, mas, a cidade de Mênfis aparece na Bíblia pelo menos oito vezes.[11] É provável que haja outros episódios bíblicos relacionados ao Egito que podem ter ocorrido precisamente em Mênfis, ainda que a Bíblia não faça menção de uma localidade egípcia específica.

Adicionalmente, a evidência bíblica parece indicar que, durante o tempo em que os israelitas passaram no Egito, a capital do império se encontrava no Baixo Egito, com acesso razoavelmente fácil à terra de Gósen, região na qual os israelitas moravam (Gn 47:1, 2). Já perto do êxodo, período do Novo Império, quando a capital havia se tornado Tebas, Mênfis ainda era de um *status* e importância elevada. Quando Moisés se encontra com o faraó "na beira do rio Nilo" (Êx 7:15), parece mais provável supor que o mo-

---

[10] Bunson. **Encyclopedia of Ancient Egypt**, p. 312-13.
[11] Isaías 19:13; Jeremias 2:16; 44:1; 46:14, 19; e Ezequiel 30:13, 16 se referem à cidade egípcia pelo termo hebraico *nof*, enquanto Oséias 9:6 usa a expressão *mof*.

narca estava em Mênfis, visto que se isso ocorresse na região do Delta, onde o Nilo se divide em diversos braços, como Moisés saberia precisamente onde o faraó estava? Além do mais, se esse encontro levaria à execução da primeira praga, tornando as águas sangue, Moisés precisaria estar acima do Delta, a fim de que ao tocar o rio, o sangue fluísse pela corrente das águas, ou seja, do ponto de onde ele estava, descendo por todos os canais do rio. O mesmo pode ser dito se o faraó estivesse em Tebas, porém, a distância entre Tebas e a terra de Gósen, para onde Moisés parece se reportar constantemente na história, é de um pouco mais de 900 quilômetros. Isso tornaria as idas e vindas até o faraó extremamente cansativas e demoradas, diferentemente se o rei estivesse em Mênfis. Enfim, devemos levar em consideração que Deus é todo-poderoso, mas ele age com lógica nas Escrituras.

Figurando como uma das cidades mais importantes do Egito, não é surpresa ver que Mênfis apareça com certa frequência no texto bíblico, especialmente nos oráculos proféticos envolvendo o Egito. Em Jeremias 2:16, por exemplo, o profeta fala que Mênfis e Tafnes, uma cidade na região do Delta, pastavam o alto da cabeça de Israel, uma expressão que significa tornar calvo, pois era costume dos donos de escravos rasparem a cabeça de seus servos como símbolo de submissão; pois os judeus buscaram ajuda do Egito, mas o Egito lhes tratou como escravos. Tudo isso, por haverem abandonado a Deus, preferindo confiar nos seus próprios meios.

A glória do mundo é passageira

Como vimos, por muito tempo Mênfis foi o centro da religião e da erudição no Egito, uma vez que era a cidade do espírito de Ptah, deus dos sábios arquitetos e artesãos. Mas no século VIII a.C., Isaías ridicularizou e reprovou a propalada sabedoria de seus líderes. Sem o conselho do Deus verdadeiro, toda sua sabedoria e erudição é tolice aos olhos Dele (Is 19:13).

Também foram encontrados em Mênfis monumentos do reinado de Tiraca, faraó etíope. Ainda que Tiraca conseguisse sobreviver ao seu encontro com o rei assírio Senaqueribe em Canaã (701 a.C.; cf. 2Rs 19:9), cerca de trinta anos depois, o filho de Senaqueribe, Essarhadon, derrotou Tiraca, capturou Mênfis, e destroçou o exército egípcio, obrigando-o a retirar-se da cidade.[12] O registro do próprio Essarhadon a respeito desse conflito diz: "a Mênfis, sua [de Tiraca] cidade real, em meio dia, com minas, túneis, e assaltos, eu a cerquei, eu a capturei, eu a destruí, eu a devastei e a queimei com fogo".[13]

Ao que parece, poucos anos depois, as forças egípcias retomaram Mênfis, massacrando a guarnição assíria. Mas Assurbanipal, filho de Essarhadon, marchou para o Egito e expulsou os governantes de Mênfis impelindo-os Nilo acima (isto é, para o sul). Quando a Assíria passou a declinar, no fim do século VII a.C., Mênfis voltou a estar sob pleno controle egípcio. Então, depois que o rei babilônico Nabucodonosor desolou Judá em 607 a.C., refugiados judeus fugiram para o Egito, passando a morar em Mênfis, e em outras cidades. Deus, no entanto, por meio dos seus profetas Jeremias e Ezequiel, condenou-os ao desastre e predisse que Nabucodonosor também aplicaria ao Egito um golpe devastador, devendo Mênfis sofrer a plena força do ataque: "Atearei fogo no Egito. A cidade de Sim terá grande angústia, Tebas será destruída, e Mênfis terá adversários em pleno dia" (Ez 30:16).

Historiadores clássicos descrevem que o grande templo de Mênfis era periodicamente ampliado, embelezado e adornado por enormes estátuas. Além do mais, não apenas Ptah, mas diversas outras divindades foram reverenciadas na cidade. A adoração da deusa estrangeira Astarte, por exemplo, também teve destaque em Mênfis, e havia templos menores dedicados a deuses e deusas egípcios, tais como Hator, Amon, Imhotep, Ísis, Anúbis e outros. Contudo, a maioria de suas estátuas e monumentos foram completamente destruídos, não sobrevivendo para contar história. Confirmando o que disse o oráculo divino que todas as imagens dos ídolos antigos haviam de ser destruídas por julgamento divino: "Assim diz o Senhor Deus: 'Também destruirei os ídolos e eliminarei as imagens de Mênfis. Não haverá mais príncipe na terra do Egito, onde implantarei o terror" (Ez 30:13).

---

12 Derek A. Welsby. **The kingdom of Kush**. Londres: British Museum Press, 1996, p. 158.
13 Daniel D. Luckenbill. **Ancient records of Assyria and Babylonia**. Volume 2: historical records of Assyria from Sargon to the end. Chicago: University of Chicago Press, 1926, §580.

Um pouco mais tarde, agora em 525 a.C., novamente Mênfis sofreu uma grave derrota, porém dessa vez pelas mãos do rei persa Cambises, tornando-se depois a sede de uma satrapia persa. Depois disso, a cidade nunca mais se restabeleceu plenamente dos efeitos dessa conquista. Com a ascensão de Alexandria, sob a era dos ptolomaicas, Mênfis declinou constantemente e, por volta do século VII d.C., já havia se tornado em uma grande ruína.

Mênfis está cercada por vastas áreas de sepultamento, locais que, na verdade, abrigam cerca de vinte pirâmides ou túmulos monumentais de reis do passado. Entre elas está a Pirâmide dos Degraus, em Sacara, considerada a mais antiga que se tem conhecimento. A noroeste, há cerca de 20 quilômetros da cidade, encontram-se as mais impressionantes pirâmides de Gizé e a Grande Esfinge. Isso, por si só, evidencia a importância de Mênfis para os antigos egípcios. Essa proeminência como sítio de sepultamento de faraós, sem dúvida, é refletida na profecia de Oséias contra o Israel sem fé do século VIII a.C. que buscava salvação no Egito. O texto do profeta diz: "Porque eis que eles fugiram por causa da destruição. O Egito os reunirá, e Mênfis os sepultará" (Os 9:6a). Diferentemente dos patriarcas, Jacó e José, os quais não quiseram ter seus corpos enterrados no Egito, os israelitas que buscassem refúgio lá, teriam suas vidas engolidas por Mênfis, a cidade sepultura.

Atualmente, esses túmulos e construções similares de pedra são tudo o que resta para contar sobre a antiga glória de Mênfis. Conforme predito, a cidade tornou-se totalmente desabitada, e pura desolação e ruínas – um mero assombro (Jr 46:19).

# Tebas, a glória do Antigo Egito

A cidade de Tebas foi a cidade mais poderosa, importante e religiosa do Egito durante o Novo Império (c. 1539-1075 a.C.), período muito importante para nós, pois muitas histórias bíblicas relacionadas ao Egito se passaram durante essa fase. Mas, antes de chegar a esse *status* de importância, na época do Antigo Império (c. 2575-2150 a.C.), Tebas já era um pequeno posto comercial do Alto Egito, controlada por clãs locais. Com o passar do tempo, os líderes estabeleceram na região um governo real, arvorando para si o título de faraós, com o objetivo de obter o controle sobre todo o Egito. Após os governantes mudarem a capital de Mênfis para Heracleópolis, durante o Primeiro Período Intermediário (c. 2125-1975 a.C.), os monarcas de Tebas viram uma oportunidade para se levantar contra o governo central. Um dos príncipes, por nome Mentuhotep II (2061-2010 a.C.), conseguiu derrotar as forças de Heracleópolis em torno de 2055 a.C. unificando o Egito, agora sob controle tebano. A vitória não apenas elevou a posição de Tebas à nova capital do Egito, como também promoveu os deuses tebanos por todo o país. A popularidade de seus deuses, consequentemente, contribuiu para o desenvolvimento da economia e do prestígio que a cidade alcançou posteriormente.

Localizada há pouco mais de 675 quilômetros ao sul da atual cidade do Cairo, Tebas teve uma gloriosa história de mais de quinze séculos, antes de ser finalmente destruída pelos assírios em 663 a.C. Pode-se dizer que ela foi uma cidade muito bem planejada, situada no Alto Egito, perto de uma região de terreno fértil nos dois lados do rio, podendo assim produzir cereais para o povo em geral. Por isso a cidade ocupava ambas as margens do Nilo, ficando a grande necrópole do lado oeste e a cidade principal na parte leste. Essa posição no rio, bem como sua importância como cidade, é reconhecida no livro de Naum que, ao advertir Nínive sobre sua destruição iminente, compara seu poder ao de Tebas, alegando que nem mesmo ela que estava "situada junto ao Nilo, cercada de águas" (3:8) estaria a salvo da ira de Deus, quanto mais Nínive.

Entretanto, a grande ascensão da cidade deu-se durante o Segundo Período Intermediário (c. 1630-1520 a.C.), quando os governantes de Tebas se opuseram aos invasores estrangeiros hicsos. Os hicsos eram um povo de origem semita que se estabeleceu no Delta do Nilo e controlou o Baixo Egito durante esse período. Os dois povos estabeleceram uma trégua, quebrada pelo rei hicso Apepi em 1560 a.C. A partir disso, os egípcios declararam guerra contra os hicsos e foram derrotados pelo príncipe tebano Amósis I, marcando assim o início da 18ª dinastia, período aceito como Novo Império. Por causa disso, Tebas ficou reconhecida como a cidade que unificou o país novamente e o libertou das mãos inimigas, tornando-se então a nova capital oficial do Egito.

Embora nem todos os faraós do Novo Império fossem tebanos, como os da 18ª dinastia, todos trataram Tebas como uma cidade real e a necrópole central. A maioria dos faraós deixou sua marca nas construções de Tebas, em particular na ampliação e embelezamento do grande Templo de Karnak, para o qual trouxeram muitos espólios de guerra e para onde regularmente faziam peregrinações para o festival anual de Opet.[1]

---

[1] Donald B. Redford. "Thebes" in David N. Freedman (ed.). **The anchor Bible dictionary**. 6ª ed. Nova Iorque: Doubleday, 1992, p. 442.

Contudo, aparentemente muitos deles preferiam residências no Norte, visando não só vigiar as movimentações de comércio e entrada de estrangeiros no Delta, como também administrar seu crescente controle sobre a região de Canaã. Isso explica por que, por exemplo, é mais fácil pensar que o faraó do Êxodo estava na região Norte, quando Moisés se encontrava com ele, exigindo-lhe a libertação dos israelitas, do que na distante região de Tebas.

O antigo nome egípcio da cidade era *Uaset*, traduzido como "a cidade do cetro", em referência ao cetro faraônico que era um tipo de cajado com a cabeça de um animal na ponta e uma base bifurcada, conforme pode ser visto no hieróglifo de representação desse nome: 𓋴𓊖. O termo Tebas, por outro lado, é crido ser uma adaptação grega da expressão egípcia *Ta-Ipet* ("o templo"), designação simples e enfática para o colossal templo dedicado a Amon-Rá, na atualidade denominado Templo de Karnak. Contudo, o nome completo dado na origem pelos egípcios a esse templo era *Ipet-Sut* ("local selecionado") ou *Ipet-Iset* ("o melhor dos dois lugares").

Ao se tornar uma capital gloriosa, Tebas se converteu em um importante centro de adoração ao deus Amon (também chamado Amun ou Amen). Por conta disso, a cidade também ficou conhecida como *Pa-Amen*, cujo significado é "a morada de Amon" ou simplesmente *Niut-Imen*, "a cidade de Amon". Esse último nome tornou-se bastante popular especialmente a partir do fim do Novo Império, e aparece transliterado na Bíblia Hebraica como *No-Amon*, ou apenas *No* (Ez 30:14, 16; Jr 46:25; Na 3:8), o que nos leva a perceber como a fama de Tebas, como um centro de culto a Amon e uma importante cidade egípcia, ainda permanecia na época desses profetas.[2]

Graças ao culto a Amon, a popularidade de Tebas cresceu significativamente, tornando-se famosa por sua riqueza e grandeza. Durante o Período de Amarna (1353-1336 a.C.), uma fase dentro do Novo Império

---

2 Idem.

marcada pelo reino do faraó herege Aquenáton, Tebas havia se tornado a maior cidade do mundo, chegando a uma população ao redor de 80 mil pessoas. Com Aquenáton, no entanto, a capital do reino foi transferida para *Aquetáton* (atual Amarna), a cidade planejada do rei, construída para separar seu reinado monoteísta de seus antecessores politeístas. Porém, Tutancâmon, seu filho, restaurou o politeísmo e conferiu a Tebas a posição de capital do império outra vez.

Pouco tempo depois, o famoso Ramessés II (1279-1213 a.C.) transferiu a capital para sua recém-construída cidade Per-Ramessés ("Casa de Ramessés). Mas a despeito disso, Tebas continuou sendo um importante centro de culto e local de peregrinação, até ser saqueada pelos assírios em 663 a.C., sendo mais uma vez reconstruída depois disso, quando por fim aniquilada pelos romanos no século I d.C.

Nos dias atuais, a cidade de Luxor e a região de Karnak ocupam o local da antiga Tebas; e nessa região, juntamente com a área localizada do outro lado do rio, encontram-se alguns dos sítios arqueológicos mais importantes do Egito, como o Vale dos Reis, o Vale das Rainhas, o Ramesseum (o templo de Ramessés II), o templo de Ramessés III e o grande complexo do templo da rainha Hatshepsut.

Imagens que valem mais que mil palavras

Como temos percebido, a Bíblia apresenta a história de muitos personagens que passaram algum tempo ou tiveram alguma interação com o Egito. Na verdade, muitos governantes egípcios envolvidos com tais personagens e eventos bíblicos são mais conhecidos por seus templos e túmulos no Alto Egito, visto que grande parte desse contato entre os hebreus e o Egito ocorreu pelos períodos egípcios do Médio ao Novo Império, isto é, quando Tebas era a capital. Aliás, é provável que a história da ida de Abraão ao Egito, descrita em Gênesis 12:10-20, por exemplo, tenha ocorrido na cidade de Tebas, que já havia se tornado a nova capital do império na época. Portanto, muitas estátuas e relevos no Templo de Karnak, bem como objetos encontrados nos túmulos e templos mortuários ao longo de ambas as margens do Nilo contam as histórias desses líderes e elucidam muitos eventos narrados na Bíblia.

Entre 1906 e 1936, uma expedição americana patrocinada pelo *Metropolitan Museum of Art* de Nova Iorque escavou vários sítios por todo o Egito. Durante três décadas, os arqueólogos exploraram os cemitérios de Tebas e encontraram muitos artefatos importantes, bem como túmulos intactos pertencentes a pessoas comuns, fora da nobreza. Os túmulos achados não apenas continham a múmia, mas também objetos pessoais dos falecidos que foram ali enterrados por membros da família.

É claro que hoje as técnicas para retirar uma múmia de seu contexto original e estudar uma múmia ou qualquer outro artefato são muito delicadas e mais detalhadas do que naquela época. Seja como for, mesmo naquele tempo, quando a arqueologia ainda estava no seu início, as investigações tiveram sua contribuição. A análise das múmias e dos objetos pessoais encontrados nos túmulos revelou muita coisa sobre o Antigo Egito. Por exemplo, o estudo das múmias trouxe uma ideia da aparência de alguns indivíduos, suas condições físicas, a causa do óbito e a idade no momento de sua morte.

Duas tumbas locais foram especialmente fascinantes para os arqueólogos americanos. Ambas foram encontradas em uma encosta e pertencem ao fim do Médio e início do Novo Império. Dentro desse complexo de tumbas, havia ainda a de Meketre, um alto mordomo durante o reinado de Mentuhotep II, aparentemente muito bem remunerado. Essa tumba, em particular, foi invadida e saqueada por ladrões de tumbas do passado, mas qual não foi a surpresa dos arqueólogos ao perceberem que havia ali uma câmara escondida contendo 24 maquetes quase perfeitamente preservadas de casas, edifícios, oficinas, barcos etc. que descrevem minuciosamente várias cenas da vida e das atividades diárias do Egito. Muitos pesquisadores discutem se Meketre era um colecionador de miniaturas ou se esses eram recursos preparados para a vida após a morte que seu espírito poderia ativar magicamente para servi-lo no além.

De qualquer forma, essas maquetes são como fotografias 3D da vida comum egípcia de uma época que não existe mais. Elas mostram mulheres, crianças, adultos, todos em suas funções sociais. Na miniatura do celeiro, por exemplo, é possível perceber a presença de um setor de contabilidade.

Maquete do celeiro encontrado na câmara mortuária de Meketre. Seu interior divide-se em duas partes: o celeiro propriamente dito, onde se armazenavam os grãos e uma área de contabilidade.

Ao observar a maquete, é notável que o número de pessoas trabalhando no celeiro é menor do que aqueles cuidando da contabilidade, deixando claro que manter o controle dos suprimentos de grãos era algo crucial. Além disso, essa descoberta nos faz pensar no episódio da vida de José quando esse se tornou responsável pela estocagem de grãos de todo o Egito. Em outras palavras, esses "brinquedos" ajudaram a contar a história do Antigo Egito.

Em Karnak, uma parede construída pelo faraó Seti I (c. 1294–1279 a.C.) contém uma série de relevos que retratam o "Caminho da terra dos filisteus", mais tarde conhecida como *Via Maris*: um caminho mais prático e direto; uma antiga rota de comércio que ligava o Egito com a Síria, usada por reis, comerciantes e viajantes para cruzar por Canaã. Porém, durante o êxodo, os israelitas foram aconselhados por Deus a evitá-la, pois embora fosse mais perto, Deus não queria que o povo, ao ver a guerra, acabasse desanimando e desejasse retornar ao Egito (Êx 13:17). No texto, não somos informados do que isso significa de fato. Mas, nos relevos de Seti, a primeira seção da rota conectando o Egito a Canaã, chamada pelos egípcios de "Caminhos de Hórus", era um trecho que estava protegido por onze fortalezas egípcias, construídas durante as dinastias 18 e 19, a fim de controlar a região.[3] As fortalezas eram suportadas por um complexo sistema de celei-

---

[3] Yohanan Aharoni. **The land of the Bible**: a historical geography. Filadélfia, PA: The Westminster Press, 1979, p. 46-48; Ellen Fowles Morris. **The architecture of imperialism**: military bases and the evolution of foreign policy in Egypt's New Kingdom. Leiden: Brill, 2005, p. 382.

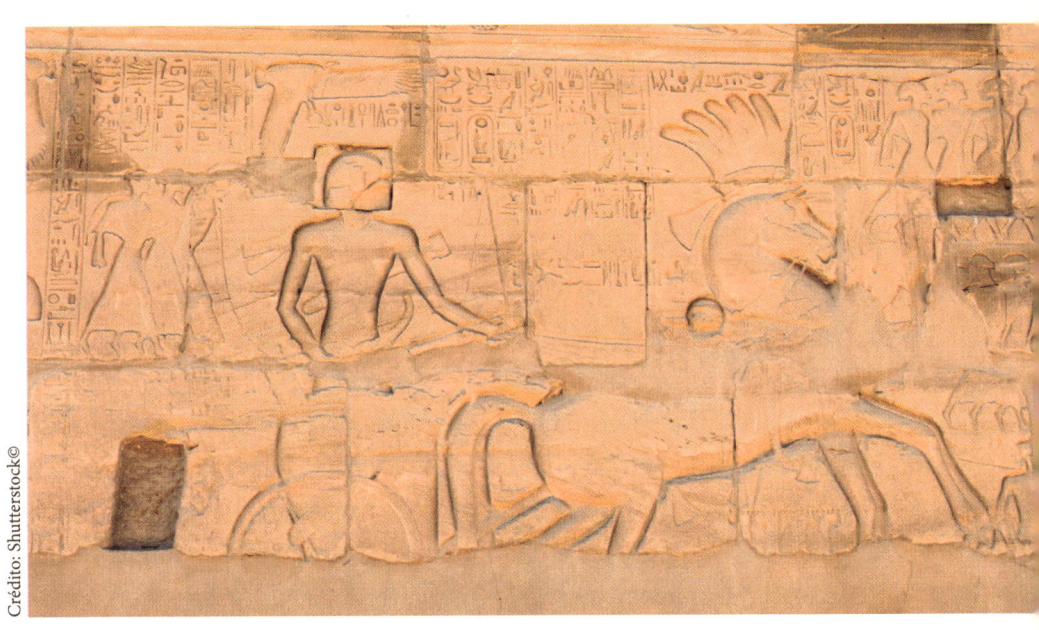

Baixo-relevo da parede norte externa do Templo de Karnak. A imagem descreve Seti I retornando vitorioso de uma campanha militar em Canaã e é a única representação existente do trecho Egito-Gaza, também chamado de "Caminhos de Hórus", pertencente à famosa rodovia internacional Via Maris que ligava o Egito com a Síria.

ros e poços, permitindo que o exército ou mercadores atravessassem em segurança a Península do Sinai.[4] Ou seja, com uma estrada tão bem guardada e fortificada, fica claro porque Deus não queria que os israelitas, um povo de escravos, evitassem um caminho com tantos desafios e contratempos que, mesmo tendo Seu auxílio, poderia fazer com que desanimassem a si mesmos e uns aos outros.

Ainda no Templo de Karnak, em uma área conhecida como *Cour de la cachette*, há uma outra parede esculpida em relevo a mando de Merneptá (1212–1202 a.C.) contendo cenas das batalhas do faraó contra quatro povos cananeus inimigos. Aparentemente, as cenas correspondem à descrição das conquistas de guerra do rei, mencionadas na famosa estela encontrada

---

[4] Hoffmeier. **Ancient Israel in Sinai**, p. 41.

em seu templo mortuário na margem oeste de Tebas. Na estela, Merneptá descreve suas façanhas militares em uma campanha em Canaã no ano de 1208 a.C. A estela, que contém um texto com 28 linhas, em grande parte relata as vitórias do rei sobre os inimigos na Líbia, mas, nas últimas três linhas Merneptá também se gaba de sua campanha em Canaã, onde o faraó diz ter derrotado os povos de Asquelom, Gezer, Janoa e Israel.[5] A ligação entre a estela e o relevo deve-se ao fato de que a parede, originalmente construída por Ramessés II, foi usada por Merneptá para ilustrar sua campanha em Canaã, e retrata a conquista de três cidades e um povo nômade. Uma das cidades foi nomeada no relevo como Asquelom, as outras, devido à danificação da parede, não eram explicitamente identificadas, mas em comparação com a descrição da estela se encaixam muito bem como sendo Gezer e Janoa. A quarta cena não mostra uma cidade, mas um povo sendo derrotado. Conforme a estela, representaria Israel, descrito como uma tribo e não como uma cidade.[6] Antes da descoberta dessa estela, a maioria dos estudiosos colocava a data do êxodo e da entrada em Canaã em um período histórico muito recente, contrariando as declarações do texto bíblico. Muitos, agora, são forçados a admitir que Israel já estava em Canaã na época de Merneptá. Um povo que, embora não constituísse uma monarquia, era grande e forte o suficiente para desafiar o Egito. Isso torna essa a mais antiga representação visual e escrita dos israelitas já descoberta.

Além desses, outros relevos, pinturas e inscrições, encontrados em ambas as margens de Tebas, fornecem mais e mais informações que iluminam textos e episódios descritos nas Escrituras, como os relevos do faraó Tutmés III, que também listou muitas cidades conquistadas por ele em Canaã e na Síria.[7] Ou a inscrição de Sisaque I, que comemora sua invasão de Judá e Israel, precisamente como mencionado em 1 Reis 14:25-26.

---

[5] Kenton L. Sparks. **Ethnicity and identity in Ancient Israel**. Winona Lake, IN: Eisenbrauns, 1998, p. 96-97.
[6] Frank J. Yurco. "3,200-Year-Old Picture of Israelites Found in Egypt" in **Biblical archaeology review**, v. 16, n. 5, set.-out. 1990, p. 20-38.
[7] Donald B. Redford. "Thebes" in David N. Freedman (ed.). **The anchor Bible dictionary**. Vol. 6. Nova Iorque: Doubleday, 1992, p. 442.

O fato é que cada evidência encontrada é dotada de uma história que, quando contextualizada, traz à tona um novo conhecimento para compreendermos um pouco mais das histórias e culturas do passado. Assim, cada nova descoberta, seja um texto, uma imagem, ou um simples objeto quebrado, de uma forma ou de outra, provê luz que colore ainda mais o contexto das Escrituras Sagradas.

A casa de Amon-Rá

O Templo de Karnak foi um complexo com vários nichos ou recintos para uma variedade de deuses tebanos. Porém, a parte central do complexo foi o Templo de Amon, a maior estrutura de todo o templo e possivelmente o mais importante do Antigo Egito. Ao todo, o complexo do Templo de Amon tem oito pilares (portões maciços), muitos pátios ao ar livre, vários santuários cobertos e um lago sagrado. Ainda hoje, continua sendo a maior estrutura religiosa já construída no mundo.

Estima-se que o templo como um todo tenha sido originalmente iniciado durante o Médio Império, tornando-se um projeto de construção nacional de forma contínua por quase 2 mil anos, no qual muitos faraós acrescentaram diferentes monumentos em honra aos deuses cultuados ali, em especial a Amon. Pilares enormes, obeliscos altos e estátuas faraônicas estão por toda parte e quase todas as paredes são esculpidas em relevo e pintadas com cenas dos reinados de vários faraós. Muitas dessas cenas se relacionam diretamente com o mundo bíblico.

O curioso, no entanto, é que nenhuma dessas fascinantes obras arquitetônicas foi projetada para a contemplação do público em geral, mas simplesmente para impressionar o deus Amon. Além dele, os outros deuses cultuados ali foram Ptah (o deus criador e patrono de Mênfis), Montu (deus da guerra), Mut (considerada mãe dos deuses e esposa de Amon), e Khonsu (deus lua e filho de Amon e Mut). Na verdade, o conjunto dos deuses Amon, Mut e Khonsu formam a tríade de Tebas, que foi adorada na cidade por séculos.

Amon era o deus egípcio onipresente cujo nome verdadeiro era poderoso demais para ser conhecido, daí seu significado, "aquele que oculta a si mesmo".[8] Enquanto se pensava que outros deuses residiam em locais específicos, como os céus, o submundo, o deserto etc., Amon estava em todos os lugares ao mesmo tempo; muitas vezes ele é associado ao vento – aquele que se pode sentir, mas jamais ser visto.[9] Sendo o deus criador, Amon foi também considerado o patrono da cidade pelo povo tebano. Na verdade, cria-se que a própria Tebas havia sido criada por ele, tirada das águas do Nilo como a terra seca primordial. No mito da criação tebano, Amon começa a criar a partir do topo de um monte que emerge das águas nos tempos primordiais. Essa primeira terra seca no início da criação, chamada de *ben-ben*, é a residência sagrada de Amon e, por isso, foi associada a Tebas, a terra que abriga sua maior e principal residência, o *ben-ben* de onde Amon a tudo criou no início dos tempos.[10]

Como vimos, Tebas teve um papel fundamental na rebelião egípcia contra os invasores hicsos, e desde o reinado do faraó Amósis I, o deus Amon adquiriu uma importância nacional, daí tanto investimento e atenção ao seu templo. A partir dessa época, ele foi identificado e fundido também à figura de Rá, o deus solar, formando a entidade Amon-Rá. Desse modo, o traço invisível de Amon, simbolizado pelo vento, foi combinado com o aspecto visível de Rá, o sol. Como consequência desse sincretismo, Amon-Rá cresceu em poder e influência sobre todo o Egito, tornando-se o principal deus de culto de adoração. Essa popularidade e supremacia mitológica alcançada por Amon, no entanto, foi conquistada somente a partir do Novo Império, quando ele adquiriu o *status* de deus mais poderoso de todo panteão egípcio. Sendo essa a mais poderosa e respeitada divindade dentre todos os deuses, Amon-Rá adquiriu epítetos que descreviam seus vários atributos e realçavam essa superioridade, tais como *Asha Renu*, "aquele dos muitos nomes", ou *Nesu Netcheru*, "rei dos deuses".[11]

---

[8] Geraldine Pinch. **Handbook of Egyptian mythology**. Oxford: ABC-CLIO, 2002, p. 100.
[9] Idem.
[10] George Hart. **Egyptian myths**. Austin, TX: University of Texas, 2004, p. 22-24.
[11] Wilkinson. **The complete gods and goddesses of Ancient Egypt**, p. 94.

Com o passar dos anos, o culto a Amon ficou tão popular a ponto de alguns pensarem que esse deus quase se tornou uma divindade monoteísta.[12] Na verdade, precisamente na 18ª dinastia, com o décimo faraó, por nome Aquenáton (1353-1336 a.C.), ocorreu, de fato, uma tentativa de instaurar a adoração a um só deus. O rei baniu o politeísmo e estabeleceu o culto ao deus Atom como único e verdadeiro deus sobre todo o país. Ele elaborou a construção de uma cidade para ser a nova capital do império, que estivesse livre da influência e da presença dos antigos deuses. A cidade foi nomeada de Aquenáton, mas atualmente é mais conhecida como Amarna. No entanto, Aquenáton não somente instaurou o monoteísmo e fundou uma cidade, ele chegou ao ponto de banir o culto a Amon (e outros deuses), além de remover e destruir algumas das imagens relacionadas a ele.[13] Quando o faraó morreu, seu filho Tutancáton assumiu o trono em tenra idade, tendo apenas cerca de 9 anos. Possivelmente influenciado pelos sacerdotes e muitos do povo que há muito estavam enfurecidos, o jovem faraó, como é conhecido, mudou seu nome para Tutancâmon (1336-1327 a.C.), e iniciou uma reversão das ações de seu pai. Ele retornou a capital de volta para Tebas, retomou a antiga religião politeísta e abriu todos os templos.

É válido destacar que os antigos templos egípcios eram planejados como um modelo do universo, de forma que sua configuração refletisse o caminho percorrido pelo deus solar através do céu. Porém, o Templo de Karnak é único a ter um eixo Norte-Sul e não apenas Leste-Oeste como o resto dos templos. Esse eixo Norte-Sul, na verdade, cria uma conexão com outro edifício chamado Templo de Luxor, que se encontra há cerca de 3 quilômetros de distância ao sul. Os dois templos estavam ligados por uma estrada decorada por estátuas de esfinges com cabeça de carneiro, a qual os egípcios chamavam de *wat netcher*, "caminho de deus". Esse animal simbolizava a fertilidade e foi inicialmente associado ao deus Khnum, um deus criador com cabeça de carneiro, responsável pelo controle das inundações do Nilo, consequentemente sincretizado com a figura de Amon-Rá, que também

---

[12] Wilkinson. **The complete gods and goddesses of Ancient Egypt**, p. 94.
[13] Marc Van de Mieroop. **A history of Ancient Egypt**. Oxford: Wiley-Blackwell, 2010, p. 203.

Alameda repleta de esfinges de carneiros de ambos os lados, ao sul do Templo de Karnak, que marca o início do "Caminho de Deus". Este era o ponto de partida para a procissão realizada na Festa de Opet. O carneiro era símbolo de fertilidade e proteção e representava o deus Amon que perpetuava seu poder por meio da família faraônica.

passou a ser representado com a figura de um carneiro.[14] Assim, esse corredor de carneiros que sai de Karnak era o início do caminho no qual ocorria uma das celebrações mais importantes do antigo calendário egípcio – a festa de Opet. Esse festival tornou-se especialmente importante durante a 18ª dinastia e ocorria anualmente no período da inundação do Nilo. A festa consistia em uma procissão durante a qual o barco de Amon com sua estátua, e de sua tríade (os deuses Mut e Khonsu), juntamente com o faraó e sua esposa, desfilavam pela estrada até o Templo de Luxor. Fato bastante significativo especialmente para o povo comum, pois esse poderia ver e se aproximar das imagens dos deuses, já que o acesso à adoração realizada em Karnak diariamente era restrito apenas aos sacerdotes e à realeza. O tema da festa era o casamento sagrado de Amon (reencenado pelo rei) com Mut (representada pela rainha) resultando na transmissão adequada do *ka* real e garantindo assim a reafirmação do poder e autoridade da família real vigente no trono. Na verdade, os egípcios criam que o herdeiro real era fruto

---

[14] Stephen Quirke. **Ancient Egyptian religion**. Londres: The British Museum, 1992, p. 78.

de uma união mística entre o deus Amon (neste caso, encarnado no faraó) com a rainha do Egito.[15]

Essas informações são extremamente significativas quando pensamos no contexto bíblico. Certamente, enquanto estiveram no Egito, os israelitas, que viveram durante o período de ascensão desse deus, viram ou pelo menos ouviram sobre seu estimado festival. Êxodo 8:26, uma passagem que alude ao culto de animais sagrados do Egito, diz: "Não convém que façamos assim porque ofereceríamos ao Senhor, nosso Deus, sacrifícios que são abomináveis aos egípcios. Se oferecermos tais sacrifícios diante dos seus olhos, não é verdade que eles nos apedrejarão?". Em outras palavras, o texto menciona um conflito ritual entre as crenças egípcias e as israelitas, por isso, a fim de que não houvesse contenda, Moisés solicita ao povo que adorasse a Deus no deserto, isto é, longe dos olhos egípcios. Isso se deve ao fato de que a adoração israelita se centrava principalmente no sacrifício de animais, tais como cordeiros ou carneiros. O que seria muito ofensivo para a religião egípcia, visto que tais animais eram para eles sagrados, pois representavam seu deus supremo. Esse episódio, inserido dentro do relato das pragas, descreve a linguagem e argumentos usados por Moisés a fim de convencer o faraó a deixar o povo partir e, de certo modo, demonstra um grau de sensibilidade e preocupação da parte de Moisés em não querer ofender a fé comum. Porém, tal gentileza foi respondida pelo faraó com dureza e insensibilidade assim que a praga cessou. Na verdade, a severidade e obstinação do rei foi mantida até a última praga. Aquilo que inicialmente começou com uma abordagem de barganha gentil e tolerante, acabou sendo respondida por Deus no mesmo tom do monarca. A última praga foi um golpe direto e declaradamente ofensivo contra a religião egípcia e o supremo deus Amon-Rá; precisamente como Deus disse que seria (cf. Êx 12:12). Os israelitas foram instruídos a matar o animal símbolo do deus mais importante do Egito e espalhar o seu sangue nos marcos de suas portas. Aqueles que não fizessem isso teriam sua casa invadida pela presença aterrorizante do Deus de Israel e a vida de todo primogênito eliminada,

---

[15] Pinch. **Handbook of Egyptian mythology**, p. 101.

incluindo o filho do faraó (Êx 12:29). Isso deve ter sido algo particularmente devastador, pois aquele que era crido ser um deus – o filho legítimo e o protegido de Amon, teve sua existência interrompida de tal forma que nem o *rei dos deuses* pode impedir.

Durante essa época, é importante ressaltar, os egípcios criam que o verdadeiro nome de Amon era escondido tanto dos deuses quanto dos mortais. Isso porque acreditavam que se um mortal soubesse ou aprendesse o seu real nome, tal conhecimento os mataria instantaneamente.[16] Então, quando pensamos na história do chamado de Moisés, que certamente teve contato com essa cultura e, portanto, estava acostumado com essas superstições sobre nomes e segredos, ao perguntar a Deus por Seu nome, o Senhor prontamente lhe revela Seu nome pessoal (Êx 3:13-15). Diferentemente do deus oculto, cujo nome é desconhecido e fatal, ou das crenças egípcias em que o nome era ocultado por medo de ser manipulado e assim perder o controle sobre a própria vida, o nome de Deus – YHWH, conhecido como o Tetragrama sagrado, está ligado à ideia de existência e continuidade – "aquele que é" ou "o que existe", a saber, o "Eterno". Revelando quem Ele verdadeiramente é: o Deus real, vivo, eterno e contínuo; e, ao mesmo tempo, transmite aos mortais o conhecimento da impossibilidade humana em obter qualquer controle ou exercer algum poder sobre este Ser. O nome de Deus é, na verdade, uma lembrança da esperança na eternidade, e a certeza de que Ele permanece. Esse não é um deus qualquer do passado, agora inerte e relegado a mitos esquecidos, mas o Deus que continuamente vive e age na história da Terra e na história pessoal de cada habitante sobre ela. É em nome desse Deus, que Moisés e muitos outros trouxeram a salvação para todos os que não só conheceram o nome de seu Deus, mas principalmente o Deus do nome.

---

[16] Pinch. **Handbook of Egyptian mythology**, p. 100.

Gênesis e a literatura egípcia

O livro do Gênesis constitui um importante documento ao traçar a origem da humanidade e da história do povo hebreu, de onde saiu o Messias, salvador não apenas de Israel, mas do mundo inteiro. Contudo, um intenso debate estende-se no mundo da teologia desde o fim do século XIX, quando acadêmicos alemães especializados no Antigo Testamento formularam uma teoria chamada "hipótese documentária", segundo a qual o Pentateuco não foi completamente escrito por Moisés, mas por diferentes fontes que teriam sido reunidas em vários períodos históricos, por uma série de editores ou "redatores".[1] Nessa perspectiva, Gênesis 1:1–2:3 e 2:4-25 seriam parte de duas fontes distintas, pelo simples fato de apresentarem a mesma estória, com terminologias e detalhes diferentes. Portanto, para tais acadêmicos, os dois relatos não teriam sido compostos por Moisés, mas por autores ou compiladores que iniciaram esse trabalho de composição ao redor do início do período monárquico de Israel (c. séc. X a.C.).[2]

---

1 John Van Seters. **The Pentateuch**: a social-science commentary. Sheffield, IN: Sheffield Academic Press, 1999, p. 29.
2 Moshe Weinfeld. "Pentateuch" in **Encyclopedia judaica**. Vol. 13. Jerusalém: Keter, 1971, cols. 233-34.

As implicações dessa hipótese são delicadas. Em primeiro lugar, ela nega que tenha havido um autor inspirado por Deus chamado Moisés – isso seria fruto do imaginário judaico da ocasião – e, do mesmo modo, nega a historicidade dos eventos ali narrados, pois tudo seria apenas uma coletânea de mitos literários inspirados nas narrativas mitológicas da Antigo Oriente Médio.

Nesse ponto, a opinião dos críticos se divide. Uns pensam que o relato foi criado como um plágio judaico dos contos mesopotâmicos, enquanto outros dizem que se trata de uma versão judaica dos mesmos contos com o fim de rivalizar com as lendas que esses povos contavam.

Tomemos como exemplo o livro de Ester, uma jovem judia escolhida para ser rainha na Pérsia de Assuero, que bravamente salva seus irmãos hebreus da morte por enforcamento. Dois personagens se destacam na trama: a própria Ester, ou Hadassa em hebraico, e seu primo Mordecai. Pois bem, muitos acadêmicos respeitados levantaram a tese de que essa história seria uma versão judaica do mito de Ishtar e Marduk, duas divindades que aparecem em diversos contos babilônicos e que eram parentes. Além da semelhança fonética dos nomes, esses também inauguram um festival religioso para seu povo.[3]

De acordo com a doutora Susan Zaeske, da universidade de Wisconsin-Madison, autora de vários livros sobre feminismo, a novela de Ester (pois esses autores não consideram o relato histórico) seria uma forma antiga de retórica das minorias para convencer a elite de seus direitos, legitimando o empoderamento dos excluídos pelo sistema.[4] Noutras palavras, Ester era uma feminista de seu tempo, representando o empoderamento das mulheres e das minorias.

Apesar do anacronismo terrível desta proposta, o ponto a ser destacado está no fato de que, mais uma vez, esses estudiosos baseiam uma leitura em uma suposta dependência literária da Bíblia em relação aos documentos da

---

[3] Adam Silverstein. "The Book of Esther and the 'Enūma Elish'" in **Bulletin of the school of Oriental and African Studies**, University of London, v. 69, n. 2 (2006), p. 209-223.

[4] Susan Zaeske. "Unveiling Esther as a Pragmatic Radical Rhetoric" in **Philosophy & Rhetoric**, v. 33, n. 3, On Feminizing the Philosophy of Rhetoric (2000), p. 193-220.

Babilônia, onde os judeus ficaram cativos por décadas. Embora exista de fato um ou outro ponto de espantosa semelhança entre Gênesis e a literatura sumeriana e babilônica, a comparação entre ambas não mostra uma correlação de uma pela outra, mas sim a referência conjunta de fatos e acontecimentos que realmente tiveram lugar nos primórdios da humanidade.

De Adão até nossos dias

Considerando que realmente existiram Adão, Eva e a história do pecado, eles foram os genitores de toda a humanidade e transmitiram a seus filhos as experiências pelas quais passaram. Depois disso, veio o dilúvio, e aqueles que sobreviveram, trouxeram consigo os antigos relatos adâmicos quando saíram da arca para repovoar a Terra. As informações sobre o tempo de vida de Noé, em Gênesis 5:32 e 9:28-29, colocam-no como o elo entre aqueles que viveram antes e depois do dilúvio. Com um simples cálculo, o relato nos informa que quando Adão morreu, Lameque, pai de Noé, tinha 56 anos. Uma vez que a genealogia de Adão, em Gênesis 5, serve precisamente para elencar a linhagem daqueles que, como Abel e Sete, invocavam o nome de Deus de forma correta, certamente Noé ouviu histórias sobre Adão e a criação. Além disso, Matusalém, avô de Noé, que morreu no mesmo ano do dilúvio, ano 600 da vida de Noé, como qualquer avô contador de estórias, deve ter lhe contado muitas delas sobre seu patriarca-mor, sobre Deus e a origem de tudo, as quais ele ouviu diretamente de Adão. Você quer saber mais? Após o dilúvio, Noé viveu mais 350 anos e seu filho, Sem, mais 500 anos (Gn 9:28; 11:10-11). Isso significa que Abraão (na época Abrão) tinha 58 anos quando Noé morreu. Sem, por outro lado, teve uma vida tão extensa após o dilúvio, que morreu quando Jacó tinha em torno de uns 50 anos. Teriam eles conhecido os patriarcas e lhes transmitido as incríveis histórias de Adão?

Bem, ao que tudo indica, as primeiras civilizações pós-diluvianas se formaram na região do crescente fértil, ou Mesopotâmia, que abrigaria a futura cidade de Babilônia; lembrando que os fundadores dessas cidades eram descendentes daqueles que sobreviveram ao dilúvio e que esses também foram expostos ao mesmo conjunto de tradições recebidas desde Adão, seu

Gerações e tempos de Adão a Jacó

Nome	Anos quando gerou	Viveu
Adão	130	930
Sete	105	912
Enos	90	905
Cainã	70	910
Maalaleel	65	895
Jarede	162	962
Enoque	65	365 (300 anos)
Matusalém	187	965
Lameque	182	777
Noé	500	950
Sem	100	600
Arfaxade		438
Selá		433
Éber		464
Pelegue		239
Reú		239
Serugue		230
Naor		148
Terá		205
Abraão		175
Isaque		180
Jacó		147

Dilúvio: Ano 1656
Ano 1056

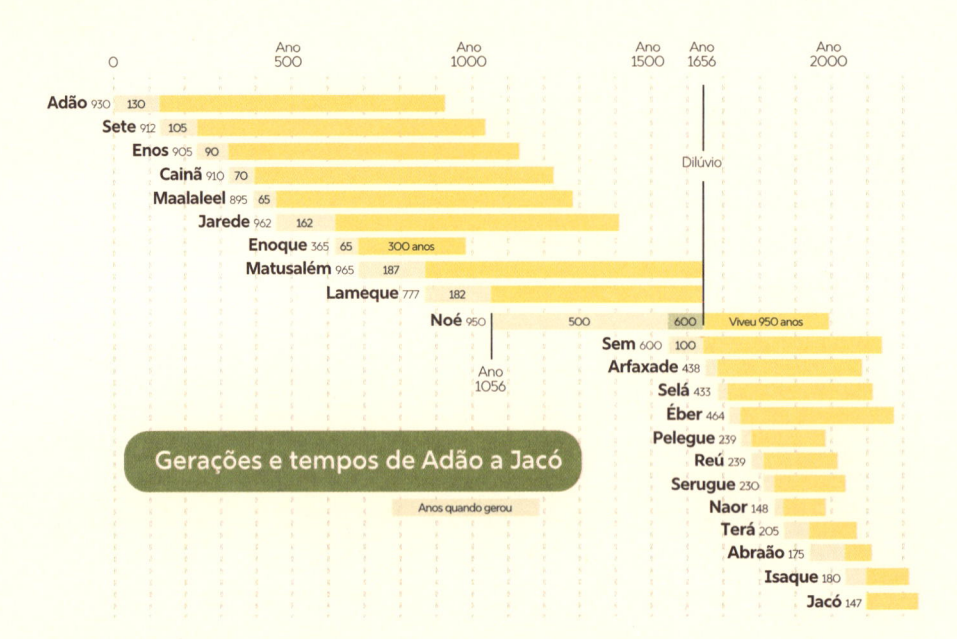

Tabela genealógica composta com base nas informações de nascimento e morte descritas nas genealogias de Gênesis. É possível perceber que de Adão até Jacó o processo de transmissão de informação passou por poucas fontes, podendo, assim, ter sofrido pouca ou nenhuma alteração até chegar em Moisés.

ancestral comum, não é de se espantar que encontremos na região relatos ou tradições muito semelhantes àquelas que a Bíblia traria posteriormente.

Apenas não se pode esquecer que "quem conta um conto, aumenta um ponto"; assim, como se fosse uma brincadeira de telefone sem fio, essas histórias receberam adaptações e modificações ao longo do tempo, criando versões muito diferentes da original, mas ainda mantendo traços comuns com o primeiro relato vindo desde Adão. São precisamente esses traços que os especialistas descobrem tentando criar uma conexão literária entre os variados documentos textuais.

Seguindo nesse processo, vemos que os especialistas europeus ficaram tão empolgados com a teoria das fontes e com as supostas semelhanças entre Gênesis e a literatura babilônica, que se esqueceram de averiguar (ou preferiram ignorar) outras possibilidades. Por isso, criaram ideias absurdas, embora defendidas com muita erudição, como, por exemplo, advogar que Gênesis 1 e 2 seriam fruto de distintas fontes e escritos com propósitos divergentes, tendo sido apenas posteriormente compilados e harmonizados numa mesma unidade literária. Tudo isso, é claro, ocorrido apenas depois que os judeus se tornaram cativos na Babilônia, pois antes disso eles nem sequer teriam qualquer ideia de como teria sido criado o mundo.

O argumento desses autores seria o de que as ideias de criação do céu e da terra eram algo sofisticado demais para os primitivos judeus que, somente quando estiveram expostos aos mitos da Babilônia, puderam forjar sua própria versão da mesma história. Além disso, argumenta-se que Gênesis 1 e 2 são capítulos diferentes e até contraditórios, o que reforça a teoria.

Há muitos seminários de teologia, de variadas denominações cristãs, ensinando isso para futuros pastores, padres e demais teólogos e líderes religiosos por aí. Em termos de cristianismo, se acreditarmos que Gênesis é apenas uma lenda adaptada de outras lendas babilônicas, então temos uma série de problemas, porque isso afeta toda a estrutura teológica do cristianismo em geral, a começar pela existência do pecado.

O teólogo presbiteriano Augustus Nicodemos sistematizou bem o problema. Falando especificamente de Gênesis, ele disse: "Se o relato dos seis dias não quer dizer o que parece dizer, então quer dizer o quê? Quais as alternativas à leitura natural da narrativa de Gênesis 1-2? Se o relato da criação não é literal, podemos dizer que o relato da queda do homem em Gênesis 3 também não é literal? Afinal, Adão existiu ou não? Houve realmente um momento histórico em que o primeiro casal caiu de um estado de inocência em que foi criado? A resposta a essas questões vai afetar profundamente a soteriologia e a cristologia do Novo Testamento, que assume a historicidade do relato da criação e da queda em Gênesis 1-3 como justificativa para a encarnação, morte e ressurreição de Cristo, como Paulo escreve em Romanos 5 e 1 Coríntios 15, ao fazer um paralelo entre Adão e Cristo".[5]

---

[5] Declaração feita a uma entrevista em que dialoga sobre a relação entre o Criacionismo e o Cristianismo. Disponível em: http://iecmontesiao.blogspot.com/2012/10/entrevista-criacionismo-e-cristianismo.html, acessado em 04/05/2022.

O relato de Gênesis é o primeiro de uma série de outras verdades do cristianismo. Ao derrubar a primeira, as demais também ruirão, até a última da fila. Fico imaginando o que passa na cabeça de um teólogo crítico da historicidade bíblica quando sobe a um púlpito e abre as Escrituras para pregar à sua paróquia ou congregação; deve ser um conflito terrível entre o que diz e o que realmente pensa, ou ainda, quem sabe, deve criar-se uma anestesia mental a ponto de nem se preocupar mais com a incoerência entre o que anuncia como clérigo e o que escreve como acadêmico.

Se Gênesis é um mito, uma parábola, por que a ressurreição de Cristo também não seria? E se a ressurreição não ocorreu de verdade, então, como disse Paulo, somos os mais desgraçados de todos os homens e não precisamos ter nenhuma esperança senão na morte como alívio de uma vida que não tem nenhum sentido (1 Co 15:19).

Em primeiro lugar, fica difícil concordar com os críticos que o tema da criação foi algo que os judeus só sistematizaram após o início de seu cativeiro na Babilônia. Existem muitos textos bíblicos que os próprios críticos admitem como sendo anteriores ao cativeiro babilônico e que demonstram traços de uma doutrina da criação bem amadurecida entre os judeus. Pode-se ver exemplos deles em Jeremias 4:23-26, Sofonias 1:2-3, ou Oséias 4:3. O curioso é que neles aparecem as mesmas terminologias linguísticas que encontramos em Gênesis; portanto, os judeus não teriam por que importar essa linguagem cosmogônica da literatura babilônica. Eles já a tinham muito bem estabelecida. E mais: o fato de Oséias ser um profeta do norte, Sofonias do sul e Jeremias do norte, mas atuando no sul, mostra que essa linguagem era comum em todo o território judeu e não apenas em um lugar específico.

Há ainda outro problema: os próprios especialistas se contradizem em suas opiniões sobre quando foi escrito esse suposto documento e que relações reais ele teria em termos de dependência literária dos contos babilônicos. Vários dos mais eminentes assiriologistas que se especializaram em relatos babilônicos da criação se posicionam contrários a qualquer relação literária entre Gênesis e o *Enuma Elish*, o relato babilônico da criação, por exemplo. Entre esses estão nomes como Lambert, Millard, Kitchen, Longman III, e Heidel, entre outros.[6]

O que causa espanto é que, a despeito da conclusão desses respeitados especialistas, o tema da dependência de Gênesis em relação aos mitos babilônicos continua a ser ensinado em muitas faculdades como se fosse um consenso entre os acadêmicos, o que definitivamente não é.

As duas criações

Como apontado anteriormente, um dos principais argumentos que os críticos levantam em relação a Gênesis 1 e 2 é que, num primeiro momento, parecem existir duas narrativas distintas e até conflitantes entre si. De fato, em Gênesis 1, o criador é chamado de *Elohim*, que na Bíblia aparece como "Deus", por isso chamada fonte E; em seguida, no capítulo 2, seu nome muda para o nome pessoal de Deus YHWH, o tetragrama sagrado, e as Bíblias, em geral, traduzem como SENHOR, daí cunhada como fonte J (de Javé). Por que o autor já não nomeou o criador desde o início? Por que essa mudança súbita de nome, sem nenhuma explicação por parte do autor bíblico? De fato, parece que estamos falando de dois textos independentes, que foram posteriormente ajuntados.

A primeira narrativa começa assim: "No princípio, *Deus* criou os céus e a terra" (Gn 1:1), depois, a criação é descrita em detalhes. Mas, na segunda parte, parece que novamente inicia-se um relato inédito: "Esta é a gênese dos céus e da terra quando foram criados, quando o SENHOR Deus os criou" (Gn 2:4). No primeiro relato, o homem foi criado depois dos animais, e tanto ele quanto a mulher parecem haver sido criados simultaneamente (Gênesis 1:25-27). Já no segundo, ambos aparecem criados em dois

---

[6] Cf. W. G. Lambert. "A New Look at the Babylonian Background of Genesis" in **The Journal of Theological Studies**, New Series, v. 16, n. 2 (out. 1965), p. 291; Allan R. Millard. "A New Babylonian 'Genesis' story" in **Tyndale Bulletin**, 18 (1967), p. 3-18; K. A. Kitchen. **On the Reliability of the Old Testament**. Grand Rapids, MI: William B. Eerdmans Pub., 2006, p. 425; Tremper Longman III. **Como Ler Gênesis**. São Paulo: Vida Nova, 2009, p. 91-92; Alexander Heidel. **The Babylonian Genesis**: the story of creation. 2ª ed. Chicago: University of Chicago Press, 1972, p. 89ss.

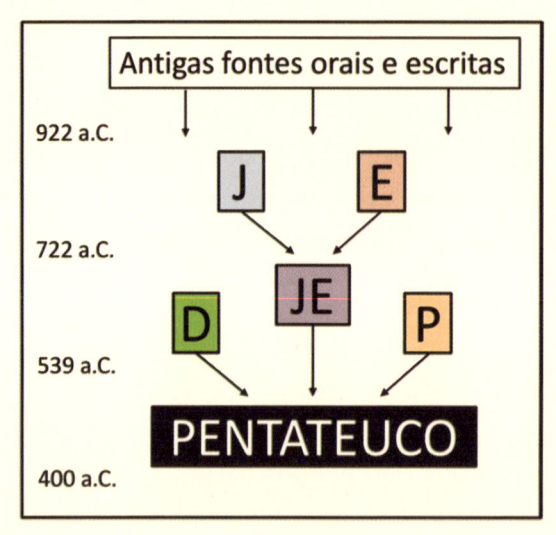

*Esquema clássico da Hipótese Documentária. Segundo a teoria, as diferentes tradições orais e/ou escritas tornaram-se fontes que foram sendo compiladas e editadas até juntas formarem o livro do Pentateuco. As fontes receberam nomes específico por compartilharem algum elemento em comum: J, Javista (uso do termo YHWH); E, elohista (termo **Elohim**); P, sacerdotal (do inglês **priest**, contém linguagem cúltica); e, D, deuteronomista (linguagem legal).*

momentos distintos: primeiro o homem do pó da terra (Gn 2:7) e, algum tempo depois deste nomear os animais, a mulher é construída a partir de uma costela tirada de Adão (Gn 2:22). Além disso, os animais parecem ter sido criados não antes, mas entre a criação de ambos os seres humanos (Gn 2:19). Gênesis 1, portanto, afirma que Deus criou a terra, a vegetação, os animais, e, por fim, o homem; Gênesis 2, por sua vez, declara que Deus criou a terra, o homem, as plantas, e então os animais. Veja o que diz Gênesis 2:5: "Não havia ainda nenhuma planta do campo na terra, pois ainda nenhuma erva do campo havia brotado; porque o SENHOR Deus não fizera chover sobre a terra, e também não havia homem para lavrar o solo". E então? Como entender tudo isso?

Talvez levando em conta algo negligenciado pelos acadêmicos, o fato que o autor de Gênesis não teria seu fundo cultural localizado na Babilônia do século VI a.C., mas no Egito do século XV a.C. Muitos egiptólogos, como James Hoffmeier, por exemplo, já apresentaram inúmeras evidências de que o vocabulário e as expressões idiomáticas do Pentateuco têm fortes semelhanças com a escrita hieroglífica dos faraós.[7] Acrescente a isso o fato de que, como temos visto até aqui, existem inúmeras relações de

---

[7] Hoffmeier. **Ancient Israel in Sinai**, cf. esp. cap. 10.

costumes, linguagens, e outras referências no Pentateuco que são mais bem compreendidas à luz da cultura egípcia. Essa perspectiva soa muito mais coerente.

Considerando que Moisés foi criado na cultura egípcia e que essa foi sua base educacional, não seria surpresa se algo dessa cultura transparecesse em seu texto; mesmo porque, a inspiração profética não anula a individualidade do escritor sagrado. Paulo escrevia com muito mais erudição que Pedro; e Davi era muito mais poético que o autor do livro de Juízes; cada um escreveu dentro de seu campo cultural. Ninguém se surpreende ao ver um filho de brasileiro, que foi criado nos Estados Unidos, chegar ao brasil falando português, mas escorregando em expressões do tipo "vou parquear o carro" em vez de "vou estacionar", ou "vou chamar para minha mãe" em vez de "vou telefonar para minha mãe". Ele está falando em português, mas com uma estrutura gramatical inglesa em sua mente.

Da mesma forma, pode ter ocorrido com Moisés, principalmente se considerarmos que o sistema escolhido por ele para escrever o hebraico, uma forma alfabética protossinaítica ainda em formação, certamente foi adaptado para representar com letras alfabéticas o vocabulário falado pelos hebreus, que também estavam, por pelo menos quatro séculos, adaptados ao ambiente cultural egípcio.

É claro que havia muitos erros na maneira egípcia de entender a criação e o caráter de Deus. Mas, para atingir o coração especialmente dos hebreus, Moisés tinha de partir do conhecido para o desconhecido e, com bastante didática, corrigir a estrutura conceitual à qual ficaram expostos, pois certamente muitos hebreus se influenciaram pelo modo egípcio de encarar a realidade. Portanto, se há qualquer caráter apologético em Gênesis, esse visava, antes de mais nada, corrigir os mitos egípcios e não os mitos babilônicos, e é nesses que devemos buscar os padrões para entender o porquê de Moisés ter escrito como escreveu.

Luz que vem do Egito

As crenças e conceitos sobre a criação entre os antigos egípcios podem ser vistas em diferentes fontes literárias, como os textos das pirâmides, os textos de sarcófagos, o livro dos mortos, teologia de Mênfis, hinos, livros de sabedoria, desenhos em tumbas etc. Tais fontes mostram que a visão dos antigos egípcios sobre as origens do mundo era diversa, mas ao mesmo tempo unificada por elementos comuns.[8] Os egípcios tinham vários relatos da criação, cada um associado em maior ou menor grau ao culto de um deus em particular, que seria patrono de uma das principais cidades, como Hermópolis, Heliópolis, Mênfis ou Tebas.[9] Mas os egípcios não viam os relatos como contraditórios, e sim como complementares. Em conjunto, todos contavam uma mesma história, e esse é um dado muito importante para ajudar a entender Gênesis.

O Egito praticava uma forma de sincretismo em que as diversas teologias e histórias se misturam para criar uma nova religião. Tal sincretismo permitia aos deuses assumir novas características, embora mantendo sua natureza fundamental. Por exemplo, o deus sol Rá é frequentemente assimilado a novos deuses, especialmente, a deuses do governante vigente. Como é o caso de Amon que ao ganhar popularidade no Novo Império é fundido com Rá, dando origem à entidade Amon-Rá. Os egípcios não viam como duas divindades, mas como a mesma cujos atributos são atualizados com o tempo.

Da mesma forma, os mitos de criação contam que o mundo surgiu de um oceano infinito e sem vida, quando o sol se levantou pela primeira vez naqueles tempos remotos conhecidos como *Zep Tepi*, "a primeira ocasião" ou "o primeiro momento".[10] Esses mitos conferem partes da criação a deuses diferentes, por exemplo: o *Ogdoad*, um conjunto de oito (4 pares) divindades primordiais, Rá, Atom, Ptah ou Anum. Assim, como os egípcios eram politeístas, e muitos de seus deuses eram criadores, o mundo, ou mais especificamente o Egito, havia sido gerado de formas variadas de acordo com as distintas partes do país.[11] Ou seja, ao mesmo tempo em que essas

---

[8] David A. Leeming. **Creation myths of the world**: an encyclopedia. 2ª ed. Santa Bárbara, CA: ABC-CLIO, 2010, p. 102.
[9] Fergus Fleming; Alan Lothian. **The way to eternity**: Egyptian myth. Amsterdã: Duncan Baird Publishers, 1997, p. 24-28.
[10] James P. Allen. **Middle Egyptian**, p. 466.
[11] M.V. Seton-Williams. **Egyptian legends and stories**. Ontario: The Rubicon Press, 1990, p. 6.

múltiplas cosmogonias competem entre si, por outro lado, podem ser consideradas complementares, pois apresentam aspectos diferentes da visão egípcia geral sobre a criação. Além disso, quando comparados, é possível ver que esses mitos são compostos por elementos comuns essenciais, tais como: a origem da criação a partir de águas caóticas, chamada de Nu; a elevação do *benben*, a colina e primeira coisa a emergir das águas; e, a criação por meio das palavras divinas.[12] Tais elementos podem ter sido retirados da percepção egípcia do ciclo anual das cheias e baixas do rio Nilo – isto é, quando a passagem das cheias caóticas dá espaço para o surgimento da terra que provê vida.

O ponto é que não era incomum no Egito contar uma história da criação e em seguida repetir a narrativa como se estivesse iniciando outra, mas na verdade estava-se apenas complementando a primeira. Esse era o jeito egípcio de entender as coisas, talvez para facilitar a memorização do discurso, e isso provavelmente explica por que Gênesis conta algumas de suas histórias, em especial os relato da criação e do dilúvio, sempre aos pares, como se fossem distintos.

Em outras palavras, Moisés usou apenas um método literário conhecido, sem, contudo, endossar o conteúdo daquela cultura. Lembre-se que a maioria do povo hebreu era formada por escravos, que talvez não soubesse ler ou escrever, seja por não ter recebido educação formal ou porque a escrita ainda estava em processo de formação. Nessas circunstâncias, a repetição é o melhor método para a memorização de um conteúdo histórico. Além do mais, o próprio conhecimento sobre a criação bíblica e as histórias de Adão, o dilúvio e os patriarcas, deve ter chegado até os hebreus por meio de uma tradição oral repetida nas reuniões familiares, em festividades etc., isto é, de geração em geração.

Conforme expresso antes, não podemos negar que pequenos arranjos editoriais possam ter ocorrido no texto mesmo depois da morte de Moisés. Pequenas anotações e atualizações, mas, como dissemos, foram edições de detalhes que não comprometem a integridade do conteúdo como um todo, muito menos negam a autoria mosaica.

---

[12] Fleming; Lothian. **The way to eternity**, p. 30.

Agora, retomando os pontos em comum entre os mitos, todos alegam que o mundo emergiu das águas do caos, que o surgimento da vida advém de um monte de onde emergem essas águas, e que o deus criador recita palavras dotadas de poder que dá surgimento à vida. Não muito diferente do que Gênesis 1 nos apresenta, não é mesmo?! Outro elemento comum na criação egípcia é a presença da divindade solar como responsável por trazer a vida e criar tudo o que existe. O hieróglifo que representa "horizonte", por exemplo, mostra o sol como uma divindade emergindo das montanhas. Essa ideia de divindade e preeminência do sol precisava ser corrigida na mente do povo, por isso, ainda que o sol talvez tenha sido criado no primeiro dia (a luz), Moisés, sem mentir, mas trabalhando com as palavras, só destacou a ação solar no quarto dia, para mostrar que ele – isto é, o sol – não era o deus da criação, nem mesmo uma divindade ou entidade consciente, mas um mero objeto celeste parte daquilo que fora criado, como qualquer outro elemento cósmico.

Considerando então a hipótese de que Adão e Eva tenham existido, pela lógica, a tradição que a humanidade recebeu deles deixaria sua marca em diferentes culturas, mesmo naquelas que deturparam a tradição adâmica – afinal, ninguém falsifica o que não existe, e a característica do falso é precisamente imitar o verdadeiro. Desse modo, as coincidências entre Moisés e o relato egípcio, e mesmos o relato de outros povos, não dependem de questões literárias, mas remetem à mesma fonte comum, exceto naqueles pontos em que Moisés propositalmente parte do conhecido para o desconhecido (pois o povo, por certo, conhecia essas histórias) a fim de corrigir as deturpações, perante sua primeira audiência, e trazer a verdade à tona.

GÊNESIS E A LITERATURA EGÍPCIA

Papiro do Livro dos Mortos de Khensumose (21ª dinastia, c. 1075–945 a.C.). A imagem retrata o sol nascendo do monte da criação no início dos tempos, enquanto as deusas derramam as águas primitivas ao seu redor. A união do sol entre as montanhas (imagem no topo) é o hieróglifo akhet que significa "horizonte".

10

Abraão e seus descendentes chegam ao Egito

Glorioso em meio às escaldantes areias do deserto, o Egito refletia um esplendor que parecia eterno. Para grande parte dos povos da Ásia, uma ida ao Egito era como uma ida à Europa, fazendo uma comparação com os tempos atuais. A sobrevivência de seus moradores, é claro, dependia do Nilo e dos agricultores que, ignorando o forte calor, plantavam toda sorte de produtos agrícolas, entre eles o papiro, que era exportado por toda parte e trazia grandes lucros aos cofres públicos. A alegria de uma boa colheita era partilhada com todos os habitantes, que interpretavam a fartura como um agrado dos deuses.

Por isso, o Egito também recebia muitos visitantes, sejam mercadores ou comerciantes, peregrinos e estudiosos; todos queriam se encantar com o paraíso criado no deserto. Para alguns, no entanto, a ida para essas terras era uma questão de necessidade e sobrevivência, enquanto para outros, uma prova e uma aflição. Assim foi com a vida de dois personagens do

Antigo Testamento, Abraão e José. Sua passagem pelo Egito mudou não apenas sua própria vida, mas os rumos de toda uma nação.

Agora, quando as Escrituras nos informam sobre isso, algumas perguntas surgem, tais como: existem indícios da chegada dos patriarcas ao Egito? Como era a vida diária do Nilo nos tempos de José? O que essas histórias poderiam dizer a nós, que vivemos no século XXI?

Se pensarmos com a cabeça dos que viveram no período patriarcal, aquele coberto pela segunda parte do livro do Gênesis, reconheceríamos o Egito como um jardim do Éden para os moradores de Canaã. Quando a fome abatia as famílias da região, era ali que podiam encontrar refúgio. De fato, o Egito era conhecido como o "Celeiro do Oriente", para onde as populações nômades e seminômades da região de Canaã eram constantemente atraídas, especialmente em épocas de grande seca. Pois o vale do Nilo, bem como as regiões do Tigre e Eufrates, provia um ambiente agrícola relativamente estável graças às cheias e irrigações fornecidas por esses rios, em comparação com Canaã que era totalmente dependente das chuvas.

Assim, com as inundações anuais do Nilo, o Egito produzia ricas colheitas e, quando os povos vizinhos eram abatidos pela fome, os habitantes dessas localidades se dirigiam ao Egito em busca da fartura e dos mantimentos estocados pelos egípcios. As evidências arqueológicas mostram claramente que pelo menos alguns desses povos eram de origem semítica, mais particularmente vindos de Canaã e outros do Levante como um todo.

A agricultura do Egito ganhava força principalmente de junho a setembro, período da cheia do rio, que fertilizava o solo depositando húmus nas margens do Nilo. As planícies irrigadas permanentemente pelo rio podiam chegar a produzir três colheitas por ano, o que era uma vantagem tremenda para a época e algo que dificilmente se poderia ter em uma terra como Canaã.

Portanto, a exemplo de muitas outras, a viagem da promessa realizada por Abraão e sua família desde Ur e Harã até a terra de Canaã foi um episódio que envolveu decepção e fé. Para aqueles que viviam em terrenos planos e alagadiços, como na Mesopotâmia, as descrições divinas pareciam muito significativas: "Terra de montes e de vales, que bebe a água da chuva dos céus"... "terra de ribeiros de águas, de fontes, de mananciais profundos, que saem dos vales e das montanhas; terra de trigo e cevada, de vinhas, figueiras e romãzeiras; terra de oliveiras, de azeite e mel" (Dt 11:11 e 8:7-9).

Tudo isso fazia Canaã parecer um paraíso, coisa que na realidade talvez nunca tenha sido. É claro que era plano de Deus tornar Canaã uma terra exuberante, de chuvas sazonais e grandes fontes de água, resultando em rica vegetação e abundância de gado. Mas isto sob a condição de obediência por parte de Israel. Por outro lado, se os filhos da promessa não fossem fiéis, o resultado seria um deserto, como foi escrito: "Se vocês ouvirem atentamente a voz do Senhor... o Senhor, seu Deus, exaltará vocês sobre todas as nações da terra... o Senhor lhes abrirá o seu bom tesouro, o céu, para dar chuva à terra no tempo certo... Porém, se não derem ouvidos à voz do Senhor, seu Deus... Por chuva sobre a sua terra, o Senhor lhes dará pó e cinza... Todas estas maldições virão todas estas maldições virão sobre vocês, os perseguirão e os alcançarão" (Dt 28:1-45).

Ou seja, de acordo com os planos de Deus, Canaã, e não mais o Egito, seria o destino de todos os povos que quisessem buscar conforto e abrigo em tempos de crise. Conforme disse o Senhor também por meio do profeta Isaías: "Levante-se, resplandeça, porque já vem a sua luz, e a glória do Senhor está raiando sobre você. Porque eis que as trevas cobrem a terra, e a escuridão envolve os povos; mas sobre você aparece resplandecente o Senhor, e a sua glória já está brilhando sobre você" (Is 60:1-2).

Abraão não havia visto nada disso, mas creu no Deus das promessas, mesmo quando a fome o obrigava a, como tantos outros, refugiar-se nas terras do Egito. Na verdade, a descida de Abraão ao Egito é a primeira referência bíblica da longa história entre Egito e Israel. O relato, contudo, destaca o Egito tanto como um local de ajuda quanto uma região ameaçadora, como uma pequena amostra do ainda está por vir.

Nesta época, logo em seguida à sua chegada na terra, Abraão estava morando no deserto do Negueve (Gn 12:9), região menos povoada ao sul de Canaã. Então veio uma severa seca e ele foi obrigado a ir temporariamente para o Egito. "Havia fome naquela terra. Assim, Abrão foi para o Egito, para ali ficar, porque era grande a fome na terra" (Gn 12:10). Na verdade, esse tipo de estiagem era algo regular na terra de Canaã, que ocorreu no tempo dos três patriarcas forçando-os a migrar para o Egito sempre que precisassem de alimentos (Gn 26:1; 42:5; 47:11-13). Felizmente, a região mantinha boas rotas para facilitar a viagem de mercadores e dos próprios egípcios para outras terras controladas pelo faraó.

Além disso, uma viagem ao magnífico país do Nilo era algo que todo peregrino aventureiro como Abraão desejaria fazer. O Egito e a Suméria se assemelhavam muito em grandeza e importância. Há quem considere que estreitar comércio com os egípcios também poderia estar nos planos do patriarca.

12ª dinastia: o auge do Médio Império

Dependendo da cronologia que se segue, é possível dizer que Abraão seguiu para o Egito na época da 12ª dinastia (c. 1991–1778 a.C.), que, em muitos aspectos, é considerada o ápice do Médio Império. É difícil localizar precisamente Abraão na história do Egito, porém, tomando as informações fornecidas pelo relato bíblico, a data bíblica do êxodo seria em torno de 1445 a.C. (cf. 1Rs 6:1, veremos mais a frente sobre isso), assim, uma vez que Gênesis 15:13, Êxodo 12:40-41 e Gálatas 3:17 nos dizem que o Senhor fez uma aliança com Abraão 400/430 anos antes do êxodo, a ida do patriarca ao Vale do Nilo não teria sido muito distante de 1875 a 1845 a.C. Ou seja, equivalente ao período de reinado do faraó Sesóstris III, que governou o Egito de 1878 a 1839 a.C.

Com a 12ª dinastia, Amon, um deus de origem obscura, começa a se sobressair na mitologia egípcia que, como vimos, acabaria por se tornar o deus mais importante do panteão egípcio antigo. Acredita-se que a popularidade desse deus esteja intimamente ligada ao rei Amenemés I, o fundador da 12ª dinastia e cujo nome contém o termo Amon, o que evidencia sua fidelidade particular a ele. Assim, quando Amenemés transferiu a capital de Tebas para a recém-construída Iti-Taui, a sudoeste da antiga capital Mênfis, Tebas ainda continuava como um importante centro religioso.[1]

---

[1] Mieroop. **A History of Ancient Egypt**, p. 101.

Pode-se dizer que os faraós da 12ª dinastia regeram o país com firmeza e conseguiram manter o equilíbrio de poder entre as autoridades centrais e as administrações locais. Toda a riqueza e essa estabilidade da dinastia é percebida na alta qualidade das estátuas, nos relevos e nas pinturas encontrados por todo Egito. Aliás, é típico dessa dinastia a retratação dos faraós com orelhas grandes, o que é interpretado como um símbolo de que o rei ouvia os seus súditos.

Nesse tempo, também, o Egito estava empenhado na fabricação de bronze, uma liga de cobre com estanho, que era explorado das minas na península do Sinai.[2] Uma informação curiosa, pois quando Moisés tirou o povo de Israel do Egito, Deus prometeu que o faria em uma "terra cujas pedras são ferro e de cujos montes vocês extrairão o cobre" (Dt 8:9).

Outro detalhe importante desse período é que os faraós dessa dinastia parecem ter compartilhado o poder simultaneamente com seus antecessores, isto é, os reis assumiam o trono ainda durante a vida do faraó-pai vigente. Desse jeito, garantia-se uma transição de poder de um rei para o próximo de forma tranquila, além de o jovem rei ter a oportunidade de aprender a reinar com a experiência de um mentor que o acompanharia. E é por isso que o número de anos desses reis é frequentemente apresentado de forma sobreposta.

Enfim, toda essa estabilidade interna e externa permitiu grande sucesso nos projetos de construção, expansão de fronteiras, defesa, produção agrícola, melhorias de cidades e estradas e desenvolvimento da arte e da literatura. Tudo isso fez do Egito uma das nações mais ricas e estáveis do mundo na época.[3] Foi nesse ambiente próspero e poderoso que Abraão chegou com sua família em busca de segurança.

Sesóstris III, o quinto rei da 12ª dinastia, é frequentemente considerado o auge do Médio Império, o rei mais poderoso de toda dinastia. Sesóstris, para os gregos, ou mais propriamente Senusret, em egípcio antigo, reinou no período em que a arte, a literatura, a arquitetura, a ciência e outros as-

---

[2] A. Lucas. **Ancient Egyptian materials and industries**. 4ª ed. Londres: Edward Arnold, 1962, p. 203.
[3] Bunson. **Encyclopedia of Ancient Egypt**, p. 78-79.

pectos culturais atingiram um nível de refinamento sem precedentes. Além disso, houve uma expansão econômica elevada, especialmente motivada por campanhas militares e comerciais que encheram os cofres egípcios. Especialmente importantes foram suas expedições na Núbia que expandiram as fronteiras do Egito e as fortificações construídas por ele ao longo da fronteira promoveram um comércio bastante lucrativo. Para o norte, Sesóstris também ampliou suas relações comerciais com os povos de Canaã e da Síria, onde era reconhecido e respeitado.[4]

Vale lembrar que Sesóstris III dedicou uma atenção especial à cidade de Abidos, pois cria-se que cabeça de Osíris havia sido enterrada lá, então, o rei teria enviado seus representantes até lá carregados de presentes para a estátua do famoso deus morto. Isso é significativo, porque Abidos tornou-se uma cidade rica durante essa época, sendo reconhecida como o local de peregrinação mais popular do país, e com a necrópole mais cobiçada. Isso porque, assim como hoje muitos almejam serem enterrados em Jerusalém, naquele período, os egípcios sonhavam em ser enterrados perto de Osíris, pensando que assim poderiam ter uma chance melhor de obter um veredito positivo quando estivessem diante dele durante o julgamento da alma após a morte.

Sesóstris III foi seguido por seu filho Amenemés III, o qual reinou entre 1860-1814 a.C., ou seja, corregendo com seu pai por cerca de

Estátua de Sesóstris III, possível faraó que se encontrou com Abraão quando este esteve no Egito conforme Gênesis 12:10-20.

---
[4] Idem.

20 anos. Isso é significativo, pois o coloca como um segundo possível candidato ao faraó que recepcionou Abraão. Uma situação curiosa nesse momento era o fato de que Sara, mesmo estando com mais de 70 anos, ainda era cobiçada pelos homens, e Abraão, seu marido, era também seu meio-irmão. Mesmo depois de viver por anos viajando pelos desertos num sol escaldante, por mais de 1.600 quilômetros, ela não perdera sua graciosidade: "os egípcios viram que a mulher era, de fato, muito bonita. Os príncipes de Faraó a viram e foram elogiá-la diante de Faraó. E a mulher foi levada para a casa de Faraó" (Gn 12:14-15).

Embora casamentos consanguíneos fossem de certa forma incentivados para permanecer a herança dentro da própria família, isso não significa que Deus validava toda forma de união matrimonial. Tanto é que o faraó sofreu castigos vindos de Deus. Não se sabe especificamente que pragas foram lançadas sobre o Egito nesse episódio, mas, em comparação com outro relato muito similar, no qual Abimeleque, rei de Gerar, também toma Sara para si, recebendo como punição a esterilidade de todas as mulheres de sua casa (Gn 20:1-18). Alguns estudiosos pensam que, entre as pragas recaídas no Egito com a visita de Abraão, estaria igualmente a esterilidade da casa do faraó. É difícil saber com certeza, mas, isso talvez explicaria por que Amenemés IV, filho de Amenemés III, não teve descendente algum, tendo de colocar no trono sua irmã Sobekneferu, a última monarca da 12ª dinastia e uma das poucas mulheres a receber o título de faraó, que morreu também sem deixar qualquer herdeiro para a substituir. Teriam eles sofrido as consequências da mentira de Abraão? Por enquanto, é impossível saber. O fato é que a verdade foi descoberta e Abraão tornou-se *persona non grata* no Egito e, pelo que sabemos, nunca mais voltou ali.

Uma roupa especial

A permanência frustrada de Abraão no Egito pode ter sido muito breve. Contudo, a mesma estiagem que o fez ir até ali levaria, em breve, os filhos de Jacó ao mesmo destino, mas isso é parte de outra história. Já a fantástica saga de José no Egito é uma das mais belas narrativas das Escrituras e está entre as mais famosas do Antigo Testamento. Vítima de seus próprios irmãos, ele teve sua túnica rasgada, foi vendido como escravo e levado para o Egito. Uma vez lá, foi injustamente jogado na prisão, mas terminou liberto e promovido a primeiro-ministro, após decifrar um obscuro sonho do faraó, que previa uma fome no país.

Isso mostra a providência divina na vida desse homem sofredor. As rivalidades entre os irmãos de José podem ser compreendidas à luz da poligamia praticada na época, especialmente por chefes tribais nômades, como Jacó. Um homem com várias esposas era respeitado, pois, além de ser pai de uma grande prole, demonstrava ter recursos para sustentar suas várias famílias. Jesus, é claro, parecia não endossar esse tipo de prática ao sancionar para os discípulos o ideal da monogamia (Mt 19:1-19). Dos diáconos e outros líderes da igreja cristã, esperava-se que fossem homens de uma só mulher (1Cr 7:1-2; 1Tm 3:2-12; Tt 1:3-5). Não obstante, nos tempos de Jacó era diferente, pois como disse Jesus, tal costume e comportamento não se originou do plano divino, mas da dureza do coração humano (Mt 19:8). Portanto, ele teve de lidar com os conflitos internos advindos dessa prática, como o desejo de suas esposas de tornar seu filho, e não o das outras, o sucessor na chefia do clã.

Devemos lembrar que José era filho de uma segunda esposa, assim como Benjamim, depois dele. O curioso é que o ápice da rivalidade entre José e seus irmãos parece ter sido uma túnica especial com a qual Jacó lhe havia presenteado. Ao verem-no com o novo traje, os outros decidiram que ele deveria ser morto. Por que uma simples roupa incitaria tamanho ódio? Um presente tão simples seria motivo de tanta inveja?

Ainda não existe um consenso entre os estudiosos se o termo hebraico *ketonet passim* em Gênesis 37:3 deve ser traduzido como "túnica colorida" ou "túnica com mangas". Fora dessa narrativa, a expressão aparece outra vez somente em 2 Samuel 13:18-19, de qualquer forma, em referência a uma veste usada pela realeza. A tradução grega do Pentateuco, popularmente conhecida como Septuaginta, e a Vulgata Latina traduzem a sentença hebraica como "um manto de muitas cores". A arte egípcia, contudo, pode ajudar-nos a ter uma ideia de como essa roupa se parecia.

Para nós, ocidentais, a trama desse relato pode parecer um tanto confusa. Mas ela deve ser vista sob o pano de fundo dos costumes orientais. Mesmo numa rápida visita aos mercados do Oriente Médio, é possível observar as peças de tecelagem fabricadas de modo artesanal, como nos tempos bíblicos. Ainda hoje, no moderno mundo árabe, costuma-se dar muita importância aos tecidos coloridos, que são um fino presente para as mulheres. Nos tempos antigos, porém, as cores e o comprimento de uma roupa tinham um significado político bem mais acentuado.

Há mais ou menos 250 quilômetros ao sul do Cairo, encontra-se uma pequena vila chamada Beni Hassan, que fica à margem leste do rio Nilo. Essa localidade é um antigo cemitério egípcio usado principalmente no Médio Império, quando Iti-Taui foi a capital da 12ª dinastia. Ali, existem várias tumbas escavadas nas rochas, pertencentes a governantes e oficiais que viveram no nomo do Alto Egito da qual Beni Hassan era parte. As tumbas são constituídas de paredes e decoradas com cenas da vida diária egípcia e importantes textos biográficos. Uma em especial talvez nos ajude a esclarecer por que a túnica de José provocou a ira de seus irmãos.

A tumba de Khnumhotep, antigo nomarca egípcio da 12ª dinastia, contém um desenho descrevendo a figura de oito homens, quatro mulheres e três crianças semitas acompanhadas por animais de carga e sendo guiados por oficiais do Alto Egito. O texto hieroglífico no topo da parede dá a descrição do processo e seu significado. À direita da cena, um escriba egípcio de pele escura segura um cartaz anunciando os visitantes como: 37 asiáticos da região de Shut (que inclui Canaã), os quais traziam antimônio em pó para a pintura preta usada pelos egípcios como cosmético. Ao centro, o homem junto aos hieróglifos em forma de cajado e montanhas é nomeado "chefe estrangeiro Abishai", um nome tão semita quanto qualquer outro encontrado nos textos bíblicos. Esse grupo do Sinai, ou do sul de Canaã, fornece uma descrição visual da forma como os clãs de Abraão, Isaque e Jacó poderiam ter se parecido.

Toda a arte desse período mostra os egípcios sem barba, a não ser por um cavanhaque, em contraste com os cananeus, descritos com barba cheia, não aparada. Entre seus pertences, pode-se observar instrumentos musicais, armas e animais tais como burros, cabra-montesa e gazela. As viagens eram feitas em família possivelmente por vieses migratórios. Apesar de não ser sobre Israel, para muitos arqueólogos, a pintura oferece detalhes valiosos acerca do mundo dos patriarcas bíblicos.

Agora, nos interessa as túnicas coloridas que alguns deles apresentam. Elas parecem concordar com a tradução de Gênesis 37:3, que menciona as vestes de José como sendo "de muitas cores". Nas imagens, há dois tipos principais de vestimentas: quanto à forma e quanto à cor. Em relação à forma, os semitas vestiam túnicas ou saiotes; quanto à cor, poderiam ser brancas lisas ou coloridas listradas em diferentes padrões. Há também desenhos dentro das listras, o que aumenta a originalidade, beleza e importância do traje. Tais túnicas multicoloridas representam o tipo de vestimenta que José poderia ter usado, segundo a descrição da Bíblia.

Além disso, vale lembrar que as cores no mundo antigo eram um artigo muito precioso. Hoje temos uma miríade de matizes, pois desenvolvemos nossas colorações por meio de produtos químicos que não desbotam com facilidade e permitem criar várias tonalidades distintas, com o auxílio de

Ilustração da pintura na tumba de Khnumhotep II, descrevendo uma caravana de comerciantes semitas trazendo ofertas ao falecido.

tecnologias complexas e modernas. Na antiguidade, por outro lado, a situação era diferente, já que cada tipo de tintura disponível era proveniente de produtos naturais, como resinas, insetos, moluscos etc. Assim, algumas cores eram mais complicadas de se obter que outras. De acordo com o material necessário para criar determinada cor, a quantidade de matéria-prima para se produzir apenas uma pequena fração de tinta era enorme, o que tornava a aquisição inviável para as pessoas comuns, restringindo a pigmentação para aqueles que tivessem condições de arcar com os altos custos de produção, a saber, os reis e nobres.

Por outro lado, se além de muitas cores, a veste de José também tivesse mangas compridas conforme entendido por outros intérpretes, de qualquer forma, é compreensível que não se tratasse de uma veste comum. Afinal, esse não era o tipo de roupa adequada para o trabalho manual ou pastoril; daí a inveja dos irmãos, já que José, apesar de ser o mais novo, estava sendo destacado como o superior sobre os demais – o futuro líder do clã.

Além disso, a imagem de Khnumhotep II é um dos testemunhos daquilo que dissemos anteriormente: que havia um certo fluxo semitas que chegavam ao Egito como comerciantes ou imigrantes. Naturalmente, muitos desses eram prisioneiros de guerra e outros eram vendidos como escravos. Muitos deles levados para servir nas minas egípcias.

Um antigo papiro da 13ª dinastia, por exemplo, menciona um rico senhor egípcio, dono de 79 escravos, muitos deles de origem semita e que lhe serviam em sua casa. É claro que nem José nem Potifar são mencionados nele, ou em qualquer outro documento egípcio já resgatado, mas o papiro evidencia que o uso de empregados domésticos semitas era comum no Egito. Adicionalmente, Donald Wiseman, assiriologista e arqueólogo bíblico, observa que pelo menos 45 dos nomes listados no papiro são da região sírio-palestina, trazendo nomes como Shipra, Menahem etc., e que provavelmente foram vendidos como escravos, da mesma maneira que José, cerca de quarenta anos mais tarde.[5] Curiosamente, o papiro deriva de uma

---

[5] Donald J. Wiseman. "Archaeological confirmation of the Old Testament" in Carl F. H. Henry (ed.). **Revelation and the Bible**: contemporary evangelical thought. Dallas, TX: Digital Publica-

época em que não havia atividade militar em Canaã, mas um comércio ativo e estável entre os países. A venda de José como escravo concorda bem com o que se sabe sobre a importação de escravos daquele período.

José foi vendido por vinte moedas de prata e esse é outro detalhe que não podemos passar por alto. Primeiramente, essas não eram moedas no sentido atual da palavra, pois as moedas não foram usadas antes do século VII a.C. Tratava-se de "siclos", "pesos" ou "peças", isto é, uma certa quantidade de metal que era pesada numa balança e usada nos contratos de compra e venda. Documentos desse espectro temporal abrangendo o 2º milênio a.C., como o código de Hamurabi, por exemplo, revelam ser esse o preço esperado por um escravo.[6] Esse valor também corresponde à soma mencionada em Levítico 27:5: "Se a idade for de cinco anos até vinte, a tua avaliação do homem será de vinte siclos, e a da mulher, de dez siclos" (ARA). Com a passagem do tempo, os preços foram subindo para 30 e até 50 moedas, o valor exigido na época do cativeiro babilônico. Fora o fato de que quanto mais jovem, mais valioso poderia ser um escravo.

Esse dado é importante porque, se a história de José houvesse sido forjada tardiamente na Babilônia, como dizem os críticos, era de se esperar que o escriba não registrasse o valor exato de vinte moedas, mas do valor corrente em sua época. Esse é um indício de que, ainda que tenha havido pequenas anotações editoriais posteriores a Moisés, o texto reflete uma história real, ocorrida quase 1200 anos antes do cativeiro babilônico.

Pode parecer estranho que um estrangeiro como José assumisse um cargo tão elevado no Egito, principalmente o de primeiro-ministro ou vizir do império. Contudo, existem achados que mostram homens semitas, como ele, assumindo elevados postos no Egito. Em 1987, por exemplo, o arqueólogo francês Alain Zivie encontrou na região de Sacara uma tumba de um ex-vizir chamado Aper-El. Segundo Zivie, com base em reconstruções de outros documentos e transliterações egípcias de nomes próprios estrangei-

---

tions, 2002, p. 306.
6 The Code of Hammurabi, 116, 214, 252 in James Pritchard (ed.). **Ancient Near East texts**: relating to the Old Testament. Third edition with supplement. Princeton: Princeton University Press, 1969.

ros, Aper-El é uma forma egípcia de um nome semita que era pronunciado como Abdiel, cujo significado é "servo de El".[7] Aper-El serviu como vizir de alta posição da região do Baixo Egito durante o reinado de Aquenáton, com o qual parece ter tido um bom relacionamento e proximidade.[8] As inscrições em sua tumba mencionam vários de seus títulos, indicando as elevadas funções que lhe foram atribuídas, entre elas a de portador do selo do rei.

Outro exemplo vem de Baya, um importante escriba e oficial do palácio de origem siro-canaanita que recebeu o título de vizir e tesoureiro durante o período do rei Seti II (1203-1197 a.C.).[9] A forma original semita de seu nome pode ser reconstruída a partir de cartas que ele mesmo escreveu em acadiano ao rei de Ugarite cuja pronúncia seria Beya significando "com/junto a Yah", onde o termo *Ya* representa a forma abreviada do Tetragrama sagrado, conforme aparece em outros nomes teofóricos como Isaías, Jeremias, Adonias etc. Dois fatos em especial destacam a importância de Baya a despeito de sua origem estrangeira: 1º) duas inscrições diferentes descrevem que Baya nomeou o faraó Seti II, seu sucessor, uma função exclusiva do faraó antecessor; 2º) uma estátua de um boi negro Mnévis, parte importante do culto ao deus solar em Heliópolis, contém diversos nomes e títulos dignatários de Baya.

Uma representação de Aper-El em sua tumba em Sacara.

Autor desconhecido/Domínio Público

---

7 Alain Zivie. "Pharaoh's Man, 'Abdiel: the vizier with a semitic name" in **Biblical archaeological review**, v. 44, n. 4 (jul.-ago., 2018), p. 23-24.
8 Isso por si só é bastante significativo por pelo menos duas razões: 1ª) seu nome semítico apresenta a partícula "El", termo que designa o deus da Bíblia e outras divindades siro-cananeias; e 2ª) sua ligação com o faraó monoteísta Aquenáton.
9 Israel Knohl. "Joseph and the Famine: the story's origins in Egyptian history" in **The Torah**, disponível em: https://www.thetorah.com/article/joseph-and-the-famine-the-storys-origins-in-egyptian-history, acessado em 19/06/2022.

Embora alguns estudiosos tentem comparar esses nobres homens com a figura de José, dificilmente existe alguma relação entre eles e o personagem bíblico. No entanto, a existência deles apenas ratifica a possibilidade de um estrangeiro, como José, ter adquirido uma alta posição precisamente conforme a Bíblia declara.

Os hicsos

É importante reforçar que todo hebreu era semita, pois suas origens remontam a Sem, um dos três filhos de Noé, mas nem todo semita era hebreu, já que havia outras etnias que também participavam do mesmo tronco, como a dos arameus, ou a dos acadianos, de onde veio o patriarca Abraão. Mas, para entender o contexto de José, temos de conhecer um curioso povo semita que dominou o Egito: os hicsos.

Os hicsos formavam um forte grupo asiático de linhagem semita que, aproveitando-se de um período de debilidade, ocupou o Egito e lá permaneceu, estabelecendo seu próprio governo no Baixo Egito – ao norte, especialmente na região do Delta, por um período que foi desde cerca de 1640 a.C. até por volta de 1520 a.C., iniciando assim o que é chamado de Segundo Período Intermediário.

Voltando à imagem da tumba de Khnumhotep II, alguns pesquisadores acreditam que os comerciantes semitas mostrados ali, são na verdade hicsos. A inscrição 𓉿𓋴, bem no centro da imagem, lê-se *kheka-khasut*, termo que deu origem à palavra grego *hicsos*. Em egípcio, esse termo significa "governante das terras estrangeiras", uma referência às tribos que habitavam o deserto do noroeste.[10] Tal nomenclatura atribuída pelos egípcios, faz os estudiosos pensarem que, originalmente, os hicsos eram reis ou nobres expulsos de suas cidades devido a conflitos internos ou invasões, os quais acabavam se refugiando na cidade e região portuária de Avaris.

Até onde se sabe, a primeira fonte de informação sobre os hicsos veio do historiador Mâneto, cujos escritos são citados por vários autores posterio-

---

[10] Daphna Ben-Tor. **Scarabs, chronology, and interconnections**: Egypt and Palestine in the Second Intermediate Period. Fribourg, Göttingen: Academic Press Fribourg, 2007, p. 1.

res, entre eles Josefo. Ambos os escritores, no entanto, forneceram uma interpretação errônea tanto sobre a tradução do nome hicso, quanto sobre o grupo que eles representavam. Alegando que os hicsos eram formados por grupos israelitas durante sua permanência no Egito e que, eventualmente, foram expulsos dali. Obviamente não existe nenhum fundamento para essa afirmação, principalmente pelo fato de que os hicsos jamais foram escravos no Egito, mas sim conquistadores. De qualquer modo, não há como determinar com precisão as origens étnicas dos hicsos, bem como seu destino após a expulsão do Egito. Entretanto, ante as evidências disponíveis, cada vez mais concorda-se que eles sejam oriundos do norte do Levante, entre a região do Líbano e a Síria. Seja como for, a ideia de forasteiros embutida em sua alcunha parece um título adequado, considerando-se que eram estrangeiros dominando a terra do Nilo.

Além da debilidade dos exércitos de faraó, a grande vantagem do exército hicso foi a utilização de cavalos de guerra, animal que até então não era conhecido no Egito. Era uma cavalaria contra uma infantaria despreparada. O desequilíbrio de forças não permitiu a resistência dos egípcios. Há historiadores, porém, que sugerem que essa instalação teria ocorrido de forma gradual e, talvez, pacífica.[11] De qualquer forma, devido ao enfraquecimento do poder egípcio durante a 13ª dinastia e à sua má administração, permeabilizando o Egito, que desde sempre fora uma terra inviolável, os hicsos já estabelecidos no Norte, viram aí uma oportunidade de assumir o controle do país ou, pelo menos, grande parte dele. Nessa perspectiva, crê-se que havia dois grupos semitas se estabelecendo na região do Baixo Egito: os cananeus e os hicsos.

Muito provavelmente, como mostra a imagem de Khnumhotep, muitos desses eram comerciantes que a princípio foram recebidos em Avaris e região. Com o aumento de sua prosperidade, naturalmente, outros parentes, amigos e vizinhos podem ter se unido a eles, resultando em uma grande população que finalmente conseguiu estabilidade e controle político sobre a região. Desse modo, com o tempo, os próprios líderes cananeus acabaram

---

[11] Bunson, **Encyclopedia of Ancient Egypt**, p. 119.

Capítulo 10 — ABRAÃO E SEUS DESCENDENTES CHEGAM AO EGITO

sendo expulsos e/ou dominados pelos hicsos que tomaram as rédeas do Delta e controlaram a cidade de Avaris como sua capital.

Com os hicsos no controle, a população cananeia vivendo no Delta cresceu e se fortaleceu, conforme testemunham artefatos achados na antiga Avaris. Além disso, apesar de Avaris ter sido um centro de adoração ao deus Osíris, durante o período hicso as práticas funerárias são predominantemente cananitas, bem como o tipo e estilo de cerâmica utilizados ali.

Embora escribas e faraós do Novo Império caracterizassem os hicsos como "invasores" que usurparam a terra, destruíram templos e massacraram o povo sem piedade, não existem provas para essas alegações. Ainda que muitos nomeiem a presença deles no Egito como "Invasão Hicsa", na verdade, os hicsos se ajustaram perfeitamente à cultura local, adotando a moda e incorporando em suas crenças muito da religiosidade egípcia. Sua administração durante o Segundo Período Intermediário não foi um tempo de caos e confusão, e seu domínio sobre a terra foi apenas parcial, englobando mais especificamente o Baixo Egito e a cidade de Avaris. Os hicsos inclusive trouxeram inovações da Ásia Menor, como a introdução do carro de guerra puxado por cavalos, o manejo do arco composto e a fabricação de armas de bronze que eram totalmente desconhecidas até então no Egito, mas que continuaram sendo utilizadas pelos egípcios mesmo após sua expulsão.

Portanto, ao contrário dessa má reputação propagada posteriormente pelos egípcios tebanos, o período hicso ampliou as relações comerciais com

Uma imagem de Ramessés II, 19ª din., mostra como os egípcios, mesmo após a expulsão hicsa, adotaram sua tecnologia como a carruagem a cavalo e o arco composto.

outros povos, especialmente com as vilas e cidades egípcias incluindo Tebas, que também pagava tributo a Avaris. Isso é significativo, pois, se José viveu nesse período, a menção bíblica de que o faraó o havia constituído sobre "toda a terra do Egito" (Gn 41:43), não implicaria necessariamente que o autor esteja se referindo a um domínio físico da terra, mas talvez ao controle dela da perspectiva comercial, uma vez que após a morte do faraó tebano Tao II, seu filho Camés declarou, em uma inscrição, estar cansado de ter de pagar impostos aos asiáticos.

Além do mais, deslumbrados com o sistema de governo existente no Egito, os hicsos também se autoproclamaram "faraós" e chegaram a ter duas dinastias pacíficas só para eles, a 15ª e a 16ª. Assim, por incrível que pareça, o Egito teve faraós de sangue semita. Infelizmente, pouco se sabe sobre eles, pois os governantes tebanos apagaram todos seus vestígios. Dos conhecidos, suas informações provêm de inscrições em ruínas e outros escritos encontrados em Avaris. O mais notório dos reis hicsos, contudo, é Apepi ou Apófis, o último faraó hicso, cujo nome parece ter sido associado pelos líderes ou escribas tebanos à divindade Apep, a grande serpente do caos e arqui-inimiga do deus Rá. Pois esse teria sido o rei que iniciou o conflito com Tao II, faraó de Tebas que declarou guerra contra os hicsos.

Amuleto-selo em forma de búzio com o nome do rei hicso Apepi (c. 1581-1541 a.C.).

Esfinge de Amenemés III (12ª din.) reinscrita com o nome do último faraó hicso – Apepi.

Ao que tudo indica, Tao II acabou morrendo em batalha, e os tebanos teriam sido derrotados na batalha inicial. Contudo, Camés, seu filho, assumiu a causa e continuou as investidas contra Avaris, que terminou sendo conquistada. Após isso, os hicsos ainda permaneceram na região, porém, depois da morte de Camés, seu irmão Amósis I assumiu o trono tebano e completou a conquista de Avaris, levando à expulsão completa dos hicsos de todo Egito. Com a expulsão dos hicsos, Amósis, então, reunificou o Egito, restaurou a cidade de Tebas como a única capital oficial, e reafirmou o poder egípcio sobre os territórios da Núbia (sul) e Canaã (norte).[12] Além disso, Amósis reorganizou a administração do Egito, reativou as obras nas pedreiras e nas minas, reabriu as rotas comerciais e iniciou grandes projetos de construção, como aqueles realizados na época do Médio Império. O reinado de Amósis inaugura a 18ª dinastia e dá início ao período chamado de Novo Império, sob o qual o poder egípcio atingiu seu auge e que haveria de escravizar o povo hebreu nos dias de Moisés. Ou seja, "nesse meio-tempo, levantou-se um novo rei sobre o Egito, que não havia conhecido José" (Êx 1:8).

É bem provável que o começo da carreira de José tenha coincidido com o fim da 14ª dinastia e o começo da dominação dos hicsos, que não se importariam em oferecer um cargo político a alguém que, como eles, também

---

12 Grimal. **A History of Ancient Egypt**, p. 192.

tinha sangue semita. As atuais ruínas do sítio arqueológico em Tell el-Dab'a devem ter sido onde viveu o jovem José quando foi levado como escravo para o Egito. Na época, ali se localizava a capital hicsa, Avaris, cuja mudança pode ter se dado pelo fato de ser mais bem situada do que Mênfis, do ponto de vista estratégico entre o Egito e o Istmo de Suez. Enquanto isso, um território relativamente grande, entre Cusae ao norte e Elefantina ao sul, era administrado por príncipes tebanos, os quais, em última análise, eram o último reduto da antiga realeza egípcia, que haviam sido encurralados na direção sul. As escavações em Tell el-Dab'a intensificaram-se há cerca de duas décadas, mas revelaram grandes achados em Avaris. Reconstruções modernas mostram que ela foi uma grande cidade no tempo dos hicsos. O palácio do faraó cercado por árvores seria provavelmente cheio de luxo e requinte, conforme demandava a presença de um nobre. Nele, provavelmente José esteve para revelar o sonho do rei e salvar o povo do Egito.

Considerando, pois, a hipótese de que José teria ido para o Egito no período dos hicsos e que ali teria sido o lugar onde tudo aconteceu, teríamos algum indício ou evidência da presença de José aqui? Seria essa a terra de Gósen, onde ficaram morando os filhos de Jacó?

Relevo de um machado cerimonial descrevendo o faraó Amósis I, provavelmente, matando um inimigo hicso.

José do Egito

Um jovem sonhador, cheio de planos e ideais, traído, humilhado e acusado de algo que não havia feito, mas finalmente posto entre os mais poderosos homens de seu tempo. Das tendas de Jacó para o palácio do rei do Egito. José é dono de uma biografia de tirar o fôlego, a qual poderia ser a história de cada um de nós.

O que estaria passando na cabeça de José enquanto seguia acorrentado para o Egito? Muita coisa, eu imagino. Medo, apreensão, vontade de morrer e, o pior de tudo, a sensação de abandono. De suas tragédias e vitórias, aprendemos que, quando alguém o jogar no abismo, não se preocupe, pois a caravana de Deus estará a caminho.

Na saga de José, o rei do Egito é simplesmente denominado de "Faraó", sem nenhum complemento nominal. Na verdade, os antigos líderes do Egito não eram intitulados como faraós, mas como reis. Foi a partir do Novo Império que essa palavra, referente ao palácio real, passou a ser usada como metonímia para o rei do Egito. Ou seja, o fato de a Bíblia designar o rei do Egito por esse título só reforça que seu texto está em harmonia com o período no qual esse título começa a ser usado para os reis egípcios. Somente mais tarde, tal prática seria abolida nas inscrições e documentos, por causa da confusão que ela criava. Assim, os escribas tornaram "obrigatória" a identificação do faraó nas inscrições e documentos. Novamente, a Bíblia obedece ao costume da época, como indicado pela mudança em livros posteriores, como por exemplo: "Faraó Neco" (Jr 46:2), e "Faraó Hofra" (Jr 44:30). Esse é outro indício de que a história de José não pode ter sido criada tardiamente, caso contrário, traria o nome do rei como nos livros posteriores.

Sonhos reveladores

Apesar da falta de registro, alguns egiptólogos acreditam que Maaibré Xexi teria sido o primeiro faraó hicso, fundador da 15ª dinastia.[1] Nesse caso, ele ou seu filho teria sido aquele a conhecer José, cuja história está repleta de sonhos e interpretações, sendo o principal deles o sonho do faraó, interpretado pelo jovem hebreu. No sonho, o faraó viu sete vacas gordas que eram sumariamente devoradas por sete vacas magras e isso o preocupou muito. Os pesadelos eram preocupação de todo o Egito, pois, pelos costumes da época, se o monarca tinha um sonho bom, o povo teria bons resultados, se tinha um sonho mal, coisas ruins aconteceriam a seu reino e todos seriam afetados.

A importância dos sonhos era tamanha que os faraós utilizavam travesseiros especiais, os quais traziam pedidos de proteção e bênção dos deuses para e jamais sonharem com coisas ruins. O apoio de cabeça poderia ser feito de madeira ou materiais como o marfim e a valiosa pedra de alabastro, e seu uso divide opinião entre os especialistas. Alguns pensam que seria de uso diário, outros que seria apenas um objeto usado pelo faraó no mundo dos mortos. Havia inclusive manuais para interpretações de sonhos, e os egípcios eram bons nisso. O papiro *Chester Beatty III*, datado da 19ª dinastia (embora possa remontar à época da 12ª dinastia) é o livro de interpretação de sonhos mais antigo existente e, de fato, ficou conhecido como

---

[1] Donald B. Redford. **Egypt, Canaan, and Israel in Ancient Times.** Princeton: Princeton Uni. Press, 2020, p. 111.

"Livro dos Sonhos".[2] O livro é escrito com uma coluna descrevendo um sonho e em outra o seu significado, alguns trechos do texto podem ser lidos a seguir:

> "Se um homem vê a si mesmo em um sonho...
> comendo excremento, bom; está comendo de sua propriedade em sua casa.
> tendo conexão com uma vaca, bom; está passando um dia feliz em sua casa.
> comendo carne de crocodilo, bom; está agindo como um oficial entre seu povo.
> direcionando um jato de água, bom; significa prosperidade.
> mergulhando no rio, bom; significa purificação de todos os males.
> [...]
> calçando sandálias brancas, ruim; significa vagar pela terra.
> comendo o que ele detesta, ruim; significa que o homem está comendo o que ele detesta involuntariamente.
> tendo relações com uma mulher, ruim; significa luto.
> sendo mordido por um cão, ruim; está preso a um feitiço."[3]

Os egípcios viam os sonhos como algo muito importante e, de fato, era considerado sagrado na cultura. Além disso, determinados sacerdotes do templo eram também intérpretes de sonhos que eles chamavam de "mestres das coisas secretas". Na sua compreensão, os egípcios criam que os sonhos era uma forma de os deuses se revelarem. Assim, eles consideravam os sonhos como avisos, conselhos ou profecias.

É claro que hoje não acreditamos muito nesse tipo de coisa. Desde Freud e Jung sabemos que os sonhos podem trazer mensagens do inconsciente e nada mais do que isso, mas também não negamos que, em alguns momentos, Deus falou com pessoas por meio de sonhos, e assim foi com o faraó do Egito na época de José. Esses sonhos estão relatados em Gênesis 41 e ocorreram enquanto José ainda estava como prisioneiro dos egípcios. O qual não tardou a oferecer o sentido do sonho com as vacas para o faraó.

---

[2] Alan H. Gardiner (ed.). **Hieratic Papyri in the British Museum**. Third series: Chester Beatty gift. Vol. 1: text. Londres: British Museum, 1935, p. 9.
[3] *Ibid.*, p. 14, 16 (5,15-19; 7,15-18).

As cenas em ambos os lados da Paleta de Narmer são consideradas como uma descrição da primeira unificação do Egito. Bem ao topo, há a imagem de vacas, uma referência à deusa Hator, a deusa mãe e protetora da nação recém-formada.

A imagem do simbolismo, ele conhecia muito bem – a vaca, que para os egípcios era uma de suas mais antigas e queridas divindades, a deusa Hator. Ela aparece na paleta do faraó Narmer (c. 3200-3100 a.C.), considerado o primeiro faraó a unificar os dois Egitos. Ali ela foi esculpida na forma de uma cabeça de vaca em ambos os lados do topo da paleta e no adorno do cinto do faraó. Por causa dessa posição dominante na paleta, parece que a deusa, que estava ligada com o sustento de uma vida recém-gerada, representa agora a sustentadora e provedora da nação recém-nascida.

Hator era vista ao mesmo tempo como mãe, esposa e filha de Rá, e seu culto remonta aos períodos pré-dinásticos, quando a vaca era considerada símbolo de maternidade e nutrição, por cuidarem de seus filhotes e alimentarem, igualmente, os humanos com leite. A vaca foi representada de muitas maneiras: como uma mulher ou como uma vaca que alimenta suas crias. Os egípcios consideravam as plantações de papiro o seu lar. Associada muitas vezes com Ísis, Hator era em última instância a mãe divina de

Hórus e, consequentemente, de todos os faraós. Em seu templo, em Dendera, é comum ver sete colunas representando as "Sete Hatores", ou vacas sagradas.[4] As Sete Hatores representavam sete aspectos ou faces da deusa, que estavam associadas ao destino e à adivinhação. A semelhança com o sonho do faraó não é mera coincidência. Na tumba da rainha Nefertari, esposa de Ramessés II, há uma clara sequência de sete vacas robustas, como as do sonho do faraó, seguindo um touro celestial. São elas que garantem o nascimento seguro de todas as crianças no Egito e sabem a duração da vida de cada uma. Há também uma cena no livro dos mortos de Nesmin, que descreve o falecido em um ambiente contendo, entre outras coisas, a figura de sete vacas e um touro celestial. As vacas e o touro garantem continuidade, sustento e proteção ao espírito daquele que encomendou o papiro.

Interessante que, sendo uma imagem tão óbvia, ainda assim os magos do faraó não tenham conseguido decifrar o sonho. Mas tudo isso fazia parte dos eternos planos do céu; afinal de contas, a ignorância dos magos foi a oportunidade para Deus intervir mais uma vez na experiência de seu servo José.

Presentes de autoridade

O fato de o faraó ter colocado um anel no dedo de José foi um sinal de autoridade e símbolo do poder real, por isso, muito significativo (Gn 41:42). Segundo Cyril Aldred, historiador da arte e egiptólogo britânico, selos reais contendo o nome do faraó eram conferidos aos altos funcionários que agiam em seu nome.[5] Nesse caso, o anel provavelmente continha o nome do rei, pelo qual os instrumentos reais eram selados. José foi promovido a uma posição que os egípcios comumente chamavam de "Portador do Selo Real". O anel em questão, portanto, foi certamente semelhante ao grupo de selos reais comuns usados durante o Segundo Período Intermediário – o anel de escaravelho. O selo em forma de escaravelho, símbolo do deus Rá, foi um estilo de anel de dedo bastante popular desde o Médio Império e mais tar-

---

[4] Wilkinson. **The complete gods and goddesses of Ancient Egypt**, p. 77, 145.
[5] Cyril Aldred. **Jewels of the pharaohs**: Egyptian jewelry of the dynastic period. Londres: Thames and Hudson, 1971, p. 14.

Anel-selo em forma de escaravelho contendo o nome do rei hicso Xexi, c. 1648-1539 a.C.

de.⁶ Muitos desses selos já foram encontrados incluindo centenas deles pertencentes ao faraó Xexi. Na verdade, existem 396 selos contendo seu nome, achados espalhados pelo Egito, Canaã, e Núbia, indicando a extensa relação comercial e contatos diplomáticos do rei durante seu reinado.⁷

Além de um anel, José recebeu outros dois presentes. Um colar para o pescoço, que certamente continha um escaravelho suspenso, um emblema de imortalidade e símbolo de alguém que desfrutava de uma alta posição no reino. O outro presente foi uma roupa feita de linho fino, um ato típico das investiduras egípcias. Curiosamente, o termo para "linho" em hebraico é *shesh*, uma palavra derivada do egípcio *shes* e é usada no Antigo Testamento para designar o linho de excelente qualidade que era importado do Egito.⁸ Existem outras palavras hebraicas para se referir ao linho, porém

---

6   *Ibid.*, p. 160-61.
7   Kim S. B. Ryholt. **The political situation in Egypt during the Second Intermediate Period**: c. 1800–1550 B.C. Copenhague: Museum Tusculanum Press, 1997, p. 114-15.
8   Hermann J. Austel. "שש", in Harris, et al. **Dicionário internacional de Teologia do Antigo Testamento**, p. 1623.

shesh é a palavra mais frequente nos escritos mosaicos, uma clara evidência de que o autor do Pentateuco estava familiarizado com os costumes e terminologias egípcias. Como de alguém que estava e/ou viveu lá.

Sete anos de fome

Quanto aos sete anos de fome, aludidos no texto, é importante dizer que períodos de grande escassez, embora não fossem necessariamente comuns, ocorreram algumas vezes no Antigo Egito. Apesar de ser um rio tranquilo, que não trazia nada da fúria fluvial como o Tigre e o Eufrates, o Nilo até hoje tem uma performance variável. Entre o período de cheia e seca, o volume de água de seu leito podia cair de cerca de 100 mil metros cúbicos por segundo para menos de 2 mil. Isto, é claro, foi amenizado no século XX com a construção de altas barragens em Assuã, a partir de 1964, mas, antes disso, suas correntezas se comportavam praticamente da mesma maneira que na antiguidade. As águas mantinham-se baixas de meados de novembro (início do inverno) até maio, quando atingia seu ponto mais crítico. A partir daí, com a chegada do verão e o derretimento das geleiras dos Montes Ruwenzori, o nível subia abruptamente de 6 a 8 metros e continuava alto até ao ciclo seguinte. Porém, nem sempre foi assim. Houve anos em que o período de baixa foi maior que o normal e a alta não veio com a abundância esperada era quando a agricultura ficava prejudicada e não havia colheita suficiente para abastecer todo o povo. Iniciava-se, então, um período de fome.

Nós vimos que os antigos egípcios estabeleceram marcos de pedra, os nilômetros, às margens do rio para tentar predizer o seu comportamento a cada ano. Mas isso, obviamente, não impedia a chegada das tragédias. Há, por exemplo, um antigo relato escrito sobre a famosa Estela da Fome, descoberta em Sehel, uma das ilhas amontoadas na primeira catarata do Nilo próximo de Assuã. O texto não é do tempo de José, mas dos dias de Ptolomeu V, Epifânio (204-180 a.C.), e faz referência a um episódio ocorrido 2500 anos antes. Ela conta sobre um período de sete anos de seca e fome durante o reinado do faraó Djoser da 3ª dinastia. Com o qual o rei está preocupado e busca por uma explicação.

"Eu estava de luto em meu trono,
todos no palácio estão em angústia,
meu coração estava em grande aflição,
porque Hapi não tinha chegado a tempo.
Em um período de sete anos.
O cereal era escasso,
os grãos secaram,
escasso era todo tipo de alimento.
Cada um roubava a seu semelhante,
os que entravam, não saiam.
As crianças choravam,
os jovens caiam,
o coração dos velhos estava em angústia;
com as pernas levantadas, eles abraçavam o chão,
seus braços se fechavam sobre eles.
Os cortesãos passavam necessidade,
os templos foram fechados,
os santuários estavam cobertos de pó,
todos estavam em sofrimento."[9]

Sete anos de fome também são mencionados em hieróglifos desenhados nas paredes de dois templos: o de Edfu (o trono de Hórus) e de Dendera (antigo palácio da deusa Hator). Embora se trate de referências tardias e remetam a acontecimentos cronologicamente distintos dos sete anos de fome interpretados por José, seja como for, as semelhanças com o episódio bíblico são impressionantes.

Vale acrescentar que existe uma inscrição tumular descoberta pelo egiptólogo Heinrich Brugsch-Bey que merece ser destacada. Ela foi encontrada dentro do complexo funerário de El-Kab no sul de Tebas e faz parte do túmulo de Baba, governador da cidade no mesmo período em que teria vivido José como ministro do rei. Baba parece ter sido encarregado da distribuição de grãos durante os anos de fome, que possivelmente poderia

---

[9] Miriam Lichtheim. **Ancient Egyptian literature**. Vol. 3: the late period. Berkeley, CA: University of California Press, 2006, p. 95-96.

Estela da Fome contém uma inscrição que fala de um período de 7 anos de seca e fome que ocorreu durante o reinado do faraó Djoser da 3ª dinastia.

estar relacionada com o evento narrado em Gênesis. Parte do texto diz: "Eu colhi o grão, como um amigo do deus da colheita. Eu estava atento na época da semeadura. E quando a fome chegou, a qual durou muitos anos, eu distribuí grãos para a cidade em cada ano de fome".[10] O texto revela que aquilo que o governador hebreu fez pelo país, Baba fez por sua cidade – talvez seguindo as orientações que vinham de José.

Agora, é importante dizer que as cheias do Nilo igualmente produziam muitas catástrofes, mas os antigos faraós, como é o caso de Amenemés III, já haviam construído lagos reguladores como o de Moeris, que recolhia a cada ano cerca de 13 bilhões de metros cúbicos das águas da inundação e as distribuía em tempos de escassez.

No entanto, toda essa grande extensão de terra fértil do vale do Nilo não era terra de ninguém, ela pertencia ou aos deuses ou ao faraó. As terras dos deuses eram entregues aos templos e seu arrendamento revertia-se em benefício para o clero. Já as terras do rei eram cultivadas pelos servos reais, os quais cuidavam também dos empregados e serviçais que ocupavam as terras, porém sempre mediante arrendamento. Desse modo, os camponeses apesar de não serem escravos, também não eram totalmente livres, uma vez

---

[10] Heinrich Brugsch-Bey. **Egypt under the pharaohs**: a history derived entirely from the monuments. 3ª ed. Londres: John Murray, 1902, p. 121.

que ao usufruírem da propriedade real serviam como inquilinos do faraó. Isso lança considerável luz no plano de José de plantar e recolher grãos nos celeiros faraônicos, de onde todos deveriam comprar no período de seca. Sua posição permitiu ainda que recebesse no Egito seus irmãos durante a grande fome, apesar de ter sido traído por eles antes de chegar até ali.

Os egípcios cultivavam principalmente cereais, que constituíam a base de sua alimentação, especialmente a cevada e o trigo. Na verdade, esses cereais têm sido cultivados no Egito desde os períodos pré-dinásticos. Graças a evidências arqueológicas, sabe-se o desenvolvimento da civilização dos antigos egípcios coincide com o cultivo de trigo e cevada. Não é à toa que o Egito é considerado como "o celeiro do mundo antigo". Com esses grãos os egípcios produziam especialmente pão e cerveja, que passaram a definir todos os aspectos da vida cotidiana egípcia. O pão e a cerveja eram alimentos básicos, bem como ingredientes fundamentais em remédios medicinais, e oferenda frequente para os deuses e os mortos. Vale ressaltar que esses alimentos não eram nada parecidos com o pão e a cerveja dos nossos dias. Assim, a cevada e o trigo desempenharam um papel indispensável na construção e sustentação da antiga civilização egípcia.

Além disso, os salários muitas vezes eram pagos por meio de pão e cerveja. Por exemplo, os construtores de túmulos, em alguns casos, recebiam pão e cerveja como forma de pagamento pelo seu trabalho. Entretanto, além desses, os egípcios também cultivavam outros produtos alimentícios e têxteis igualmente importantes para a cultura e economia local, tais como: o papiro, o algodão, a cebola, o alho, o pepino, a lentilha, a fava, o alho-poró etc. Já as frutas mais comuns eram o melão, a melancia, a tâmara, a uva, a romã, o figo, a azeitona e a alfarroba. Muitos desses produtos, naturalmente, foram importados de terras estrangeiras especialmente de Canaã.

Descobertas em Avaris

Tudo isso, como dissemos, ocorreu provavelmente no período dos hicsos e, se assim for, a cidade de Avaris é onde teria sido assentada a antiga capital. Infelizmente, grande parte de seu sítio arqueológico, hoje conhecido por Tell el-Dab'a, está em ruínas. O trabalho arqueológico ainda precisa ser bem consolidado. Contudo, antigas pedras revelam muitas interessantes verdades acerca da antiga história dos egípcios e sua ligação com a Bíblia Sagrada. Avaris foi um centro estratégico para concentrar e organizar as comunicações entre Canaã e o Egito, tanto em sua base econômica, quanto em seus intuitos comerciais e controle militar dos territórios vassalos na Ásia. O sítio desolado de hoje oculta o que foi uma cidade populosa no passado, construída e fortificada no Delta do Nilo, em uma região de fato muito fértil e produtiva.

Arqueólogos informaram que descobriram em escavações datadas da época dos hicsos, ou um pouco antes deles, nada menos que 27 selos utilizados pelos funcionários do rei contendo o nome "Yakub-Har", sendo nove deles encontrados em Avaris. Um nome intrigante, pois é foneticamente semelhante à forma hebraica do nome de Jacó – "Yaakov". É nesse ponto, no entanto, que começam as divergências, pois os estudiosos divergem quanto à data desse personagem e sua posição oficial no Egito. Sobre a data, os acadêmicos debatem se ele teria pertencido à 14ª ou à 15ª dinastia. Já quanto à posição, para alguns ele teria sido um faraó hicso, enquanto outros afirmam que ele foi um vassalo dos reis hicsos. O egiptólogo e historiador Kim Ryholt, por exemplo, sugere que Yakub foi um rei cananeu do fim da 14ª dinastia.[11] Uma sugestão curiosa, já que a 14ª dinastia foi uma dinastia cananeia que dominou o Delta do Nilo antes da chegada dos hicsos.

A tentação de encontrar aqui uma referência direta ao Jacó bíblico é grande, mas devemos ter cautela. Por um lado, é fantasioso o desdém de alguns estudiosos que dizem que esse Yakub seria um adorador de Baal que governou o Egito, apenas para afastar qualquer relação com o personagem bíblico. Ora, não há nada que sugira isso, além de uma especulação gratuita. Na verdade, há escritos em cavernas contendo a frase "El me salva", ou o nome de uma localidade intitulada em listas faraônicas como Yakov--El, listada pelo faraó Tutmés III por exemplo. Detalhes esses que confirmam uma antiga adoração ao deus El no Egito por povos de origem semita

---

[11] Ryholt. **The political situation in Egypt during the Second Intermediate Period**, p. 105.

(como em El-Shadai, a forma como Deus se apresenta aos patriarcas, cf. Gn 17:1; 28:3; 35:11; Êx 6:3).[12]

Por outro lado, obviamente, não temos dados suficientes para uma conclusão categórica. O que se pode dizer, e isso já é muito significativo, é que esses são selos de um homem semita, escritos em hieróglifos egípcios. Ou seja, sabemos da existência de semitas no Egito, tal como eram os Israelitas, e que moraram em Avaris, tornando forte a possibilidade de ser essa a tal terra de Gósen mencionada na Bíblia (Gn 45:10), isto é, o Delta do Nilo, marcado por ser uma região com abundância hidrográfica e vegetativa. Não se pode negar que existe sim uma possibilidade, ainda que remota, de ser o Jacó bíblico, o qual teria se tornado um líder reconhecido na região. Segundo a Bíblia, o próprio faraó aceitou ser abençoado por ele. Isso justificaria um sinete com seu nome e a concessão de autoridade sobre seus descendentes como o grande patriarca na região onde estaria agora residindo.

Um olhar mais atento sobre Avaris

Considerando que Avaris era a capital dos antigos hicsos e que a história de José teria se passado em seu contexto, é de se supor que em algum canto desses monturos de pedra viveram José com sua esposa e filhos e, mais tarde, seus irmãos e descendentes até a chegada de Moisés. Mas existem indícios da presença de José e dos hebreus nela?

A cidade de Avaris foi encontrada há relativamente poucos anos. Suas escavações começaram nos anos de 1960 e foram lideradas por arqueólogos egípcios, austríacos e alemães. Foi certamente um trabalho árduo e muito complexo, que levou anos de pesquisa e investigação, e continua sendo meticuloso e envolvendo um grande rigor científico. À frente de tudo isso estava o doutor Manfred Bietak, professor emérito de egiptologia e arqueologia na Universidade de Viena, que, em uma série de escavações, conduzidas por ele desde 1966, trouxe à luz inúmeras descobertas sobre a antiga cidade de Avaris.

---

[12] S. Yeivin. "Ya'qob'el" in **The journal of Egyptian archaeology**, v. 45 (dez., 1959), p. 16-18.

Um setor especial da cidade de Avaris apresenta o que seria um assentamento rural sem muros, repleto de pequenos cercados de alvenaria, próprios para a criação de gado de corte e ovelhas. O design do sítio supõe uma vila formada principalmente por ovinocultores, que viviam em paz no Egito. Em outras palavras, um bairro asiático nas terras do Nilo. Os quarteirões exibem alicerces típicos daqueles usados não para sustentar uma casa de tijolos, mas uma tenda retangular comum aos nômades de cultura pastoril. Semelhante à principal atividade dos irmãos de José (Gn 47:3), bem como de todo o povo de Israel ao longo dos anos. Mas é interessante notar que a profissão de pastor de ovelhas, ainda tão comum no Oriente Médio, não era bem-vista pelos egípcios por questões de pureza ritualística e religiosas, já que certos animais como boi, carneiro etc. eram considerados sagrados por serem símbolos de seus deuses. Logo, uma comunidade de pastores vivendo em plena capital denota uma concessão especial dada pelo faraó, o que estaria de acordo com o texto bíblico (Gn 46:33-34).

Outra coisa que nos chama a atenção é a presença de tendas em meio às casas. Lembremos que as tendas foram a morada dos hebreus desde os dias de Abraão até ao estabelecimento da monarquia em Israel. Os patriarcas são sempre descritos como homens ricos, que moravam em tendas e, mesmo depois do estabelecimento dos filhos de Jacó no Egito, é possível que esse tenha permanecido como seu costume. Naturalmente, nem todos os residentes moravam em tendas, alguns preferiam casas. Contudo, mesmo essas descobertas mostram indícios de que as terras foram habitadas por asiáticos semitas, o que aumenta a chance de ter existido um bairro de hebreus em Avaris.

O conjunto arquitetônico das casas em tal setor da cidade era distinto do estilo egípcio. O modelo de como seriam essas casas tipicamente hebreias é dividido em quatro espaços, como aquelas encontradas em Canaã durante a Idade do Ferro do Levante (1200-550 a.C.), as quais os estudiosos vieram a nomear de "casa de quatro espaços" ou "casa israelita". É bom saber, porém, que, apesar do nome "casa de quatro espaços", nem todas tinham exatamente quatro cômodos, é apenas um termo técnico entre os estudiosos. A estrutura foi assim chamada porque sua planta é dividida geralmente em quatro seções; assim, o layout típico desse estilo de casa consistia em uma planta retilínea dividida em três, quatro ou mais espaços ou cômodos. O que todas elas têm em comum, no entanto, é a presença de um cômodo comprido nas laterais do terreno, geralmente para guardar mantimentos, ferramentas e animais, e outro ao fundo, que poderia ser subdividido com cortinas em dois ou três quartos.

Embora a estrutura arquitetônica tenha ficado menos homogênea após a Idade do Ferro, os exemplares mais antigos tendem a ser quase uniformes em sua arquitetura, com a presença de colunas de sustentação do telhado. Essa é justamente a forma encontrada nas casas na cidade de Avaris. Em resumo, não resta dúvida de que não eram egípcios que moravam ali.

No entanto, um dos grandes problemas é que Avaris pertence ao período intermediário entre a Idade do Bronze Antigo e Tardio (algo em torno de 1700 a.C.), enquanto o estilo das casas israelitas em Canaã surgiu bem mais tarde, a partir da Idade do Ferro, ou seja, cerca de 500 anos depois. Uma maneira de explicar o fenômeno seria entender que os hebreus que moravam ali, e que inicialmente habitavam em tendas, levaram o estilo de construção de moradias fixas para Canaã, quando finalmente deixaram a vida nômade para o assentamento sedentário. Não é possível assumir com certeza, mas essa é uma hipótese razoável. Há autores, inclusive, que teorizam que o estilo arquitetônico de quatro cômodos começou pela imitação das antigas tendas que os hebreus nômades utilizavam. Isso faz sentido se pensarmos que o sedentarismo do Egito trouxe uma mudança arquitetônica entre os hebreus, fazendo alguns morarem em tendas e outros em casas semelhantes a tendas.

Modelo de uma típica casa israelita, conhecida como "casa de quatro espaços".

Há ainda outro indício de que os que moravam na região de Avaris não eram egípcios: a forma de sepultamento. Além de sepultarem os mortos numa forma peculiar canaanita – às vezes dentro da própria casa, eles os colocavam junto com os animais de estimação, como um cavalo, por exemplo, e sem qualquer processo de mumificação.

Em Avaris também foi achado a evidência física mais antiga de um antigo costume bizarro – o de cortar e colecionar a mão direita dos inimigos capturados. Essa prática era realizada tanto por hicsos quanto por egípcios e perdurou até o período do Novo Império, conforme retratado na arte egípcia de um painel do faraó Ramessés III, no qual dois funcionários do rei estão contabilizando as mãos cortadas de inimigos derrotados. Além de facilitar a contagem das vítimas, para fins de exaltação do poder do rei vencedor, cortar a mão direita era uma forma de incapacitar eternamente o inimigo no mundo dos mortos.

Um dos achados mais intrigantes foi o cemitério encontrado no jardim do palácio, e, em especial, uma das tumbas localizadas ali. Curiosamente, alguns dizem existir no cemitério cerca de 12 sepulturas, porém a maior delas, feita por uma única câmara de tijolos com uma pequena capela em forma de pirâmide em frente, a qual continha os restos do que fora uma grande estátua. A imagem, juntamente com o túmulo, parece ter pertencido a um governante não egípcio de Avaris. Por cima de seu ombro direito é possível ver que ele segurava um bastão, símbolo de autoridade e de governo estrangeiro (tal qual o hieróglifo |). Além disso, ainda pode se ver a cor das roupas com retratadas pela imagem, as quais revelam que o governante vestia uma roupa listrada, composta por pelo menos três cores: vermelho, branco e preto. Ou seja, semelhante ao estilo de roupas dos asiáticos representados na tumba de Khnumhotep II; e que nos faz lembrar do jovem hebreu cujo pai lhe presenteou com uma veste colorida (Gn 37:3). Outro detalhe curioso está na cabeça que, diferentemente das típicas perucas egípcias, contém um corte de cabelo na forma de um cogumelo, conforme os asiáticos eram comumente representados.

Além disso, os arqueólogos notaram que essa tumba principal estava bastante depredada desde a antiguidade. Possivelmente, não ficou assim por causa de ladrões de túmulos, mas por algum tipo de vandalismo ocorrido desde as épocas faraônicas. Ou seja, quem foi sepultado ali teve um momento de glória e outro de rejeição. Além do mais, nenhuma das tumbas continha um esqueleto intacto, apenas fragmentos de ossos, indicando que famílias inteiras foram sepultadas ali, embora seus ossos tenham sido removidos do local por alguma razão. Segundo a Bíblia, José pediu que seus ossos fossem levados de volta a Canaã, quando eles retornassem para lá (Gn 50:26). Pedido atendido por seus descendentes, conforme textos posteriores revelam (cf. Êx 13:19; Js 24:32).

Seria essa, portanto, uma evidência explícita sobre o José da Bíblia? Bom, é difícil saber; embora alguns afirmem que sim, não podemos nos deixar levar pela emoção a ponto de ser tão assertivos assim. Em termos de linguagem acadêmica, essa afirmação não seria prudente, mais evidências seriam necessárias. Além disso, a estátua e os túmulos são geralmente datados da 12ª ou 13ª dinastia que, segundo a cronologia seguida por este estudo, está mais próxima da época de Abraão do que do tempo de José. Porém, que as coincidências são intrigantes, não resta dúvida! Pode-se dizer que existe o túmulo de alguém asiático, provavelmente semita, e que os indícios coletados coadunam bastante com o texto bíblico, elevando a possibilidade de estarmos diante de uma história verdadeira.

12

Israel no Egito

O êxodo é sem dúvida uma das histórias mais importantes para a trajetória de Israel. E para entender melhor essa importante passagem e verificar a probabilidade histórica do relato, mergulhamos um pouco mais na história egípcia, procurando entender o contexto do fim do domínio dos hicsos e como os achados podem lançar luz em mais essa porção da Bíblia.

Êxodo: mito ou realidade?

O primeiro complicador estaria no sentido teológico que ela carrega. Isso não seria problema para um ateu que nega a realidade espiritual, mas, para um teólogo que se diz crente, a coisa pode ser bem complicada. O que muita gente não sabe é que as narrativas bíblicas funcionam como uma série de dominós em fileira; se o primeiro deles cai, derruba todos os demais. O evento de Cristo, sua morte na cruz e a veracidade de seus ensinos se sustentam na historicidade dos eventos do Antigo Testamento. Se não houve Adão e Eva, também não houve nenhum pecado que condenasse toda a humanidade, logo, a cruz não tem eficácia redentora; se não houve Moisés, então os dez mandamentos não são de origem divina, mas apenas leis humanas e nada mais. Percebe como é complexo, do ponto de vista teológico, assumir uma interpretação que negue a historicidade dos fatos? Por outro lado, é claro que não se trata de escavar com a predisposição de encontrar algo que corrobore uma interpretação particular, pois isso seria desonestidade acadêmica, mas, sim, verificar pelos indícios de campo, se as histórias são ou não plausíveis do ponto de vista histórico-arqueológico.

O mais curioso, porém, é que os primeiros ataques à realidade histórica do Êxodo não partiram de descrentes ateus, mas de teólogos religiosos, que iam à igreja e oravam antes do culto. Isso foi o que vimos na Europa iluminista do século XVIII em diante. Na última metade do século XIX, o crítico alemão da Bíblia, Julius Wellhausen, popularizou a teoria de que os primeiros seis livros, incluindo o de Josué, foram escritos no século V a.C. – cerca de mil anos depois dos acontecimentos descritos. Para ele, toda a história registrada na primeira parte das escrituras hebraicas – o Pentateuco, não é um relato literal, mas tradições e contos populares do passado do Antigo Oriente. O grande problema, para um cristão, que diz acreditar em Jesus, é que se o êxodo não foi uma história real, não temos por que acreditar que a realidade da cruz também o seria; afinal, o evento de Cristo é a nova páscoa do mundo. Se a primeira foi uma lenda, por que a segunda também não seria? A advertência vale também para o judaísmo.

O doutor David Hubbard, especialista em Antigo Testamento do Seminário Teológico Fuller, referiu-se à importância primária do Pentateuco para que possamos compreender a relação entre o povo de Israel e Deus. Ele diz: "Sendo um registro de revelação e a reação a ela, o Pentateuco testifica dos atos salvíficos de Deus, o qual é o soberano Senhor da história da natureza. O ato concêntrico de Deus no Pentateuco (e, de fato, no Antigo Testamento), é o êxodo do Egito. Foi então que Deus irrompeu na consciência dos israelitas e revelou-se como o Deus que redime. O discernimento obtido por meio dessa revelação capacitou-os, sob a liderança de Moisés, a reavaliar as tradições de seus antepassados, vendo nelas o desabrochar do relacionamento de Israel com Deus, que havia florescido tão brilhantemente na liberação da servidão ao Egito".[1]

---

[1] David A. Hubbard. "Pentateuch" in J. D. Douglas, et al (eds.). **New Bible dictionary**. 2ª ed. Drowners Grove, IL: InterVarsity Press, 1982, p. 963.

Ainda outro estudioso, o doutor Langdon Gilkey, que lecionou em Chicago, Cambridge e Harvard, demonstrou que a experiência do Êxodo teria a historicidade do Sinai como "ponto essencial da religião bíblica"; e ele segue dizendo: "Para nós, o Êxodo reveste-se tanto de um interesse histórico quanto confessional. A questão daquilo que Deus fez no Sinai, em outras palavras, não é apenas uma questão para exame do erudito da religião e da teologia dos semitas, mas é muito mais uma questão para consideração do crente contemporâneo, que deseja prestar seu testemunho atual quanto aos atos de Deus na história".[2]

Um argumento muito usado pelos oponentes da historicidade do relato bíblico seria a quase completa falta de material que comprove a história que a Bíblia apresenta. Argumenta-se que o Egito deveria ter registros guardados desse povo chamado hebreu, mas nem no reino, nas aldeias ou até mesmo no deserto do Sinai encontra-se qualquer indício deles.

Considerando o que vimos sobre Avaris, percebe-se que não é bem assim. Podemos não ter artefatos diretos, mas há muitos indícios positivos que apontam para a presença hebreia no Egito. Ademais, se a África, por exemplo, produzisse um livro sagrado dizendo que os negros um dia foram escravos na China e que foram eles que construíram as grandes muralhas – e essa história fosse uma mentira –, o que deveríamos esperar? O óbvio: uma versão chinesa contemporânea que desmentisse aquele relato, especialmente se ele terminasse contando a derrota dos guerreiros imperiais de Xian morrendo afogados, enquanto os negros escapavam ilesos sob o comando de um profeta divino. Nenhum chinês iria permitir a propagação de um mito africano em que seu povo figurasse como carrasco e perdedor, a menos, é claro, que aquela história fosse verdadeira e não houvesse como esconder os fatos, pois todos os contemporâneos tomaram conhecimento dele. Aí, sim, o silêncio é a melhor estratégia. Portanto, a falta de documentos egípcios que descrevam o êxodo ou neguem sua ocorrência está mais a favor do relato bíblico do que do argumento minimalista.

---

[2] Langdon B. Gilkey. "Cosmology, Ontology, and the travail of Biblical language" in **The journal of religion**, v. 41, n. 3 (jul. 1961), p. 198.

O Egito, lembremos, continuou como um poderoso império durante o cativeiro babilônico (época em que, segundo esses autores, o relato do êxodo teria sido forjado). Por que, então, ficariam calados diante da propagação dessa história? Por que não a desmentiriam? Jamais os minimalistas conseguiram apresentar um único texto antigo – mesmo dentre as bibliotecas inimigas de Israel – que contradissesse uma assertiva histórica feita pela Bíblia.

Há mais um detalhe importante: os egípcios costumavam apagar da história o nome de seus inimigos, mesmo que fossem inimigos políticos egípcios que vivessem dentro da corte faraônica. Isso talvez explique o motivo do silêncio sobre a saída dos hebreus. Eles não iriam querer propagar uma história em que saíram como perdedores, na qual o faraó e seu exército terminaram mortos sob as águas do Mar Vermelho.

Esse meu último argumento, no entanto, é negado por muitos céticos da historicidade bíblica. Por exemplo, a revista Superinteressante publicou, em maio de 2008, um artigo de capa sobre o Êxodo. Nele, o articulista diz: "Esse roteiro parece ter mais furos que um queijo suíço. Para começar, nenhum documento egípcio ou de outros povos do antigo Oriente Médio traz qualquer menção a José, ao faraó que o 'empregou' ou à fuga em massa dos israelitas".[3] Nisso, a matéria cita a opinião do professor Airton José da Silva, docente de Antigo Testamento do Centro de Estudos da Arquidiocese de Ribeirão Preto: "Isso é um problema grave. O argumento de que os egípcios não registravam derrotas é falso: a saída de um pequeno grupo nem era um revés, e eles relatavam derrotas, sim, mesmo quando diziam que tinha sido um empate".[4]

É verdade que, em algumas listas e estelas como a de Merneptá, os nomes dos inimigos do faraó são mencionados, mas o que o professor não notou nos exemplos dados, é que ali estão referenciados cidades e povos,

---

[3] Reinaldo José Lopes. "Por que há tão poucas evidências históricas do Êxodo?" in **Super Interessante**, 31, out. 2008. Disponível em: https://super.abril.com.br/historia/por-que-ha-tao-poucas-evidencias-historicas-do-exodo/", acessado em 01/07/2022.

[4] Idem.

não nomes próprios. Esses, com raríssimas exceções, eram apagados e por isso não encontraremos nem Moisés nem José citados nominalmente em seus monumentos.

Além disso, leve-se em conta que, durante o período da escravidão, os hebreus não eram ainda uma nação a ser combatida, já que não tinha glória nenhuma um faraó escrever que derrotou os escravos de seu próprio reino, gente que não tinha exército nem poder de enfrentá-lo. Seria o mesmo que publicar no diário oficial que seu filho foi eleito por você e sua esposa como o bebê mais lindo do mundo. E, o que é pior, o faraó foi derrotado pelo deus de seus escravos. Quem gostaria de pôr isso nos anais da história? Mas, para não ficar apenas no campo da negação do argumento, podemos responder com uma pergunta: O que seria mais fácil desaparecer da história egípcia: o nome de Moisés, um hebreu que virou desertor, ou o nome de um faraó legitimamente entronizado?

Nomes apagados

Para a surpresa de muitos, a história do Egito é constituída de uma gama de faraós que desapareceram por completo sem deixar rastros e outros cuja existência só foi conhecida por um único artefato. Como é o caso do faraó Nuya, que pertenceu talvez à 14ª ou 15ª dinastia; ele é evidenciado apenas por um selo cuja procedência é incerta. Adicionalmente, se não fosse a grafia de cinco selos desse mesmo estilo, e uma parte fragmentada no papiro da lista de Turim, jamais teríamos conhecimento da existência de Apepi I, o último faraó hicso.

A pedra de palermo, comprada em 1859 por um comerciante italiano e levada para o museu de Palermo na Itália, embora fragmentária, é a única evidência que se tem de uma lista de soberanos que governaram a região do Delta do rio Nilo antes da

Cópia do selo escaravelho do faraó Nuya, única evidência de sua existência como faraó.

unificação. Esses faraós não constam na Lista Real de Mâneto e em nenhum outro monumento egípcio.

Em 2014, arqueólogos da universidade da Pensilvânia descobriram um sarcófago em Abidos. Num dos rebocos havia um nome que se lê Senebecai, um faraó do Segundo Período Intermediário, de existência desconhecida[5], revelando uma dinastia independente em Abidos. Até mesmo, Aquenáton, Tutancâmon e Hatshepsut por pouco não tiveram seu nome apagado da história; suas tumbas foram praticamente a única coisa que os arqueólogos encontraram deles e, mesmo assim, sua descoberta só se deu no século XX.

Tendo em vista que faraós desapareceram, não é exagero dizer que José, Moisés e outros personagens do Êxodo possam ter sido apagados da história egípcia sem deixar rastros. Pois se foi assim com os grandes monarcas do Egito, por que não seria o mesmo com Moisés? Um dia, quem sabe, Deus permita que encontremos algo a seu respeito; por ora, a falta de evidências diretas não é um argumento contra a historicidade do livro. Caso contrário, jogaríamos fora toda a lista de Palermo ou a lista de Mâneto, que trazem nomes faraônicos dos quais não se tem nenhum vestígio arqueológico que comprove seu reinado.

O motivo do desaparecimento fácil de registros egípcios – apesar do muito que já se encontrou – estaria na forma como eles lidavam com o nome de uma pessoa, especialmente se ela fosse tida como opositora ou inimiga. O nome próprio para os egípcios era algo muito importante, que extrapolava o simples exercício de apenas chamar uma pessoa. O nome continha a essência do ser. Mesmo ao adentrar no paraíso do mundo dos mortos, chamado de o Aaru, a própria existência da pessoa dentro desse "paraíso" dependia de por quanto tempo o nome do indivíduo fosse lembrado no mundo dos vivos. Ainda que o corpo, a tumba e todos os demais artefatos e vestígios da passagem da pessoa pela terra fossem apagados da

---

[5] "Giant Sarcophagus Leads Penn Museum Team in Egypt to the tomb of a previously unknown pharaoh" in **Penn Museum**. Disponível em: https://www.penn.museum/about/press-room/press-releases/370-pharaoh-senebkay-discovery-josef-wegner, acessado em: 07/07/2022.

história, enquanto seu nome fosse lembrado no mundo dos vivos, ele permaneceria vivo no mundo dos mortos.

De fato, alguns estudiosos defendem a teoria de que a crença do período versava que, a cada vez que pronunciamos ou lemos o nome de uma pessoa morta, ela recebe pão e cerveja no outro mundo, para que possa se alimentar e continuar vivendo a eternidade. O esquecimento de seu nome representaria sua aniquilação total. Portanto, não é por acaso que encontramos evidências de nomes de pessoas comuns e até de faraós apagados após suas mortes, com o objetivo de fazer com que antecessores ou desafetos fossem apagados, esquecidos e aniquilados completamente.

É famosa entre os egiptólogos a conspiração do harém de Ramessés III da 20ª dinastia, que foi organizada para matá-lo. Interessante que, no papiro judicial que relata o caso, os inimigos do faraó não são chamados pelo seu verdadeiro nome; antes recebem apelidos como: Pay-Bak-Kamen ("este servo cego"), Mesedj-Su-Rá ("Rá o odeia"), Bim-em-Uaset ("maligno de Tebas"), e Pa-Ra-Kamnef ("cegado por Rá").[6] Não é preciso ser um especialista no assunto para entender que ninguém colocaria um nome assim no seu filho. Essa certamente foi uma forma de fazer com que caíssem no esquecimento. Sem contar que o nome da esposa conspiradora, também foi retirado do templo de Medinet para não ser jamais pronunciado. Por isso não é de surpreender que o nome de Moisés e de José não constem em nenhuma parede ou papiro egípcio nem mesmo o evento do Êxodo. Ao contrário, seria admirável se estivessem.

---

[6] Alexandre Loktionov. "Convicting 'Great criminals': a new Look at Punishment in the Turin judicial papyrus" in **Égypte nilotique et méditerranéenne**, n. 8 (2015), p. 109.

A 18ª dinastia

O escritor Mâneto, que viveu no Egito no século III a.C., afirmou que, após a expulsão, os hicsos vaguearam pelo deserto até fundarem a cidade de Jerusalém. Foi com base nessa fonte que o historiador judeu Flávio Josefo, no primeiro século de nossa era, afirmou que os hicsos eram de fato os israelitas saídos do Egito. Ainda que os historiadores modernos façam uso das listas faraônicas mencionadas por Mâneto e Josefo a fim de datar as dinastias egípcias, nesse quesito é difícil crer em suas palavras. Os hicsos nunca foram escravos no Egito, sem contar o fato de que sua história e a data de sua expulsão não se harmonizam com o relato narrado no Êxodo.

Tudo leva a crer que a escravidão dos hebreus no Egito tenha ligação com os eventos ocorridos após a expulsão dos hicsos do poder. Uma das coisas que ficaram bem claras nos primeiros tempos da 18ª dinastia era o medo que seus monarcas tinham de que o poder caísse novamente nas mãos de estrangeiros. A lembrança hicsa ainda era presente e eles não queriam mencionar nada que dizia respeito a ela.

Não podemos nos esquecer que o império hicso, sob o qual provavelmente vivera José, foi marcante para a história do povo hebreu e serviu de elo entre o fim do Gênesis e o início do livro do Êxodo. Voltando um pouco na história, vimos que, em certo período, enquanto o Egito estava em crise política, os hicsos estavam se desenvolvendo em todos os aspectos políticos. Assim, quando efetuaram a invasão, não encontraram muitas dificuldades em ali se fixar. Essa relação entre hicsos e egípcios, habitando o mesmo território, foi por um tempo pacífica, ou melhor, tolerante. Ambas as sociedades tinham uma boa relação entre si até que conflitos começaram a acontecer. Foi aí que, finalmente, após uma grande série de batalhas, o estado egípcio saiu vitorioso e, a partir disso, consolidou ainda mais o império.

O grande responsável pela derrota dos hicsos foi Amósis, o último descendente da 17ª dinastia de Tebas; e como o faraó de um Egito agora unificado, ele inaugura uma nova dinastia e uma nova fase da história egípcia – o Novo Império – a era na qual o Egito alcançou o auge de seu poder. Embora se tenha pouca documentação de seu governo, sabe-se que Amósis tinha cerca de 7 anos quando seu pai foi morto pelos hicsos, e assumiu o trono com 10 anos, depois da morte inesperada de seu irmão, Camés.[1] Durante seu reino, ele não apenas completou a vitória sobre os hicsos, como vingou a morte de seu pai. Mesmo após a saída dos hicsos do Egito, ele ainda continuou combatendo milícias hicsas que permaneciam isoladas. Amósis se tornou um rei movido por sentimentos xenofóbicos; ele tinha raiva dos estrangeiros que viviam no Egito, ainda que tenha tolerado a presença de alguns assentamentos asiáticos. Talvez por isso os hebreus e povos de outras etnias tenham continuado morando em Avaris mesmo depois da expulsão dos hicsos dali. Contudo, ele invadiu a região de Canaã e obrigou os assentamentos locais a lhe pagarem tributos.

Uma das formas de evitar que o poder caísse em mãos alheias era propor casamentos consanguíneos entre os próprios membros da corte, muitas vezes casando irmão com irmã. Assim, Amósis casou-se com Amose Nefertari, uma de suas irmãs. Com ela teve vários filhos e filhas, entre eles a menina Meritamon e Amenhotep I, seu sucessor no trono. Esses dois

---

[1] Shaw. **The Oxford history of Ancient Egypt**, p. 199.

também se casaram, mas não deixaram herdeiros vivos para os suceder, por isso, após sua morte, Tutmés I assumiu o trono. Não se sabe ao certo de que linhagem veio Tutmés, mas ele casou-se com Amose, possivelmente uma das irmãs de Amenhotep I.[2] Juntos eles tiveram vários filhos, que morreram ainda criança, sobrevivendo apenas uma filha chamada Hatshepsut. No entanto, era costume que os faraós tivessem várias esposas, além daquela considerada a esposa principal, também chamada de Grande Esposa Real. Assim, Tutmés I gerou, com sua concubina Mutnefret, um filho menino, que o sucedeu como Tutmés II. A quem Tutmés II se casou com a meia-irmã Hatshepsut , algo que deve ter causado muitos conflitos na família, segundo inscrições deixadas pela própria Hatshepsut.

Para piorar a história, Hatshepsut só conseguiu ter uma filha, a quem chamou de Neferure, cujos dados biográficos ainda são incertos. Tutmés II, seu marido, seguindo o exemplo do pai, também tomou uma concubina chamada Ísis, e com ela teve um filho conhecido como Tutmés III.

Embora o concubinato fosse socialmente aceito, a união legal era o casamento monogâmico. Os filhos nascidos de outra mulher que não a esposa principal eram inferiores e precisavam ser adotados para ter reconhecimento. Tutmés II, então, adotou seu único filho homem, fazendo dele o faraó sucessor.

Dentro desse contexto, não é difícil imaginar a pressão moral e psicológica que estaria pairando sobre a jovem rainha Hatshepsut. Ela não estava feliz com sua perspectiva de vida. Além de suportar um casamento forçado com seu meio-irmão bastardo, havia risco de ver o filho da concubina de seu marido ocupando o trono do Egito, que, por direito sanguíneo, ela considerava seu.

Não se sabe ao certo com quantos anos Hatshepsut se casou, mas tudo indica que foi um pouco antes, ou logo após, o início do reinado de Tutmés II, que se deu mais ou menos em 1517 a.C.; isso significa que ela teria em torno de 12 a 15 anos quando se tornou consorte do novo rei.

---

2 Gardiner. **Egypt of the pharaohs**, p. 176.

Tutmés II foi um homem frágil. Sua múmia revela que ele era um sujeito doente e debilitado. Não fez grandes monumentos e não guerreou contra os inimigos. As três grandes vitórias de seu reinado se deveram a seus generais, pois ele preferia passar quase todo o tempo no palácio. Por causa dessas situações e de outras políticas adotadas em seu reino, muito arqueólogos creem que Hatshepsut foi o verdadeiro poder por trás de seu governo.[3]

Acerca da filha deles, Neferure, pouco é sabido. Alguns pensam que se casou com Tutmés III, outros que morreu solteira antes mesmo de sua mãe. É difícil precisar sua biografia. Contudo, quando Tutmés II morreu, Tutmés III era muito jovem para reinar. Por isso, Hatshepsut tornou-se sua tutora, mais tarde, sua co-regente, até finalmente se declarar faraó. Segundo inscrições deixadas pela própria Hatshepsut, ela se considerava a legítima sucessora de Tutmés I, e tê-la como faraó era não só a vontade de seu pai, desde seu casamento com Tutmés II, como também dos deuses.[4] Por isso, Tutmés III teve pouco poder sobre o império, enquanto Hatshepsut assumiu a realeza. Seu governo foi bastante próspero e marcado por grandes avanços.

Após a morte dela, Tutmés III finalmente assumiu o controle total do Egito como o único faraó soberano. Ele é responsável por criar o maior império egípcio já visto. Realizou mais de 17 campanhas militares e conquistou muitas terras, cobrindo desde a Síria até a Núbia. Por isso, ele ficou conhecido como o maior faraó militar de todos os tempos.

Enfim, sendo a primeira dinastia do Novo Império, a 18ª dinastia foi uma era em que o Egito alcançou o auge do seu poder, cobrindo um período de cerca de 250 anos (c. 1570-1290 a.C.). Contando com Hatshepsut, essa dinastia teve um total de 15 faraós, alguns dos quais estão entre os mais conhecidos na cultura popular, tais como: Tutancâmon, seu pai Aquenáton, Tutmés III e a própria Hatshepsut.

Após Tutmés III, ainda surgiram outros oito faraós, mas nosso foco não é relatar a vida e ascensão de cada faraó dessa dinastia. Veremos um pouco sobre alguns desses mais adiante, mas o mais importante agora é entender onde o êxodo israelita se encaixa com tudo isso.

---

[3] Shaw. **The Oxford history of Ancient Egypt**, p. 236.
[4] Adolf Erman. **Life in Ancient Egypt**. Londres: Macmilian and Company, 1894, p. 43.

Faraó	Reinado
Amósis I	1576-1551
Amenhotep I	1551-1530
Tutmés I	1530-1517
Tutmés II	1517-1504
Hatshepsut	1504-1483
Tutmés III	1504-1450
Amenhotep II	1452-1417
Tutmés IV	1417-1390
Amenhotep III	1390-1352
Aquenáton	1352-1336
Semencaré	1338-1336
Tutancâmon	1136-1327
Ay	1327-1323
Horemebe	1323-1295

Lista cronológica dos reinados dos faraós da 18ª dinastia[5].

A data do êxodo: o Grande Ramessés II

Após essa abertura introdutória sobre os faraós iniciais que compõem a 18ª dinastia, a pergunta é: onde Moisés e o êxodo bíblico entram nessa história? Uma das questões mais interessantes acerca da história do Antigo Testamento diz respeito à data do êxodo e ao faraó que fez parte desse evento. Em 1989, Joe LoMusio, professor de Antigo Testamento na Califórnia, escreveu um artigo no qual provê uma série de argumentos bem fundamen-

---

[5] Essa tabela foi criada com base na cronologia revisada da 18ª dinastia conforme proposta por Edward Wente e Charles Van Siclen III em "A Chronology of the New Kingdom", in **Studies in honor of George R. Hughes**. Chicago, IL: The Oriental Institute, 1977, p. 217-261. É preciso estar ciente de que diferentes estudiosos apresentam datas distintas para o período de vida/reinado dos faraós.

tados, com evidências consideráveis de que Moisés teria vivido durante a 18ª dinastia.[6] Mas para entendermos essa ideia, temos de voltar um pouco e conhecer as duas teorias mais comuns que são propostas para a datação do êxodo. As quais comumente são chamadas de: cronologia recente (c. 1260 a.C.) e cronologia tardia (c. 1447 a.C.).

Muitos comentaristas pensam que o êxodo bíblico se deu no século XIII e o faraó da opressão seria Ramessés II, da 19ª dinastia – essa é a visão mais popular e seguida na maioria dos filmes bíblicos de Hollywood. A base para essa suposição é estabelecida principalmente a partir de Êxodo 1:11, que menciona uma construção feita pelos israelitas em nome desse faraó. O texto diz: "E os egípcios puseram sobre eles feitores de obras, para os afligir com trabalhos pesados. E assim os israelitas construíram para Faraó as cidades-celeiros de Pitom e Ramessés".

De acordo com os egiptólogos, após o último cerco empreendido por Amósis sobre Avaris, a cidade foi deixada em ruínas. Os faraós da 18ª dinastia estabeleceram sua capital em Tebas e o complexo de Avaris foi praticamente abandonado, embora algumas áreas, como o templo de Set, ainda permanecessem em uso.[7] Porém, tempos mais tarde, Ramessés II construiu sua nova cidade real, chamada Pi-Ramessés, há cerca de 2 quilômetros ao norte da antiga Avaris. Assim, Pi-Ramessés sobrepôs-se a ex-capital hicsa, e partes da velha cidade foram usadas pelos novos habitantes, tais como o cemitério e o seu famoso porto marítimo que foi reativado.[8]

É sabido que Pi-Ramessés tornou-se uma grande cidade egípcia, rivalizando inclusive com Tebas. Toda sua grandeza e tamanho fizeram de Pi-Ramessés muito mais famosa do que Avaris jamais foi. Isso nos faz pensar que, apesar de Ramessés II ter usufruído de um longo reinado de 66 anos, é de se supor que toda essa proeminência adquirida pela cidade tenha começado muitos anos antes dele.

---

[6] Joe LeMusio. "The exodus pharaoh" in **Archaeology and Biblical research**, v. 2, n. 3 (verão, 1989), p. 80-93.
[7] Manfred Bietak; Irene Forstner-Müller. "The topography of New Kingdom Avaris and Per-Ramesses" in Mar Collier; Steven Snape (eds.). **Ramesside studies in honour of K. A. Kitchen**. Bolton, Lancashire: Rutherford Press, 2011, p. 27-28.
[8] Mieroop. **A history of Ancient Egypt**, p. 125.

Não se sabe ao certo por que Pi-Ramessés foi instituída como a nova capital, precisamente na mesma região da antiga Avaris. Muitos pensam que talvez seja porque a localidade era especial para o faraó, já que Ramessés fora nascido e criado nos arredores daquela região; além disso, é provável que o rei tenha visto ali um local estratégico, seja no âmbito comercial seja no militar, pois era de fácil acesso às terras vizinhas. Há quem pense, no entanto, que a cidade teria começado a ser reerguida muito tempo antes de Ramessés, talvez com o intuito de apagar a memória dos hicsos ou mesmo de vigiar a região e os estrangeiros não-hicsos que permaneceram por lá; e assim evitar qualquer possível insurreição de sua parte. Seja como for, não seria surpresa se, devido à reurbanização do local anos depois, Ramessés II tirasse vantagem das construções feitas por monarcas anteriores e assumisse a cidade como um empreendimento unicamente seu – conforme sabemos ser seu costume fazer isso. Assim, ele teria proclamado a cidade como Pi-Ramessés, ou seja, "Casa de Ramessés".

Um papiro da coleção Anastasis, que está no Museu Britânico, menciona textualmente uma cidade chamada Pi-Ramessés e outra chamada Pi-Atom, que poderiam ser as mesmas Ramessés e Pitom de Êxodo 1:11. O texto do papiro menciona também uma terceira região chamada Tjeku, que muitos sugerem ser Sucote, uma cidade que parece estar nos arredores da bíblica Ramessés (cf. Êx 12:37; Nm 33:5). A identificação dos lugares mencionados com aqueles vistos no livro do Êxodo parece muito evidente: Pitom, Ramessés e Sucote. Vários especialistas apontam a região de Qantir (sítio atual de Pi-Ramessés), próximo a Tell el-Dab'a (sítio de Avaris), sendo a cidade bíblica mencionada como Ramessés, a qual os hebreus ajudaram a construir, enquanto Pitom poderia ser o sítio de Tell el-Retaba, localizado há cerca de 40 quilômetros de distância dali.

De fato, o papiro menciona a presença de asiáticos ou semitas na região, a quem os egípcios chamavam de Shasu[9]: "Acabamos de permitir que o clã Shasu de Edom passe pelo forte de Mernept́á [...] que está em Tjeku, que

---

[9] Shasu é o termo usado pelos egípcios para designar os grupos de povos nômades que viviam nas regiões semiáridas e/ou desérticas ao sul e ao sudeste da terra de Canaã.

chegue ao poço de Pi-Atom de Merneptá [...], para manter vivo a eles e ao seu gado, pela vontade do faraó".[10] Muitos pensam que essa passagem é uma referência ao êxodo, mas não parece plausível pensar assim, pois a autorização relatada no texto aparenta ser amigável e não combina com o comportamento forçado do faraó durante o êxodo, o qual perseguiu hostilmente os israelitas (Êx 14:5-10).

Além disso, na Bíblia, Pi-Ramessés é mencionada simplesmente como Ramessés, sem o prefixo "Pi"; por causa disso alguns duvidam que, de fato, as duas sejam a mesma localidade. Vale ressaltar que o termo *pi* é a forma hebraica para se referir à palavra egípcia *per*, que significa "casa", como em como em Pitom ou Pi-Basete (Êx 1:11; Ez 30:17). Embora a presença desse prenome não seja imprescindível. Por exemplo, Números 32:38 faz menção de um lugar chamado de Baal-Meom, porém, o mesmo local, em Josué 13:17, é reconhecido como Bete-Baal-Meom, onde *bete* é a transliteração portuguesa para a palavra hebraica que designa "casa". Ou seja, a ausência ou presença do prefixo "casa" nem sempre parece obrigatório. O nome de uma cidade pode aparecer de modo completo ou abreviado, assim, Pi-Ramessés e Ramessés poderiam perfeitamente ser a mesma cidade. Por outro lado, não existe nenhum indício de que a cidade de Ramessés tenha sido construída por mão de obra escrava, nem de que fora uma cidade importante para estocagem de alimentos ou que tenha havido sobre ela alguma comunidade israelita em qualquer época de sua história.

De qualquer modo, não resta dúvida de que Ramessés II foi um dos reis mais importantes da história egípcia, não apenas por, de fato, ter sido, como porque ele mesmo fez transparecer que sim, devido à enorme quantidade de inscrições, estátuas e construções em seu nome por todo o Egito. Por causa desse reconhecimento e fama que foram deixados por ele na história, é mais fácil supor que algum escriba israelita, vivo durante ou após a época do grande faraó, atualizou os nomes no texto bíblico, a fim de tornar a história mais vívida para os leitores de seu próprio tempo. Vale lembrar, por exemplo, que em Gênesis 47:11, Jacó e sua família foram estabelecidos na terra de Rames-

---

[10] Pritchard. **ANET**, p. 259.

sés. Mas de forma alguma eles teriam vivido no mesmo período de Ramessés e, consequentemente, de Moisés e do êxodo. Antes, o nome do grande faraó ali deve ser entendido como uma atualização do texto, feita anos à frente por algum escriba ou editor. O mesmo ocorre em Gênesis 14:14, que conecta Abraão a uma cidade por nome Dã; porém, sabe-se que, na época de Abraão, aquela localidade não se chamava Dã, mas Laís (Jz 18:29) ou Lesém (Js 19:47). O nome Dã foi adotado somente muito tempo depois, já na época dos juízes. O que acontece é mais um caso de atualização escribal feita para facilitar a compreensão dos novos leitores. Seria como um historiador moderno dizer que Pedro Álvares Cabral descobriu o Brasil em 1500, mas não havia nenhum lugar chamado Brasil nessa época; o que ele descobriu foi uma terra que apenas muitos anos depois viria a se chamar Brasil. Não sabemos em que momento da história essas edições teriam acontecido, apesar de alguns sugerirem que teria sido na época de Esdras. Seja como for, note que o objetivo desses possíveis editores antigos jamais fora o de modificar o texto bíblico original, mas, ao contrário, de torná-lo mais familiar e contextualizado à realidade dos leitores de época – visando com que esses leitores conectassem as histórias antigas de seus antepassados com lugares reais, porém familiares a eles dentro de seu tempo, em vez de locais também reais, mas agora esquecidos e vagos, já que não eram mais conhecidos para os novos leitores daquele período histórico. Dessa perspectiva, faz sentido que essas adaptações tenham ocorrido na época de Esdras e Neemias, uma vez que a reconstrução da identidade e do nacionalismo do povo foi característico das ações desses líderes ante um povo que havia se tornado alheio e alienado à sua própria terra e cultura por cerca de 70 anos (cf. Ne 8:1-18; 13:1-31). Portanto, não é porque o texto menciona o nome de Ramessés que automaticamente devemos datar o evento em questão com o tempo desse faraó. O nome de Ramessés no relato bíblico não deve ser visto no sentido cronológico, mas simplesmente como um ponto de referência, já que à época do possível editor bíblico, as regiões onde os eventos do êxodo ocorreram eram mais famosas por outros nomes.

Mesmo que pudéssemos questionar a possibilidade de Moisés ter nomeado os lugares mencionados por ele no Pentateuco de acordo com os termos usados em sua época, ou seja, como sendo a de Ramessés, ainda assim muitas datas e eventos também registrados por ele não se encaixam a esse período, conforme veremos a seguir.

A data do êxodo: 18ª dinastia

Uma análise cuidadosa do próprio texto bíblico desestimula a localização do êxodo na época de Ramessés e da 19ª dinastia. O texto de 1 Reis 6:1 diz: "No ano quatrocentos e oitenta, depois que os filhos de Israel saíram do Egito, Salomão, no quarto ano do seu reinado sobre Israel, no mês de zive, que é o segundo mês, começou a edificar a Casa do Senhor". O reinado de Salomão, por ser mais recente e cercado de mais apoio histórico, é mais fácil de datar, por isso, a maioria dos acadêmicos o situa por volta de 970 a.C., o que nos leva a 967 a.C. como o 4º ano de seu reinado.[11] Por outro lado, Ramessés II teria governado o Egito entre 1279 e 1213 a.C.; assim, se na época da construção do Templo de Salomão tivessem passado 480 anos desde o êxodo, a data do êxodo seria algo em torno de 1447 a.C. (967+480), época em que viveram os faraós da 18ª dinastia e não da 19ª, como foi Ramessés II.

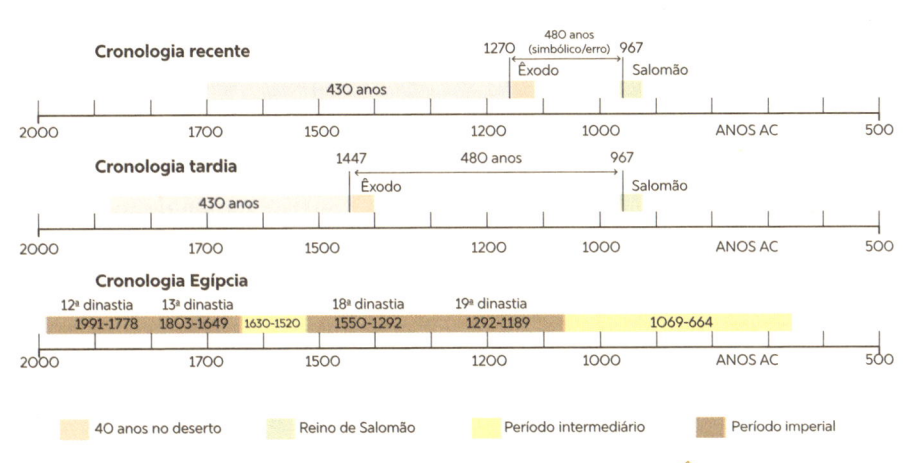

Linha do tempo comparativa entre as diferentes datas para o Êxodo e a cronologia egípcia tradicional.

Igualmente, de acordo com Juízes 11:26, até à época de Jefté (algo em torno de 1100 a.C.) é dito que Israel já tinha passado 300 anos na terra

---
11 Kitchen. **On the reliability of the Old Testament**, p. 202-203.

prometida. Isso coloca o período dos juízes entre 1400 e 1100 a.C. Levando, porém, em consideração os 40 anos do deserto, chegamos a uma data aproximada de 1440 a.C. para o êxodo, ou seja, novamente o período da 18ª dinastia. Além disso, Atos 13:20 menciona a época dos juízes como um período de 450 anos, desde Moisés a Samuel. Sendo que esse último viveu por volta de 1000 a.C., mais uma vez chegamos em algo ao redor de 1450 a.C. Em outras palavras, todas essas passagens indicam uma data para o êxodo como algo em torno de 1440 a 1450 a.C., e não dentro do século XIII a.C. como advoga a cronologia recente.

Temos mais evidências de livros e autores diferentes apoiando uma data tardia do que o contrário. Então, por que tomar uma única passagem como Êxodo 1:11 e ignorar tantas outras? Ou melhor, por que há tanta resistência em aceitar o século XV a.C. como a possível época do Êxodo?

Veja, o grande problema está em determinar o período de início dos 400/430 anos de aflição conforme determinado por Deus a Abraão em Gênesis 15:13. Entre as muitas dúvidas levantadas, duas são, pelo menos, cruciais: primeiro, são 400 ou 430 anos? E, segundo: o início da contagem desse período seria desde o próprio Abraão, ou a partir do momento em que seus descendentes entraram no Egito? É a partir dessas perguntas e suas respostas que os problemas começam.

Aqueles que alegam que a data de início deve ser a partir da entrada dos israelitas no Egito divergem se o começo consiste na ida de José ou na chegada de Jacó e sua família. A diferença, de qualquer forma, é pequena, cerca de 20 anos aproximadamente. Essa afirmação tem como base o texto de Gênesis 15:13, mas principalmente Êxodo 12:40, segundo o qual: "Ora, o tempo que os filhos de Israel habitaram no Egito foi de quatrocentos e trinta anos". Êxodo 12:40 se torna, por isso, um texto problemático, e realmente de difícil compreensão, pois parece afirmar que o tempo total de escravidão, ou seja, de permanência dos israelitas no Egito, foi de 430 anos completos. Assim, se seguirmos a data de 1 Reis 6:1, que situa o êxodo em torno de 1447 a.C., então, somando-se 430 anos, o povo de Israel teria entrado no Egito, com Jacó e sua família, por volta de 1877-1897 a.C. – período correspondente à 12ª dinastia durante o Médio Império. Por conta disso, Abraão, que viveu 190 anos antes de Jacó, teria chegado à terra de Canaã ao redor de 2067 a.C.

Em outras palavras, precisamos estar cientes de que, se essa contagem estivesse certa, o povo de Israel teria passado por pelo menos três períodos da história egípcia, a saber: Médio Império, Segundo Período Intermediário e o Novo Império.

O grande problema com essa análise é que 400 anos de servidão é um período muito longo para que o Egito fosse completamente silente sobre a presença do povo de Israel em suas terras. Mesmo na época da dominação hicsa, não há qualquer nota acerca dos israelitas como escravos. Na verdade, seria questionável que, durante o domínio hicso, eles mantivessem a escravidão sobre os israelitas. Consequentemente, a compreensão de 400/430 anos integrais no Egito é inconsistente com os dados genealógicos descritos em Gênesis 46 (linhagem de Rúben e Judá) e Êxodo 6 (linhagem levita). Em outras palavras, esses textos sugerem que o período de habitação israelita no Egito foi muito inferior a 430 anos, já que o número de gerações desde a entrada de Jacó até o êxodo deveria ser muito maior do que o mencionado por esses textos.

A fim de explicar a discrepância entre o número de anos: 400 em Gênesis e 430 em Êxodo, os antigos rabinos sugeriram que Deus transmitiu a profecia a Abraão 30 anos antes do nascimento de Isaque.[12] Apesar de haver pequenas incongruências na proposta rabínica, ainda assim, os intérpretes mais antigos parecem ser unânimes em tentar harmonizar Gênesis 15 e Êxodo 12, ao marcar o início dos 400/430 a partir de Abraão e não da entrada de Jacó no Egito.

Além desses estudiosos, outras interpretações, ainda mais antigas, como a Septuaginta e o Pentateuco Samaritano, bem como o próprio texto bíblico em Gálatas 3:17, entendem que os 400/430 anos devem ser contados a partir do tempo de Abraão na terra de Canaã. Desse modo, 1877 a.C. seria,

---

[12] Rashi sobre Gn 15:13; Seder Olam 1; Mechilta de Rashbi sobre Êx 12:40; Mechilta de Rabi Ismael, "Masechta de Pascha" 14. Cf. David R. Blumenthal. "The rabbinic chronology of Lech Lecha" in **The Torah**, disponível em: https://www.thetorah.com/article/the-rabbinic-chronology-of-lech-lecha, acessado em 13/07/2022.

então, o tempo em que Abraão entrou na terra da promessa. Nessa perspectiva, os antigos intérpretes sugeriram dividir os 430 anos em dois períodos de 215 anos: o primeiro, quando Abraão e seus descendentes peregrinaram em Canaã (c. 1887 a 1662 a.C.), e o segundo, quando permaneceram no Egito (c. 1662 a 1447 a.C.). Aliás, vale lembrar que a terra de Canaã era relativamente de propriedade egípcia, uma vez que os egípcios, por muito tempo, controlaram a terra por meio de alianças mantidas com muitas cidades e vilas cananeias.

Naturalmente, o nosso estudo não responde todas as questões, nem conecta perfeitamente todas as peças desse complexo quebra-cabeça, porém, precisamos começar de algum lugar. De modo que não é descrédito algum assumir que peças nos faltam, mas, em harmonia com a maior parte dos textos bíblicos, e detalhes histórico-arqueológicos adicionais, tudo nos leva a crer que o êxodo israelita ocorreu no século XV a.C. durante o período da 18ª dinastia.

Evento	Idade do Patriarca	Passagem	430 anos
Chamado de Abraão	Abraão: 75	Gn 12:1-4	0
Aliança + profecia dos 400 anos	Abraão: 75-85	Gn 15:13; At 7:6	0-10
Relação com Agar	Abraão: 85	Gn 16-3-4	10
Nascimento de Ismael	Abraão: 86	Gn 16:15-16	11
Nascimento de Isaque	Abraão: 100	Gn 21:5	25
Isaque é desmamado	Abraão: 105	Gn 21:8-9	30
Casamento de Isaque e Rebeca	Abraão: 140 Isaque: 40	Gn 24:1-67; 25:20	65
Nascimento de Esaú e Jacó	Abraão: 160 Isaque: 60	Gn 25:26	85
Morte de Abraão	Abraão: 175 Isaque: 75 Jacó: 15	Gn 25:7	100

Evento	Idade do Patriarca	Passagem	430 anos
Nascimento de José	Isaque: 151 Jacó: 91	Gn 30:23-24	176
Venda de José	Isaque: 168 Jacó: 108 José: 17	Gn 37:26-36	193
Morte de Isaque	Isaque: 180 Jacó: 120 José: 29	Gn 35:28-29	205
José se torna vizir do Egito	Jacó: 121 José: 30	Gn 41:46	206
Jacó desce ao Egito	Jacó: 130 José: 39	Gn 47:9	215
Morte de Jacó	Jacó: 147 José: 56	Gn 47:28-49:33	232
Morte de José	José: 110	Gn 50:26	286
Nascimento de Moisés	Moisés: 3 meses	Êx 2:1-10	350
Êxodo	Moisés: 80	Êx 12:40-41	430

Cronologia dos 400/430 anos.

Hatshepsut, a grande faraó mulher

A história do Êxodo é fragmentada, nem todos os egiptólogos estão de acordo em alguns detalhes. Uns, por exemplo, pensam que Hatshepsut foi criada junto com sua irmã chamada Nefrubiti, outros creem que ela seria a única filha do casal faraônico que sobreviveu à infância; todos os demais teriam morrido ainda em tenra idade. De qualquer modo, a história de Hatshepsut é cercada de enigmas e controvérsias, que têm intrigado os egiptólogos desde a descoberta de evidências de seu reinado e de sua existência. O fato é que ela foi notável e não passaria em branco pela história: uma das poucas mulheres a assumir o título de faraó, sendo a de reinado mais extenso. Mas sobretudo, devido sua época de existência e reinado, muitos creem que ela teria sido a filha do faraó que adotou o recém-nascido Moisés, conforme descrito em Êxodo 2:5-10.

De rainha a faraó

Hatshepsut, cujo nome significa "a principal das mulheres nobres", tem uma história que realmente faz jus ao nome. Apesar de, às vezes, ser citada como a primeira faraó mulher do Egito, ou a única, na verdade, houve outras que reinaram antes, como Merneite (c. 3000 a.C.) e Sobekneferu (c. 1807-1802 a.C.); e ainda Tausserte (c. 1191-1190 a.C.), depois dela. Mas mesmo não sendo a primeira nem a última, é, sem dúvida, a governante feminina mais conhecida do Antigo Egito depois de Cleópatra VII (c. 69-30 a.C.) e uma das monarcas mais bem-sucedidas da história egípcia.

Naturalmente, esperava-se que ela se tornasse a futura rainha do Egito. De modo que, após a morte do pai, quando tinha cerca de 12 a 15 anos, ela foi dada em casamento a seu meio-irmão Tutmés II, cuja mãe era uma concubina ou esposa de status inferior; uma prática comum da época, servindo unicamente para assegurar a continuação da linhagem real. Assim, durante o reinado de seu marido, Hatshepsut assumiu o tradicional papel de rainha e esposa principal.

Tutmés II reinou por 13 anos e, após sua morte, Tutmés III, o filho do rei com uma concubina real, tornou-se o favorito ao trono, já que Hatshepsut não havia gerado filhos homens. Porém, por ser muito pequeno para assumir o trono sem qualquer assistência, cerca de uns 3 anos apenas, Hatshepsut serviu como sua corregente. Inicialmente, Hatshepsut conduziu o papel tradicional de tutora real, até que, ao sétimo ano, por razões não claras, ela decidiu mudar as regras e assumiu definitivamente o papel de faraó do Egito.

Estátua de Hatshepsut em posição sentada.

Tecnicamente, Hatshepsut não usurpou o trono, já que Tutmés III nunca foi deposto e foi considerado como corregente dela durante todo seu reino. Ela ainda se referia a Tutmés III como rei, mas isso apenas no nome. Na verdade, ela sentiu que tinha tanto direito de reinar o Egito quanto qualquer homem; sua representação na arte deixa isso muito claro. Suas estátuas mostram sua proeminência real, enquanto Tutmés III é geralmente representado em menor escala atrás ou embaixo dela.

Como faraó, Hatshepsut atribuiu para si os cinco títulos reais. Ela começou a ser representada com o saiote tradicional de faraó, coroa de rei, e até mesmo com barba falsa e corpo masculino. Naturalmente isso não foi uma tentativa de enganar o povo para que pensasse nela como um homem, mas provavelmente um modo de reafirmar sua autoridade, uma vez que não havia um modelo feminino de rei nas imagens espalhadas pelo Egito, por isso ela usou a forma masculina tradicional para se autoapresentar.[1]

Hatshepsut nunca explicou por que se declarou faraó e como conseguiu apoio da elite. Contudo, sua aceitação bem-sucedida nessa posição foi, em parte, devido à sua capacidade de recrutar apoiadores influentes, e muitos deles já haviam sido funcionários leais a seu pai. Entre eles estava, por exemplo, Senenmut, um de seus conselheiros mais importantes, supervisor de todas as obras reais e tutor de sua filha Neferure. Sua influência foi tanta na família, que alguns chegam a especular que Senenmut teria sido amante da rainha, mas não existem evidências para isso.

Desde Amósis I, os reis egípcios buscavam expandir o reino e defender suas terras contra os inimigos que rodeavam as fronteiras egípcias. Mas o reinado de Hatshepsut foi relativamente pacífico, pois sua política externa era baseada no comércio e não na guerra. E, de fato, durante sua regência, o Egito prosperou significativamente.[2] Hatshepsut inaugurou projetos de construção que superaram em muito os de seus antecessores. O grande templo de Tebas cresceu ainda mais sob sua administração. Com a paz

---

[1] Bob Brier; Hoyt Hobbs. **Ancient Egypt**: everyday life in the land of the Nile. Nova Iorque: Sterling, 2013, p. 30.
[2] Shaw, **The Oxford history of Ancient Egypt**, p. 229.

mantida no Egito durante grande parte dos 20 anos de seu reinado, Hatshepsut foi capaz de explorar a riqueza dos recursos dos locais com os quais manteve relação.[3]

Entre seus principais interesses estavam o crescimento econômico do país e a construção de monumentos. Um deles, o magnífico templo mortuário de Deir el-Bahari, conhecido pelo nome egípcio Djeser-Djeseru ("o mais sagrado dos lugares sagrados"), está localizado na margem oeste do rio Nilo, perto do Vale dos Reis. Ele foi projetado para servir como seu monumento funerário, e o fez em homenagem a Amon-Rá; incluindo também uma série de capelas dedicadas a outros deuses como Osíris, Hator, Anúbis e ancestrais reais. Entre as capelas desses deuses, por exemplo, no segundo nível, encontra-se o santuário da deusa Hator, com o rosto de mulher e orelhas de vaca, que em sua mão segura um instrumento musical. No mesmo piso, o nascimento de Hatshepsut é retratado, cena essa às vezes chamada de "Colunata do Nascimento".

Por suas representações, é possível perceber que ela cresceu admirando tremendamente o pai, Tutmés I, mas, ao mesmo tempo, deliciando-se com a possibilidade de ser a filha divina de um relacionamento entre sua mãe, Amose, e o deus Amon. Essa afirmação fica bem clara com a existência de relevos nessa grandiosa tumba, em que ela aparece na presença dos deuses egípcios. Isso porque, visando legitimar sua decisão e posição, Hatshepsut não apenas se apresentou como esposa do deus Amon, mas também como filha dele. Ela alegou que sua existência, logo, sua ascensão como faraó, não foi um mero capricho ou rebeldia de sua parte, mas sim a vontade dos deuses, pois Amon havia aparecido para sua mãe na forma de seu pai Tutmés I e, assim, ela fora concebida.[4] De modo que, nos relevos, o deus impregna a rainha Amose e revela que Hatshepsut governaria o Egito.

No passado, o templo de Hatshepsut se erguia ao lado do rio Nilo com uma longa rampa que conduzia a dois níveis: 1) um pátio com árvores suspensas e pequenas piscinas, e 2) um terraço. Algumas dessas árvores,

---

[3] *Ibid.*, p. 230.
[4] Mieroop. **A history of Ancient Egypt**, p. 164-165.

Relevo no Templo de Amon, em Karnak, que mostra Hatshepsut recebendo a bênção dos deuses.

que enfeitavam o templo, foram trazidas de Punto, um local ao sul do Mar Vermelho, repleto de riquezas que fora explorado por Hatshepsut, e isso é considerado a primeira importação bem-sucedida de árvores de uma nação para outra da história. As estátuas de Hórus, em forma de falcão, flanqueiam a rampa. No terceiro nível, enormes estátuas de Hatshepsut compunham as colunas externas. Mais tarde, infelizmente, as estátuas e ornamentações foram roubadas ou destruídas, mas o templo já abrigou duas estátuas de Osíris, uma avenida de esfinge e muitas esculturas da rainha em diferentes poses – de pé, sentada ou ajoelhada.

Também em dedicação a Amon-Rá, porém no tempo de Karnak, ela erigiu um par de obeliscos enormes de granito vermelho, um dos quais está lá até hoje. Ainda em Karnak, ela reformou o salão hipostilo de Tutmés I e fez um santuário para o barco de Amon. Em Beni Hassan, mandou construir um templo esculpido na rocha. Além disso, no 9º ano de seu reinado, ela fez uma importante expedição à terra de Punto, trazendo de lá resina e árvores de mirra, ébano, ouro, marfim, peles de animais, entre outros. Um evento tão importante que foi registrado nas paredes de seu templo mortuário e pelas árvores de mirra plantadas nele.

Vista aérea do complexo de templos mortuários em Deir el-Bahari, próximo a Luxor.

Hatshepsut realizou projetos de construção por todo o Egito, não apenas em Deir el-Bahari e Tebas. Por isso, não é exagero dizer que ela excedeu em grandeza a todos os faraós, salvo unicamente Ramessés II. Tão vastos foram seus projetos arquitetônicos que, de fato, existem poucos museus de arte egípcia hoje que não tenham em exibição alguma peça pertencente a essa incrível rainha. Tudo isso nos dá uma boa ideia de quão grandiosa foi a administração feita pela grande Rainha Hatshepsut.

Morte, destruição e um dente

Perto do fim de seu reinado, Hatshepsut permitiu a Tutmés III participar cada vez mais dos assuntos de estado. Após a morte da rainha, Tutmés III assumiu totalmente o trono e governou o Egito sozinho por 33 anos. Porém, ao fim de seu governo, ele iniciou uma campanha para erradicar a memória de Hatshepsut. Por conta disso, infelizmente, muitas de suas obras foram exterminadas: suas estátuas foram derrubadas, seus monumentos foram desfigurados, seu nome foi removido da lista oficial de reis, e até mesmo um muro foi construído ao redor de seus obeliscos. Tudo o que restou são relevos retratando Tutmés III e cenas dos antigos egípcios explorando e transportando dois grandes obeliscos pelo rio Nilo. Todas as representações de Hatshepsut que foram destruídas foram mais tarde substituídas por imagens de Tutmés III.

Apesar de muitos acreditarem que esse esforço fora motivado por rancor ou vingança de sua parte, é mais provável que essa tenha sido uma iniciativa puramente política. Tutmés III estava garantindo que a sucessão fosse de Tutmés I, para Tutmés II, até chegar a ele, sem interrupção feminina, já que segundo a tradição egípcia, nenhuma mulher deveria ascender ao trono e assumir todo o poder e prerrogativa de um faraó. Fato pelo qual, mesmo mais tarde, escribas posteriores jamais a mencionaram, e seus muitos templos e monumentos foram frequentemente reivindicados como obras dos faraós seguintes.

Apontando diretamente para o túmulo de Hatshepsut, em Deir el-Bahari, o santuário de Amon fica atrás do pátio de terceiro nível. Porém, o túmulo da faraó, quando explorado pelos arqueólogos, já estava vazio. Seu corpo não permaneceu sepultado em seu templo mortuário, mas foi transportado para um túmulo no vizinho Vale dos Reis. Como e quando ela morreu era desconhecido até bem recentemente.

A maioria das múmias reais da 18ª e da 19ª dinastia foram removidas de seus túmulos originais no Vale dos Reis pelos sacerdotes da 21ª dinastia para um local secreto próximo ao complexo mortuário de Deir el-Bahari, pois visavam proteger as múmias da profanação e de possíveis ladrões de tumbas. Esse esconderijo de quarenta múmias deslocadas acabou sendo descoberto em 1871, por Abd el-Rasul, um pastor árabe que, ao procurar sua ovelha perdida, encontrou-a por acaso dentro de um poço repleto de túmulos faraônicos. Infelizmente, Rasul escondeu a descoberta das autoridades, vendendo e contrabandeando muitos dos tesouros guardados no local. Somente 10 anos mais tarde, em 1881, a polícia local foi notificada e encontrou lá mais de trinta tumbas e numerosos artefatos. Entre as múmias descobertas estavam: Amósis I, Amenhotep I, Tutmés I, Tutmés II, Tutmés III, Ramessés I, Ramessés II, Seti I, entre outros. Contudo, os restos mortais de Hatshepsut aparentemente não estavam entre eles, e os arqueólogos temiam que sua múmia tivesse sido perdida, contrabandeada, ou até mesmo, removida por Tutmés III.

No entanto, em junho de 2007, uma múmia do Vale dos Reis foi identificada publicamente como a rainha perdida. A múmia em questão havia sido encontrada, em 1903, por Howard Carter, o mesmo descobridor da tumba de Tutancâmon. Na tumba KV60, Carter encontrou duas múmias – uma estava em um sarcófago, e a outra estava estendida no chão. Como a tumba já havia sido saqueada na antiguidade, Carter a considerou de interesse marginal e a selou novamente. Contudo, em 1906, ele a reabriu para remover a primeira múmia que fora identificada como Sit-ra, enfermeira real de Hatshepsut, enquanto a segunda manteve no chão onde estava, por pensar ser alguma serva sem relevância. Mais de 80 anos depois, a múmia no chão despertou novo interesse, pois cogitou-se que ela poderia ser a múmia perdida de Hatshepsut, isso porque seu braço esquerdo estava dobrado de tal forma que parecia ser uma posição destinada exclusivamente aos membros da realeza. Além disso, ela usava uma máscara de madeira que se pensou ter sido usada para segurar uma barba falsa – do mesmo tipo usado por Hatshepsut em suas representações. Porém, tudo isso não passava de mera suposição e especulação.

No entanto, as desconfianças ganharam ritmo adicional após a descoberta de uma caixa de madeira contendo um fígado e um dente quebrado dentro dela. A caixa foi associada à Hatshepsut, pois do lado de fora continha um cartucho com seu nome. O egiptólogo Zahi Hawass tomou o dente a fim de combiná-lo com a mandíbula da múmia deitada no chão, suspeita de ser a rainha. Como um sapatinho de cristal, o dente se encaixou perfeitamente na mandíbula da múmia, confirmando as antigas suspeitas de que aquela poderia ser Hatshepsut. A múmia misteriosa não podia mais ser ignorada.

Foi então que, em 2007, a Dra. Angelique Corthals, egiptóloga biomédica da Universidade de Manchester – em conjunto com uma equipe do Centro Nacional de Pesquisa no Cairo – fez uma série de testes de DNA no corpo. O grupo então comparou as amostras de DNA com aquelas retiradas das múmias de parentes reais de Hatshepsut – sua avó Amose Nefertari, a grande matriarca da 18ª dinastia, e seu pai Tutmés I. Comprovando por definitivo o que todos já suspeitavam: aquela era de fato Hatshepsut.

Legenda: Caixa de madeira e marfim contendo o resto mumificado do fígado e um dente molar de Hatshepsut.

É possível que você esteja se perguntando o que um dente (e um fígado) fazia separado dentro de uma caixa. Bom, naquele tempo não era incomum algum parente ou cuidador de um faraó guardar algo de seu corpo no momento da mumificação. Podia ser um pedaço de cabelo, um dedo, ou, nesse caso, um dente da rainha. De qualquer modo, foi graças à essa iniciativa de quem quer que seja que fez isso que ajudou a identificar o corpo abandonado da rainha.

Análises de seu cadáver revelaram que ela morreu na casa dos 50 anos. Quanto à causa, os cientistas especulam duas possibilidades: 1) um tratamento com uma pomada usada por ela para aliviar uma condição genética crônica de pele, o qual poderia conter um ingrediente tóxico que lhe causou câncer; e 2) um abscesso na boca, causado após a extração de um dente e que a teria matado, por estar debilitada pelo câncer. Além disso, os exames revelaram que fora o câncer ósseo metastático, ela sofreu de várias outras enfermidades, como problemas dentários, artrite e diabetes.

Os destroços de muitas de suas obras profanadas por Tutmés III foram depositados bem próximo de seu templo em Deir el-Bahari, cujas escavações, assim como a ressurreição do conhecimento do idioma egípcio, possibilitaram a leitura das inscrições dentro de seu templo. A crença egípcia de que se vive enquanto seu nome é lembrado é perfeitamente exemplificada pela história de Hatshepsut. Sua memória foi apagada e seu nome relativamente destruído. Seu nome foi perdido da história egípcia a ponto de ser totalmente esquecido nas eras seguintes e assim permaneceu por séculos, até ser encontrado por Champollion, no século XIX, e por muitos outros estudiosos depois dele. O nome Hatshepsut pôde ser ouvido novamente até assumir seu lugar de direito como um dos maiores faraós que o Egito já teve. Aquela menina que um dia teve compaixão ao salvar das águas o salvador do povo de Deus foi honrada por Sua compaixão em não permitir que seu nome fosse apagado do tempo.

15

Surge um libertador

Tirado das águas

Com base na data do êxodo estabelecida pela cronologia tardia, muitos imaginam que o nascimento de Moisés teria ocorrido em torno do ano 1527 a.C. (1447+80, cf. At 7:30). É por isso que certos historiadores sugerem a probabilidade de Moisés ter sido contemporâneo da famosa rainha Hatshepsut, já que ela teria nascido em torno de 1532 a.C.[1]

Isso é curioso, pois Hatshepsut seria apenas uma menina ao encontrar o pequeno Moisés boiando nas águas do Nilo. Uma imagem que certamente destoa muito dos filmes que a apresentam como uma mulher adulta. Mas, considerando que a Bíblia a chama de "filha de faraó" (Êx 2:5) e não de "rainha", isso certamente se deu antes de seu casamento com Tutmés II, ou seja, quando ainda era, de fato, uma criança.

A vida de Moisés sempre foi cercada de tremendas manifestações do poder de Deus: a sarça ardente, as pragas do Egito, a passagem pelo Mar Vermelho, a visão de Deus pelas costas etc. Foram acontecimentos tão fan-

---

[1] Cf. nota 5 do capítulo 13.

tásticos que os críticos não tiveram outra reação, a não ser seguir o caminho natural da dúvida e, então, negar sua historicidade. Algumas descobertas, no entanto, têm jogado por terra as teorias revisionistas do êxodo.

Um dos primeiros motivos encontrados pelos céticos para duvidar do relato bíblico foi o fato de que a história de Moisés sendo salvo no Nilo quando ainda um bebê se parecia muito com a saga de outros heróis da antiguidade. Um bom exemplo é o mito de Sargão I, o grande rei de Acade ao redor de 2300 a.C. Sargão governou a Babilônia e foi um personagem legitimamente histórico, mas, segundo ele, com um surpreendente começo de vida.

A semelhança entre o relato de seu nascimento e a narrativa bíblica acerca de Moisés é tão próxima que alguns concluem não se tratar de mera coincidência, mas de uma reprodução barata. Veja um trecho deste texto encontrado em duas cópias neo-assírias incompletas e um fragmento neo-babilônico que estavam entre os tabletes desenterrados na região do Iraque:

> "Eu sou Sargão, o rei poderoso, o rei de Acade,
> minha mãe era uma alta sacerdotisa
> e meu pai eu não conheci.
> O irmão de meu pai amava as montanhas.
> Minha cidade é Azupiranu, que está situada às margens do Eufrates.
> Minha mãe, a alta sacerdotisa, concebeu-me, e em segredo me deu à luz.
> Ela me colocou em um cesto de juncos, com betume fechou a tampa.
> Ela me lançou no rio, que não me submergiu.
> O rio me carregou e me levou até Akki, o coletor de água.
> Akki, o coletor de água, ergueu-me enquanto mergulhava seu jarro.
> Akki, o coletor de água, tomou-me como seu filho e me criou."[2]

Até recentemente muitos concebiam esse mito como o texto original, o qual inspirou escribas judeus a criarem a lenda de um herói hebreu que se tornou Moisés. Afinal, é fato conhecido que, em 587 a.C., os judeus foram levados cativos para a Babilônia. Lá, eles poderiam ter conhecido a história

---

2 Pritchard. **ANET**, p. 119.

de Sargão, o grande líder e herói mesopotâmico, que foi usada como base para criar a história de Moisés após o fim do cativeiro em 537 a.C.[3]

Mas... e se provássemos que a história original não vem da Babilônia, e sim do Egito? Isso mudaria tudo. Afinal, se o texto bíblico for o reflexo de um mito babilônico, esse deverá ser obrigatoriamente o direcionador literário de seu conteúdo. Logo, devemos ir direto ao texto hebraico e descobrir se a cultura por detrás de sua trama é realmente babilônica ou egípcia.

Respondendo a essa problemática textual, o egiptólogo James Hoffmeier, da Trinity International University, demonstrou numa pesquisa recente que, ao contrário do que se esperava, o pano de fundo de Êxodo não é nem de longe um reflexo das mitologias babilônicas.[4] Seu texto original encontra-se permeado de antigos termos técnicos egípcios que não faziam parte do vocabulário hebraico, muito menos do babilônico usado após o exílio. Palavras-chave da trama como "cesto", "junco", "papiro", "linho", "ribeira" etc. são inquestionavelmente egípcias e não deveríamos esperar que um escriba judeu vivendo (ou que viveu) na Babilônia as conhecesse tão bem.[5] Tanto pela distância, pois a Babilônia estava há muitos quilômetros da cultura egípcia, como também porque nessa época a língua egípcia já havia sofrido modificações profundas, seja na fala ou na escrita, e esses termos já não faziam mais parte do vocabulário coloquial. Assim, a familiaridade com que o autor de Êxodo as trata, indica que elas só podem ter sido escritas por alguém que morou nas cercanias do Nilo precisamente em um período em que esses termos eram comuns, ou seja, um tempo muito anterior ao domínio babilônico do século VI a.C.

Devemos lembrar que o estranho costume de colocar crianças em rios e deixá-las à sorte da providência divina não era algo tão incomum no mundo antigo. Rômulo e Remo, os lendários fundadores de Roma, antes de serem adotados por uma loba, também foram jogados em um cesto no rio

---

[3] Francis D. Nichol. **Seventh-Day Adventist Bible commentary**. Washington, DC: Review and Herald, 1977, v. 8, p. 97.
[4] James K. Hoffmeier. **Israel in Egypt**: the evidence for the authenticity of the exodus tradition. Nova Iorque: Oxford University Press, 1996, p. 136-140.
[5] Idem; cf. Noonan, **Non-Semitic loanwords in the Hebrew Bible**.

Tibre.⁶ Da mesma forma, o Mahabharata, um dos maiores livros épicos da Índia, contém a história de uma virgem que foi engravidada pelo deus sol, e pela vergonha causada, após o nascimento, a criança é colocada em uma caixa e lançada rio abaixo, sendo mais tarde encontrada por um cocheiro. A criança era Karna, que se tornaria o maior guerreiro do Mahabharata.

Ainda que esses sejam contos lendários, eles ao menos confirmam a existência de uma prática que talvez explique outras histórias semelhantes à de Moisés.

Os rios geralmente eram locais tão sagrados quanto os templos e as montanhas. De modo que, deixar uma criança ali na esperança de que os deuses cuidassem dela, não parece ter sido algo difícil de acontecer. No caso da mãe de Moisés, está claro que seu intuito era fazer com que alguém encontrasse o cesto e, por compaixão, tivesse amor pelo menino e o salvasse. Aliás, diferentemente das fantasias hollywoodianas em que o cesto do menino boiou pelo gigante Nilo, passando por incontáveis perigos, o texto bíblico deixa claro que Joquebede simplesmente "largou o cesto no meio dos juncos à beira do rio", o mesmo local onde ele acaba sendo encontrado pela filha do faraó (Êx 2:3, 5).

Hoje sabemos de muitas mães que abandonam seus filhos na porta de igrejas e conventos, pois o ambiente religioso oferece segurança para o seu estranho ato. No mundo antigo, os rios sagrados desempenhavam esse papel.

Considerando que o Nilo, como vimos, era a fonte de toda vida egípcia e por conta disso, visto como um elemento sagrado, poderia ser que Hatshepsut estivesse mergulhando em um ritual sacro, quem sabe pedindo orientação ou ajuda divina. Antes de pensarmos que ela era jovem demais, devemos levar em conta que tanto meninos quanto meninas podiam assumir funções políticas e responsabilidades matrimoniais muito cedo no mundo antigo, como foi o caso de Tutancâmon e de tantos outros. Por isso ninguém se importaria com o capricho de uma princesa que encontrou um bebê no rio e resolveu adotá-lo para si. A reação dos mais velhos

---

6 Plutarco. Vida de Rómulo 3, 5, in **Vidas paralelas**: Teseu e Rómulo. Coimbra: Imprensa da Universidade de Coimbra, 2008, p. 118.

seria a mesma de um pai que aceita uma criança adotar um bichinho de estimação.

No fim das contas, Moisés poderia ser visto exatamente dessa forma: como um mascote da princesa, um capricho que não teria problema em ser atendido, desde que permanecesse a distância. Ou até mesmo poderíamos supor que seu pedido para que uma hebreia criasse o menino tenha sido uma estratégia infantil de esconder o "bichinho" que ela sabia ser algo proibido pelos pais.

Além disso, é igualmente provável que, sendo uma menina, ela não tivesse condições de criar maternalmente um bebê, não possuísse os requisitos físicos apropriados para amamentar e cuidar do pequeno, por isso a oferta de Miriã foi aceita com tal prontidão (cf. Êx 2:7-9).

Quando o menino cresceu, Joquebede o entregou à filha do faraó, a qual o adotou e lhe pôs o nome de Moisés, justificando: "porque das águas o tirei" (Êx 2:10). Esse texto faz sentido nesse contexto, pois, se Hatshepsut tivesse 6 ou 7 anos quando Moisés nasceu, ela não poderia criar o menino por si mesma. Aliás, nem mesmo Neferure, sua única filha com Tutmés II, foi criada por ela, mas colocada sob o cuidado de tutores. Então, quando Moisés lhe foi devolvido, Hatshepsut já estaria mais velha, com cerca de 9 ou 10 anos.

A nomeação do menino feita pela princesa, chamando-o de Moisés, é intrigante por pelo menos dois motivos: 1º) por que uma princesa egípcia faria um jogo de palavras entre o nome e a razão de sua escolha na língua hebraica e não no seu próprio idioma? e 2º) por que o verbo "tirar", que dá origem ao nome Moisés, aparece de um modo que não se assemelha à estrutura hebraica comum?

Veja: ainda que o nome hebraico *Mosheh* soe como tal, ao que tudo indica não se trata de um nome hebreu, mas sim egípcio. Muitos supõem que a referência bíblica "porque das águas o tirei" seria a chave para decifrar o verdadeiro significado do nome Moisés. Normalmente, liga-se o nome *Mosheh* ao raro verbo hebraico *mashah* ("tirar [da água]").[7] Mas como os

---

[7] O verbo aparece 3 vezes em toda Bíblia, mas tecnicamente constitui apenas dois usos: um em Êxodo 2:10 e outro em 2 Samuel 22:17, cujo texto é repetido no Salmo 18:16.

estudiosos do hebraico e os primeiros comentaristas há muito notaram, a construção *mosheh*, em particular, é problemática, porque representa um particípio de significado ativo: "aquele que tira" ou "retirador", sendo que Moisés não é o agente da ação, mas, ao contrário, aquele quem sofre ela. Ou seja, o hebraico exigiria a forma passiva do particípio que, nesse caso, seria *mashuy*: "tirado" ou "retirado".[8]

Portanto, a explicação mais plausível é que o nome Moisés tem uma origem egípcia e não hebraica, e isso não foi notado apenas recentemente. O primeiro a se incomodar com o fato de uma egípcia atribuir um nome hebraico a um hebreu foi Filo de Alexandria. Filo propôs uma aproximação fonética da palavra egípcia para "água" – *mu*, com a forma grega do nome de Moisés – *Moyses* (onde a sílaba inicial – *moy*, poderia ser lida como *mu*).[9] Porém, esse jogo de palavras não parece claro, já que o texto bíblico conecta o nome com a ideia de "tirar", e não com a "água". Sem mencionar o fato de que a leitura da sílaba *mu*- na forma grega do nome Moisés, além de forçada, não corresponde com a pronúncia hebraica, a língua oficial dos israelitas naquele período.

Outro a propor uma teoria para o significado do nome de Moisés foi Flávio Josefo. Também usando a forma grega, ele explica que *mo* era a palavra egípcia para "água", e *yses* uma designação, também egípcia, para "salvo de algum lugar". Assim, segundo Josefo, *Moyses* significaria "salvo da água".[10] A dificuldade, porém, com essa interpretação é que, mesmo usando o copta como base, Josefo utiliza uma etimologia alternativa e desconsidera o nome na sua forma hebraica.

A hipótese mais aceita, e a que parece fazer mais sentido, é entender o nome Moisés como uma adaptação hebraica da palavra egípcia *mes*, que,

---

[8] Victor P. Hamilton. "מֹשֶׁה" in Harris. **Dicionário internacional de teologia do Antigo Testamento**, p. 883-884.
[9] Filo. *On the Life of Moses*, 1,17, in Louis H. Feldman; James L. Kugel; Lawrence H. Schiffman (eds.). **Outside the Bible**: ancient writings related to Scripture. Philadelphia: Jewish Publication Society, 2013, p. 968.
[10] Flávio Josefo. *Antiguidades Judaicas*, Livro II, 9:6, in W. Whiston. **Josephus complete works.** Grand Rapids, MI: Kregel, 1985, p. 57.

como verbo, significa "nascido de", ou, como substantivo derivado, quer dizer "criança" ou "filho".[11] Diante disso, possivelmente não é coincidência a observação do fato de que cinco dos quatorze monarcas da 18ª dinastia (sem falar de algumas rainhas) tiveram seu nome de nascimento terminado por esse radical. Veja alguns exemplos:

Amósis (ou Amés) – nascido de Ah (deus da lua);

Tutmés – nascido de Tut (deus escriba);

Ptamés – nascido de Ptah (deus dos artesãos e arquitetos).

Em outras palavras, essa foi uma designação muito comum no período da 18ª dinastia, ou mesmo do Novo Império como um todo. Seria algo como comparar à terminação dos nomes: Robson, Anderson e Jéferson que, oriundos da língua inglesa, literalmente significam filho de Rob, filho de Ander e filho de Jefer. Se esse for o caso, o estranho é que de Moisés, temos apenas o sufixo egípmês *mes*, ou seja, simplesmente "nascido". Aparentemente parece faltar o elemento divino que marca o nome teofórico de forma completa.

Embora tenhamos outros personagens da história egípcia que tiveram como nome completo unicamente o termo Més/Mose, sem o epíteto divino antecedendo o radical, no relato do Êxodo, o contexto de quem dá o nome e a lógica da situação parece indicar que estaria, de fato, faltando algo no nome original de Moisés. Mas isso não deve ser difícil para nós agora, pois como vimos, já que o rio Nilo era uma manifestação principalmente relacionada ao deus Hapi para os antigos egípcios, pode-se supor que o nome original do herói bíblico teria sido Hapimés (ou Hapimose, se preferir). Mas é claro que, ao reconhecer o deus dos hebreus como seu único Deus,

---

[11] A troca de sons sibilantes entre o "s" egípcio para o "sh" hebraico (*mes* > *mosh*), é bastante comum em muitas inscrições onde houve transliteração de nomes egípcios para o hebraico e vice-versa. Igualmente, a troca da vogal "e" para "o" não deve nos surpreender, já que a escrita egípcia não possui vogais. Por isso a intercambialidade entre nomes que, em português, às vezes trazem -més (ex. Tutmés) e outras -mós (ex. Amósis). Cf. J. Gwyn Griffiths. "The Egyptian Derivation of the Name Moses" in **Journal of Near Eastern Studies**, v. 12, n. 4 (out., 1953), p. 225-231.

ele retirou o título divino de seu nome, ficando apenas Més/Mose, que em hebraico foi transliterado como Mosheh.

Não deve ter sido nada fácil. a vida de Moisés no palácio quando passou a morar com sua mãe adotiva, a filha do faraó. O Novo Testamento menciona que ele "foi educado em toda a ciência dos egípcios e era poderoso em palavras e obras" (At 7:22). Ou seja, uma vida que desde a infância era carregada com muitas responsabilidades. Para falar a verdade, Joyce Tyldesley, arqueóloga e egiptóloga britânica, em seu famoso livro sobre Hatshepsut, dá-nos um vislumbre de como era a educação no palácio nos primeiros anos de vida de uma criança real. Ela diz: "o dinástico palácio-harém egípcio servia tanto como berçário para as crianças reais, quanto como 'Casa das Crianças Reais', a escola de maior prestígio do país. Ali os jovens da realeza masculina, sob a supervisão do 'Supervisor do Harém real' e do 'Professor das Crianças Reais', recebiam a instrução que os prepararia para sua vida futura como alguns dos nobres de mais alto nível do país. [...] A rede de crianças no harém real deve ter sido de importância crucial para aqueles que viviam em um estado onde a carreira e o status de todos dependiam de sua relação com o rei".[12]

Outro egiptólogo, Charles Aling, acrescenta dizendo que os alunos deviam se submeter a cursos de oratória, o que explica a força de Moisés diante do rei, a despeito de ter afirmado para Deus ser um homem "pesado de língua".[13] Na verdade, em relação a esse episódio, é muito mais fácil crer que Moisés se referiu à sua perda da fluência no idioma e não à gagueira ou problemas de eloquência. A diminuição da destreza linguística é um processo natural, considerando-se que ele havia passado muitos anos no deserto sem qualquer contato com a cultura e com a língua egípcia, e, consequentemente, sem praticá-la.

Anos mais tarde, já adulto, Moisés pôs todo seu treinamento a perder, pois inflamado de ira se envolveu numa luta contra um egípcio que sur-

---

[12] Tyldesley. **Hatchepsut**, p. 115-116.
[13] Charles Aling. **Egypt and Bible history**: from earliest times to 1000 B.C. Grand Rapids, MI: Baker, 1981, p. 74.

rava um escravo hebreu, sendo, pouco tempo depois, obrigado a se exilar, encontrando refúgio na região de Midiã. Mesmo preparado para ocupar um dos mais proeminentes lugares deste mundo, Moisés escolheu outro caminho, o de aceitar o chamado de Deus. Toda arte e educação recebida no Egito jamais fora usada para exercer qualquer cargo real, mas o capacitou plenamente para executar com maestria as duas maiores tarefas de sua vida: liderar o povo de Israel e escrever o início e a base de toda a Bíblia Sagrada.[14]

À luz da cultura egípcia
Descalço em Terra Santa

Ao sair do Egito, Moisés havia se tornado um fugitivo que acabara encontrando refúgio em Midiã, provavelmente na península do Sinai ou próximo dali. Lembre-se que ele havia matado um funcionário real para defender um hebreu escravo e isso parece ter-lhe custado muito caro. Mas foi num lugar inóspito e cercado de ovelhas e privações que tudo mudou.

Em um pequeno arbusto em chamas, que não era consumido por elas, a voz do Deus Todo-Poderoso apareceu diante do tímido Moisés ordenando-lhe que voltasse ao Egito e libertasse Seu povo que lá estava. "Certamente vi a aflição do meu povo, que está no Egito, e ouvi o seu clamor por causa dos seus feitores. Conheço o sofrimento do meu povo. Por isso desci a fim de livrá-lo das mãos dos egípcios e para fazê-lo sair daquela terra e levá-lo para uma terra boa e ampla, terra que mana leite e mel... Pois o clamor dos filhos de Israel chegou até mim, e também vejo a opressão com que os egípcios os estão oprimindo. Agora venha, e eu o enviarei a Faraó, para que você tire do Egito o meu povo, os filhos de Israel" (Êx 3:7-10).

A ordem foi clara e não dava margens para dúvidas. O difícil era Moisés enfrentar seus medos e acatar o comando do Senhor. É muito curioso que, inicialmente, a primeira fala de Deus dirigida a Moisés tenha sido para que ele tirasse suas sandálias por estar pisando em terreno sagrado (Êx 3:5).

---

[14] *Ibid.*, p. 73.

Com exceção de um episódio semelhante com Josué (Js 5:15), contemporâneo cultural de Moisés, essa ordem não encontra eco em nenhuma outra parte no restante da Bíblia – isto é, não existe qualquer outro texto em que Deus peça às pessoas para tirar o sapato ao se aproximarem Dele.

Embora os povos do oriente tenham o costume de tirar o sapato para orar, como os mulçumanos, ou para entrar em casa, como no caso dos japoneses, o fato é que isso não se tornou um preceito bíblico, mas sim uma situação contextualizada e vinculada unicamente ao episódio do chamado de Moisés. Mas por qual razão? O que Deus queria dizer com aquilo?

Ao olharmos novamente para a imagem retratada na antiga paleta do faraó Narmer (cf. cap. 11), hoje em exibição no museu do Cairo, talvez nos forneça uma resposta. Nela, o faraó é visto numa situação de conquista, tendo seus inimigos subjugados diante de si e do deus Hórus (na forma de um falcão) que lhe dá a vitória. Mas o faraó está descalço; e à esquerda, ao fundo, há um empregado segurando as sandálias do rei. Os egípcios costumavam tirar as sandálias antes de atravessar espaços sagrados, como templos e capelas tumulares. Assim, a cena do carregador de sandálias na paleta, parece sugerir que o rei está andando por um local sagrado.[15]

Já que Moisés estava habituado à cultura egípcia, Deus, portanto, usou uma linguagem que ele pudesse entender. Seria como se, atualmente, Ele dis-

Verso da Paleta de Narmer. A cena principal descreve Narmer vencendo seus inimigos diante de Hórus (o falcão) a fim de unificar o Egito. Ao lado esquerdo é possível ver o carregador das sandálias reais.

Autor desconhecido/Domínio Público

---

[15] David O'Connor. "Narmer's Enigmatic Palette", in **Archaeology odyssey**, v. 7, n. 5 (Set. 2004), p. 16-52.

sesse a um cristão católico: "tire seu chapéu para falar com Deus", ou, com um judeu religioso: "coloque sua quipá sobre a cabeça, pois você vai falar com Deus". Simplesmente uma adaptação cultural divina, a fim de levar o seu escolhido à interpretação do evento que ele estava prestes a testemunhar.

Serpentes de poder

Deus, então, perguntou a Moisés o que ele tinha em sua mão e ele respondeu "um bordão", ao que Deus lhe retornou dizendo: "Jogue-o no chão" (Êx 4:2-3). Moisés obedeceu, e o cajado imediatamente se tornou em uma serpente que começou a persegui-lo. Essa imagem é muito emblemática, da perspectiva da cultura egípcia, pois a serpente era um animal ao mesmo tempo temido e reverenciado pelos egípcios, tanto em termos reais quanto supersticiosos e espirituais.

A naja-egípcia é uma cobra nativa do norte e centro da África e da Arábia. Além de ser uma das maiores espécies de naja, é uma das mais venenosas no norte da África. Todos tinham medo dela devido à sua periculosidade. Talvez por isso tenha se tornado tão rapidamente símbolo do poder real ostentado nas coroas dos faraós.

A serpente egípcia é normalmente conhecida como Uraeus, um termo grego derivado do egípcio *iaret* que significa "cobra ereta", em referência à posição da cobra quando está prestes a atacar. Essa imagem passou a denotar a realeza e a autoridade divina. Os faraós, reis e rainhas dinásticos do Egito, usavam o símbolo do Uraeus como ornamento de cabeça afixado na parte frontal da coroa. No Antigo Império, o Uraeus era símbolo da legitimidade do faraó em governar as terras do Baixo Egito.[16]

Mas o Uraeus tornou-se também símbolo da deusa cobra egípcia Wadjet – uma das divindades mais antigas do panteão egípcio, adorada como a padroeira do Delta do Nilo e a protetora do Baixo Egito. O símbolo da cobra usado pelos faraós simbolizava a proteção do faraó dada por Wadjet e que, consequentemente, reafirmava a aprovação divina como o soberano do Egito. Daí, o símbolo vir a se tornar um elemento quase que onipre-

---

16 Shaw. "Wadjyt" in **The British Museum dictionary of Ancient Egypt**, p. 302-303.

sente nas coroas reais: seja com o corpo de Wadjet no topo da cabeça, ou como uma coroa circundando a cabeça. Mais tarde, outras deusas também foram retratadas usando o Uraeus em suas cabeças, hábito que, no sincretismo egípcio, sugeria a incorporação de aspectos de Wadjet ou a proteção dela.

Selo de Hatshepsut contendo o Olho Wadjet, um símbolo de cura que também parece funcionar como um amuleto de boa sorte.

Devido a isso, o Uraeus passou a ser um símbolo de proteção para os antigos egípcios. Mais tarde, o "Olho de Rá" ou "Olho Wadjet", outro símbolo de proteção tanto para o faraó e os templos quanto para as pessoas comuns e suas casas, acabou se incorporando ao simbolismo do Uraeus –. Segundo as lendas egípcias, o Olho de Rá era a contraparte feminina do deus sol.[17] Assim, da mesma forma que o Uraeus, o Olho de Rá era tanto um símbolo quanto uma deusa, muitas vezes ligado às deusas Hator, Ísis, Nekhbet, Bastet, mas, principalmente à Wadjet. O Olho de Rá era visto como tendo um aspecto violento, o qual defende e protege contra os inimigos e contra o caos, mas, por outro lado, também como um aspecto criativo que ajuda a manter o ciclo da criação dentro da cosmologia egípcia.

Um mito achado no Papiro Bremner-Rhind, pertencente ao Período Tardio, ilustra a conexão entre o Olho de Rá e o Uraeus. O mito descreve como, antes da criação do mundo, o deus Rá ficou sozinho, pois seus filhos, Shu e Tefnut haviam se afastado dele perdendo-se em meio às águas primordiais. Rá, então, enviou seu olho para encontrá-los. Após um tempo, o olho retornou com os filhos, mas ficou frustrado ao descobrir que Rá

---

[17] Em egípcio, bem como na maioria das línguas semitas, o órgão quanto a palavra "olho" pertence ao gênero feminino.

tinha criado um novo olho e o colocado em seu lugar (em outras versões, o Olho de Rá chora ao ser substituído, e suas lágrimas se tornam os primeiros humanos). Enfim, para apaziguar o olho, Rá lhe concede uma posição elevada; ele o transforma em uma cobra ereta – o Uraeus, que permaneceria em guarda diante de Rá, protegendo-o e garantindo a resistência de seu governo.[18]

Por outro lado, de forma totalmente oposta, a serpente também representava aos egípcios o símbolo máximo do mal. Não especificamente uma naja, mas qualquer outra serpente significava para os egípcios – Apófis (ou Apep) – uma criatura mítica do submundo que simbolizava as forças do mal e do caos. Segundo a crença, Apófis, a serpente celestial, era um ser eterno que se considerava ter existido nas águas do caos primordial mesmo antes da criação; e que assaltava a barca do deus sol todas as noites enquanto ele percorria o submundo em direção ao amanhecer. Então, durante a noite, no mundo dos mortos, os deuses e as almas justificadas se uniam ao barco de Rá, a fim de ajudá-lo a afastar a serpente. No mundo dos vivos, um ritual conhecido como "Derrubada de Apófis" também era realizado pelos sacerdotes nos templos, visando ser uma força adicional para ajudar Rá a proteger a barca e assim garantir a chegada do dia.

Devido a isso, Apófis é representada na literatura egípcia como o eterno inimigo de Rá. Essa serpente gigante era a personificação das forças das trevas que, se derrotasse Rá no submundo, ameaçaria o mundo dos vivos com uma noite eterna, algo que levaria o mundo todo a um estado de inexistência temida pelos egípcios. Na verdade, desde a criação do mundo, Apófis constantemente visa engolir o sol sobre a cabeça de Rá, pois, segundo os antigos egípcios, na sua cabeça ele carrega o sol que nasce no Leste pela manhã e se põe no Oeste à noite. Durante o dia, Rá ilumina o mundo viajando pelo céu em sua barca solar e, à noite, ele viaja pelo mundo abaixo da Terra para retornar à sua posição original. É nesse momento que Apófis ataca

---

[18] Raymond O. Faulkner. **The papyrus Bremner-Rhind**. Bruxelas: La Foundation Égyptologique Reine Élisabeth, 1933, p. vii-viii.

Rá na tentativa de devorá-lo, juntamente com o sol que ele carrega acima de sua cabeça.

Não seria surpresa imaginarmos que todo esse conhecimento veio à mente de Moisés quando seu cajado virou uma serpente enquanto fugia dela. O cajado era o seu instrumento de trabalho, aquilo que lhe trazia a bênção e o sustento. Por outro lado, Deus queria lhe mostrar que o mesmo elemento que traz bênçãos, pode trazer maldições se for um empecilho para se fazer a vontade de Deus. Da mesma forma que a serpente, na cultura egípcia, não apenas simbolizava uma divindade e estava ligada à autoridade do faraó, também era o símbolo máximo do mal. Um conceito que eles provavelmente herdaram da tradição adâmica, sobre a qual Moisés haveria de escrever no futuro.

O deus Rá, na forma de um grande gato, derrotando a serpente Apófis.

O paralelo com o início de Gênesis é notório. No Éden, satanás usa astutamente uma serpente para convencer Eva a comer do fruto proibido; embora o animal fosse apenas um instrumento e não o mal propriamente dito, ele acabou se tornando uma representação do mal e, por extensão, do próprio satanás. Precisamente como foi dito em Apocalipse 12:9, ao narrar o conflito cósmico entre o bem e o mal: "E foi expulso o grande dragão, a antiga serpente, que se chama diabo e Satanás, o sedutor de todo o mundo. Ele foi atirado para a terra, e, com ele, os seus anjos".

Que tudo aquilo era a manifestação histórica de um conflito cósmico muito maior está claro nos diversos modos como a Bíblia apresenta a sequência dos eventos, pois a transformação do cajado em serpente seria uma demonstração do poder de Deus diante do faraó, conforme vemos em Êxodo 7:10: "Então Moisés e Arão foram até Faraó e fizeram como o

Senhor lhes havia ordenado. Arão jogou o seu bordão diante de Faraó e diante dos seus oficiais, e ele virou uma serpente".

A relação desse episódio entre a serpente de Deus e aquelas do faraó e seus magos é ainda mais marcante, não apenas pelo tema do conflito entre o bem e o mal implícito na cena, mas também em comparação à simbologia adquirida pela serpente no Antigo Egito. Da perspectiva positiva da cobra, a serpente divina, a favor de Moisés, transmitiu a ideia de que a proteção da serpente estava sobre Moisés e os hebreus e não sobre o faraó, legitimando assim o poder de Moisés e sua autoridade sobre a terra. Em outras palavras, o faraó precisava atender o pedido, pois a "força destrutiva de Rá" representada pela serpente Wadjet, estava a favor dos hebreus. Por outro lado, da perspectiva negativa, a serpente de Deus engole as serpentes egípcias, assim como Apófis procura engolir o sol de Rá. Mas em vez de impedi-la com métodos ineficazes, tais como rituais ou palavras mágicas, a única forma de afastar a "Apófis do Senhor" é simplesmente deixar o Seu povo partir. A mensagem parece ter sido mais clara do que cristal, mas o coração do rei cegou-se em sua teimosia e obstinação.

Adicionalmente, é curioso que o termo mais comum para "serpente" em hebraico seja a palavra *nakhash*, mas nesse episódio, em especial, o cajado de Moisés e Arão se transforma não em um *nakhash*, mas em *tanin*, cujo significado também pode ser de "serpente", mas os judeus da Septuaginta a traduziram em grego por *drakon* ("dragão"). Isso não quer dizer que o bordão de Arão virou um dragão diante do faraó, mas que aquele animal representava o símbolo máximo contra o qual estavam lutando: as forças do maligno, aquele que o Apocalipse descreveu como "dragão, a antiga serpente, que se chama diabo e Satanás" (Ap 12:9).

A questão é que tanto Moisés quanto o faraó precisavam entender que aquele conflito não era apenas uma disputa física entre eles. Tudo fazia parte de uma guerra cósmica do bem contra o mal; e os acontecimentos da história humana ali eram apenas um reflexo disso. Moisés não estava lutando contra homens, mas contra o inimigo de Deus. A libertação do êxodo era (e ainda é) um vislumbre da libertação cósmica que está para ser realizada por Deus.

Nomes secretos

Retornando ao episódio da sarça ardente, vale também ressaltar a significativa cena de quando Moisés pergunta a Deus por Seu nome. Em um primeiro momento Deus não parece se importar em tornar Seu nome conhecido, até que em um segundo momento, sendo questionado por Moisés, Ele então declara: "Eu Sou o Que Sou". Disse mais: — Assim você dirá aos filhos de Israel: 'Eu Sou me enviou a vocês.' Deus disse ainda mais a Moisés: — Assim você dirá aos filhos de Israel: 'O Senhor [YHWH], o Deus dos seus pais, o Deus de Abraão, o Deus de Isaque e o Deus de Jacó, me enviou a vocês. Este é o meu nome eternamente, e assim serei lembrado de geração em geração" (Êx 3:14-15).

Ainda assim, a resposta "Eu sou" (*Ehyieh* em hebraico), não é nem de longe um nome, mas uma forma conjugada do verbo "ser" (*hayah*). O que Deus faz não é prover um nome específico, do mesmo modo que os outros deuses, mas afirmar Sua autoridade, "uma confissão de uma realidade essencial e, portanto, uma resposta inteiramente apropriada à pergunta de Moisés".[19] Seja como for, o termo na primeira pessoa *Ehyieh* ("Eu sou") torna-se o famoso nome divino conhecido por Tetragrama – YHWH, que nada mais é que uma forma derivada do verbo "ser" (*hayah*), porém na terceira pessoa (assim, "Ele é"). Deus não fornece um nome, mas um conceito de continuidade e de ação infinda que, na expressão humana, é concebida como Seu nome pessoal.

De fato, Moisés percebeu isso, especialmente porque para os antigos egípcios era tão sério o verdadeiro nome de uma pessoa, que conhecê-lo implicava em ter poder sobre o indivíduo. Tanto que ao nascer a criança egípcia recebia dois nomes: um verdadeiro, que ficaria em segredo de família, e outro comum, pelo qual ela seria conhecida em sua vida.

Como vimos no capítulo 6, a fim de guardar bem o nome pessoal secreto, os egípcios evocavam a proteção de Renenutet, uma divindade em forma de serpente. Funcionava mais ou menos assim: se alguém, especial-

---

[19] John I. Durham. **Word Biblical commentary: Exodus**. Vol. 3. Dallas, TX: Word Books, 1987.

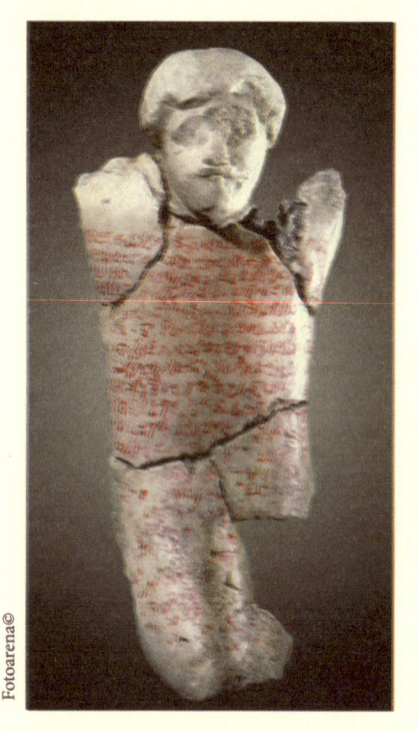

Estatueta contendo textos de execração egípcia de cerca de 1800 a.C.

mente algum inimigo, descobrisse o seu nome, ele poderia ter poderes mágicos sobre você e usar essa informação para manipulá-lo ou destruí-lo. Os textos de execração são um bom exemplo disso. Os egípcios escreviam os nomes de seus inimigos em estatuetas, tigelas ou blocos de argila ou pedra, que posteriormente eram quebrados, profanados e enterrados. Um ritual que funcionava como uma espécie de magia simpática visando causar dano às pessoas listadas nos textos.[20] Os fragmentos eram geralmente colocados perto de túmulos ou locais de rituais. Essa prática era ainda mais comum em períodos de conflito entre o Egito e os seus vizinhos cananeus.[21]

Já em relação aos nomes das divindades, somente os sacerdotes egípcios sabiam o verdadeiro nome dos deuses, coisa que usavam em benefício próprio para garantir sua influência sobre o povo e sobre o faraó.

Por isso, se Deus dissesse de cara para Moisés "meu nome é X", talvez ele seria tentado a achar que teria algum poder sobre o ser de Deus. Lembre-se, Moisés era culturalmente um egípcio e demandaria tempo até Deus extirpar do inconsciente do povo hebreu as superstições e comportamentos da cultura egípcia. Assim, quando Deus entregou as tábuas da lei para Moisés, certamente o mandamento que dizia "não tomarás o nome do senhor teu Deus em vão" tinha por destaque livrá-los da superstição de que

---

[20] Pinch. **Magic in Ancient Egypt**, p. 92.
[21] I. E. S. Edwards; C. J. Gadd; N. G. L. Hammond. **The Cambridge ancient history**: early history of the Middle East. Vol. 1, pt. 2. 3ª ed. Cambridge: Cambridge University Press, 2006, p 508.

poderiam controlar Deus por meio do uso indevido de seu nome, assim como os sacerdotes egípcios faziam em relação às divindades pagãs.

Ao mesmo tempo, é bonito ver como Deus também foi didático com Moisés e o povo falando de uma forma que esses pudessem entender. Moisés alegou que seria "pesado de língua" e por isso não poderia ir diante do faraó. Deus então aceita que ele leve Arão consigo e promete: "Você falará com ele e lhe porá na boca as palavras; eu serei com a sua boca e com a dele e ensinarei a vocês o que devem fazer" (Êx 4:15).

O cajado de Deus

Logo após a partida de Moisés em direção ao Egito, o texto menciona que "Moisés tomou a mulher e os filhos, fez com que montassem num jumento e voltou para a terra do Egito. Moisés levava na mão o bordão de Deus" (Êx 4:20). A figura do bordão ou cajado de pastor é emblemática, pois aparece com determinada frequência no texto bíblico, especialmente na história do êxodo.[22] Talvez pelo que ele representava na cultura da época. Como todos sabem, o ofício de pastor de ovelhas estava na base da pirâmide nos tempos do Antigo Egito, pois não era uma profissão valorizada. Tanto que, na história de José, seus irmãos tiveram de comer separados dos egípcios justamente por realizarem atividades pastoris (Gn 43:32).

Sarcófago de Tutancâmon, onde o faraó é representado segurando o cajado e o mangual, símbolos da autoridade e realeza egípcia.

---

[22] O termo hebraico *mateh*, como conceito de "bordão" ou "cajado", aparece com maior frequência no livro de Êxodo do que em qualquer outro livro do Pentateuco. E, majoritariamente, faz referência ao cajado de Moisés usado também por Arão.

Curiosamente, no entanto, a mais forte figura do Egito, a saber, o faraó – era considerado perante seus súditos justamente como um pastor de ovelhas. O pastor do povo do Egito. É por isso que muitos faraós, a exemplo de Tutancâmon, Ramessés II e tantos outros, eram retratados em seus sarcófagos ou estátuas com um mangual e um cajado de pastor em suas mãos. Originalmente, esses símbolos eram atributos do deus Osíris que acabaram se tornando emblemas da autoridade faraônica. Assim, o cajado representava a realeza e o mangual a fertilidade da terra.

Por isso, quando Moisés e Arão compareceram diante do rei do Egito e lhe entregaram a mensagem dada por Deus, aquele bordão de pastor de ovelhas, sem ovelhas, em sua mão, falou muito a seu respeito.

Em um relevo egípcio feito na parede leste da capela de Osíris no Templo de Seti I em Abidos, foi representado uma imagem interessante: de um lado aparece o faraó Seti I, retratado como Osíris, segurando o cajado e o mangual e, diante dele, encontra-se Tot, o deus escriba, segurando dois bastões, ambos em forma de serpente. Na verdade, bastões em forma de serpente eram algo muito comum no Antigo Egito. É possível ver inúmeras cenas em paredes ou pinturas em papiros com sacerdotes ou deuses portando cajados envoltos por serpentes.[23]

Os egípcios acreditavam muito no poder da mágica; e essa não era um entretenimento para eles, mas um sinal de poder divino. Eles criam que foi por meio da mágica (*heka*, em egípcio) que o mundo havia sido criado. Curiosamente, o cajado faraônico também era chamado de *heka* – o cetro *heka*, pois podia caracterizar também o poder mágico usado para curar. Por isso era necessário a Moisés operar efeitos mágicos, ou melhor, miraculosos, pois em seu caso não se tratava de um simples truque de mágica, mas do poder real de Deus.

O bastão de Moisés era simplesmente o seu cajado de pastor, mas o fato dele se tornar uma serpente e engolir as demais serpentes é significativo, pois em toda concepção egípcia isso significava que o poder tido por ele era mais forte do que o do outro. Na verdade, os sacerdotes egípcios geralmente

---

[23] Scott B. Noegel. "The Egyptian 'Magicians'" in **The Torah**. Disponível em https://www.thetorah.com/article/the-egyptian-magicians, acessado em 11/11/2022.

viam o ato de engolir seja como uma forma de destruição da coisa engolida seja como absorção de seu poder e conhecimento. Veja algumas passagens contidas em antigos textos egípcios que são bastante elucidadoras:

- *Textos da Pirâmides* (c. 2400 a.C.): "Unas [o faraó] é aquele que come homens e a vida dos deuses... Unas come a sua mágica [*heka*], engole o seu espírito" (Feitiço 273).
- *Textos dos Sarcófagos* (c. 2000 a.C.):
  "Comi a verdade [*maat*], e engoli a mágica [*heka*]" (Feitiço 273).
  "Eu engoli as sete serpentes-uraei" (Feitiço 612).
  "A serpente está em minha mão e não pode me morder" (Feitiço 885).
- *Livro da Vaca Celestial* (séc. XIV a.C.): "Além disso, proteja-se contra os manipuladores de mágica [*heka*] que conhecem seus feitiços, já que o próprio deus Heka está neles. Agora quanto a quem o engole, eu estou aqui."

Assim, o engolir dos cajados dos magos egípcios pelo "cajado de Deus" (Êx 4:20) foi uma representação de destruição da autoridade egípcia e a absorção de seu poder.

Coração pesado

O faraó, no entanto, permaneceu obstinado e não permitiu a partida do povo de Israel. Na verdade, o próprio Deus prevê a Moisés a obstinação e dureza de coração do faraó: "Você falará tudo o que eu lhe ordenar e Arão, seu irmão, falará a Faraó, para que deixe sair da sua terra os filhos de Israel. Eu, porém, endurecerei o coração de Faraó e multiplicarei na terra do Egito os meus sinais e as minhas maravilhas." (Êx 7:2-3). Essa, porém, é uma passagem que tem intrigado a muitos leitores da Bíblia pois, de acordo com a própria previsão dada por Deus, parece a princípio desconcertante.

Aparenta ser injusto que Deus endureceu o coração do faraó para então puni-lo e ao Egito pelas ações que resultaram de um coração endurecido. Por que Deus faria isso? Antes de tudo, é importante lembrar que o faraó não era um homem inocente ou piedoso. Ele foi um ditador brutal responsável por terríveis abusos e pela opressão dos israelitas e, quiçá, de tantas outras vidas; seu antecessor mandou matar todos os bebês que nascessem nos lares hebreus. Ademais, é importante também considerar que em outros textos é o faraó quem endurece seu próprio coração (Êx 7:13; 7:22; 8:15, 19, 32).

Esses textos nos levam a ver que o faraó poderia ter poupado seu povo do sofrimento e que ele mesmo endureceu seu coração. Mas e quanto aos primeiros versos que dizem como Deus endureceria o coração do rei?

Em diversas versões do antigo Livro dos Mortos, vemos a cena do juízo quando o coração do morto é pesado na balança diante dos deuses. Seu peso não poderia ser maior que o da pena de Maat, deusa da justiça e da verdade. O que faria, no entanto, o coração pesar mais ou menos não era seu peso material em si, mas sim, conforme vimos, a sua capacidade de denunciar pecados e falhas de seu portador. Mas os egípcios haviam achado um jeito de enganar os deuses e assim salvar suas almas da destruição eterna, a saber, colocando sobre o peito do falecido um amuleto em forma de escaravelho de pedra. Tratava-se de um objeto contendo a inscrição de um feitiço que, acreditava-se, ajudaria o coração a mentir para os deuses e assim poupar a alma da destruição total.

Na cultura egípcia, a alma do faraó, como a de um deus, era incorruptível e, portanto, digna de viver eternamente junto a outras divindades. Mas a declaração divina de "endurecer o coração do rei" implica que mesmo a preparação adequada para a morte – a mumificação, as oferendas, a tumba, os amuletos etc. – não seria suficiente para garantir a vida do faraó após sua morte. Ou seja, Deus estava para revelar o verdadeiro caráter do deus rei do Egito – um homem de coração pesado devido aos seus muitos pecados e orgulho. E que, portanto, não seria digno de viver eternamente, pois seu coração pesado não passaria na pesagem perante Osíris.

Jan Assmann, egiptólogo da Universidade de Heidelberg, vê uma dramática interação no momento entre a confissão negativa e a pesagem do coração. Ele sugere que a confissão era recitada pela alma do morto enquanto simultaneamente seu coração já estaria na balança, subindo ou descendo dependendo da veracidade ou falsidade de cada confissão declarada.[24]

---

[24] Jan Assmann. **Death and salvation in Ancient Egypt**. Ítaca, NY: Cornell University Press, 2005, p. 75.

O que Deus fez, portanto, foi usar com Moisés uma forma irônica e comum do imperativo no passado, na qual você diz que fará o indivíduo praticar determinado ato quando na verdade está apenas reforçando que ele está sendo teimoso. Seria como alguém em nossa cultura que diz: "Cansei! Você pode fazer o que quiser que não vou dizer mais nada". Em termos gramaticais, isso é um imperativo, mas, na verdade, é apenas uma demonstração da teimosia do outro e não uma ordem real que estamos dando. "Pode fazer o que quiser", noutras palavras, é uma figura de linguagem e nada mais. Foi o próprio faraó que resistiu a Deus e não Deus quem endureceu seu coração.

Semelhante ao conceito egípcio de morte, o perdão de Deus pode trazer a vida eterna, não em um paraíso onírico e etéreo, mas aqui nessa mesma terra quando tudo for transformado para a forma que ela deveria ter permanecido desde o princípio. Por outro lado, aqueles que, como o faraó, forem obstinados não poderão desfrutar dessa realidade vindoura, mas alcançarão a inexistência ao recair sobre si a morte eterna. O mundo de Deus é compatível unicamente com o amor, a bondade e a justiça, aqueles que lutarem contra esses valores não poderão fazer parte de um planeta perfeitamente "bom". Qualquer pingo de maldade ou pecado poderia trazer à tona novamente toda essa realidade realidade vil que agora vivemos. A fim de evitar isso, Deus não terá outra escolha senão expurgar o universo de toda e qualquer maldade, ainda que ela esteja alojada no coração de seus filhos amados. Mas antes que o destino final fosse sentenciado, o faraó recebeu inúmeras oportunidades de tornar seu coração mais leve, o que ele continuamente recusou. Nós, porém, temos nossa chance disponível agora e temos o exemplo do faraó e de tantos outros para refletir e fazer de nosso coração mais leve do que uma pena.

16

Da escravidão à libertação

Não há nada mais terrível que a escravidão de um ser humano pelo outro. É difícil entender como isso se tornou comum, legal e aceitável no mundo antigo. O curioso, no entanto, embora a evidência seja tardia, é que havia no Egito pessoas que queriam ser escravas e até pagavam para isso.

A simples vontade de não trabalhar pesado, por exemplo, na construção civil podia levar um indivíduo a se oferecer para ser escravo no templo de alguma divindade, e isso aconteceu diversas vezes. Esse tipo de informação pode parecer sem sentido, mas se foi real é possível que ainda seja no presente. Há muitos que preferem a escravidão do pecado à libertação oferecida por Cristo. Pensam que a vida de devoção a Jesus tirará sua liberdade quando, na verdade, as salvará.

A escravidão, lembremos, se dava principalmente por dívidas e derrota em combates militares. Mas havia também casos como o dos hebreus, que não se encaixavam numa coisa nem noutra.

Qual seria, portanto, a população egípcia daquele tempo e qual a proporção de escravos para cidadãos? Naturalmente as estimativas variam de autor para autor, mas podemos ter alguma noção por meio da apresentação feita por alguns estudiosos do assunto.

Guillemette Andreu, por exemplo, egiptóloga e arqueóloga francesa, menciona que a população egípcia mais que dobrou, passando de 850 mil no começo do terceiro milênio para mais de 2 milhões por volta de 1800 a.C.[1] Já Karl Butzer, arqueólogo alemão, mas também ecologista e geógrafo, estima que a população no tempo da 18ª dinastia seria da ordem de 2.4 a 3.6 milhões de pessoas morando no entorno do Rio Nilo.[2] David O'Connor, por sua vez, um egiptólogo australiano, é o mais otimista, pois calcula que a população egípcia durante o período do Novo Império teria chegado entre 2.9 a 4.5 milhões de pessoas.[3]

Já em relação ao número de escravos, a estimativa também oscila e é totalmente hipotética. Considerando que havia, no auge da 18ª dinastia, 40 mil tropas fixas no Egito e todas dependiam de mão de obra escrava para alimentar os soldados por meio da agricultura e plantio; considerando ainda que os principais estudos na área sugerem um percentual de 8 a 10% de escravos, calcula-se que havia no Egito em torno de 200 a 400 mil escravos.

Esses números são apenas uma estimativa, é claro, mesmo assim são muito desconcertantes em relação ao relato bíblico referente à quantidade de hebreus escravos no Egito, mas acerca desse assunto falaremos mais à frente. Por enquanto, vamos falar um pouco mais sobre o encontro entre Moisés e o faraó que, por sua vez, representava uma materialização do conflito cósmico do bem contra o mal.

O grande conflito egípcio

Para contextualizar isso, deixe-me falar de um curioso inseto existente no Egito. Andando rápido pela areia do deserto, ele sempre parece estar com muita pressa. Seu nome é besouro coprófago ou, mais popularmente, o besouro do estrume. Ele tem o estranho hábito de construir uma bola de

---

[1] Guillemette Andreu-Lanoë. **Egypt in the age of the pyramids**. Ítaca, NY: Cornell University Press, 1997, p. 2.
[2] Karl W. Butzer. **Early hydraulic civilization in Egypt**: a study in cultural ecology. Chicago: The University of Chicago Press, 1976, p. 76.
[3] B. G. Trigger; B. J. Kemp; D. O'Connor; A. B. Lloyd. **Ancient Egypt**: a social history. Cambridge: Cambridge University Press, 2001, p. 190.

estrume e rolá-la pela areia do deserto, de um buraco a outro. Essa característica fez os antigos egípcios associarem o inseto ao deus solar, já que na sua cosmovisão, esse era o mesmo movimento do sol, que era rolado pelo céu durante o dia e empurrado para baixo da terra à noite. Assim, os egípcios adotaram o escaravelho como um modelo terrestre do sol e seus movimentos. Além disso, eles também criam que o besouro recém-nascido surgia a partir da bola de esterco. Como não é possível aparentemente distinguir o gênero do inseto, os egípcios acreditavam que todo besouro era macho e se formava por um processo de autogeração, ou seja, semelhante à forma que eles acreditavam ter sido gerado o deus.[4] Disso originou a imagem de Kepri, um deus autogerado, representado com o corpo de homem e o rosto de escaravelho, sendo a encarnação do deus sol Rá. Por causa disso, os egípcios associavam ainda Kepri ao renascimento, à renovação e à ressurreição.

Ligado ao sol, eles criam que Kepri tinha todos os dias a tarefa de puxar a bola solar do horizonte, rolá-la pelo céu e por fim depositá-la do outro lado do mundo. O ponto alto desse mito, no entanto, era a batalha que o sol travava contra a grande serpente Apófis antes de ressurgir no horizonte para um novo dia. Apófis era a encarnação de tudo que havia de mais terrível no universo, e até os deuses a temiam. Era tão terrível e tão má, que era a única divindade a não ter adoradores entre os seres humanos. Seu culto era proibido em todo o Egito.

Durante o dia claro do deserto, o sol, deus Rá, passeava pelo céu, sobre sua barca solar, segundo a imaginação egípcia. Mas, atrás do horizonte, poderes das trevas aguardavam para prendê-lo e trazer escuridão eterna sobre o planeta. Então, todos os deuses se reuniam, até os inimigos, para auxiliá-lo contra Apófis e permitir sua travessia pelo submundo, podendo renascer na manhã seguinte do outro lado do planeta.

---

[4] Plutarco. **Moralia** (Loeb Classical Library). Vol. V. Cambridge, MA: Harvard University Press, 1999, 355A, 381A. Cf. também E. A. Wallis Budge. **The mummy**. Nova Iorque: Macmillan, 1972, p. 280-288.

O deus Set perfurando a serpente Apófis, de um original do papiro Herouben mantido no Museu do Cairo.

Em uma ilustração de um Livro dos Mortos da 21ª dinastia, a barca solar navega no submundo levando o deus sol e, atrás dele, estão Hórus e Tot. Quem perfura a serpente com uma lança é Set, irmão de Osíris. Mesmo Set, que é visto como um inimigo e traidor, nesse caso, também se une aos demais deuses a fim de derrotar a serpente Apófis.

Na crença egípcia, essa batalha ocorria todas as noites e os sacerdotes faziam questão de relembrar o povo desse acontecimento, por meio de desenhos, ritos ou ilustrações tumulares, que traziam à memória o fato de que, enquanto o povo dormia, os deuses batalhavam pela salvação do universo. Assim, o nascer do sol, no dia seguinte, era a garantia de que os deuses mais uma vez venceram Apófis e todos poderiam ficar tranquilos até a próxima noite.

Essa concepção nos mostra que diferentemente do Deus hebreu, os deuses egípcios não eram onipotentes. Eles tinham limitações em seus poderes e, como não podia deixar de ser, precisavam da ajuda de outras divindades, e mesmo do auxílio humano, para poder vencer a batalha contra o mal.

Um antigo texto, chamado de "O Livro para derrotar Apep", traz espécies de orações de encantamento que deveriam ser feitas à noite para enviar reforços aos deuses na batalha pelo renascimento do sol.[5] Uma série

---

[5] Faulkner. **The papyrus Bremner-Rhind**. p. vii-viii.

de rituais era feita no palácio do rei por sacerdotes bem treinados para o ofício. Eles eram guerreiros humanos participando da batalha dos deuses e asseguravam proteção ao faraó e ao povo.

Os sacerdotes também costumavam fazer modelos em argila da serpente Apófis e depois a jogavam no chão, pisavam nela e lhe lançavam maldições. Por isso tinham poder político junto ao faraó; pois o mesmo sabia da importância do trabalho feito pelos sacerdotes, detentores da magia considerada um poder divino.

Diferentemente de outras sociedades patriarcais, os egípcios também admitiam mulheres como sacerdotisas. É possível ver isso em imagens de parede que descrevem as ações sacerdotais. O mesmo valia para o mundo dos deuses. Há pinturas, por exemplo, do deus Tot diante de Set carregando cajados em forma de serpente. Cajados que viravam serpente e sacerdotes ou sacerdotisas que sabiam usar a magia eram o que garantia o sono de todo o Egito.

Assim, quando Moisés e Arão se encontram com o rei do Egito, é muito provável que esse encontro tenha se dado no início de um dia, quando o faraó estava seguro, pois o sol havia nascido e seus mágicos sacerdotes tinham feito com destreza seu trabalho. Mas o desafio de Moisés foi como a invocação dos piores pesadelos do faraó. No entanto, aquele embate não era sobre quem fazia o melhor truque, e sim – uma luta espiritual.

Para os egípcios, era a magia que os protegia contra Apófis e garantiria vitória a seus deuses. Moisés e Arão, por outro lado, foram enviados por Deus para anunciar os juízos iminentes que cairiam sobre o Egito, caso o faraó e seus oficiais não permitissem que os hebreus saíssem para adorar o Senhor no deserto. As orações dos israelitas, que clamavam por libertação da opressão, haviam ascendido aos céus e Senhor os ouvira.

Sendo que os israelitas foram reduzidos à escravidão por muitos anos, os egípcios, por meio do seu contato com eles, tiveram uma oportunidade de conhecer o verdadeiro Deus. Um dos objetivos das pragas, portanto, era revelar a grandeza, o poder e a soberania de Deus israelita como único e verdadeiro deus, em contraste com as falsas deidades egípcias, e fazer o faraó reconhecer esse fato. No entanto, o faraó, ou o "casa grande", se autointitulava "filho de Rá", como um deus na terra, e assim permaneceu inflexível diante das terríveis pragas que abateram o Egito, uma após a outra.

Escravos no Egito

O faraó da opressão pode ser considerado aquele que tornou os hebreus trabalhadores escravos, forçando-os a construir casas, fabricar tijolos e edificar cidades. Como o relato bíblico resume as histórias, esse rei pode ser qualquer faraó da 18ª dinastia desde Amósis até Hatshepsut, pois foi nesse período que ocorreram os eventos iniciais do livro do Êxodo, incluindo o nascimento e livramento de Moisés. Do ponto de vista histórico, pode ter sido até mais de um faraó a oprimir o povo com trabalhos forçados.

Embora a escravidão tenha existido pelo menos desde o início do Novo Império, a maioria dos historiadores concorda que a 18ª dinastia foi proverbial no aumento e sofisticação dessa prática. Foi uma época de expansionismo egípcio sobre as terras da Núbia e de Canaã, e de fato não seria coincidência que o aumento da escravidão se desse em um contexto de guerras e expansão imperial.

Nesse extenso lapso de tempo, os egípcios do sul reunificaram o país, expulsando os asiáticos alojados no norte, mas acabaram por ceder, também no Delta, à pressão exercida por vários povos estrangeiros que continuaram morando ali, e os hebreus poderiam estar entre esses. Então, disse o Faraó ao seu povo: "Eis que o povo dos filhos de Israel é mais numeroso e mais forte do que nós. Vejam! Precisamos usar de astúcia para com esse povo, para que não se multiplique, e para evitar que, em caso de guerra, ele se alie aos nossos inimigos, lute contra nós e saia da terra" (Êx 1:9-10).

O aumento de tropas militares espalhadas especialmente nas fronteiras do império concorda com a narrativa bíblica e demandava a presença de escravos para servir às famílias dos militares que estariam em prontidão de combate, não podendo dessa forma trabalhar na agricultura para sustentá-las.

Estabeleceram-se, pois, sobre eles, chefes de trabalhos forçados, para os oprimir com tarefas pesadas. E assim os israelitas construíram para o faraó as cidades-celeiros de Pitom e Ramessés. "Mas quanto mais os afligiam, tanto mais se multiplicavam e tanto mais se espalhavam, de maneira que os egípcios se inquietavam por causa dos filhos de Israel. Então os egípcios, com tirania, escravizaram os filhos de Israel e lhes amargaram a vida com dura servidão: preparar o barro, fabricar tijolos e fazer todo tipo de trabalho no campo. Todo este serviço lhes era imposto com tirania" (Êx 1:12-14).

Tudo isso começou quando os egípcios tebanos expulsaram os hicsos. Tempos depois, autoconfiantes e sedentos de expansão, encontraram o agente certo para suas ambições justamente em Tutmés III. Sua figura ágil e imponente ainda pode ser vista hoje ferindo massas cananitas nas esculturas do templo na antiga capital dinástica de Luxor. Ao Sul, a Núbia também caiu sob o poderio militar do Egito.

De acordo com Daphna Ben-Tor, egiptóloga e curadora do Museu de Israel, "o Egito nessa época se via como o centro do universo, e todos os seus vizinhos eram considerados inimigos e alvos de invasão. À medida que se tornou mais rico e reunificado, seu apetite cresceu para os tipos de bens de alto status que Canaã oferecia, como cobre, turquesa e madeira de alta qualidade".[6] Isso, é claro, em conjunto com o aumento da mão de obra escrava no país. Mas há ainda muitos elementos em debate sobre o assunto da escravidão no Antigo Egito, especialmente por causa da complexa nomenclatura usadas por eles para se referir a diferentes classes de trabalhadores.

Existem pelo menos três tipos de escravidão reconhecidos no Antigo Egito:

1. *Alienação fiduciária:* estrangeiros civis ou militares que se tornavam escravos devido a uma derrota militar.
2. *Trabalho escravo:* pessoas que por causa de dívidas se tornavam escravas de outras.
3. *Trabalhos forçados:* decretos faraônicos que obrigavam parte dos cidadãos a trabalhar em um projeto do governo que poderia ser a construção de um palácio ou convocação para a guerra.

---

[6] Daphna Ben-Tor. **Pharaoh in Canaan**: the untold story. Jerusalém: The Israel Museum, 2016, p. 50.

Inclusive é interessante perceber em muitos documentos, desde Amósis I a Tutmés III, que enfatizam uma grande quantidade de campanhas militares no Levante, as quais resultaram na captura de prisioneiros e no aumento exponencial da população de escravos no Egito. Por outro lado, não há provas absolutas sobre um grupo de escravos hebreus, mas, por meio do nome de alguns deles em listas egípcias, dos desenhos de suas feições e de outros dados arqueológicos, podemos dizer que os escravos do Egito nesse período eram um grupo multiétnico de trabalhadores, a maioria provinda da Ásia Média e das linhagens semitas da região, o que, seguramente, incluiu os hebreus.

As imagens desses escravos reconhecíveis aparecem abruptamente na arte egípcia durante o reinado de Amósis I, e atingem o zênite de seus números no reinado de Tutmés III e gradualmente desaparecem nas duas gerações subsequentes.

Ilustrações do tempo de Tutmés III mostram os escravos fazendo tijolos exatamente como descreve o livro de Êxodo. O Papiro Anastasis, hoje em exibição no Museu Britânico, menciona ainda o uso de palha na fabricação dos tijolos (Êx 5:6-8).

Em uma pintura, é possível ver um escravo apanhando justamente por não fabricar tantos tijolos e uma inscrição acima diz "trabalhe, seu escravo, não seja ocioso". Considerando, porém, que havia outros povos escravizados na mesma época dos hebreus, não estaria sendo Deus caprichoso em enviar um libertador apenas para os hebreus e não para os demais escravos?

Ora, precisamos entender que biblicamente Deus sempre age por meio de um povo específico e em uma história específica, mas isso não significa exclusividade da ação divina. Ele tem filhos sinceros em todas as etnias, em todos os povos, em toda a humanidade (Ml 1:11). João 3:16 diz que Deus amou *o mundo* e não apenas os hebreus. Todos que aceitarem a revelação feita por Deus por meio de um setor histórico específico estão no direito de receber a mesma salvação e intervenção dada àquele povo em especial. Êxodo 12:38 e Números 11:4, por exemplo, citam uma "grande multidão de estrangeiros" e uma "grande mistura de gente" que seguiu juntamente com os israelitas. Um grupo que certamente incluía tanto escravos de outras etnias como até alguns egípcios que aceitaram a mensagem de Deus e saíram com Israel.

As dez pragas

Por que as águas se transformaram em sangue? Por que as pragas como infestações de rãs, piolhos e moscas aconteceram? Por que houve pestes no rebanho, feridas malignas nos egípcios, chuva de pedras, infestação de gafanhotos, escuridão e morte dos primogênitos? Existe algum significado para pragas tão específicas?

Cada uma das dez pragas foi dolorosamente dirigida contra algum aspecto da falsa religião. Na verdade, o próprio texto bíblico deixa isso bem claro: "executarei juízo sobre todos os deuses do Egito. Eu sou o Senhor" (Êx 12:12). É possível percebermos isso ao analisarmos os detalhes do relato em comparação com o pano de fundo da religião e cultura egípcias.

> **Primeira praga:** a transformação do Nilo e de todas as águas do Egito em sangue, foi uma ofensa ao deus Hapi, que, como vimos, era o próprio rio e se acreditava ser o deus da fertilidade. Tal praga resultou na morte de peixes e foi, portanto, um duro golpe contra a religião egípcia, que também venerava algumas dessas espécies.

> **Segunda praga:** uma infestação de rãs, tidos como animais sagrados para os egípcios – um de seus ídolos, a deusa Heket, tinha cabeça de rã. Para eles, o sapo era um antigo símbolo de fertilidade, diretamente relacionado à inundação anual do Nilo. Eles acreditavam que ela tinha poder criador. Embora o principal propósito dessa praga fosse punir os opressores de Israel, também atrairia desprezo por seus muitos deuses pagãos. A grande multiplicação de rãs fez com que a deusa Heket parecesse maligna – ela atormentou o povo que lhe era tão devoto. Sendo assim, as superstições dos egípcios os obrigaram a respeitar as criaturas que a praga os fazia odiar e que, se não fossem deidades, teriam sido destruídas. Além disso, o faraó solicitou a Moisés que orasse a Deus

para que as rãs fossem retiradas da terra e retornassem ao rio (Êx 8:8-12), algo atendido por Moisés. Mas o resultado da parte de Deus não é apenas a morte das rãs (v. 13), mas pilhas de cadáveres do animal em decomposição, de modo que a terra fedia (v. 14). Outrora símbolos da deusa da vida, as rãs agora incorporam o fedor da morte.[7]

Terceira praga: ocasião em que Arão estendeu a mão com o seu bordão e feriu o pó da terra, transformando-o em piolhos que infestaram os homens e o gado por todo o Egito. Os magos egípcios reproduziram as primeiras duas pragas, mas ao tentarem copiar esse terceiro feito divino acabaram reconhecendo sua impotência e declararam: "Isto é dedo de Deus" (Êx 8:19). Atribuía-se ao deus Tot a criação do conhecimento, da sabedoria, da arte e da magia, mas nem mesmo essa divindade pôde ajudar os magos a imitarem a praga. Foi mais um golpe contra a falsa religião do Egito. Além disso, era costume entre os sacerdotes egípcios rasparem o corpo inteiro todos os dias, a fim de obter uma pele perfeita e, portanto, pura, caso contrário não seriam qualificados para a adoração no templo.[8] Sacerdotes com pelos ou problemas de pele implicava o esvaziamento dos templos para a realização das oferendas e dos rituais diários. Assim, sem sua ministração nos templos significava a angústia para os deuses, bem como o caos e o colapso no Egito.[9] Adicionalmente, uma vez que essa praga teve início pelo ferir da terra, podemos supor que ela provavelmente foi uma ofensa contra o deus egípcio da terra, Geb. Desse modo, a praga de piolhos surgida do pó transformou seu deus protetor e benfeitor em uma fonte de perigo.

Quarta praga: consistiu em enxames de moscas que infestaram todo o Egito. Um novo elemento é introduzido a partir desse momento: a distinção entre os egípcios e os adoradores do verdadeiro Deus, pois nesse

---

[7] Gary A. Rendsburg. "Reading the plagues in their Ancient Egyptian context" in **The Torah.** Disponível em https://www.thetorah.com/article/reading-the-plagues-in-their-ancient-egyptian-context, acessado em 12/11/2022.
[8] Heródoto. **História**, 2.37.
[9] Rendsburg. "Reading the plagues in their Ancient Egyptian context".

evento o texto nos comunica que, pela primeira vez, a praga afetaria somente os egípcios (Êx 8:22-24). Antes de tudo, é importante mencionar que embora em muitas traduções apareça a ideia de um "enxame de moscas", o termo "moscas" não aparece no texto original; a palavra *arov*, em hebraico, é de difícil interpretação, mas com base na Septuaginta e em textos como Salmo 105:31 e Isaías 7:18, o conceito dessa palavra deve ser entendido como um conjunto de diferentes insetos voadores.[10] Por isso, é muito provável que os "enxames" nessa passagem fossem enxames de besouros, isto é, escaravelhos. Como vimos, essa seria uma referência ao deus Kepri, deus do renascimento e conectado ao deus sol. Amon-Rá, o criador e rei dos deuses, tinha a cabeça de um besouro. Rá era visível para o povo do Egito como o disco do sol, mas eles o conheciam em muitas outras formas. Ele podia aparecer como um homem coroado, um falcão etc.[11] Outros estudiosos, como Keil e Delitzsch, acreditam que esse "enxame" se tratava de diminutos mosquitos, mas com uma picada que causava irritações na pele. Tal inseto foi descrito em detalhes por Filo e Orígenes.[12] Além do mais, no Antigo Egito as moscas representavam tenacidade e coragem, vida eterna e, às vezes, fertilidade também. Esculturas em pedra, colares e amuletos em forma de moscas foram encontrados em antigas tumbas egípcias. Desse modo, ser atacado pelo inseto que eles reverenciavam teria sido um grande golpe para a psique egípcia.

Quinta praga: foi dirigida contra os animais domésticos e certamente atingiu a crença em divindades muito populares no Antigo Egito, especialmente Ápis, a imagem viva de Ptah, o deus sagrado de Mênfis, e Hator, a deusa vaca, protetora das gestantes e da fertilidade do Egito, às vezes, também identificada como Ísis. Quando o touro Ápis morria, os

---

10 Cf. Gary A. Rendsburg. "Beasts or bugs?: solving the problem of the fourth plague" in **Bible review**, v. 19, n. 2 (Abr. 2003), p. 18-23.
11 Geraldine Harris. **Gods and pharaohs from Egyptian mythology**. Nova Iorque: Peter Bedrick Books, 1992, p. 24.
12 Carl F. Keil; Franz Delitzsch. **Commentary on the Old Testament**. Peabody, MA: Hendrickson, 1996; Êx. 8:16-17.

sacerdotes percorriam todos os pastos do Egito em busca de um substituto – o bezerro tinha uma pelagem preta, com manchas distintas no pescoço, nas costas e no corpo. Tal animal recebia importante honra e um funeral digno de um rei em Mênfis. A deusa Hator era a mãe simbólica do faraó, e o rei do Egito era muitas vezes referido como "o filho de Hator". Além desses, essa praga teria sido um insulto direto também contra Khnum e Amon, deuses em forma de carneiro, e a Bastet, a deusa em forma de gato, associada ao "olho de Rá". Fora isso, ironicamente, Bastet também foi descrita como a deusa da proteção contra doenças contagiosas e espíritos malignos. Essa praga afetou o Egito criando um enorme desastre econômico nas áreas de alimentos, transporte, suprimentos militares, agricultura e bens econômicos que eram produzidos por esses animais. Mas, dessa vez, nem Bastet, nem os sacerdotes, nem qualquer outro deus pode defender os egípcios do juízo do Deus de Israel.

Sexta praga: Moisés e Arão receberam ordens de pegar "mãos cheias de cinza" para atirá-las ao ar diante do faraó, transformando-as em tumores pelo corpo tanto de homens quanto de animais (Êx 9:8-9). Essa praga provavelmente era o antraz cutâneo, um abscesso preto que se desenvolve em uma pústula. A praga foi acompanhada por furúnculos dolorosos que afetaram os joelhos, pernas e solas dos pés (Dt 28:35). Isso explica por que os "magos" do faraó não puderam permanecer diante de Moisés (Êx 9:11). Essa enfermidade foi uma afronta a Khonsu, deus da cura, filho de Amon e um dos principais deuses da tríade tebana. Igualmente, a praga também teria sido uma afronta a Serápis, outra divindade encarregada da cura, Tot, deus do conhecimento e do aprendizado médico, o qual também estaria relacionado a Imhotep, o grande arquiteto e médico egípcio deificado. Outra divindade associada com a cura foi Ísis que trouxe Osíris à vida, após ter sido morto e esquartejado por seu irmão Set.

Sétima praga: a chuva de granizo teria sido uma ocorrência muito incomum no Egito, já que a região normalmente recebe poucas quantidades de chuva por ano. Nessa praga, as plantações de linho e cevada foram destruídas (Êx 9:31), o que significa uma provável ocorrência em janeiro. Como essa praga se originou do céu, seria um insulto a Nut, a deusa do céu, e Shu, o deus do ar. Nut era considerada pelos egípcios como a mãe de cinco deuses principais: Osíris, Hator, Set, Ísis e Néftis. O granizo também destruiu as plantações nos campos em um ataque a Nepri, deus do grão, e Renenutet, deusa associada às colheitas, que se mostraram impotentes para proteger a colheita de seu povo. Embora essa praga tivesse causado uma devastação generalizada, algumas plantações permaneceram para que os gafanhotos da próxima praga pudessem devorá-las.

Oitava praga: a praga de gafanhotos destruiu todas as colheitas do Egito que não foram arruinadas pelo granizo. Nos tempos antigos, os gafanhotos podiam destruir todo o suprimento de comida de uma aldeia em questão de minutos, e a história nos fornece inúmeros exemplos disso. No livro de Joel, por exemplo, os gafanhotos foram descritos como um exército. Como na praga anterior, essa parece atacar muito mais diretamente a Nepri e Renenutet, os quais novamente permaneceram em silêncio. Além disso, os antigos egípcios também adoravam o "olho de Rá" (Wadjet), tido como um símbolo de proteção. É possível que a descrição dos gafanhotos cobrindo "o olho de toda terra" (Êx 10:15, tradução literal) refira-se à percepção dos egípcios de que o olho protetor de Rá fora "escurecido" por Deus.

Nona praga: a praga da escuridão não apenas continua o ataque ao deus-sol Rá, como também faz eco em outros dois textos egípcios: a Profecia de Nefer-Rohu e o Conto de Setne Khamwas e Si-Osire. Em tais textos, a escuridão da terra é mencionada como um feito realizado apenas pelo mais habilidoso dos magos.[13] Segundo o relato bíblico, a escuridão foi tão poderosa e severa que além de durar três dias, também incapacitou as pessoas de ver uns aos outros e de se mover (Êx 10:23).

---

[13] Gary A. Rendsburg. "YHWH's war against the Egyptian Sun-God Ra" in **The Torah**. Disponível em https://www.thetorah.com/article/yhwhs-war-against-the-egyptian-sun-god-ra, acessado em 12/11/2022.

Essa praga foi um claro insulto à religião e à cultura inteira do Egito. O deus-sol Amon-Rá era considerado o maior, mais poderoso, e principal de todos os deuses. Mas a espessa escuridão foi, para os egípcios, um nítido sinal de que Rá havia sido derrotado. Nem Rá nem os deuses em conjunto foram capazes de vencer a batalha do submundo, para permitir que o sol renascesse outra vez.

Décima praga: a morte dos primogênitos foi potencialmente a mais devastadora de todas as pragas e certamente causou um grande impacto tanto para aqueles que perderam um ente querido naquela noite, quanto para os que apenas testemunharam o fato. Conforme o próprio texto bíblico, a praga foi dirigida contra "todos os deuses do Egito" (Êx 12:12) e serviu para mostrar, em definitivo, a total incapacidade deles em proteger seus súditos. Diante de uma tragédia sem paralelo, "todos os deuses do Egito" ficaram em silêncio. Além do mais, o próprio faraó era considerado a encarnação humana de Amon-Rá ou, às vezes, o filho primogênito dele, o qual deveria agir como intermediário entre o povo e os deuses. Mas essa praga destruiu a ilusão final do poder e da imortalidade do líder egípcio primogênito. Quando Deus enviou Moisés pela primeira vez ao faraó, Ele apelou ao rei a saída de Israel por esse ser seu filho primogênito (Êx 4:22). Ao matar os primogênitos do Egito e poupar Israel, Deus mostrou que Seus filhos são os verdadeiros primogênitos e desferiu o golpe final em toda a estrutura de crença baseada no primogênito dos egípcios.

Curiosamente, no início do século XIX, foi encontrado no Egito um papiro, mais tarde datado de cerca de 1200 a.C., cuja composição em si é considerada muito mais antiga.[14] Tal documento foi levado para o Museu de Leiden na Holanda e interpretado por Alan Gardiner, em 1909. O papiro contém uma seção denominada "Admoestações de Ipuwer". Essa parte descreve uma série de eventos violentos no Egito, tais como fome, seca, fuga de escravos levando a riqueza dos egípcios, e morte por todo o país. Os

---

[14] Ian Shaw. "Pharaonic Egypt" in Peter Mitchell; Paul Lane (eds.). **The Oxford handbook of African Archaeology**. Oxford: Oxford University Press, 2013, p. 745.

acontecimentos são descritos por Ipuwer, um egípcio que parece ser uma testemunha ocular das desgraças recaídas sobre o Egito e que lamenta aos deuses e ao faraó sua inércia e impotência diante do ocorrido. Abaixo estão trechos do papiro junto com seus paralelos no livro do Êxodo.

Ipuwer[15]	Êxodo
2:5-6 "A praga está em toda a terra. O sangue está em toda parte."	**7:21** "Os peixes que estavam no rio morreram, o rio cheirou mal, e os egípcios não podiam beber a água do rio; e houve sangue por toda a terra do Egito."
2:10 "O rio é sangue."	**7:20** "e toda a água do rio virou sangue."
2:10 "Os homens evitam provar [...] e têm sede de água"	**7:24** "Todos os egípcios cavaram junto ao rio para encontrar água para beber, pois das águas do rio não podiam beber."
2:10 "De fato, portões, colunas e paredes são consumidos pelo fogo."	**9:23** "e fogo desceu sobre a terra."
10:3-6 "O Baixo Egito chora... O palácio inteiro está sem suas rendas. A ele pertencem [por direito] trigo e cevada, gansos e peixes."	**9:25** "Por toda a terra do Egito a chuva de pedras destruiu tudo o que havia no campo, tanto pessoas como animais. A chuva de pedras destruiu também todas as plantas do campo e quebrou todas as árvores do campo."

(continua)

---

[15] Alan H. Gardiner. **The admonitions of an Egyptian sage**: from a hieratic papyrus in Leiden. Hildesheim: G. Olms Verlag, 1969.

(continuação)

Ipuwer	Êxodo
6:3 "Certamente, o grão pereceu por todos os lados."	**9:31** "O linho e a cevada foram destruídos, pois a cevada já estava na espiga e o linho estava em flor."
5:12 "Pois pereceu o que ontem foi visto. A terra é entregue ao seu cansaço como o corte do linho."	**10:15** "E não restou nada verde nas árvores, nem na vegetação do campo, em toda a terra do Egito."
5:5 "Todos os animais, seus corações choram. O gado geme..."	**9:3** "eis que a mão do Senhor trará uma terrível peste sobre o seu rebanho, que está no campo, sobre os cavalos, sobre os jumentos, sobre os camelos, sobre o gado e sobre as ovelhas."
9:2-3 "Eis que o gado anda desgarrado, e não há quem o ajunte."	**9:21** "aqueles, porém, que não se importavam com a palavra do Senhor deixaram que os seus servos e o seu gado ficassem no campo."
9:11 "A terra está sem luz."	**10:22** "e houve trevas espessas sobre toda a terra do Egito durante três dias."

(continua)

(*continuação*)

Ipuwer	Êxodo
4:3 (5:6) "Certamente, os filhos dos príncipes são lançados contra as paredes." **6:12** "Na verdade, os filhos dos príncipes são lançados nas ruas."	**12:29** "Aconteceu que, à meia-noite, o Senhor matou todos os primogênitos na terra do Egito, desde o primogênito de Faraó, que se assentava no seu trono, até o primogênito do prisioneiro que estava na cadeia, e todos os primogênitos dos animais."
2:13 "Aquele que põe seu irmão na terra está em toda parte." **3:14** "Há gemidos por toda a terra, misturados com lamentações"	**12:30** "e houve grande clamor no Egito, pois não havia casa em que não houvesse um morto."
7:1 "Eis que o fogo subiu ao alto. Sua queima sai contra os inimigos da terra."	**13:21** "O Senhor ia adiante deles, durante o dia, numa coluna de nuvem, para os guiar pelo caminho; durante a noite, numa coluna de fogo, para os iluminar, a fim de que caminhassem de dia e de noite."
3:2 "Ouro e lápis-lazúli, prata e malaquita, cornalina e bronze... são amarrados ao pescoço das escravas."	**12:35-36** "Os filhos de Israel [...] pediram aos egípcios objetos de prata, objetos de ouro e roupas. E o Senhor fez com que o seu povo encontrasse favor da parte dos egípcios, de maneira que estes lhes davam o que pediam. E despojaram os egípcios."

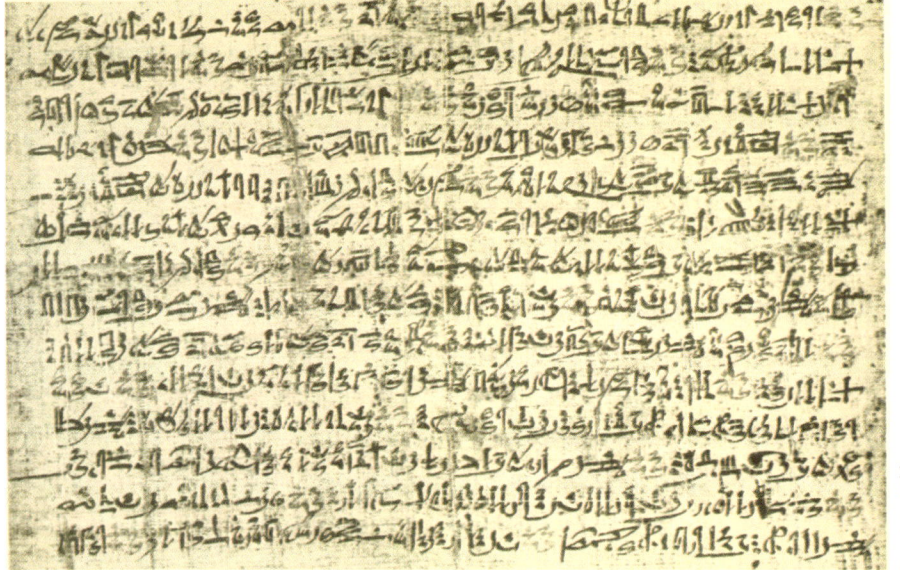

Foto de parte do papiro que conta as admoestações de Ipuwer, escrito em hierático.

Obviamente não podemos ser dogmáticos e afirmar que temos aqui uma referência às pragas do Êxodo em um antigo texto egípcio. Há muitos detalhes que, por outro lado, são incongruentes com o relato bíblico. No entanto, as expressões e terminologias são tão intrigantes que nos levam a, no mínimo, considerar que não podem ser mera coincidências.

De qualquer forma, precisamos ter em mente que as pragas não foram uma simples vingança criativa da parte de Deus. Elas serviram para ensinar a lição de que toda a crença egípcia era infundada e baseada na imaginação, que o único e poderoso Deus era Aquele que, desde o início, solicitou amigavelmente a libertação de Seu povo e demonstrou que faria qualquer coisa para salvar Seus filhos e para o estabelecimento da justiça.

Nomes cobertos de sangue

Durante a décima praga, Deus pediu a Moisés que alertasse o povo para untar os umbrais de suas portas com o sangue de um cordeiro separado, a fim de que não sofressem a última praga (Êx 12:1-8). Esse pedido divino foi tão significativo que se tornou a base para a, ainda celebrada, festa da Páscoa. Mas alguma vez você já se perguntou por que Deus pediu isso aos filhos de Israel antes da décima praga? Talvez você responda que sim, afinal, o texto é claro em dizer que esse ato serviu como sinal para o anjo da morte não entrar em suas casas (Êx 12:13) e assim poupá-los da praga final. É verdade! Mas por que especificamente os umbrais das portas? Ninguém é mantido fora ou dentro de uma casa por umbrais, logo, por que não pintar algo como uma grande cruz ou X na porta em si? Esse foi um ato de fé que pode nos ensinar uma lição poderosa sobre a salvação dada por Deus. E a arqueologia egípcia parece fornecer uma explicação elucidadora.

Quando chegaram ao Egito, os israelitas eram um povo que se mantinha como uma raça distinta, não tendo nada em comum com os egípcios nos costumes ou religião e, assim, retinha o conhecimento do Senhor. Essa distinção mudou rapidamente após a morte de José e, na época da sarça ardente, Moisés havia se preocupado com a cegueira, ignorância e incredulidade de seu povo, muitos dos quais estavam quase destituídos do conhecimento de Deus.[16]

De acordo com o relato bíblico, na época do êxodo, os israelitas não eram mais nômades, mas moravam em casas (Êx 12:22). Apesar de parecer comum, esse, na verdade, foi um costume egípcio que eles haviam adotado, pois em Canaã sua habitação era em tendas. Em suma, os israelitas estavam se tornando muito parecidos com os egípcios. E como sabemos, os egípcios acreditavam em uma vida eterna após a morte, e toda sua vida, cultura e costumes estavam de certa forma relacionados a essa obsessão. Como é de se esperar, suas práticas de construção (também adotadas pelos israelitas) refletiam essa crença. Os egípcios construíam suas moradias – das humildes casas de escravos aos luxuosos palácios – com o mesmo material

---

[16] A concessão do maná, por exemplo, é explicitamente uma tentativa divina de ensinar, ou melhor, recordar um preceito, mais do que simplesmente suprir a necessidade fisiológica de alimento. Além disso, o próprio pedido de Moisés para que o povo pudesse ser livre para realizar sacrifícios, prática comum entre os patriarcas quando em Canaã, leva-nos a crer que Deus queria restaurar no povo um conhecimento que havia se perdido. Ademais, apesar de muitos ainda manterem nomes com origem semita, tantos outros já haviam adotado nomes egípcios para seus filhos: Finéias, Miriã, Hur, Assir, Merari etc. Cf. Hoffmeier. **Ancient Israel in Sinai**, p. 223-234.

de construção, a saber, tijolos de barro que, devido ao ambiente desértico, tinham pouca duração e precisavam de reparos e substituições constantes nas construções. Porque a vida atual era temporária, eles usavam materiais de construção temporários para suas casas; em contraste, construíram seus templos e tumbas em pedra, refletindo uma vida eterna após a morte. Por isso, sabemos mais sobre túmulos egípcios do que sobre suas casas e palácios. Qualquer edifício usado para a vida após a morte (templos e túmulos) teria de ser feito de um material que durasse para sempre, a única exceção a essa regra arquitetônica eram os batentes das portas e lintéis ou umbrais de suas casas. Os umbrais eram geralmente feitos de pedra, essa construção refletia sua crença no que constituía um ser humano.

Já vimos que os egípcios acreditavam que um ser humano era composto por diversas partes ou almas, e se qualquer uma dessas partes deixasse de existir, a pessoa também deixaria de existir para sempre. Entre as diferentes partes, uma delas era o nome da pessoa. Por isso, não devemos subestimar a importância dos nomes e genealogias para os povos antigos. E, em especial, para o Egito, o nome pessoal era uma parte vital da existência.

Qualquer visitante moderno que vá ao Egito hoje encontrará exemplos de nomes esculpidos ou apagados na estatuária remanescente. Essa lógica aparece nos escritos de Moisés, que foi treinado no modo de vida egípcio. Ao descrever o Êxodo, ele nunca menciona o nome do faraó, mas, por outro lado, deliberadamente fornece os nomes das duas parteiras hebraicas que foram leais a Deus (Êx 1:15). O faraó havia rejeitado a Deus, logo, seu nome não era importante e deveria ser esquecido na história, mas àqueles que são fiéis, seus feitos são eternizados pela menção de seus nomes.

Para combater a perda potencial de seus nomes, a realeza e a nobreza construíam grandes monumentos de pedra com seus nomes gravados em tantos lugares quanto possível. Os menos ricos, é claro, não podiam se dar ao luxo de fazer o mesmo, por isso escreviam o nome dos habitantes de uma casa em seus lintéis ou em postes de pedra. Mesmo no caso da destruição da casa, a chance de seus nomes serem conservados na pedra era muito alta.

Uma bandeja de oferendas em forma de recinto, da 12ª dinastia, fornece-nos uma ideia de como eram as casas do povo comum no antigo Egito.

E eles estavam certos – pelo menos acerca do nome deles sobreviver ao longo do tempo. À medida que mais e mais desses batentes e lintéis são escavados, os nomes de seus antigos proprietários permanecem intactos. Labib Habachi, por exemplo, que escavou a região do Delta do Egito, descobriu muitas dessas antigas ombreiras datadas do mesmo período do êxodo – o Novo Império.[17]

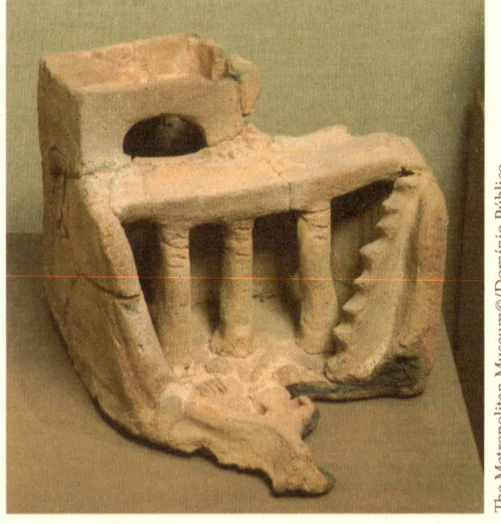

Além disso, as diversas portas falsas nos túmulos que encontramos hoje também nos dizem muito a respeito da superstição egípcia. Essas portas tinham relação com a crença espiritual egípcia e a ideia da existência pós-morte, de vários fragmentos que constituíam uma pessoa; tinham a função de ser a ligação entre o mundo dos mortos e dos vivos. Seu uso se estendia até para pessoas de fora da elite, que não usufruíam de túmulos grandes. Era usualmente sobre elas que as fórmulas de oferendas, conhecidas como *hetep di-nesu*, eram esculpidas, esperando que o sustento do falecido fosse garantido pelos vivos. As entradas não serviam somente para a passagem das almas humanas, mas os deuses também podiam fazer uso delas, a exemplo da porta falsa encontrada no templo de Seti I, em Abidos.

Assim, quando Moisés voltou ao Egito, encontrou seu povo morando em casas, não em tendas. Daí, percebeu que eles tinham muito a desapren-

---

[17] Labib Habachi. **Tell el-Dab'a I**: Tell el-Dab'a and Qantir the site and its connection with Avaris and Piramesse. Viena: Verlag der Österreichischen Akademie der Wissenschaften, 2001.

der, e as pragas também fariam parte desse processo de purificação cultural. Eles já estavam por demais contaminados pela religião egípcia e certamente teriam suas casas feitas de tijolos e com umbrais recheados de inscrições de proteção e paganismo. Apagar com sangue as inscrições que estivessem nos umbrais das portas representaria rejeitar a religiosidade e a superstição egípcia para abraçar pela fé a promessa do Deus de seus ancestrais, o Deus de Abraão, Isaque e Jacó.

Assim, quando Deus pede para os israelitas pintarem os marcos de suas casas com o sangue do cordeiro pascal, Ele estava pedindo que cobrissem seus nomes com o sangue do cordeiro. Ao fazer isso, eles estavam aprendendo os rudimentos da salvação. O nome na pedra não poderia garantir sua vida futura, mas unicamente o sangue do cordeiro de Deus. Aliás, se a morte era tão libertadora, segundo o pensamento egípcio, não haveria por que temer a morte, pois seria muito melhor viver eternamente no Campo dos Juncos do que nessa terra infeliz. Mas na perspectiva do ensinamento bíblico, Deus estava apontando para a necessidade de se manter vivo aqui na terra, onde temos a oportunidade de conhecê-lO, obedecê-lO e receber Dele a salvação eterna por meio da justificação pela fé. Como eles, nós também precisamos entender que não é pela força e poder humanos que alcançamos a eternidade, mas unicamente pelo nome de Deus, representado no sangue de Seu cordeiro.

17

O faraó do êxodo

Ao contrário do faraó que conheceu José, o faraó de Moisés era cruel e vingativo. Quando Moisés pediu que ele libertasse os israelitas, fez os escravos trabalharem mais, privando-os de palha para fazer tijolos de barro secos ao sol, embora a cota diária de tijolos produzidos devesse permanecer a mesma. Um homem implacável que não teve piedade nem mesmo de seu próprio povo ao permitir que sofresse as pragas enviadas pelo deus dos escravos, apenas porque seu orgulho não lhe permitia ceder.

Entre muitas hipóteses sobre a identidade desse misterioso monarca, pode-se apresentar uma compatível entre a narrativa bíblica e as evidências encontradas em solo egípcio. Sua identidade tem sido muito debatida, e muitos estudiosos estão inclinados a aceitar que o êxodo ocorreu no período de Ramessés II (1279-1213 a.C.).

Essa conclusão se deve, em especial, ao fato de a Bíblia mencionar a participação dos israelitas na construção das "cidades-celeiros de Pitom e Ramessés" (Êx 1:11), que são cridas terem sido construídas a mando do rei Ramessés II. Vários registros egípcios confirmam que os reis da 19ª dinastia lançaram um importante programa militar na região de Canaã. Como parte desse esforço, o rei Seti I começou a edificação de uma nova cidade de guarnição na região do Delta, que seu filho e sucessor, Ramessés II, deu continuidade e chamou mais tarde de Pi-Ramessés. Porém, vimos que esses nomes citados em Êxodo 1 podem ser apenas uma atualização do texto bíblico e que as informações cronológicas contidas em outras partes da Bíblia não nos permitem localizar o êxodo nos dias de Ramessés II, mas pelo menos 200 anos antes dele.

Além disso, há um documento, já mencionado no capítulo 8, que contraria essa interpretação recente do êxodo dentro da dinastia raméssida. Trata-se da primeira referência a "Israel" no Egito, a qual aparece na famosa Estela de Merneptá.[1] Esse documento data por volta de 1207 a.C. e contém uma inscrição de Merneptá, filho e sucessor de Ramessés II, que relata sua vitória sobre os antigos líbios e seus aliados; no entanto, as últimas três das 28 linhas do documento fazem menção de uma campanha separada que Merneptá realizou em Canaã, que na época, era parte das possessões imperiais do

Estela de Merneptá, uma inscrição egípcia na qual parece haver a primeira referência a Israel feita pelo Egito.

---

[1] Michael G. Hasel. **Domination and resistance**: Egyptian military activity in the Southern Levant, 1300-1185 BC. Leiden: Brill, 1998, p. 194. Vale ressaltar que há uma disputa acirrada se essa é realmente a primeira menção a Israel no Egito, pois há um fragmento de um pedestal de estátua datado da 18ª din., hoje no Museu Egípcio de Berlin, que parece mencionar o nome "Israel" pelo menos duzentos anos antes. Cf. Peter Van der Veen; Christoffer Theis; Manfred Görg. "Israel in Canaan (Long) Before Pharaoh Merenptah? A fresh look at Berlin Statue Pedestal Relief 21687", in Journal of Ancient Egyptian Interconnections, 2 (2010), p. 15-25; James K. Hoffmeier. "What is the Biblical Date for the Exodus? A response to Bryant Wood", in Journal of the Evangelical Theological Society, v. 50, n. 2 (Jun. 2007), p. 225-247.

Egito. Nessas linhas, Merneptá diz que derrotou e destruiu as cidades cananeias de Asquelom, Gezer, Janoa e Israel.

O Egito foi uma grande potência dominante em Canaã durante o longo reinado de Ramessés II, mas Merneptá e outros sucessores acabaram enfrentando grandes invasões dos povos de lá. Segundo a estela, os problemas começaram no 5º ano de Merneptá (1207 a.C.), quando um rei líbio invadiu o Egito pelo Oeste, em aliança com vários povos do Norte. Merneptá, então, revidou o ataque e alcançou uma grande vitória no verão daquele mesmo ano, e a inscrição é principalmente sobre isso. Mas, como dito acima, as linhas finais tratam de uma campanha aparentemente separada que ocorreu no Oriente, onde parece que algumas das cidades cananeias se revoltaram.

As três últimas linhas contêm o seguinte relato:

> Os príncipes estão prostrados, dizendo: "Paz!"
> Ninguém está levantando a cabeça entre os Nove Arcos.[2]
> Agora que a Líbia chegou à ruína,
> Hati está pacificada;
> Canaã foi saqueada com todo o tipo de desgraça:
> Asquelom foi vencida;
> Gezer foi capturada;
> Janoa é inexistente.
> Israel está devastado e sua semente não existe;
> E Hurru ficou viúva por causa do Egito.[3]

Uma vez que o monumento é datado por volta de 1207 a.C., subentende-se que a história do êxodo, obviamente, deve ter ocorrido em um período anterior ao reinado de Merneptá, e, consequentemente, também anterior ao reinado de seu pai Ramessés, pois em tão pouco tempo, o povo de Israel não teria condições de ter se tornado uma nação já constituída com outras cidades na terra de Canaã. Seriam necessários ao menos 100 anos para que

---
[2] "Nove Arcos" é um termo que os egípcios usavam para se referir a qualquer de seus inimigos.
[3] Sparks. **Ethnicity and identity in Ancient Israel**, p. 96-97.

Israel deixasse de ser nômade e se tornasse uma nação estabelecida, tendo tempo suficiente para sair do Egito, vagar 40 anos pelo deserto e, então, enfrentar os cananeus e se fixar na terra.

Diante disso, o período da 18ª dinastia se encaixa melhor com o evento do êxodo, não apenas por causa dos muitos textos bíblicos que nos remetem a essa época, mas também pelas informações históricas como essa que tornam improvável uma datação recente. Por tudo isso, é preferível a datação tardia da 18ª dinastia, segundo a qual chegamos ao tempo de dois possíveis faraós: Tutmés III e Amenhotep II.

Sobre esses reis, especialmente de Tutmés III, que é muito bem documentado, podemos dizer que há alguma evidência da presença de Israel na sua época? Você deve lembrar que quando Tutmés III chegou ao poder, ele buscou destruir a memória de sua antecessora, Hatshepsut, seja por questões políticas ou pessoais. Suas inscrições foram apagadas, seus obeliscos cercados por uma parede, seus monumentos esquecidos e seu nome jamais foi mencionado nos anais posteriores. Ora, seria pertinente pensar que se eles faziam isso em relação a um faraó antecessor, por que não o fariam para apagar qualquer vestígio de uma derrota vexatória para um grupo de escravos cananeus, capaz de colocara grande reputação do poder egípcio em ruína? Lembre-se também que o povo egípcio tinha orgulho de seu herói Amósis I, porque reunificou o Egito ao derrotar os vis hicsos. Logo, registrar a derrota para um povo parente de seus inimigos mortais seria impensável. Por outro lado, a contabilidade de seus triunfos e seus lucros estão muito bem documentados, como é o caso da Estela de Merneptá e tantos outros documentos.

Tutmés III

Diferentemente daqueles que optam por identificar o faraó do êxodo bíblico com Ramessés II, por causa da menção desse nome em diferentes passagens, em nenhum momento a Bíblia faz referência ao nome de Tutmés III. A escolha desse faraó se deve mais à data mencionada pela cronologia bíblica, bem como a vários outros fatores que se encaixam muito bem com a história do êxodo.

Primeiramente, Tutmés III (reinado: 1504-1450 a.C.) parece ter morrido bem próximo da data bíblica do êxodo (1447 a.C.). Além disso, sua morte ocorreu na primavera, 17 de março para ser exato, [4] ou seja, período equivalente à Páscoa bíblica (14/15 de Nissan).

Foi o arqueólogo francês, Victor Loret, que descobriu a múmia de Tutmés III em 1898. À semelhança do que aconteceu com outros túmulos, o desse faraó também foi alvo de pilhagens feitas tanto na antiguidade quanto por ladrões de sepultura posteriores. Suas paredes encontram-se decoradas com figuras esguias pintadas a negro e vermelho sobre um fundo amarelo claro (que pretendia simular o aspecto de um papiro). Nessas pinturas encontra-se a versão mais completa do Livro de Amduat, que, assim como o famoso Livro dos Mortos, é um texto funerário que descreve a perigosa jornada que o falecido rei devia fazer para renascer. Unindo-se ao deus sol, o faraó viaja na barca solar pelas 12 horas da noite, do crepúsculo ao amanhecer. Seu texto consiste em 12 divisões do submundo, descrevendo a jornada do rei em imagens de cada hora. A ilustração desse texto na parede do túmulo de Tutmés III é a mais completa já descoberta e o trecho inédito que aparece relativo à Décima Hora é extremamente intrigante. Veja parte do texto a seguir:

> "Palavras ditas por Hórus aos afogados,
> aos revirados, aos estendidos
> que estão em Nun e pertencem ao submundo...
> Remando com seus braços sem ser parado!
> Você prepara o caminho em Nun com as pernas,
> sem que seus joelhos sejam prejudicados.
> Você sai para o dilúvio e se aproxima das ondas.
> Você flutua [para] a grande inundação,
> que você atraca às suas margens.
> Seu corpo não se deteriorou, sua carne não se decompôs...
> Vocês são aqueles que estão nas (águas de) Nun,

---

4 Conforme as correlações para o 13º dia do 7º mês egípcio; de acordo com a Biografia de Amenemhab. Cf. James H. Breasted. **Ancient records of Egypt**: the eighteenth dynasty. Vol. 2. Chicago: The University of Chicago Press, 1906, p. 234, §592 (nota c).

flutuando no seguimento de meu pai,
para que sua alma viva!⁵

Na Décima Hora, o deus Hórus garante aos afogados no Nilo que encontrarão refúgio na vida após a morte. Possivelmente porque seus corpos foram carregados pela correnteza, e não puderam ter um sepultamento apropriado. Esse texto é curioso, pois nos faz lembrar daqueles que morreram afogados no Mar Vermelho.

Além disso, a múmia encontrada no sarcófago de Tutmés III não se encaixa às informações conhecidas do rei. Tutmés reinou por aproximadamente 55 anos, ou seja, morreu com cerca de 60 anos, mas sua múmia apresenta características ósseas de um homem na casa dos 40 a 45 anos.⁶

Poderia ser possível, então, que esse corpo atribuído a Tutmés III fosse de alguém sepultado em seu lugar? De fato, a ideia suposta por muitos é a de que o faraó não teve seu corpo encontrado às margens do Mar Vermelho, por isso, os sacerdotes teriam enterrado alguém em seu lugar para que o povo não desanimasse ao receber a notícia de que seu rei havia sido derrotado no mar. Tal informação, na verdade, obtemos da própria Bíblia: "mas lançou Faraó e o seu exército no Mar Vermelho..." (Sl 136:15a). De qualquer forma, o texto de Êxodo não é claro sobre o

Busto quebrado de uma estátua de Tutmés III.

Doação do Egypt Exploration Fund, 1907/Domínio Público

---

⁵ Andreas Schweizer. **The Sungod's journey through the netherworld**: reading the ancient Egyptian Amduat. Ítaca, NY: Cornell University Press, 2010, p. 168-169.

⁶ James E. Harris; Kent R. Weeks. **X-Raying the pharaohs**: the most important breakthrough in Egyptology since the discovery of Tutankhamon's tomb. 15ª ed. Nova Iorque: Charles Scribner's Sons, 1973, p. 138.

que, de fato, aconteceu especificamente com o faraó no momento do fechar das águas do mar.

Curiosamente, o Papiro de Ipuwer, aquele que apresenta as pragas na versão egípcia, também conta sobre o faraó ter morrido sem sequer ter a oportunidade de um velório.

Adicionalmente, Amenhotep II, filho e sucessor de Tutmés III, não era o primogênito do faraó, pois o primeiro filho de Tutmés III, Amenemés, havia morrido ainda jovem bem antes de seu pai; além disso, o primogênito de Amenhotep II também morreu inesperadamente de forma misteriosa. Teriam eles, primogênitos, sido vítimas da última praga?

Amenhotep II

Outros estudiosos acreditam, por sua vez, que o faraó do êxodo foi, na verdade, Amenhotep II, o filho de Tutmés III. Segundo a cronologia seguida por nós, Amenhotep II reinou entre os anos de 1452 e 1417 a.C., logo, como você pode perceber, ele teria vivido na época do êxodo (1447 a.C.), mas falecido apenas 30 anos depois. Um período consideravelmente extenso em relação ao tempo apresentado pela cronologia bíblica.

Primeiramente, como dissemos acima, o relato do Êxodo não é claro sobre o que realmente aconteceu com o faraó após a travessia dos israelitas pelo Mar Vermelho (cf. Êx 14:21-31). O texto de Salmo, mencionado anteriormente, é a única passagem que relata o que entendemos ter sido o destino do rei. De qualquer modo, devemos levar em conta que, com as nossas cronologias egípcias modernas, não podemos apontar a data da morte de um faraó em particular para o ano de 1447 a.C. Para ser preciso, existem três formas diferentes de datação usadas atualmente por diferentes estudiosos: a alta, a média e a baixa.[7] Elas variam em até 25 anos para mais ou para menos e, em nenhuma delas, houve um faraó morto exatamente em 1447 a.C. Contudo, o falecido erudito e biblista William Shea acreditou ter encontrado evidências de um faraó que realmente morreu no ano de 1447 a.C., porém, a data de sua morte teria sido encoberta por antigas auto-

---

[7] Vale lembrar que estamos seguindo a alta cronologia

ridades egípcias.[8] Isso porque a teologia egípcia não permitiria que seu rei-deus morresse enquanto perseguia meros escravos fugitivos. Assim, não registrar o evento seria como se nunca tivesse acontecido.[9]

William Shea, que inicialmente pensava ser Tutmés III o faraó do êxodo, mudou de posição a partir de novas evidências. Com base na alta cronologia, Shea propõe que Amenhotep II teria assumido o trono ao redor de 1450 a.C., imediatamente após a morte de seu pai Tutmés III. Quatro anos mais tarde teria sucumbido às águas do Mar Vermelho durante a fuga israelita. Amenhotep II teria sido substituído por outro rei que recebeu o mesmo nome, e todo o incidente, então, fora abafado pelas autoridades da época. Ainda que isso possa parecer, à primeira vista, especulativo, Shea apresenta indícios reveladores dos deslizes dos escribas que acabaram não sendo cuidadosos com a mentira propagada, deixando pistas sobre o ocorrido.

Uma das evidências está nos dois pares de estelas que descrevem as campanhas militares feitas por Amenhotep II na Ásia. Curiosamente, ambos os documentos apresentam as expedições do rei como sendo sua "primeira campanha de vitória". Essa é uma frase comum em muitos textos faraônicos que descrevem a primeira campanha militar do rei. Mas seria estranho o rei ter realizado duas primeiras campanhas de vitória. Para solucionar essa discrepância, a sugestão oferecida é entender que a "primeira campanha de vitória", a mais antiga do texto, foi aquela executada por Amenhotep II, filho de Tutmés III, mas a outra por um segundo Amenhotep II, cunhado como Amenhotep IIB, que realmente teve sua primeira campanha como rei após ter assumido o lugar do anterior.

Outra pista encontra-se no fato de que a campanha militar do Amenhotep IIB rendeu um total de 90 mil escravos para o Egito. Um número alto e que, para muitos estudiosos, é considerado exagerado. Por outro lado, se os egípcios tivessem perdido muitos escravos, devido à fuga dos israelitas, essa informação faz sentido, pois seria uma forma de compensar a perda recente.

---

[8] William H. Shea. "Amenhotep II as Pharaoh of the Exodus", in **Bible and Spade**, v. 16, n. 2 (primavera de 2003), p. 41-51.
[9] Gerald Wheeler. "Ancient Egypt's silence about the Exodus", in **Andrews University seminary studies**, v. 40, n. 2 (2002), p. 257-264.

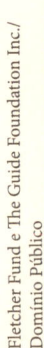

Cabeça de Amenhotep II.

Dessa perspectiva, o verdadeiro Amenhotep teria reinado de 1452 a 1447 a.C., enquanto Amenhotep IIB, continuou o reinado de 1447 até 1417 a.C.[10] Com isso em mente, entendemos que a múmia encontrada no Vale dos Reis pertencente a Amenhotep II, seria, na verdade, de Amenhotep IIB – o impostor.

Há outros fatores mencionados por Shea, mas um argumento adicional e interessante a favor de Amenhotep II, encontra-se na Estela dos Sonhos de Tutmés IV, seu filho sucessor. A estela registra uma caça feita por Tutmés IV, quando ainda era príncipe, aos arredores da grande esfinge em Gizé. Ali, ele se deitou para descansar, adormeceu e sonhou com a esfinge lhe dizendo que ele se tornaria o próximo faraó se ele limpasse a areia sobre a esfinge. Apesar da estela relatar que Tutmés IV cumpriu o requisito da esfinge, isso lhe pareceu confuso, pois ele não estava na linha de sucessão ao trono, já que havia outro antes dele.[11] Uma vez que Tutmés IV assumiu o trono após seu pai, devemos concluir que seu irmão mais velho morreu antes de ter a chance de substituir o pai. O que aconteceu não sabemos, mas teria sido porque ele morreu durante a décima praga? Além disso, como vimos, Amenhotep II não era o primogênito de Tutmés III, daí permanecer vivo durante a praga final, pois caso fosse o primeiro filho teria sucumbido à praga como os demais. Tutmés III, por outro lado, era o primogênito e deveria ter morrido junto a todos os outros, não tendo a chance de chorar por seu filho ou perseguir os israelitas.

Se Tutmés III ou Amenhotep II, há boas evidências para ambos os lados, assim como inconsistências. Na verdade, poderia ser até mesmo um outro faraó não cogitado ou não descoberto. O ponto é que no

---

[10] William H. Shea. "The date of the Exodus", in David M. Howard Jr. e Michael A. Grisanti (eds.). **Giving the sense**: understanding and using Old Testament historical texts. Grand Rapids, MI: Kregel, 2003, p. 246-248.

[11] Breasted. **Ancient records of Egypt**. Vol. 2. p. 320-324, §810-815.

Pentateuco não há nenhuma menção do nome de qualquer faraó. Vale lembrar que apesar do termo "faraó" ser um mero título, o texto hebraico trata essa palavra como sendo um nome próprio. Isso porque, pelo menos na visão do Pentateuco, o foco não está na pessoa do faraó, mas na ação comum daqueles que carregam esse título. Em outras palavras, seja ele Amósis, Tutmés, Ramessés, Amenhotep etc., todos agem com o mesmo *modus operandi*, o *modus faraó* – alienação e desdém sobre o Deus de Israel e oposição para com aqueles que O seguem. Assim, o relato bíblico essencialmente não está preocupado em identificar uma pessoa em especial, mas ensinar a mim e a você que qualquer um que aja da mesma maneira é também um faraó. E assim como aquele do êxodo teve oportunidade para arrepender-se, hoje também temos. E caso não o fizermos, o destino final são as águas do esquecimento. Seja Tutmés III, Amenhotep II, ou qualquer outro, a verdade é que ninguém foi páreo para um Deus disposto a salvar. Ele cumpriu Sua palavra, resgatou Seu povo com braço forte e ações de justiça. Muito em breve, Ele fará tudo de novo.

A saída do Egito

Ao observar um mapa, obviamente deduziríamos que se grande parte do povo de Israel vivia na terra de Gósen, no Delta do Nilo, naturalmente a rota mais lógica seria a Via Maris – a costa norte ao redor do Mediterrâneo. Porém, como estudamos no capítulo 8, apesar de esse ser o caminho mais simples e fácil, por outro lado, estava repleto de fortificações e soldados egípcios. Ainda que Deus pudesse miraculosamente destruí-los, é notório que as ações divinas são poderosas, porém, simples e cheias de significados. Deus tanto não queria que o povo desanimasse ao percorrer essa rota (Êx 13:17), quanto queria que eles aprendessem a colaborar com Suas ações. Em vez de um simples teletransporte, a abertura do mar é igualmente incrível, mas exige que ele seja atravessado.

Então, a questão é: qual mar os israelitas atravessaram? Ainda que a resposta para essa pergunta pareça simples, pois, qualquer leitor da Bíblia saberia que a passagem aconteceu no Mar Vermelho, na verdade, a solução não é tão fácil quanto parece.

Devido à forma em V no topo do Mar Vermelho, achados arqueológicos e diferentes interpretações do texto bíblico, muitos especialistas no assunto têm proposto locais distintos para a travessia dos israelitas. A verdade é que a Bíblia, especialmente em Êxodo e Números, apresenta uma série de lugares pelos quais os israelitas passaram/pararam desde sua saída do Egito até à chegada diante do mar. Apesar da precisão dos detalhes ao informar os diferentes pontos de paradas da rota de fuga, somos, hoje, incapazes de atestar o local exato da maioria dessas regiões. O que tem tornado difícil identificar onde realmente aconteceu a divisão das águas. Esse fato, portanto, tem levado os estudiosos do êxodo a formularem hipóteses diferentes sobre o local da travessia pelo Mar Vermelho.

De forma simples, podemos reduzir a interpretação dos estudiosos em pelo menos três posições: o Golfo de Ácaba, o Golfo de Suez ou em algum dos lagos pantanosos sobre o Istmo de Suez. Veja a seguir:

Golfo de Ácaba

Relativamente recente, essa hipótese propõe que a passagem israelita aconteceu no Golfo de Ácaba, no braço direito do Mar Vermelho. Desse modo, a rota israelita teria começado a partir do Egito, cruzando o Deserto do Sinai, passando pelo Golfo de Ácaba, e, por fim, levando à região da atual Arábia Saudita. Naturalmente, segundo essa posição, o Monte Sinai, onde os israelitas se reuniram após o êxodo, não estava no Deserto do Sinai em si, mas seria um dos montes sauditas, tais como Jabal al-Lawz, Jabal Maqla, entre outros.

Em uma perspectiva bastante fundamentalista e desprovida de qualquer prova real, os adeptos e proponentes dessa teoria julgam que a localidade real da travessia se encontra onde hoje está Nuweiba, uma cidade do lado esquerdo do Golfo de Ácaba. Essa proposta baseia-se no texto de Êxodo 13:18, o qual menciona que Deus fez os israelitas irem "pelo caminho do deserto perto do mar Vermelho", bem como em Gálatas 4:25, no qual Paulo situa o Monte Sinai na Arábia. Um dos seus principais propagadores foi Ron Wyatt, um arqueólogo amador falecido em 1999, que disse (sem provas concretas) ter encontrado evidências arqueológicas do exato local da passagem pelo mar nessa cidade. No entanto, por muitas razões, sejam elas históricas ou lógicas, essa proposta é extremamente absurda, não nos permitindo conceber uma rota tão longa e tão afastada do Egito. Na verdade,

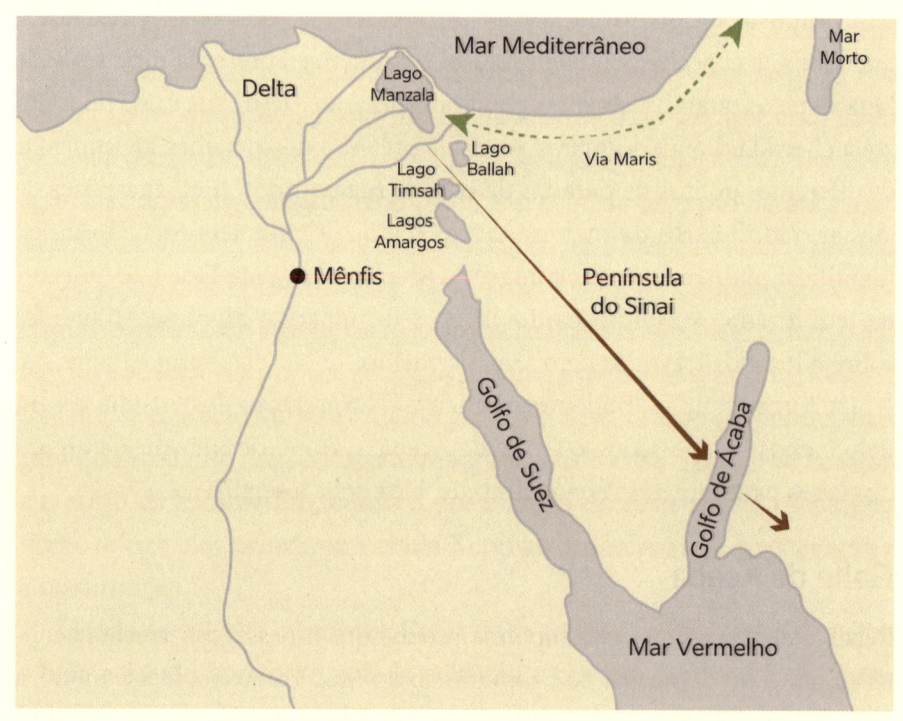

Rota do êxodo segundo a hipótese da travessia pelo Golfo de Ácaba.

quando comparada a inúmeras outras informações bíblicas, essa hipótese se apresenta muito confusa e bastante incoerente em relação ao resto da narrativa bíblica. Retomaremos essa perspectiva no próximo capítulo.

Golfo de Suez

A travessia no extremo norte do Golfo de Suez, a extensão esquerda no topo do Mar Vermelho, é, talvez, a imagem mais familiar dentro da cultura popular ao pensarem no milagre da abertura do mar. Ao considerar essa possibilidade, após passarem pelo mar, os israelitas teriam ido para a Península do Sinai em direção ao Monte Sinai, que, nesse caso, estaria na extremidade inferior da península. Essa hipótese, por exemplo, é o ponto de passagem mostrado na cinematografia popular, como no famoso filme de Cecil B. DeMille, "Os Dez Mandamentos" de 1956, ou na animação "O Príncipe do Egito" de 1998, dirigido por Brenda Chapman.

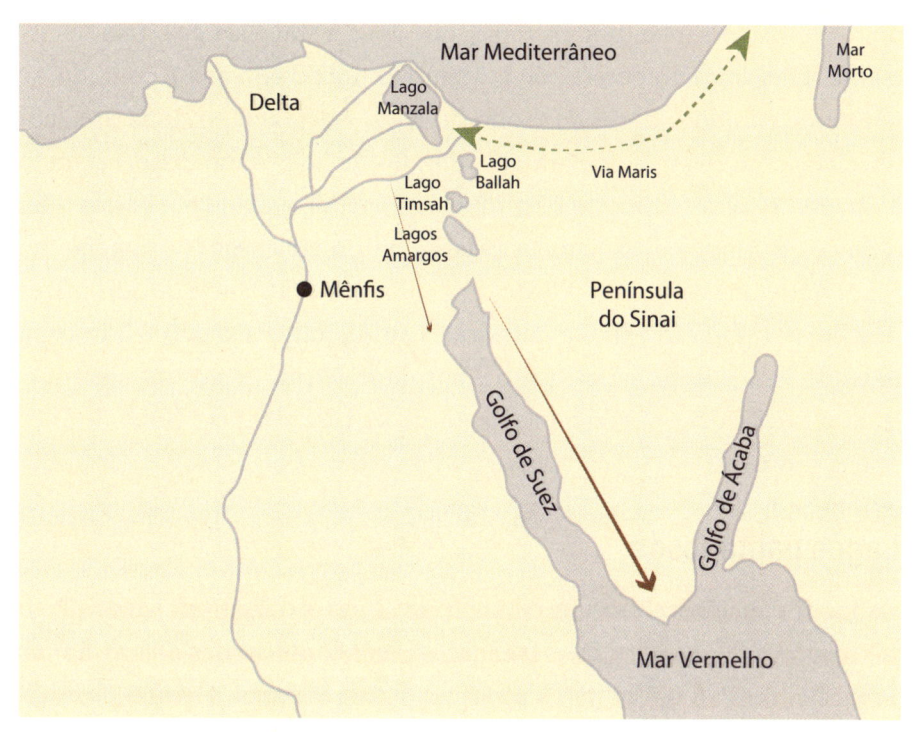

Rota do êxodo segundo a interpretação da travessia pelo Golfo de Suez.

Esse golfo é de largura entre 10 e 50 quilômetros, o que tornaria longa a passagem de uma grande caravana com mais de mil pessoas, certamente contendo idosos, gestantes, crianças etc. Mas a travessia certamente não aconteceu em minutos, e sim horas, possivelmente a noite toda (cf. Êx 14:21-27).

Outros argumentam que o Golfo de Suez está muito ao sul do Delta, e mais ainda de Canaã, o que implicaria um desvio exagerado no caminho para a Terra Prometida. Mas levando-se em conta que o objetivo inicial da jornada era primeiro chegar ao monte da revelação (Êx 5:1, 3 etc.) e depois sim à terra prometida, esse desvio não parece implausível.

O maior problema com essa interpretação jaz no fato de que a descrição dos lugares mencionados na Bíblia para a rota de fuga israelita não combina com a geografia da região do Suez, e principalmente não se encaixa com sítios arqueológicos já encontrados de muitos desses lugares.

A Bíblia menciona, por exemplo, que após a travessia pelo mar, os israelitas chegaram no deserto de Etã/Sur (Êx 15:22; Nm 33:8), contudo, se tivessem cruzado o norte do Golfo de Suez, entrariam em uma área conhecida como deserto de Parã ou caminho de Seir. Além disso, segundo Números 33, após cruzarem o mar (verso 8), tendo andado por vários dias, o povo passou por duas paradas (Mara e Elim) até chegar novamente no Mar Vermelho (verso 10). O texto dá a entender a existência de dois mares diferentes: um da travessia e outro mais ao sul, onde aconteceu a terceira parada.[1] Isso nos faz supor que o "mar da travessia" estava mais ao norte, fora do golfo, tornando a interpretação da travessia pelo Golfo de Suez pouco provável.

Lagos pantanosos

Os lagos pantanosos são um conjunto de corpos d'água localizados logo acima do Golfo de Suez. Essa extensão de terra desde o norte do Golfo de Suez, até a costa do Mediterrâneo, é conhecida hoje como Istmo de Suez. De uma perspectiva horizontal, esse trecho inclui parte da região Delta oriental do Nilo (onde estava Gósen), os lagos pantanosos (marco fronteiriço) e o Deserto do Sinai. Em outras palavras, entre a porção fértil do Delta e a região desértica do Sinai havia um trecho composto por várias porções d'água que separavam os dois cenários e que se estendiam desde o topo do Golfo de Suez até o Mar Mediterrâneo. O que vemos atualmente, no entanto, não corresponde à mesma geografia vista na antiguidade; as ações do tempo, bem como a atividade humana mudaram significativamente a paisagem.

Com a moderna abertura do Canal de Suez, em 1859, a geografia, a configuração, e mesmo a existência desses lagos não permanecem mais a mesma. Antes do canal, sabe-se que havia pelo menos quatro ou cinco corpos de água em uma linha norte-sul desde o Mediterrâneo até o Golfo de

---

[1] K. A. Kitchen. "Red Sea", in Merril C. Tenney (ed. geral). **The Zondervan pictorial encyclopedia of the Bible**. Vol. 5. Grand rapids, MI: Zondervan, 1976, p. 47.

Suez: Lago Manzala, Lago Shihor, Lago Ballah, Lago Timsah e o conjunto dos Lagos Amargos.

Há divergências entre os estudiosos sobre em qual dos lagos especificamente poderia ter ocorrido a passagem pelo mar.[2] Mas a despeito da interpretação, sabe-se que essa área de água é bastante breve e levemente próxima do Delta, enquanto, ao mesmo tempo, relativamente distante das fortalezas da Via Maris, "o caminho da terra dos Filisteus" (Êx 13:17), o que a torna uma opção muito válida para a travessia miraculosa, ainda que os lagos não fossem, aparentemente, parte do Mar Vermelho em si.

Evidências sugerem que, antigamente, o Golfo de Suez se estendia ainda mais para o Norte, embora não saibamos o quanto.[3] Segundo o egiptólogo e arqueólogo Édouard Naville, é difícil não admitir que o Golfo de Suez "se estendia muito mais ao norte do que atualmente, e compreendia não apenas os Lagos Amargos, mas também o Lago Timsah".[4] Isso se deve especialmente por causa de uma visível depressão no solo desde o Golfo de Suez até o Golfo do Pelúsio, mas especialmente entre os Lagos Amargos e o Lago Timsah.[5]

Além disso, durante o segundo milênio a.C., a costa mediterrânea estava muito mais ao sul do que agora.[6] Ou seja, a distância entre o golfo e a costa do Mediterrâneo era muito mais estreita do que vemos hoje. Se um ou mais desses lagos fizeram ou não parte do Golfo de Suez, o fato é que

---

[2] Vale lembrar que o termo "lago" é uma nomenclatura moderna para classificar um conjunto de águas específicas. Muitos povos antigos usavam a mesma palavra para designar qualquer corpo grande de água, fosse ele mar, lago, lagoa, açude etc.
[3] Hoffmeier. **Israel in Egypt**, p. 209.
[4] Édouard Naville. **The store-city of Pithom and the route of the Exodus**. Londres: Messrs. Trübner & Co., 1885, p. 7 (cf. também p. 8, 21).
[5] Jerry R. Rogers; Glenn O. Brown; Jürgen D. Garbrecht (eds.). **Water resources and environmental history**. Salt Lake City, UT: American Society of Civil Engineers, 2004, p. 124.
[6] Benjamin E. Scolnic. "A new working hypothesis for the identification of Migdol", in James K. Hoffmeier; Alan Millard (eds.). **The future of biblical archaeology**. Grand Rapids MI: Eerdmans, 2004, p. 96-97.

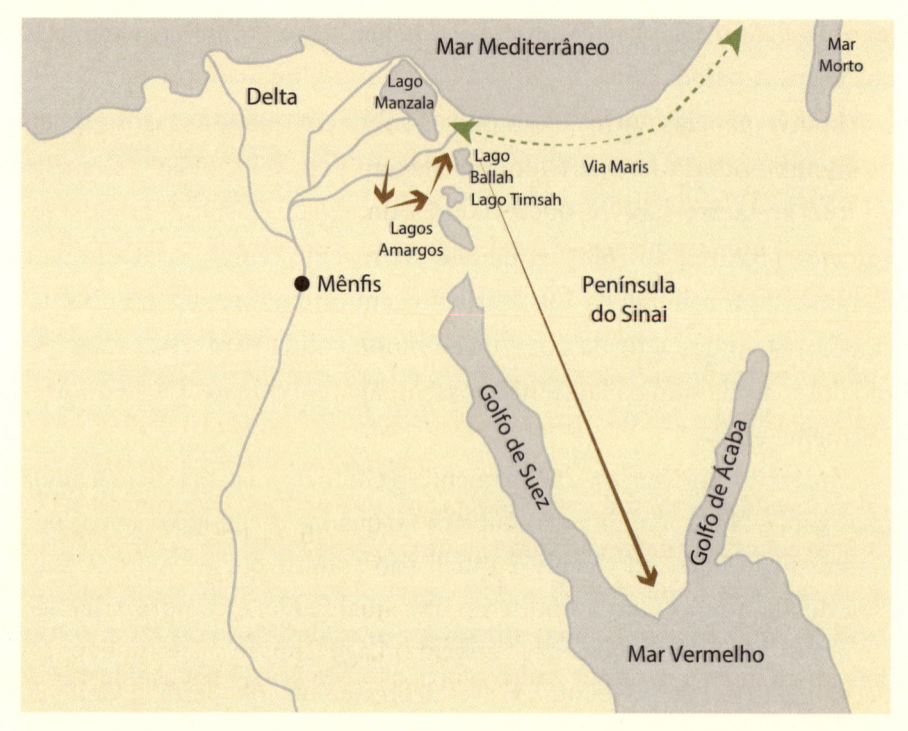

Rota do êxodo proposta pela perspectiva da passagem através do Lago Ballah.

essa região foi conhecida, mesmo no passado, por contê-los[7], como pode ser visto em um hino a Osíris dentro dos Textos das Pirâmides que menciona essa área.[8] Mesmo sem ser parte essencial do Mar Vermelho, por vários fatores, muitos são levados a crer que, antigamente, eles também eram considerados como tal.

A princípio, essa abordagem pode parecer estranha por não posicionar a travessia do mar no Mar Vermelho propriamente dito, conforme esperaríamos. Mas, o embasamento dessa teoria se faz sobre evidências topológicas contundentes, fornecidas especialmente por descobertas arqueológicas e pela análise literária.

---

[7] Gary Byers. "New evidence from Egypt on the location of the Exodus sea crossing: Part I", in **Bible and Spade**, v. 19, n. 1 (2006), p. 35.
[8] James P. Allen. **The Ancient Egyptian pyramid texts**. Atlanta: Society of Biblical Literature, 2005, p. 217 (PT 206).

Rota de fuga

Segundo Êxodo 12:37 e Números 33:3, a saída dos israelitas começou a partir da cidade egípcia de Ramessés, localizada na terra de Gósen, região do Delta. Então, sob a liderança de Moisés, os israelitas se reuniram ali dando início à sua jornada memorável. Segundo o relato, ao saírem da terra de Ramessés, o povo de Israel passou por uma série de locais, antes de finalmente atravessar o mar. Com base em Êxodo 12-14 e Números 33:3-8, a rota seguida pelos israelitas do Egito ao Mar Vermelho pode ser sintetizada no quadro ao lado:

Do Egito ao Mar
1. Ramessés
2. Sucote
3. Etã
4. Locais perto do mar
   - Pi-Hairote
   - Baal-Zefom
   - Migdol
5. Passagem pelo mar

Achar a exata posição desses lugares não é uma tarefa fácil, mas essa informação certamente é de importância crucial para auxiliar na identificação do ponto onde os israelitas passaram sobre o mar. Por isso, é preciso fazer um levantamento das pesquisas atuais e dos vários estudos modernos que apresentam sua provável localização, definida com base em achados arqueológicos, paleografia e tradições antigas.[9]

Antes de tudo, vale pontuar que a pesquisa arqueológica no Delta é muito difícil por conta do alto lençol freático da região. Mas apesar disso, felizmente, essa área tem recebido uma atenção significativa nos últimos anos. O resultado dessas investidas modernas tem ajudado a esclarecer vários nomes dos locais da rota do êxodo.

Ramessés

Conforme apresentado pelo texto bíblico, a cidade de Ramessés foi o ponto de partida para o êxodo. Como visto anteriormente, não há razão para duvidar que essa Ramessés bíblica não seja a mesma Pi-Ramessés, cidade de

---

[9] Ferdinand O. Regalado. "The location of the sea the Israelites passed through", in **Journal of the Adventist Theological Society**, v. 13, n. 1 (2002), p. 118.

Ramessés II, mencionada por vários textos egípcios.[10] O nome hieroglífico completo da cidade era "Casa de Ramessés, Amada de Amon, Grande em Vitórias", e sua construção original estava na margem mais oriental dos cinco ramos antigos do Delta do Nilo. Esse braço do Nilo, às vezes chamado de "ramo pelusiano", está seco hoje, mas sabemos que era a última via navegável do Delta no período antigo. Além disso, Ramessés, que na época dos israelitas era melhor conhecida por Avaris (atual sítio de Tell el-Dab'a), encontra-se abaixo do ramo pelusiano, portanto, ao saírem dali, não haveria outra porção de água para os israelitas cruzarem antes do mar. Diferente de outras cidades já propostas, como Tânis, por exemplo, situada acima do rio.

Pi-Ramessés foi a última das várias cidades construídas e reconstruídas sobre aquela mesma área ao longo dos anos. Atualmente, no local estão as modernas vilas árabes de Tell el-Dab'a, Qantir e Ezbet Helmi que, no passado, formavam juntas um território de cerca de 13 km², onde as antigas cidades egípcias de Rowaty, Avaris, Peru-Nefer e Pi-Ramessés foram erguidas.[11] Sabe-se que a cidade abrigava um importante conjunto de portos que acabaram sendo abandonados devido a uma mudança no curso do Nilo ao redor do primeiro milênio a.C. Certamente por isso, houve um contínuo interesse dos moradores que se assentavam sobre essa região em particular.

Seguindo a cronologia dos nomes que esse local já teve, na época de Jacó, possivelmente se chamava de Rowaty (Gn 47:11), mudando para Avaris durante a grande hegemonia hicsa, Peru-Nefer após ser reconstruída por causa da destruição feita por Amósis I (Êx 1:11?), e, muitos anos depois, renomeada de Pi-Ramessés, quando foi restaurada e adornada pelo faraó Ramessés II. Esse último nome, como proposto antes, tornou-se o mais conhecido da cidade, certamente no tempo em que editores e detentores do texto bíblico manuseavam o Pentateuco, a fim de tornar as localidades bíblicas mais familiares aos leitores de sua época.

---

[10] Kitchen. **On the reliability of the Old Testament**, p. 255.
[11] Gary Byers. "New evidence from Egypt on the location of the Exodus sea crossing: Part II", in **Bible and Spade**, v. 19, n. 2 (2006), p. 43.

Sucote

Sucote foi a primeira parada logo após a saída de Ramessés. Seu nome é um termo hebraico que significa "cabanas" ou "tendas temporárias", correspondendo provavelmente à região egípcia conhecida por Tjeku. Segundo Hoffmeier, Tjeku é uma transliteração egípcia do hebraico *sukot*.[12] Por isso, acredita-se que o nome "cabanas" faz referência a uma região onde antigos viajantes asiáticos acampavam próximo a uma pequena corrente de água doce que acabou se tornando ponto de parada na rota de comunicação comercial para as caravanas vindas para o Egito.

Anteriormente, vimos que essa região já havia sido mencionada em determinados papiros da coleção Anastasis, bem como em outras inscrições egípcias. Tem sido amplamente aceito que Tjeku se localizava onde está hoje o moderno assentamento de Tell el-Maskhuta parte do Wadi Tumilat, há mais ou menos 25 quilômetros a sudeste de Ramessés. Note que o nome árabe *Maskhuta* parece preservar um pouco da pronúncia do hebraico *Sukot* – (*Ma*)*skhut*(*a*).

Em corroboração com a hipótese de que Sucote era um local de acampamento, escavações arqueológicas em Tell el-Maskhuta têm revelado que não havia cidade no local durante o período do Novo Império.[13] Evidências disso são obtidas no relatório preliminar da escavação de 1980, quando foram encontradas paredes fragmentárias pertencentes apenas ao período persa, mas não para o período egípcio.[14]

Certamente Tjeku não era uma cidade permanente, com casas e estabelecimentos, por isso era o local perfeito para uma parada, já que os israelitas não teriam de lidar com egípcios ali.[15]

---

[12] Hoffmeier. **Ancient Israel in Sinai**, p. 65. O antigo som da letra hebraica *samekh* (ס) corresponde ao egípcio *t* (tch/tj).
[13] John S. Holladay Jr. "Maskhuta, Tell el-", in David N. Freedman (ed.). **Anchor Bible dictionary**. Vol. 4. Nova Iorque: Doubleday, 1992, p. 590.
[14] Regalado. "The location of the sea the Israelites passed through", p. 122.
[15] William H. Shea. "Leaving Egypt: the way out" in **Adventist review**, v. 167, n. 21 (24/Maio/1990), p. 14.

Wadi Tumilat

Antes de prosseguir com as demais localidades apresentadas pelo texto bíblico, cabe conhecermos um pouco sobre o vale Tumilat que parece ter feito parte da rota israelita em direção ao mar e que, de certa forma, está intimamente conectado com Tjeku (Sucote).

Crê-se que em tempos muito remotos, Wadi Tumilat foi um afluente do Nilo que se ramificava formando a linha mais oriental do Delta, mas assim como o ramo pelusiano, com o tempo acabou secando.[16] O vale era estreito em largura em torno de 2 a 6 metros, começava no Nilo a partir da antiga região de Bubastis e se estendia por cerca de 50 quilômetros até desembocar no Lago Timsah, onde está a moderna cidade de Ismaília.

Mesmo seco, esse vale se tornou uma importante artéria de comunicação para o comércio de caravanas entre o Egito e a região do Levante. Isso se deve especialmente porque, aproveitando a depressão natural do vale, construiu-se ali um canal, mais tarde chamado Canal dos Faraós, o qual ligava o Nilo com o Golfo de Suez por meio do Lago Timsah e os Lagos Amargos, e que posteriormente foi estendido até o Golfo do Pelúsio, no Mediterrâneo. Esse empreendimento artificial é considerado o precursor do Canal de Suez, na medida em que visava conectar o Mar Vermelho ao Mediterrâneo muito antes da atividade da engenharia moderna.

Existe um considerável grupo de documentos antigos que mencionam sobre esse canal artificial do Wadi Tumilat. Infelizmente, a maioria deles não são unânimes sobre sua origem, mas, com base em Heródoto, geralmente atribui-se a construção do canal ao faraó Neco II (610-595 a.C., 26ª din.), o qual não foi capaz de terminá-lo, sendo, mais tarde, continuado e/ou ampliado por Dario I, o rei persa que dominou o Egito.[17] Entretanto, Aristóteles, bem como Estrabão e Plínio, o Velho, escreveram que o real iniciador desse projeto fora, na verdade, o faraó Sesóstris III (1878-1839 a.C.)

---

[16] E. M. El Shazly. "The ostracinic branch, a proposed old branch of the River Nile", in **Discussions in Egyptology**, v. 7 (1987), p. 69–78.

[17] Heródoto. **História**, Livro II, *Euterpe*, CLVIIIss.

da 12ª dinastia, porém não chegando a completá-lo.[18] Carol Redmount, arqueóloga que trabalhou no local, aponta um estudo etnográfico e arqueológico detalhado do vale que mostra a existência de dois canais e não apenas um.[19] Isso sugere que houve mais de uma tentativa de construir um canal no vale – em diferentes épocas e por reis distintos. A origem do canal pode ter sido tão antiga quanto o Médio ou o Novo Império.

O ponto principal a se considerar, portanto, é que esse vale continha um canal artificial aquático que convinha tanto a propósitos comerciais, abastecendo os animais e hospedando os mercadores e/ou andarilhos que passavam por ali, quanto à comunicação marítima entre o Nilo e o Mar Vermelho, por meio dos lagos no Istmo de Suez. Além disso, é possível que houvesse um dique no canal, talvez em Pitom (Tell el-Retaba), usado para controlar o fluxo d'água que tanto abastecia os lagos do istmo, quanto auxiliava como vazante para regular as enchentes nos braços pelusiano e tanítico do Nilo.

Ao longo do vale foram encontradas ruínas de vários assentamentos construídos ao seu redor na antiguidade. Cerca de 35 locais de importância arqueológica já foram identificados no Tumilat. Os três mais significativos foram Tell el-Maskhuta (Sucote/Tjeku), Tell el-Retaba (Pitom/Per-Iten) e Tell Shaqafiya.

Escavações no local têm mostrado que durante grande parte da antiguidade, o vale parece ter sido praticamente deserto. Os únicos dois períodos em que o Tumilat foi intensamente ocupado foram durante o Segundo Período Intermediário (c. 1630-1520 a.C.), quando o território foi invadido pelos asiáticos, e no Período Tardio (715-332 a.C.), entre a 26ª dinastia e o início do domínio persa.

---

[18] Aristóteles. **Metereology**. Livro 1, cap. 15. Documento online traduzido por E. W. Webster. Disponível em https://pinkmonkey.com/dl/library1/gp011.pdf, acessado em 03/02/2023; Duane W. Roller (trad.). **The geography of Strabo**: an English translation, with introduction and notes. Cambridge: Cambridge University Press, 2014, p. 746 (17.1.25); Plínio, o Velho. **Natural history**: a selection. John F. Healy (trad.). Nova Iorque: Pinguin Books, 2004, Livro 6, 165-166.
[19] Carol A. Redmount. "The Wadi Tumilat and the 'Canal of the pharaohs'", in **Journal of Near Eastern studies**, v. 54, n. 2 (Abr., 1995), p. 131.

Curiosamente, inscrições do período do Novo Império indicam que o vale como um todo também era chamado de Tjeku (ⵣ𓈖𓈉). Talvez porque as caravanas asiáticas costumavam se "acampar" por toda a extensão do vale, porém, mais tarde, pode ser que a região de Tell el-Maskhuta acabara se convertendo em um ponto de parada principal de todo o Wadi. Isso porque algumas partes do vale continham lagos pantanosos perenes sustentados pela inundação anual do Nilo, daí tornar-se um local adequado para acomodar as "barracas" (*sukot*) dos recém-chegados bem como abastecer com água seus animais cansados pelas longas viagens desérticas. Assim, o nome Tjeku (Sucote) acabou sendo usado para se referir a uma região (o Wadi Tumilat) ou a um local específico dentro da região, provavelmente um forte, conhecido pelo mesmo nome. Isso significa que a referência bíblica a Sucote pode ser entendida da mesma maneira.[20]

Perceba que o nome egípcio Tjeku à direita (ⵣ𓈖𓈉) contém os hieróglifos determinativos de "bastão" (𓏱) e "montanha" (𓈉), mas não o classificador comum para "cidade" (𓊖). Juntos, esses sinais eram usados para representar um povo estrangeiro ou uma área de fronteira egípcia.[21] Naturalmente essa região não era parte da fronteira, portanto, os sinais serviam unicamente para representar a presença de povos estrangeiros asiáticos. Algo que reforça o motivo de se ter descoberto poucos assentamentos no curso do vale, pois, nessa época, os pontos no vale serviam apenas como paradouros para estrangeiros.

Etã

Depois de Sucote, Etã foi a próxima parada do povo hebreu. É a partir daqui que as coisas começam a complicar, pois é mais difícil identificar os locais desse ponto em diante. Não se sabe ao certo qual o significado correto do termo hebraico *etam*. Alguns o conectam com a palavra egípcia para "forte" – *hetem*, pois, segundo informações dos papiros Anastasis e de ou-

---

[20] Hoffmeier. **Ancient Israel in Sinai**, p. 66.
[21] *Ibid.*, p. 65.

tras evidências, sabe-se que havia uma série de fortes no curso do Wadi Tumilat.[22] Etimologicamente, no entanto, essa conexão não parece possível.

Entretanto, Etã poderia sim ser uma fortaleza que abrigava um templo a Atom. Não por causa da conexão com *hetem* e sim porque registros egípcios revelam uma série de fortalezas distribuídas de norte a sul através do istmo de Suez. O propósito desses fortes era servir como vigias ao longo da fronteira, para monitorar os movimentos de entrada e saída dos estrangeiros.[23] Algumas dessas fortalezas ficavam na beira do deserto oriental, então, é possível que uma delas fosse a Etã bíblica.

Por outro lado, é mais provável considerar que o termo *etam* esteja relacionado ao nome do deus Atom. O que faz muito mais sentido já que, por algum motivo, a região do Tumilat estava fortemente associada a esse deus, em especial durante o Novo Império. Segundo inscrições encontradas na região, sabe-se que Atom foi adorado ali em épocas diferentes e em mais de um local. É provável a existência de templos e santuários dedicados a ele por todo o vale.[24] Em uma das várias inscrições achadas em Tell el-Maskhuta, por exemplo, Atom é, com frequência, reconhecido como o deus patrono de Tjeku (Sucote), que, como visto acima, era um dos pontos centrais de todo o vale. A própria cidade de Pitom, cujo nome egípcio *Per-Item* significa "casa de Atom", é em geral identificada com o sítio de Tell el-Retaba, outro local importante no vale. Além disso, o nome árabe Tumilat – *Tum*(ilat) – tem uma sonoridade que parece preservar o nome do deus patrono do vale.[25] Assim, se como Sucote e Pitom, Etã também estava ligada ao deus Atom, ela deve ter feito parte da área do Wadi Tumilat, possivelmente em algum ponto na extremidade leste do vale, próximo ao Lago Timsah.

A informação bíblica parece dar apoio a essa hipótese, pois o texto menciona que Etã estava "à entrada do deserto" do Sinai (Êx 13:20; Nm 33:6).

---

[22] William H. Shea. "Leaving Egypt: encounter at the sea" in **Adventist review**, v. 167, n. 22 (31/Maio/1990), p. 16; Hoffmeier. **Ancient Israel in Sinai**, p. 65ss.
[23] Shea, "Leaving Egypt: encounter at the sea", p. 16.
[24] Hoffmeier. **Ancient Israel in Sinai**, p. 62, 64.
[25] Em muitas inscrições e/ou períodos distintos, o nome Atom aparece de diferentes formas, tais como: Atem, Tem, Temu, Atum ou Tum.

Desenho de um relevo encontrado por Flinders Petrie em Tell el-Retaba. Nele o faraó Ramessés II mata um asiático diante do deus Atom. Entre a cabeça e a foice do deus Atom, à direita, está a inscrição "Atom, senhor de Tjeku".

A partir disso, os estudiosos divergem sobre o local onde poderia estar essa parada. Hoffmeier, por exemplo, sugere que Etã talvez estivesse fora do Wadi Tumilat;[26] Kenneth Kitchen, por sua vez, propõe que ela ficasse próximo do território onde hoje está situada a cidade árabe de Ismaília, a 15 quilômetros de Maskhuta na entrada oeste do Timsah.[27] De uma forma ou de outra, também precisamos considerar que o canal do Wadi Tumilat imporia uma barreira para a descida dos israelitas na direção sul, por isso, se Etã estava dentro do Tumilat ou, fora dele, quem sabe ao redor do Timsah, a rota lógica seria rodear o lago a fim de adentrar o deserto e, finalmente, deixar o Egito.

De volta para o Egito

De Etã, bruscamente, o Senhor ordenou que Israel mudasse de direção: "Diga aos filhos de Israel que *voltem* e se acampem diante de Pi-Hairote, entre Migdol e o mar, diante de Baal-Zefom; em frente desse lugar, junto ao mar, vocês acamparão" (Êx 14:2). O verbo *shuv*, usado para descrever esse movimento de volta, literalmente significa "retornar". Ou seja, à primeira vista, o verbo traz a ideia de volta para trás, na mesma direção do caminho

---

[26] *Ibid.*, p. 70.
[27] Kitchen. **On the reliability of the Old Testament**, p. 259.

que eles haviam acabado de passar, algo que, aparentemente, não faz sentido, pois: 1) as localidades por onde passaram não são repetidas, mas novos lugares são apresentados, e 2) dar meia-volta seria retornar para dentro do Egito, um objetivo contrário à proposta do êxodo (Êx 3:7-10).

Em outras palavras, o texto relata que eles mudaram de direção, mas não informa para qual lado exatamente, apenas menciona que eles deveriam se posicionar em frente a Pi-Hairote, que estava entre Migdol e o mar, e diante de Baal-Zefom. A princípio, podemos supor que eles teriam apenas três opções: virar ao oeste, ao norte ou ao sul, pois seguir em frente, isto é, rumo ao leste, não era mais bem-vindo. Obviamente que retornar ao oeste pode ser automaticamente descartado, já que o texto informa novas localidades, sem falar que voltar nessa direção não faria o menor sentido para o plano de fuga, como já dissemos. Portanto, sobra-nos as direções norte e sul.

- **Sul:** Gordon Wenham, especialista em Antigo Testamento, opina que, nesse ponto, os israelitas teriam se voltado para o sul, porque, caso virassem para o norte ou para o oeste, voltariam em direção aos egípcios que estavam lhes perseguindo.[28] Entretanto, o termo *shuv* ("voltar") sugere precisamente que Deus intencionava uma volta na direção do Egito. O texto parece implicar que o povo estava prestes a sair quando repentinamente teve de executar um movimento de retorno, ou seja, de permanência na terra. Isso porque Deus queria, mais uma vez, destronar a superioridade do faraó e exaltar Seu grandioso poder perante todo o Egito (Êx 14:3-4). Se para o sul ou para o norte, a virada de Israel o manteria ainda dentro do território egípcio, a fim de confundir o próprio Egito, fazendo-os pensar que os israelitas estavam desorientados, logo, vulneráveis.

Além disso, descer ao sul, implicaria ter de atravessar o canal do Wadi Tumilat, a menos que o canal não existisse nesse ponto ou

---

[28] Gordon J. Wenham. **Números**: introdução e comentário (Série Cultura Bíblica). São Paulo: Vida Nova, 1985, p. 256.

estivesse seco.²⁹ Outro fator a se considerar é a passagem de terra existente entre o Lago Timsah e os Lagos Amargos, e aquela entre os Lagos Amargos e o topo do Mar Vermelho, ou seja, os israelitas poderiam ter atravessado qualquer um desses espaços (veja o mapa), sem necessidade de descer tão ao sul a ponto de ficarem encurralados pelo mar. É claro, há a chance de ter havido entre esses pontos outras fortalezas que impediriam a sua passagem de alguma forma, já que estavam na divisa da fronteira do Egito com o deserto. Também vale destacar que a distância entre o Wadi Tumilat até o Mar Vermelho é relativamente grande. O texto não menciona quanto tempo os israelitas gastaram até chegar em Pi-Hairote, mas se esse local estivesse ao sul em frente ao topo do Mar Vermelho, no Golfo de Suez, eles precisariam ter percorrido um trajeto em torno de 80 a 100 quilômetros.

Nesse ponto, vale lembrar também que alguns estudiosos acreditam que, nos tempos antigos, o extremo norte do Mar Vermelho englobava os Lagos Amargos e até mesmo o Lago Timsah. Análises geológicas feitas por Linant de Bellefonds antes da construção do Canal de Suez, por exemplo, apontam que no passado o Mar Vermelho chegava muito próximo de Tell el-Maskhuta.³⁰ Estudos arqueológicos conduzidos ali por John Holladay Jr. revelaram uma grande quantidade de conchas marítimas.³¹ Além disso, autores antigos, como Heródoto, parecem informar que o fim do Golfo de Suez estava localizado onde hoje está o Lago Timsah.³² Se assim fosse, naturalmente, a distância percorrida pelos israelitas seria menor e

---

[29] Os meses de março-abril, período equivalente ao mês hebraico de Abibe/Nissan, correspondem ao Shemu – estação egípcia da baixa do Nilo e, consequentemente, das colheitas. Isso abre a possibilidade de o vale estar seco durante essa época.

[30] Édouard Naville. "The Geography of the Exodus", in **The journal of Egyptian archaeology**, v. 10, n. 1 (Abr., 1924), p. 37-39.

[31] Burton MacDonald. "Excavations at Tell el-Maskhuṭa", in **The Biblical archaeologist**, v. 43, n. 1 (1980), p. 54-55.

[32] Heródoto. **História**, Livro II, *Euterpe*, CLVIII; John Van Seters. **Changing perspectives 1**: studies in the history, literature and religion of biblical Israel. Nova Iorque: Routledge, 2014, p. 130.

a travessia pelo mar poderia, dessa perspectiva, ter ocorrido no que hoje são os Lagos Amargos ou o Lago Timsah.

A dificuldade com essa interpretação está em determinar os locais mencionados no texto ao redor dessa região. Naturalmente, o que sabemos ainda é vago e hipotético, porém, as poucas evidências sobre Pi-Hairote, Migdol e Baal-Zefom, por exemplo, fazem-nos supor que a passagem pelo mar teria acontecido mais ao norte do que ao sul. Mas isso em nada exclui a possibilidade de que a travessia pelo mar tenha ocorrido conforme essa perspectiva.

- **Norte:** Os arqueólogos James Hoffmeier e William Shea inicialmente consideravam que os israelitas haviam se voltado para o sul, mas, com a aquisição de novas informações, eles apontam que, na verdade, faz mais sentido pensar em um deslocamento para o norte – saindo da região do Lago Timsah subindo em direção ao Lago Ballah. Essa consideração se encaixa muito bem com o uso do verbo *shuv*, pois virando ao norte, os israelitas estariam realmente "voltando" (*shuv*), já que haviam saído do norte, isto é, Ramessés/Avaris, como também se posicionariam em direção à rota dos filisteus (Via Maris) que antes lhes havia sido vedada (Êx 13:17). Mas agora, por questões estratégicas divinas, eles precisavam seguir.

A mudança de opinião de Hoffmeier e Shea para uma interpretação da travessia pelo norte, no entanto, se deve especialmente às recentes considerações arqueológicas sobre as localidades de Pi-Hairote, Migdol e Baal-Zefom.

Pi-Hairote

O movimento lógico esperado dos israelitas era, do fim do Wadi Tumilat, seguir em frente contornando o Lago Timsah e, assim, cruzar a fronteira e entrar na Península do Sinai dentro de uma rota conhecida como caminho de Sur, já totalmente livres do Egito. Mas, como vimos acima, de modo inesperado Deus pede um movimento de retorno, ou seja, de permanência um pouco mais na terra egípcia. Essa manobra deveria levá-los agora para

Pi-Hairote, em frente ao mar. Infelizmente, não é uma tarefa fácil identificar esse local, mas é possível que o significado de seu nome nos dê uma pista.

Não está claro se esse nome é egípcio ou hebraico. Mas é certo que o lugar estava localizado no lado egípcio, à esquerda do mar, então, as chances de ser de origem egípcia são grandes. Nesse caso, o prefixo "pi-" é a forma hebraica de representar a palavra egípcia *per* ("casa"), como em PItom e PI-Basete. A segunda parte – Hairote, é mais difícil de conectar a uma raiz egípcia, o que sugere que esse nome pode, na verdade, ter uma origem semita.

Você deve lembrar que o norte do Egito, a região do Delta, foi amplamente povoado por povos semitas advindos de Canaã. Por isso, a existência de nomes semitas para determinadas localidades não seria incomum, como vimos com o caso de Sucote. Além disso, precisamos considerar que o autor bíblico procura fornecer no texto a forma mais popular dos topônimos para seus leitores primários, os israelitas. Haja vista que, com exceção de Ramessés e Etã, todas as demais localidades nessa seção são de origem semita, incluindo o modo de se designar o Mar Vermelho (veja a seguir).

Assim, se Pi-Hairote for considerado semita, o prefixo "pi-" representa a palavra "boca", que também adquire conotações de "abertura", "saída", "extremidade" ou "entrada". [33] A segunda parte começa com o artigo hebraico (*ha-*) seguido, aparentemente, de um substantivo feminino plural (*hirot*). Esse substantivo pode estar relacionado com a palavra hebraica *hor*, cujo significado é "buraco", "caverna", ou com a raiz *harat* que significa "cortar", "entalhar". De uma forma ou de outra, ambos os conceitos transmitem a ideia de algo que foi perfurado, isto é, que produziu desnível em uma superfície. Assim, a interpretação completa do nome é algo como: "a boca das cavernas" ou "a extremidade das valas". Mas qual seria o significado geográfico disso?

No século XIX, Linant de Bellefonds, um dos engenheiros responsáveis por averiguar a região onde seria construído o Canal de Suez, descobriu

---

[33] Cf. Gn 29:2; 42:27; Êx 28:32; Nm 27:14; Js 10:18; 2 Rs 10:21; Pv 8:3.

traços de um antigo canal que corria do norte do Lago Timsah até o Lago Ballah. Quase um século mais tarde, três geólogos israelenses estudando a região – Amihai Sneh, Tuvia Weissbrod e Itamar Perath, perceberam que esse canal era muito mais longo do que o imaginado. Saindo da base do Delta, ele percorria todo o Wadi Tumilat até o Lago Timsah, dali desembocava no Ballah e seguia até a região do Pelúsio, à costa do Mediterrâneo. Segundo suas observações, o topo do canal media em torno de 70 metros de largura, diminuindo ao fundo para 20 metros e, quando ativo, podendo chegar até 3 metros de altura de água. Com base nas evidências geológicas, eles propuseram que esse canal era tão antigo que poderia remontar à 12ª dinastia (1991-1778 a.C.).[34] No entanto, com o tempo, o canal acabou sendo retrabalhado e reconfigurado por reis posteriores, tais como Neco II (610-595 a.C.) e Dario I (550-486 a.C.), os quais reivindicaram o feito para si. Tal perspectiva, portanto, estaria em conformidade com a descrição de autores antigos, como Aristóteles e outros, que atribuíram essa construção ao faraó Sesóstris III, da 12ª dinastia.

Várias evidências paleográficas indicam que os faraós construíram esses canais primariamente para defender o lado leste do Delta contra invasores asiáticos.[35] Assim, o canal foi escavado por longos anos e sob a regência de diferentes faraós a fim de servir como parede defensiva, conforme retratado no relevo de Seti I, em Karnak.[36]

Então, levando-se em conta a presença desse canal na época do êxodo, descer ao sul do Wadi Tumilat ou seguir em frente rumo à linha fronteiriça entre o Timsah e o Ballah, igualmente demandaria dos israelitas a passagem por ele. Com base em uma evidência iconográfica, sabemos que os egípcios construíram pontes sobre os canais. Poderíamos cogitar a existência de uma ponte ou algum tipo de passagem no canal leste entre o Timsah e o Ballah, visto que ali se seguia o caminho de Sur, uma rota comercial

---

[34] Amihai Sneh, Tuvia Weissbrod e Itamar Perath. "Evidence for an Ancient Egyptian frontier canal", in **American Scientist**, v. 63, n. 5 (Set.-Out., 1975), p. 546.
[35] *Ibid.*, p. 546-548.
[36] William H. Shea. "Date for the recently discovered Eastern Canal of Egypt", in **Bulletin of the American Schools of Oriental Research**, 226 (1977), p. 37.

conhecida e importante, a qual seria o ponto de saída definitiva de Israel do Egito. Contudo, por causa da mudança de ideia do faraó, é provável que os israelitas fossem barrados no cruzamento e/ou alcançados pelos egípcios, já que perderiam muito tempo na travessia do canal por estarem em grande número de pessoas e carregando muitos bens.

Com isso em mente, Pi-Hairote, ou seja, "a boca/fim das valas" poderia muito bem ser não uma cidade, mas uma referência à extremidade do canal que desembocava no Lago Ballah.

Baal-Zefom

Baal-Zefom é um dos pontos de referência para identificar a localidade de Pi-Hairote. Na verdade, diferente das outras localidades, apenas Pi-Hairote é especificado pelo uso de três referências: Baal-Zefom, Migdol e o mar. Isso faz sentido se você pensar que, se havia pelo menos três segmentos de canais, obviamente, havia três bocas de saída d'água. Logo, os locais mencionados em relação a Pi-Hairote servem para nos situar ao redor do Ballah, e não na saída do Wadi Tumilat ou no Mediterrâneo. Nesse caso, Baal-Zefom precisava estar próximo à área sul do Lago Ballah, onde estava a boca do primeiro segmento do Canal Oriental.

Baal-Zefom é um termo hebraico fácil de identificar, pois *baal* significa "senhor", epíteto muitas vezes usado para o deus "Baal"; já *tsefon* é a palavra para "norte". Assim, Baal-Zefom seria algo como "senhor do norte" ou "Baal do norte".

Infelizmente não está claro se essa era uma cidade ou um centro de adoração ao deus, ou mesmo, as duas coisas. Por outro lado, sabemos que o deus Baal é o famoso deus das chuvas e da tempestade. Apesar de ser um deus oriundo de Canaã, ele foi introduzido no Egito pelos muitos estrangeiros cananeus que permeavam a região do Delta desde o Médio Império em diante. Especialmente no período dos hicsos, Baal foi identificado com o deus egípcio Set, também considerado deus das tempestades e dos povos estrangeiros. Tornando-se, assim, uma divindade "híbrida", o alado Set-Baal.

Desenho e imagem de um pedaço do cilindro encontrado em Tell el-Dab'a a poucos metros do templo do set. No centro está a figura de Baal-Zefom em pé sobre dois montes. Abaixo deles está uma serpente que representa as águas.

Set, inicialmente visto como um deus vilão, pela influência asiática ao sincretizá-lo com Baal, tornou-se amplamente adorado. Conforme pode ser observado, por exemplo, no nome de inúmeros faraós especialmente da 19ª dinastia.

Alguns textos egípcios mencionam Baal-Zefom como uma das divindades adoradas em Mênfis e Dafne junto com outros deuses do panteão egípcio. Particularmente interessante, é um cilindro do período hicso, encontrado em Tell el-Dab'a (Avaris), que descreve Baal-Zefom como o protetor dos marinheiros.[37] Isto deixa claro que o termo Zefom, "norte", não necessariamente implica que o deus era adorado em algum lugar no norte, mas sim que ele estava associado à região aquática. Na mitologia ugarítica, por exemplo, Zefom é o monte onde está o palácio de Baal do qual fluem suas águas. Diante disso, é possível que Baal-Zefom estivesse localizado em qualquer área fluvial ou marítima ao redor do Delta, onde ele era mais popular.

Por causa disso, é difícil definir sobre qual templo de Baal-Zefom a Bíblia está se referindo, uma vez que certamente havia muitos deles espalhados pelo Delta. Entretanto, estudando a região de Tell el-Dab'a, Bietak descobriu que ao longo da costa fluvial de Avaris havia pelo menos três bacias d'água, cada uma abrigando um porto com capacidade para centenas de barcos. Curiosamente, entre os dois primeiros portos, ao sul da cidade, havia também um grande templo ao deus Set-Baal.[38] O cilindro de Baal-Zefom foi encontrado há poucos metros desse templo.

---

[37] Manfred Bietak. **Avaris**: capital of the Hycsos. Londres: British Museum Press, 1996, p. 26-29.
[38] Manfred Bietak. "Perunefer: the principal New Kingdom naval base", in **Egyptian archaeology**, 34 (2009), p. 15-17.

Unindo essas informações e considerando que o povo de Israel estava "voltando", poderíamos supor ser esse o templo de Baal-Zefom, protetor dos marinheiros de Avaris/Ramessés, mencionado no texto bíblico, o qual, a propósito, encontra-se geograficamente na mesma direção linear para a entrada sul do Lago Ballah, isto é, Pi-Hairote.

Migdol

Migdol é uma palavra semita que significa "torre" e adentrou no vocabulário egípcio como *miktar*. Para os egípcios, no entanto, um *miktar* poderia não só se referir a uma simples torre de vigia, mas a uma "fortaleza" ou "forte".[39] Estudos têm revelado que os egípcios construíram muitos fortes em locais e períodos diferentes, especialmente na fronteira entre o Egito e o Sinai. Infelizmente, é impossível saber quantas torres/fortes existiam na região do Delta oriental e sobre qual delas o texto está se referindo.

No entanto, a narrativa menciona que Migdol ficava próximo ao mar. A partir do que vimos até agora, tudo nos leva a crer que os israelitas acamparam na parte sul do Lago Ballah, ou seja, esse precisa ser o "mar" que eles atravessaram (vamos ver mais sobre isso a seguir). Nesse caso, por não ser uma área muito extensa devemos supor que a torre estava em algum ponto ao redor desse lago.

Sendo de origem semita, a palavra egípcia *miktar* é mais amplamente usada no período do Novo Império, assim, as poucas referências desse termo apontam para um local na fronteira nordeste do Egito.[40] Pois, conforme visto no capítulo 8, é sabido que o Caminho de Hórus, aquela rota costal seguida pelos faraós para subirem rumo ao Levante, estava repleta de fortalezas, conforme apresenta o relevo de Seti I em Karnak.

Segundo o relevo, o início da rota começava acima do Lago Ballah, que, de certa forma, marcava o extremo norte da fronteira egípcia. Na representação de Seti I, essa fronteira aparece destacada por um conjunto de fortes que se interligavam por uma ponte sobre o Shihor. Conforme o texto bíblico, Shihor ou Sior, era uma porção d'água que marcava a entrada no Egi-

---

[39] Hoffmeier. **Israel in Egypt**, p. 189.
[40] Idem.

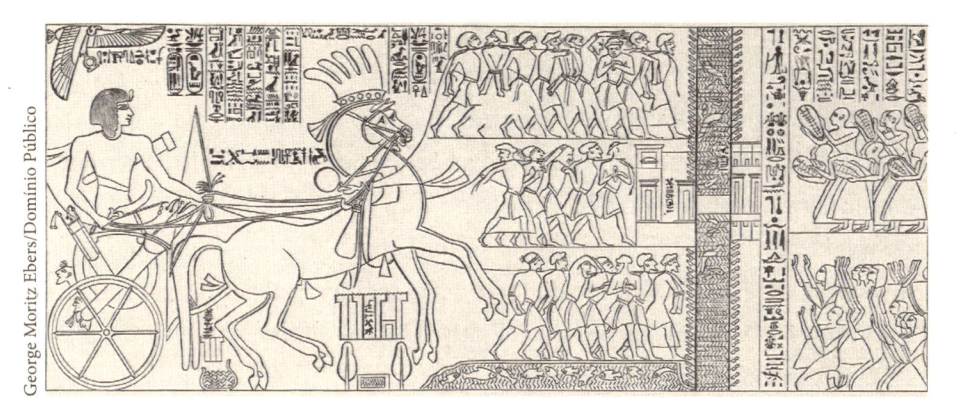

Desenho de parte do relevo de Seti I, em Karnak, onde podemos observar algumas fortalezas distribuídas ao longo do percurso da Via Maris.

to (Js 13:3).[41] Hoje, por meio de investigações arqueológicas e geológicas, sabe-se que o Shihor era um lago na forma de uma bacia d'água localizada no extremo noroeste do Delta. A palavra hebraica Shihor provém do nome egípcio para essa localidade – *Pa She-Hor*, que literalmente significa "as águas de Hórus".

Em complementação às informações peleográficas que nos são disponíveis, as pesquisas geológicas também têm mostrado que, no período antigo, havia dois estreitos de terra que rodeavam essa bacia acima e abaixo. Esses estreitos formavam caminhos ou corredores que conectavam o norte do Egito com o norte do Sinai. Os egípcios costumavam chamar os estreitos de *Waut-Hor*, ou seja, "caminhos de Hórus", que, como já dissemos, formavam a parte inicial ou, pelo menos, a porção egípcia da grande rota costal, entre o Egito e Canaã, conhecida como Via Maris. A rota mais comum, conforme aparece no relevo, era pelo estreito superior do Shihor, o qual servia como um atalho conduzindo direto à Via Maris. Por esse caminho, os egípcios evitavam ter de contornar o Shihor, o que exigiria mais tempo.

---

[41] Esse nome aparece 4 vezes na Bíblia Hebraica – apresentado em português como Sior, e, às vezes erroneamente traduzido como Nilo, cf. Js 13:3; 1Cr 13:5; 23:3; Jr 2:18.

Dessa perspectiva, o renomado egiptólogo Alan Gardiner propôs localizar o Migdol de Êxodo com uma das fortificações ao redor do Shihor como retratadas no relevo de Seti I.[42] Lembre-se que a cena apresenta a chegada triunfal de Seti ao Egito, trazendo cativos de Canaã. O relevo está orientado do leste para o oeste e o rei encontra-se no lado do Sinai. Na parte de baixo é possível ver uma porção de água que só pode ser o Mar Mediterrâneo, pois está coberto de peixes. À frente do faraó acha-se um canal d'água que funciona como uma barreira separando o Egito do Sinai. Diferentemente do mar, esse canal aparece repleto de crocodilos e rodeado por plantas, indicativo de esse ser distinto do mar, daí supor-se ser o Shihor. No trajeto traçado pelo rei, de Canaã até a entrada do Egito, foi destacada uma série de fortes distribuídos pelo caminho, que serviam como controle de passagem e de defesa.

Em outras palavras, podemos dizer que o relevo de Seti I é uma foto da antiga geografia da região, que só fomos capazes de entender após as inúmeras descobertas arqueológicas e geológicas modernas.

Então, uma vez que Migdol é uma palavra comum para se referir a uma torre ou um forte. É difícil saber qual desses fortes é o Migdol mencionado em Êxodo. É provável que esse fosse o mais próximo, em algum lugar sobre o estreito inferior entre o Shihor e o Lago Ballah. A verdade é que várias hipóteses têm sido propostas, com bons argumentos cada. Seja qual for, o importante é que realmente há fortes evidências de que o local do êxodo aconteceu na parte nordeste do Egito, já que, entre outras coisas, também era a região onde havia maior presença de "migdols".

Mar Vermelho

O próximo local é justamente aquele que marca o êxodo em si: o Mar Vermelho. Obviamente sabemos onde está o Mar Vermelho, no entanto, o que não conhecemos é em qual trecho do mar aconteceu a travessia israelita. É nesse ponto que o termo bíblico usado para designar esse local pode ser revelador.

---

[42] "Alan H. Gardiner. "The Ancient Military Road Between Egypt and Palestine", in Journal of Egyptian Archaeology, 6 (1920), p. 99–116."

O texto hebraico se refere ao Mar Vermelho intercambiavelmente pelo uso de duas expressões: *yam-suf* ou simplesmente *yam*. De modo geral, a palavra *yam* é traduzida como "mar", contudo, devemos entender que no pensamento bíblico esse vocábulo serve para designar qualquer corpo grande de água. Um bom exemplo disso são as expressões Mar Morto (*yam-hamelakh*) ou Mar da Galileia (*yam-kineret*), quando esses tecnicamente não são mares. Em alguns casos isolados, *yam* também foi usado para se referir ao rio Nilo (Na 3:8), ou ao Eufrates (Jr 51:36). Até mesmo a bacia para lavatório colocada à entrada do templo salomônico fora chamada de "mar de fundição" (1Rs 7:23). Enfim, o que precisamos considerar ao observar o uso dessa palavra é que ela não é usada no mesmo sentido técnico como hoje usamos a nossa palavra "mar". Em hebraico, qualquer corpo aquático relativamente extenso e/ou grande é um "mar". Nesse caso, o mar atravessado pelos israelitas não necessariamente diz respeito a um mar salgado e conectado ao oceano, conforme a semântica moderna da palavra "mar" nos propõe. O mar do êxodo poderia ser apenas um lago, lagoa, açude, ou qualquer outro grande corpo d'água geográfico.

A outra expressão – *yam-suf*, literalmente deve ser traduzida por "mar de juncos". O termo "vermelho" vem, na verdade, da forma com a qual os gregos chamavam esse mar, segundo a Septuaginta. É difícil precisar a localização de uma região tomando como base apenas o significado do nome dela. Entretanto, o termo *suf*, "junco", é bem significativo, pois *suf* parece ser a forma hebraica da palavra egípcia *tjufy*, um termo que pode se referir a uma variedade de plantas aquáticas, mas intimamente ligado aos arbustos de papiro.[43] O papiro egípcio precisa de água doce rasa ou terra saturada de água para crescer. Não é à toa que o papiro virou símbolo do Baixo Egito, devido à prevalência da planta na região pantanosa do Delta, embora também pudesse ser encontrado nas áreas baixas que margeiam o vale do Nilo. Curiosamente, das poucas ocorrências isoladas da palavra

---

[43] Thomas O. Lambdin. "Egyptian loan words in the Old Testament", in **Journal of the American Oriental Society**, v. 73, n. 3 (jul.-set., 1953), p. 153; R. D. Patterson. "סוּף" in R. Laird Harris, et al. **Dicionário Internacional de Teologia do Antigo Testamento**. São Paulo: Vida Nova, 1998, p. 1034.

suf na Bíblia Hebraica, ela igualmente está ligada aos juncos de papiro. No famoso episódio que relata o infante Moisés sendo colocado em um cesto no Nilo, por exemplo, o cesto fica preso "no meio dos juncos (*suf*) à beira do rio" (Êx 2:3).

Essas informações nos levam à consideração de que a expressão *yam-suf* está relacionada a um grande conjunto de águas, onde a presença de matagais de papiro era comum. Logicamente, temos de excluir a possibilidade de que esse local se refere ao Mar Vermelho em si, já que esse não é dotado das condições necessárias para abrigar a presença de juncos de papiro em suas margens. Em consequência, é óbvio que o termo não alude ao rio Nilo ou a qualquer um de seus braços no Delta. A única solução restante é considerar um dos lagos pantanosos do Istmo de Suez, nos quais a presença do papiro também é atestada. Haja vista o próprio relevo de Seti I, mencionado anteriormente, que apresenta o lago de Shihor cheio de crocodilos e rodeado de papiros nas margens. Distinto, por exemplo, do mar retratado apenas com a presença de peixes.

Toda essa explicação é muito coerente e bastante persuasiva. Contudo, ela esbarra em um problema relevante: a expressão *yam-suf* pode se referir aos lagos pantanosos da região do Delta, mas definitivamente também é usada na Bíblia para aludir aos golfos do Mar Vermelho.[44] Em Êxodo 10:19, por exemplo, a primeira ocorrência da expressão *yam-suf* na Bíblia, a praga dos gafanhotos é cessada graças ao envio divino de um vento que os carrega para o Mar Vermelho. É óbvio que se a praga ocorreu em todo o Egito, os gafanhotos não teriam sido lançados unicamente em um ou todos os lagos pantanosos do Istmo de Suez, mas provavelmente no Mar Vermelho em si, visto ser esse o maior agrupamento de água localizado no lado oriental.

Agora, a solução para esse impasse não é tão complicada quanto parece. Antes, porém, você precisa saber que a língua hebraica é composta de um alfabeto totalmente consonantal. Originalmente não havia sinais para marcar as vogais em um texto. Os símbolos vocálicos foram criados somente no período da Alta Idade Média por um grupo de sábios judeus conhecidos

---

[44] Para *yam suf* como referência ao Golfo de Ácaba confira: Nm 21:4; 1Rs 9:26; Jr 49:21; como referência ao Golfo de Suez, confira: Nm 33:11-10; Js 4:23; Sl 106:7, 9, 22.

como massoretas. Os massoretas, temerosos em modificar o texto bíblico tal qual chegou-lhes às mãos, elaboraram um sistema de vogais formado por variações de pontinhos colocados ao redor das letras que, dessa forma, não alteravam a estrutura consonantal original e o alfabeto hebraico tradicional. Apesar de ser uma invenção genial e que ajudou a preservar a leitura correta da Bíblia Hebraica, você deve entender que as vogais marcadas no texto pelos massoretas refletem a interpretação pessoal deles, seja em relação à pronúncia ou ao significado comum das palavras em seu período histórico.

É por isso que a palavra *suf*, sem os pontos vocálicos dos massoretas, também poderia ser lida como *sof*, significando "fim". Em vez de interpretar a expressão *yam-suf* como "mar de juncos", poderíamos supor que, na verdade, a leitura correta fosse *yam-sof*, a saber, "mar do fim". É precisamente assim que os tradutores da Septuaginta parecem ter entendido essa expressão. Por exemplo, em 1 Reis 9:26 em vez de traduzir *yam-suf* pela forma regular *erithre thalassa* ("Mar Vermelho"), os tradutores gregos usaram a expressão *eschate thalassa*, cujo significado é precisamente "mar final".

Por muito tempo, acreditou-se que o adjetivo "vermelho", presente no nome do mar, tivesse origem a partir de um tipo de organismo avermelhado que se prolifera em certas estações do ano perto da superfície das águas. No entanto, observando-se como antigos autores se referiam a esse mar, descobriu-se que os gregos usavam o termo Mar Vermelho (*erithre thalassa*) para designar outras porções aquáticas localizadas no extremo sul da terra, tais como o Golfo Pérsico, o Oceano Índico, e outros.[45] Isso porque os gregos, bem como outros povos antigos, usavam determinadas cores para se referir aos pontos cardiais. O "vermelho" representava o sul ou os locais extremamente distantes, enquanto o "preto", o norte.

Diferentemente do Mar Mediterrâneo, ninguém sabia até onde as águas meridionais se estendiam, por isso eram vistas como um único mar e con-

---

[45] Cf. por exemplo: Heródoto. **História**, I.180; Xenofonte. **Ciropédia**: a educação de Ciro. Montecristo Editora, 2020, 8.6.10; também Flávio Josefo. *Antiguidades*, Livro I, 1:3. Geralmente é traduzido em português pela expressão "mar Eritreu".

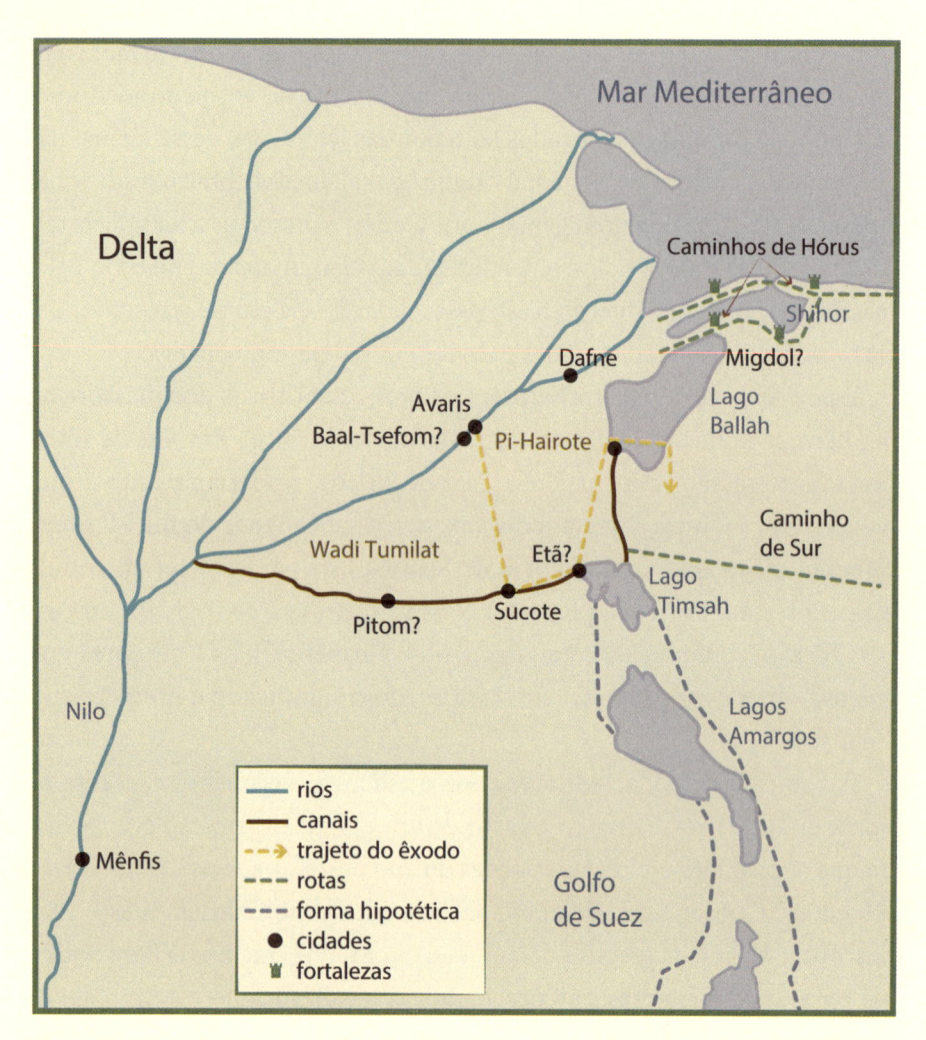

Mapa apresentando a possível geografia do período bíblico e da rota do êxodo. Reconstruído com base nas informações bíblicas e em conjunção com os dados arqueológicos, geológicos e paleológicos disponíveis.

sideradas como o mar do fim da terra. Por isso, chamavam-no de Mar Vermelho, isto é, o mar do extremo sul.

Dessa perspectiva, o hebraico *yam-sof* e o grego *erithre thalassa* eram expressões da antiguidade que designavam não um mar específico, mas todos os conjuntos aquáticos do lado sul da terra conhecida. Daí, funcionando como um tipo de referência indicativa da fronteira final entre a terra habitada e as águas desconhecidas.

Soma-se a isso, o fato de que na cosmovisão de muitos povos antigos, especialmente a hebraica, os limites do mundo eram marcados pelas águas. Como você pode ver em Gênesis 1:7-10: "as águas de cima e as águas de baixo" e a "porção seca no meio das águas". Assim, um grupo de águas como o Mar Vermelho, cuja margem final não era conhecida, era visto como as águas do fim da terra, ou seja, parte do grande conjunto de águas compreendido como "as águas de baixo".

É possível que os israelitas e outros povos antigos não distinguissem entre o Mar Vermelho e os lagos ao longo da linha do moderno Istmo de Suez, por considerá-los parte das águas finais, daí, chamarem a todos de *yam-suf*, ou melhor, *yam-sof*.

Versão Minimalista

Unindo-se todo o estudo contextual que fizemos até aqui: os inúmeros dados linguísticos bíblicos e os dados histórico-arqueológicos relativos às diferentes localidades por onde Israel parou antes de deixar o Egito, conseguimos localizar o "mar" que os israelitas miraculosamente atravessaram. O vulgo "Mar Vermelho" provavelmente está localizado na área nordeste da divisa do Egito com o Sinai, e é modernamente conhecido como Lago Ballah.

Essa posição apresenta razões fortemente convincentes e que fazem sentido segundo as informações encontradas tanto pela arqueologia quanto pelo texto bíblico. No entanto, grande parte de seus atuais proponentes, oferece essa hipótese a partir de uma abordagem minimalista-naturalista do relato bíblico. Para eles, tais lagos são uma boa possibilidade, pois além de estarem bem próximos do oriente do Delta, eram rasos o suficiente para permitir uma travessia a pé. Dessa forma, a imagem miraculosa da abertura do mar teria sido mero exagero literário do autor bíblico. Assim, a descrição em Êxodo 14:21 de um vento que soprou as águas causando sua divisão tem levado certos pesquisadores a interpretarem-na como um evento natural. Um artigo publicado pelos engenheiros Carl Drews e Weiqing Han, por exemplo, explica que esse seria um efeito típico da região do Suez conhecido por "descida do vento", no qual ventos fortes – de pouco mais de 100 km/h – criam um "empurrão" na água costeira formando uma tempestade, mas no lugar de onde o vento sopra – neste caso, o leste – a água recua.[46] Dessa perspectiva, o escritor bíblico teria apenas romantizado um fenômeno puramente natural, ou, na melhor das hipóteses, usado uma linguagem figurada para descrever um fenômeno científico desconhecido para ele na ocasião, pois, nas palavras do famoso arqueólogo minimalista Israel Finkelstein, as histórias bíblicas não são "uma revelação miraculosa, mas o produto brilhante da imaginação humana".[47]

Conforme sabemos, os Lagos Amargos chegam a uma profundidade em torno de 18 metros, mas isso graças ao moderno Canal de Suez. Já o Lago Timsah se encontra dentro de uma depressão que atravessa o istmo entre o Mar Vermelho e o Mar Mediterrâneo. A maior parte do lago é pantanosa e a profundidade raramente excede 3 metros.[48] Grande parte das águas do Ballah, por outro lado, foram drenadas por conta da construção do Canal de Suez, tornando-o hoje praticamente inexistente. Antes do canal, contudo, o Ballah era um sistema de bacias rasas formadas como remansos de um braço do rio Nilo que ao passar por ele desembocava no lago Shihor.[49] Modernas investigações feitas pela *Geological survey of Egypt*, usando sondas e perfurações geológicas, têm apresentado novas informações sobre a natureza e a história do antigo lago, o qual não deve ser visto como um mero lago pantanoso e superficial. Sendo parte de um afluente do Nilo,

---

[46] Carl Drews; Weiqing Han. "Dynamics of wind setdown at Suez and the Eastern Nile Delta" in **Plos One**, 30 de ago., 2010. Disponível em: https://journals.plos.org/plosone/article?id=10.1371/journal.pone.0012481, acessado em 31/01/2023.
[47] Israel Finkelstein, Neil A. Silberman. **A Bíblia desenterrada**: a nova visão arqueológica do antigo Israel e das origens dos seus textos sagrados. Petrópolis, RJ: Vozes, 2018, p. 11.
[48] Stephan Gollasch; Bella S. Galil; Andrew N. Cohen. **Bridging divides**: maritime canals as invasion corridors. Holanda: Springer, 2006, p. 229.
[49] James K. Hoffmeier. "The Hebrew exodus from and Jeremiah's Eisodus into Egypt in the light of recent archaeological and geological developments", in **Tyndale bulletin**, v. 72 (dez., 2021), p. 79-80.

no período antigo, o lago variava em tamanho e profundidade conforme os ciclos do rio. Estudos mostram que o Ballah podia chegar de 3 metros, no período de seca, até 8 metros durante as cheias.[50] Portanto, usar a nossa percepção geográfica moderna para entender suas características no mundo antigo equivale a ignorar o trabalho e as evidências geológicas feitas no local e a incorrer em erro de anacronismo.

A hipótese dos lagos pantanosos do Istmo de Suez para identificar o local da abertura das águas, conforme Êxodo 14, não é uma proposta ruim e podemos endossá-la com segurança. Por outro lado, a visão cética minimalista de Finkelstein e de outros que propõem uma abordagem puramente naturalista não faz jus às demais informações bíblicas de que as águas se tornaram como muros ao redor do povo (Êx 14:29), ou de que os egípcios morreram afogados pelas águas que caíram sobre eles (Êx 14:30; 15:4-5, 10, 19). Águas tão rasas não causariam esse dano, nem a "descida do vento" é forte o suficiente para ferir uma pessoa.

Além disso, se o fenômeno fosse algo totalmente natural, também não haveria motivo para o povo temer a Deus e reafirmar sua confiança Nele (Êx 14:31). Sem mencionar que, por estar próximo a uma rota comercial conhecida, certamente era da ciência dos israelitas, e de outros moradores e/ou transeuntes, que as águas dos lagos eram baixas, portanto, não haveria motivo para se sentirem encurralados, já que a travessia era segura e garantida. Outro fator inconsistente reside no fato de que se os lagos fossem rasos também naquela época, os canais faraônicos, outrora construídos precisamente para barrar os estrangeiros, e atestados pela geografia, arqueologia e paleografia moderna, seriam inúteis uma vez que os estrangeiros teriam a possibilidade de passar facilmente por suas águas.

Por outro lado, haveria sim motivo para temer, pois se as águas eram rasas, por que razão somente os israelitas conseguiriam passar, mas os egípcios não? Se não houve um milagre da abertura das águas, houve, então, um milagre que deteve os egípcios. Algo que não faz muito sentido da perspectiva minimalista.

---

[50] *Ibid.*, p. 81.

A localização do Monte Sinai

As Escrituras relatam que após os israelitas saírem do Egito e atravessarem o Mar Vermelho, eles acamparam em dez locais antes de chegar ao Monte Sinai (Nm 33:5-15). Infelizmente, não é possível saber quanto tempo Israel gastou de um lugar até outro, ou mesmo quanto tempo ficou em cada ponto. No entanto, o texto bíblico informa que da saída do Egito até o Monte Sinai, o povo levou cerca de dois meses de viagem, pois chegou "no terceiro mês" do calendário hebreu da época (Êx 19:1; Nm 33:3). Ali, eles permaneceram por quase onze meses, deixando o local no segundo mês do segundo ano desde o êxodo (Nm 10:11).

Durante a estadia de Israel nos arredores do monte, o povo passou por vários eventos marcantes e, o mais importante, foi seu primeiro encontro com o Deus que os tinha salvado do Egito. Podemos dizer que o Monte Sinai é o local mais significativo no livro de Êxodo, pois praticamente metade dele descreve os eventos ocorridos com os israelitas no Monte Sinai (Êx 19-40), alguns capítulos narram a jornada do povo até ele (Êx 15:22--18:27) e o primeiro encontro de Moisés com Deus convocando-o como Seu intermediário para libertar Israel (Êx 3:1-4:18). Foi nesse monte que

Deus se revelou aos israelitas, fez uma aliança com eles e lhes entregou os Dez Mandamentos. Mais tarde na história de Israel, é dito que também o profeta Elias levou quarenta dias de Berseba até o Monte Sinai em sua fuga da rainha Jezabel (1Rs 19:1-8). Ou seja, a Bíblia apresenta o Monte Sinai como um local real, importante e sagrado. Mas a questão é: onde está localizado esse monte?

Infelizmente, essa pergunta não tem uma resposta simples e direta. Por causa da falta de conhecimento claro de muitos dos locais mencionados em Êxodo e Números, as opiniões dos estudiosos e arqueólogos diferem em grande medida sobre a localização exata do monte de Deus. Por outro lado, a partir de muitos outros dados fornecidos nos relatos, conseguimos, pelo menos, determinar a região geral de sua localização. Isso porque a localização do monte está intimamente ligada ao local onde Israel atravessou o Mar Vermelho. Assim, os estudiosos que creem na travessia pelo Golfo de Suez, ou nos lagos acima dele, tendem a identificá-lo em algum lugar na Península do Sinai, já aqueles que acreditam na passagem pelo Golfo de Ácaba situam o monte na região da Península Arábica.

A partir dessas hipóteses, os estudiosos têm proposto diferentes montes situados nessas regiões para identificar como o verdadeiro Monte Sinai. Muitas dessas propostas têm fortes argumentos, mas, por outro lado, também grandes problemas. Veja a seguir as mais famosas delas:

Jabal Musa

Jabal Musa é, sem sobra de dúvidas, o local mais popular hoje identificado como o Monte Sinai e está localizado ao sul da Península do Sinai. Essa identificação veio a partir da tradição cristã em torno do século IV d.C. *Jabal Musa*, que do árabe significa "montanha de Moisés", tem 2.285 metros de altura e é o monte mais alto da região sul da península. A Bíblia não relata nada sobre o tamanho do Monte Sinai, mas foi com base nas descrições de autores antigos, como Josefo e Filo, que o *Jabal Musa* foi escolhido como o monte de Deus. Josefo, por exemplo, descreve-o como "a mais alta de todas as montanhas existentes naquele território, muito difícil de ser escalado pelos homens não apenas por causa de sua vasta altitude, como também pela nitidez de seus precipícios".[1] Já Filo referiu-se a ele como a "montanha mais elevada e sagrada naquele distrito".[2] Tais características tornaram *Jabal Musa* um excelente candidato para ser o monte sagrado já que, além da altura impressionante, seus arredores são bastante acidentados e quase inacessíveis, conforme mencionado por esses antigos escritores. Entretanto, sabemos que Moisés subiu o monte várias vezes (cf. Êx 19:3, 20; 24:13; 34:4), em uma idade que nos dias de hoje seria muito avançada para a realização de tão árdua atividade.

Para James Hoffmeier, esse seria o verdadeiro Monte Sinai,[3] pois em sua análise, após cruzarem o Mar Vermelho, os israelitas, viajando ao sul, seguiram a "rota de mineração" – um trajeto usado pelos egípcios para extrair turquesa e cobre das montanhas do Sinai, ao longo do lado leste do Golfo de Suez.

Uma das principais oposições a esse monte deve-se ao terreno ao redor que, por ser extremamente acidentado e encarpado, dificultaria o acampamento do povo de Israel por quase um ano. No entanto, há aqueles que contra-argumentam que a planície no lado norte do *Jabal Musa* com cerca de 2,4 quilômetros de comprimento por 500 metros de largura poderia ter sido um local adequado para os israelitas acamparem.

Além disso, há muitos outros problemas com a escolha do *Jabal Musa* como o Monte Sinai. Fora o fato mencionado acima sobre a altura do monte e a dificuldade que o idoso Moisés teria ao subir e descê-lo tantas vezes, o monte também se encontra muito distante da terra de Midiã, geralmente considerada território integrante da Península Arábica. Assim, uma viagem de Midiã até o *Jabal Musa* tem cerca de 350 quilômetros, uma distância descomunal para Moisés ter levado seu rebanho para pastorear (Êx 3:1). Igualmente essa distância parece muito longe de Cades-Barneia (cerca de

---

[1] Flávio Josefo. *Antiguidades Judaicas*, Livro III, 5:1, in W. Whiston. **Josephus complete works.** Grand Rapids, MI: Kregel, 1985.
[2] Filo de Alexandria. *On the life of Moses*, Livro II.70. in F. H. Colson (trad.). **Philo** (Loeb Classical Library). Vol. 4. Cambridge, MA: Harvard University Press, 1935, p. 485.
[3] Hoffmeier. **Ancient Israel in Sinai**, p. 148.

260 quilômetros) a ponto de os israelitas terem sido capazes de percorrer em apenas 11 dias, conforme descrito em Deuteronômio 1:2. Aparentemente, a principal razão para acreditar que *Jabal Musa* seja o Monte Sinai consiste em uma tradição cristã medieval, muito longe dos eventos e local real onde a revelação no Monte Sinai aconteceu.

Jabal Sin Bishar

Localizado na porção noroeste da Península do Sinai, *Jabal Sin Bishar* foi primeiro proposto como o Monte Sinai por Menashe Har-El, geógrafo bíblico da Universidade de Tel-Aviv. Ele ressalta que *Sin Bishar* é a única montanha na Península do Sinai que conserva em seu próprio nome – *Sin*, um termo próximo ao nome "Sinai".[4] Somado a isso, Har-El afirma que o significado do nome árabe *Sin Bishar* seria "relato da lei" ou "leis do homem", isto é, uma referência à entrega da lei.[5] Além do mais, a altura desse monte é de apenas 618 metros acima do nível do mar – o maior entre os demais montes ao seu redor – entretanto, uma distância bem mais razoável para que Moisés subisse e descesse tantas vezes quanto mencionado nas Escrituras.

Com base em Êxodo 5:3, sobre o pedido de Moisés ao faraó para deixar o povo livre para adorar a Deus no deserto, Har-El interpreta a passagem como uma ordem para ir diretamente até o Monte Sinai. Assim, de Pi-Ramessés até *Jabal Sin Bishar*, aproximadamente 200 quilômetros, o povo de Israel levaria precisamente o relatado pelo texto: três dias de viagem. No entanto, em nenhum momento a passagem menciona que o destino final fosse o Monte Sinai. A solicitação de três dias é exclusivamente para que o povo estivesse longe o suficiente da vista egípcia e pudesse realizar seus sacrifícios em paz, já que eram abomináveis dentro das terras do Egito (Êx 8:26). Vale lembrar que Êxodo 19:1 descreve a chegada até o monte como uma jornada de quase dois meses e não apenas três dias.

Como *Jabal Musa*, *Sin Bishar* também se encontra muito longe da terra de Midiã. Além de ficar a somente 50 quilômetros de onde Har-El acredita

---

[4] Menashe Har-El. **The Sinai journeys**: the route of the exodus. San Diego: Ridgefield Publishing, 1983, p. 420-421.
[5] Idem.

ter ocorrido a travessia pelo Mar Vermelho (Lagos Amargos).[6] Ou seja, por que razão o povo levaria cerca de dois meses para percorrer um trajeto tão curto?

Jabal Hashem el-Tarif

Jabal Hashem el-Tarif fica localizado na região noroeste da Península do Sinai a 35 quilômetros do extremo norte do Golfo de Ácaba. Para o arqueólogo Bryant Wood, esse seria o local mais provável para o Monte Sinai.[7]

Wood identifica uma série de requisitos que *Jabal Hashem el-Tarif* parece cumprir para ser um dos vários candidatos. Por exemplo:

- está localizado próximo de Midiã.
- fica há cerca de dois meses de viagem da cidade de Ramessés (c. 350 quilômetros) e 11 dias de Cades-Barneia (c. 250 quilômetros).
- faz parte do território de Edom, conforme Deuteronômio 33:2.

Jabal Hashem el-Tarif é uma montanha relativamente baixa, cerca de 875 metros, o que Wood acredita estar de acordo com a literatura rabínica que, diferente de Josefo e Filo, descreve o Monte Sinai como o menor entre os montes.[8] Além disso, a exploração arqueológica realizada em *Jabal Hashem el-Tarif* revelou 33 santuários ao ar livre a leste e a sul da montanha, indicando que realmente esse foi considerado um local sagrado na antiguidade.

Har Karkom

Har Karkom é outra montanha localizada na parte norte da Península do Sinai, uma região extremamente elevada em relação ao nível do mar. Nela, já foram encontrados pinturas, santuários, altares, e outros pilares de pedra que evidenciam que esse monte foi um importante centro de adoração

---

[6] *Ibid.*, p. 351.
[7] Bryant G. Wood. "In search of Mt. Sinai", in **Associates for Biblical research**, (4 Abr., 2008). Disponível em: https://biblearchaeology.org/research/chronological-categories/exodus--era/4133-in-search-of-mt-sinai, acessado em 30/03/2023.
[8] Números Rabah 13:3; Talmude Babilônico, Taanit 21b.

no passado. Emmanuel Anati, o arqueólogo responsável pelas descobertas, está entre os principais advogados de *Har Karkom* como o Monte Sinai. Contudo, as evidências mostram que o pico da atividade religiosa nesse local data de 2350 a 2000 a.C. e, por conta disso, Anati, com o auxílio de outras evidências arqueológicas, situa o êxodo em torno desse período, utilizando como base a cronologia bíblica revisada.[9]

Um problema para a teoria de Anati é que o Monte Sinai foi o local onde Israel recebeu os Dez Mandamentos, portanto, em que língua eles teriam sido escritos ao redor do fim do terceiro milênio a.C. uma vez que a escrita alfabética só viria a se desenvolver por volta de 1700 a.C.?

Hallat al Badr

Hallat al Badr é tecnicamente um vulcão localizado no noroeste da Arábia Saudita, parte de um planalto a 1.500 metros acima do nível do mar. A escolha desse vulcão como o Monte Sinai vem de vários estudiosos importantes, como Charles Beke, Sigmund Freud, Immanuel Velikovsky, Colin Humphreys, Martin Noth e Hermann Gunkel, que veem na descrição bíblica do fogo devorador uma referência literária a um vulcão em erupção dentro da terra de Midiã.

Obviamente essa interpretação é totalmente naturalista e busca explicar os eventos bíblicos como fenômenos puramente naturais. Gunkel, por exemplo, propõe que as razões para o escritor bíblico descrever a maioria das teofanias de Deus em meio ao fogo e a fumaça devem-se ao fato de que, segundo as crenças israelitas primitivas, seu deus era o deus do vulcão.[10] Por esse motivo, todos os montes na Península do Sinai e arredores deveriam ser descartados como o Monte Sinai, já que as únicas montanhas da geografia bíblica relacionadas à atividade vulcânica encontram-se no noroeste da Arábia Saudita, sendo *Hallat al Badr* a mais proeminente.

---

[9] Emmanuel Anati. "The time of exodus in the light of archaeological testimony: epigraphy and palaeoclimate" in **Har Harkom** website, disponível em: https://www.harkarkom.com/exodustimeVERS1.htm, acessado em 30/03/2023.

[10] Hermann Gunkel. **Genesis**. Macon, GA: Mercer University Press, 1997, p. 181.

Seguindo o mesmo pensamento naturalista, Colin Humphreys, físico da Universidade de Cambridge, localiza a terra de Midiã no noroeste da Arábia, na parte da baixa área costeira chamada Tihama. Humphreys explica que por causa do clima nessa região, os antigos pastores costumavam locomover seu rebanho de um ponto a outro em busca de locais mais quentes. Assim, quando Moisés, apascentando o rebanho, se deslocou para o oeste do deserto (Êx 3:1), ele teria ido para a região mais quente em Hisma, local onde acabou se deparando com uma sarça ardente.[11] Nesse caso, o Monte Sinai teria de estar no noroeste da Arábia. Além disso, para Humphreys, a descida de Deus sobre o monte, no momento da entrega dos Dez Mandamentos, e as muitas manifestações de trovões, relâmpagos, tremor e fumaça, está associada a uma erupção vulcânica. Por isso *Hallat al Badr*, no Hisma, deveria ser identificado como o Monte Sinai de Êxodo.[12]

Jabal al-Lawz

Nas últimas décadas, uma montanha na região da Península Arábica tem se tornado cada vez mais popular pelos intérpretes da travessia israelita pelo Golfo de Ácaba. Conhecida como a "montanha das amêndoas", *Jabal al-Lawz* está localizada a leste do Golfo de Ácaba e a noroeste da atual Arábia Saudita. Essa montanha é considerada a maior montanha da região, alcançando uma altura de 2.580 metros acima do nível do mar. Glen Fritz, geógrafo ambiental, e Joel Richardson, escritor cristão, são os mais conhecidos defensores dessa hipótese. Para eles, os israelitas teriam saído da cidade de Ramessés e atravessado o Mar Vermelho na região de Nuweiba, um trajeto realizado entre 18 e 20 dias.[13] Dali, o povo levaria outros 10 dias até chegar ao deserto de Sin (Êx 16:1) e finalmente ao Monte Sinai. Embora seja uma sugestão recente, nos últimos anos deu-se muita atenção a *Jabal al-Lawz* como a verdadeira localização do Monte Sinai.

---

[11] Colin J. Humphreys. **The miracles of exodus**: a scientist's discovery of the extraordinary natural causes of the biblical stories. Nova Iorque: Harper Collins, 2004, p. 61-69.
[12] *Ibid.*, p. 82-93.
[13] Glen Fritz. "Proof of Mount Sinai in Arabia", in **Ancient Exodus**. Disponível em: https://ancientexodus.com/proof-of-mount-sinai-in-arabia/, acessado em 30/03/2023.

Segundo seus proponentes, *Jabal al-Lawz* faz sentido porque parece estar de acordo com as antigas testemunhas judaicas, tais como a Septuaginta, Filo e Josefo, bem como os principais autores cristãos primitivos – Eusébio e Jerônimo, os quais identificam o lugar do Monte Sinai na Arábia, ressaltando sua altura elevada. Richardson afirma que essa descrição se encaixa muito bem à forma do *Jabal al-Lawz*;[14] mas, novamente, não há nada no texto bíblico que especifique o tamanho do Monte Sinai.

Em complemento a isso, vários sítios arqueológicos foram descobertos ao redor do monte, fato que confirmaria ser esse o Monte Sinai, pois tais descobertas são identificadas como evidência de certos episódios ocorridos ao redor do monte, como: a rocha fendida (Êx 17:5-6), o altar de Moisés (Êx 20:24-26), os doze pilares (Êx 24:4), o altar do bezerro de ouro (Êx 32:1-8), o cemitério (Êx 32:25-28) etc.[15] Entretanto, nenhuma dessas relações foram verificadas e/ou confirmadas pela arqueologia científica séria.

Jabal Maqla

Maqla é um monte também localizado no noroeste da Arábia Saudita, acima do Golfo de Ácaba, sendo parte da mesma cadeia de montanhas de *Jabal al-Lawz*, a qual está há cerca de 7 quilômetros mais ao norte. Por isso também está entre as montanhas mais altas do noroeste da Península Arábica, com uma elevação de aproximadamente 2.326 metros. Devido a essa proximidade, ambas as montanhas têm sido disputadas entre os proponentes da travessia pelo Golfo de Ácaba como o possível Monte Sinai bíblico.

Jabal Maqla significa "montanha queimada", uma referência às rochas ígneas negras que cobrem o topo dessa montanha. Esse, na verdade, tem sido o principal fator para muitos o identificarem como o Monte Sinai. Já que a ponta enegrecida do monte é vista como o resultado da descida de Deus "em fogo e fumaça" para entregar os Dez Mandamentos (Êx 19:18).

Assim, nas discussões sobre a localização do Monte Sinai na região da Arábia Saudita, *Jabal Maqla* também é considerado como o Monte Sinai por vários autores, tais como Bob Cornuke, Ron Wyatt e Lennart Möller.

---

[14] Joel Richardson. **Mount Sinai in Arabia**. S/L: Winepress, 2019, p. 105-120.
[15] *Ibid.*

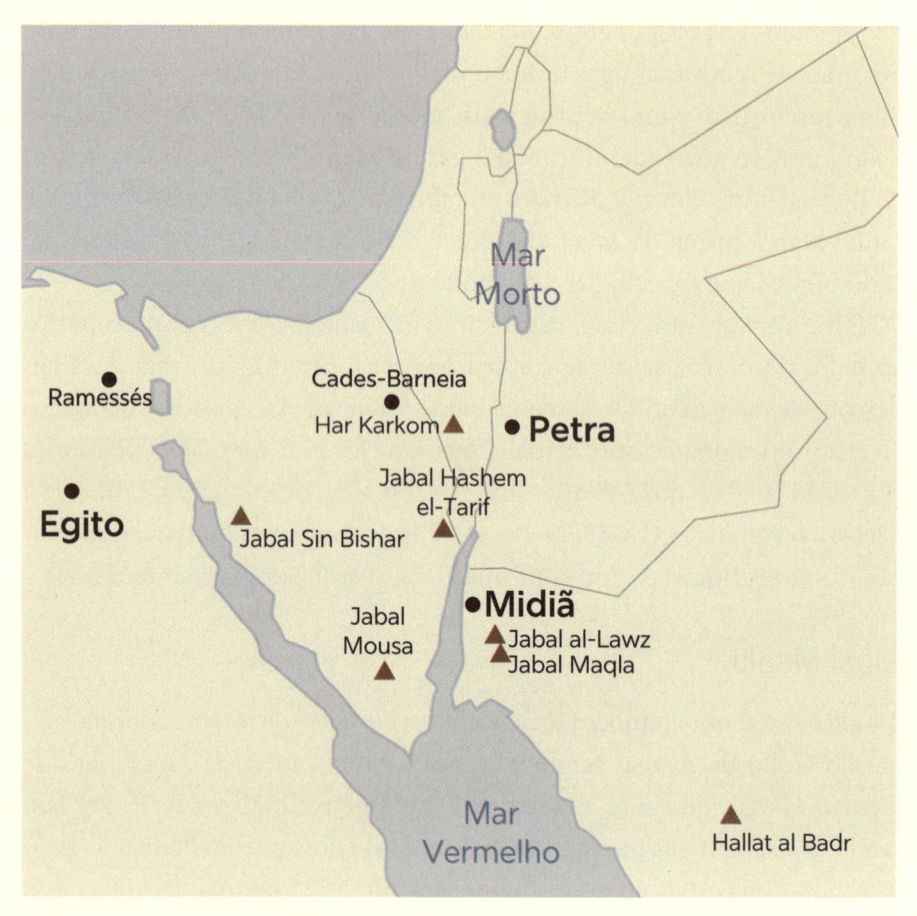

Mapa com as diferentes propostas para a identificação do Monte Sinai.

A Arábia

Os defensores da travessia pelo Golfo de Ácaba baseiam sua hipótese na declaração de Paulo, que parece situar o Monte Sinai na Arábia (Gl 4:25). Adicionalmente, eles apontam que o Monte Sinai também estaria associado à terra de Midiã (cf. Êx 2-3), um território tradicionalmente identificado na atual Arábia Saudita rente ao Golfo de Ácaba. Daí, *Jabal al-Lawz* ser a principal escolha para o Monte Sinai dentro dessa interpretação, por se encontrar no coração de uma cadeia de montanhas conhecida hoje como Montanhas de Midiã. Diferentemente da região montanhosa na Península do Sinai, as montanhas arábicas são vulcânicas, fato esse que tem levado os proponentes dessa teoria a conectarem essas montanhas à menção bíblica de "fogo e fumaça" da presença de Deus no Monte Sinai.

Vale ressaltar que a preferência das montanhas da Arábia Saudita por serem vulcânicas e assim estarem mais relacionadas às menções bíblicas das manifestações de Deus sobre o local é uma explicação bastante naturalista para aqueles que creem em um evento tão milagroso como a travessia pelo Golfo de Ácaba. O texto deixa claro que a presença de "fogo e fumaça" decorre da presença de Deus sobre o monte e não por causa de erupções naturais. A mesma montanha foi o local onde Deus se apresentou a Moisés em uma sarça em chamas. Seria isso também um mero fenômeno físico?

Além disso, os adeptos da travessia pelo Ácaba argumentam que a Península do Sinai era parte do Egito. Por isso, se Moisés tivesse fugido do Egito não poderia estar no deserto sinaítico, já que continuaria dentro dele. Ademais, a promessa divina entregue a Moisés era que Ele tiraria Seu povo do Egito (Êx 3:8-12); assim, levá-lo à Península do Sinai seria mantê-lo ainda em território egípcio. Dessa perspectiva, as evidências literárias parecem favorecer que realmente *Jabal al-Lawz*, *Maqla* ou algum outro na região arábica teriam sido o Monte Sinai bíblico e, consequentemente, a travessia pelo mar teria ocorrido sobre o Mar Vermelho no Golfo de Ácaba.

É natural hoje olhar para a Península do Sinai e considerá-la território "egípcio", e o noroeste da Arábia Saudita como o início do território "árabe". Mas, historicamente, nem sempre foi assim. É importante lembrar que a compreensão da Arábia no século I d.C. é diferente da nossa compreensão atual da Arábia Saudita. Quando Paulo mencionou o Monte Sinai "na Arábia", a Península do Sinai era geograficamente considerada parte da Arábia. James Hoffmeier, por exemplo, afirma que o termo Arábia usado nos tempos greco-romanos também incluía o Sinai.[16] Em muitos casos, os romanos usavam essa expressão para se referir a Arábia Petra, a parte sul e leste do Mar Morto (região de Edom controlada por eles entre 106 e 630 d.C.), um território que fazia parte da Península do Sinai.

---

[16] Hoffmeier. **Ancient Israel in Sinai**, p. 140.

Os historiadores clássicos nos séculos anteriores a Paulo também rotulavam a Península do Sinai como parte da Arábia, e não associada ao Egito no oeste. A razão para isso é sua geografia paralela ao resto da Arábia, bem como as mesmas tribos nômades de pessoas que habitavam os dois locais. Os romanos conquistaram o território da "Arábia" do Sinai dos árabes nabateus, cujo reino se estendia desde o século III a.C. até o ano 106 d.C. Além disso, até recentemente, a Península do Sinai era chamada de "Península dos árabes".

Curiosamente, no século III a.C., os tradutores da Septuaginta citaram a terra de Gósen como "da Arábia" (cf. Gn 46:34 na LXX). Assim, se a declaração de Paulo "na Arábia" do primeiro século significa que o Monte Sinai não pode ter estado na Península do Sinai, então, pela mesma lógica, os israelitas não foram escravos do Egito, mas da Arábia.

Mas há outra razão bíblica fundamental para essa identificação do Sinai (e até do próprio Gósen) com a Arábia. Em Gênesis 15:18, Deus prometeu a Abraão que seus descendentes (incluindo os povos árabes descendentes de Ismael) possuiriam "esta terra, desde o rio do Egito até o grande rio Eufrates". De fato, como sabemos, os israelitas receberam terras em Gósen, a leste do Nilo, pelo faraó (Gn 47:6). Ademais, segundo 1 Reis 8:65, o rei Salomão controlava esse território, desde a Síria "até o rio do Egito". Mesmo em 1967, a Península do Sinai foi milagrosamente devolvida ao controle israelense antes de retornar ao governo do Egito alguns anos depois. No entanto, o Egito de hoje é dominado exclusivamente por povos árabes e, ainda que o antigo povo egípcio possuísse algumas pequenas zonas de mineração na região do Sinai, parafraseando George Williams, a Península do Sinai é um dos mais antigos territórios a estar por eras nas mãos de povos semitas, não sendo jamais disputado por nenhum outro povo.[17]

A Terra de Midiã

A associação da montanha bíblica com Midiã é outro importante argumento levantado por aqueles que ligam o Monte Sinai às montanhas da

---

[17] George Williams. "Sinai" in William Smith (ed.). **Dictionary of Greek and Roman geography**. Vol. 2. Londres: I. B. Tauris & Company, 2005, p. 1003-1005.

Península Arábica. Isso porque Moisés fugiu do Egito para a "terra de Midiã" (Êx 2:15), e foi enquanto pastoreava o rebanho de seu sogro, sacerdote nessa região, que ele foi chamado por Deus até a montanha (Êx 3:1ss.). O território de Midiã é frequentemente identificado como diretamente ao sul de Israel, a sudeste da antiga terra de Edom, no lado leste do Golfo de Ácaba. Arqueólogos e estudiosos modernos, portanto, situam Midiã no canto noroeste do que hoje é conhecido como Arábia Saudita.[18]

Mas, apesar dessa conclusão, as fronteiras da terra de Midiã são bastante desconhecidas. É difícil estabelecer fronteiras para uma civilização antiga cuja quantidade de informação é escassa. Na melhor das hipóteses, podemos dizer que os midianitas não tinham limites territoriais, pois eram seminômades. É possível que o próprio nome Midiã, que significa "conflito" ou "lugar de julgamento", seja condizente com um território seminômade desértico, devido aos conflitos enfrentados por aqueles que escolhiam viver nesses difíceis locais. Ainda assim, os midianitas são uma civilização enigmática, pois bem pouco é conhecido sobre sua identidade. Na verdade, existe um grupo de cerâmica inicialmente chamado de "cerâmica midianita", porém mais tarde renomeado para "cerâmica pintada de Qurayyah", geralmente datado entre um e dois séculos após o êxodo, sendo os primeiros pedaços desse estilo descobertos no noroeste da Arábia Saudita. No entanto, ainda que tal cerâmica seja realmente pertencente ao antigo povo midianita, ela também foi achada em vários outros lugares, tais como a Península do Sinai, em Israel e na Jordânia.[19]

É válido destacar que em nenhum momento a Bíblia diz que o Monte Sinai ficava na região de Midiã. Essa conclusão é simplesmente deduzida pelo leitor quando o texto descreve a jornada de Moisés até o Monte Sinai, dizendo: "Moisés apascentava o rebanho de Jetro, o seu sogro, sacerdote de Midiã. E, levando o rebanho para o lado oeste do deserto, chegou a Horebe, o monte de Deus" (Êx 3:1). Um ponto significativo sobre essa passagem

---

[18] William G. Dever. **Who were the early Israelites and where did they come from?**. Grand Rapids, MI: William B. Eerdmans, 2006, p. 34.
[19] Lily Singer-Avitz. "The date of the Qurayyah painted ware in the southern levant" in **Antiguo Oriente**, v. 12 (2014), p. 123–148.

é que outras versões traduzem "o lado oeste do deserto" como "atrás do deserto" (ARC) ou "o outro lado do deserto" (NVI). Isso porque a palavra hebraica *akhar*, no sentido espacial, literalmente significa "atrás", ou seja, a parte traseira de algo. O que se encaixa muito bem com a localização tradicional do Monte Sinai na extremidade "traseira" da Península do Sinai.

Quando Moisés pede ao faraó para que o povo saísse "caminho de três dias ao deserto" a fim de adorar e sacrificar a Deus, longe o bastante da influência egípcia (Êx 8:27), logicamente ele não estava se referindo a um lugar tão distante como a região leste do Ácaba, mas ao deserto mais conhecido pelos egípcios – isto é, o deserto do Sinai. Pois três dias é um período muito curto para que um grupo tão numeroso de pessoas conseguisse atravessar todo o deserto do Sinai e chegasse à região da Arábia, um trajeto de quase 600 quilômetros. Apenas para você ter uma ideia, segundo a estimativa do Google Maps, uma única pessoa saindo de São Paulo rumo a Belo Horizonte (c. 600 quilômetros) demoraria em torno de 5 dias para fazer todo esse trajeto a pé, em uma viagem contínua, sem paradas.

Outro fato intrigante aparece em Êxodo 18, o qual descreve os israelitas libertos acampados ao redor do Monte Sinai quando foram visitados por Jetro que, como sacerdote de Midiã, parece ter vindo de lá. No fim do relato, Moisés "se despediu de seu sogro, e este voltou para a sua terra" (v. 27). Um relato semelhante da visita do sogro de Moisés também é narrado em Números 10:30-33. Ambos os episódios sugerem uma distinção evidente entre onde Jetro estava e sua terra natal. Ou seja, o texto parece indicar uma separação entre o Monte Sinai e a terra de Midiã como não pertencentes à mesma região.

Assim, com base nesses textos e vendo da perspectiva de um povo seminômade, como os modernos beduínos a vagar pelo deserto ainda hoje, poderíamos supor que os midianitas habitaram em várias localidades conforme a necessidade exigia: Península do Sinai, Arábia etc. Até é possível que um dia Midiã tenha englobado o Monte Sinai, porque seus habitantes estavam assentados ali próximo, mas, à época do êxodo, o local de assentamento dos midianitas já estava em outro lugar.

A Bíblia também afirma que Israel demorou quase dois meses para chegar ao território do Monte Sinai (Êx 19:1, Nm 33:3). Se eles tivessem cruzado o Mar Vermelho pelo Golfo de Ácaba não faria sentido atravessarem toda a Península do Sinai (c. 500 quilômetros) em apenas 3 dias, e do leste do Ácaba até o *Jabal al-Lawz* (c. 80 quilômetros), por exemplo, levarem longos 2 meses. A matemática simplesmente não bate. É muito mais viável crer no contrário, isto é, que eles chegaram à Península do Sinai em 3 dias (c. 50 quilômetros) e, então, levaram cerca de 2 meses até o Monte Sinai (c. 400 quilômetros).

Vale frisar que o conhecimento correto da localização do Monte Sinai não tem nenhuma implicação vital para a fé bíblica. Embora essa informação tenha importância histórica e teológica por ser o lugar onde Deus se revelou a Seu povo.

Sem dúvida, o debate sobre a localização e identificação do Monte Sinai ainda continuará, já que muitos dos locais propostos até hoje são claramente problemáticos, enquanto outros são dotados de pontos fortes e fracos. Mais estudos devem ser feitos e novas descobertas precisam vir à tona, a fim de que se possa ter mais precisão na interpretação, não apenas do verdadeiro monte, mas também de vários dos lugares mencionados pelas Escrituras. No fim, o importante é a Bíblia apresentar o Monte Sinai como um local histórico e real, e isso, por enquanto, deve nos bastar.

Aquenáton, o Faraó Monoteísta

Aquenáton foi um faraó da 18ª dinastia e pai de Tutancâmon; casou-se com Nefertiti e foi um dos pensadores mais originais de sua época. Aquenáton é amplamente conhecido como o faraó monoteísta do Egito ou, segundo alguns, o faraó monolátrico, o que lhe atribuiu também a alcunha de "faraó herege".

Ele foi um grande monarca, que revolucionou a religião, a arte e a política do Antigo Egito. Após sua morte, contudo, seu legado foi sepultado por uma rebelião. Não obstante, Aquenáton constitui, ainda hoje, um símbolo de força e de poder para mudar a sociedade.

O nome Aquenáton literalmente significa "eficiente para Atom", mas esse nem sempre foi o seu nome. O rei escolheu esse nome para si mesmo após sua conversão ao culto de Atom. Antes disso, seu nome de nascimento era Amenhotep IV (cuja versão grega pode aparecer também como Amenófis IV). Ele era filho de Amenhotep III (1390-1352 a.C.) e Tiye; casou-se com a bela Nefertiti, com quem teve várias filhas; porém, com outra mulher, teve um menino a quem nomeou de Tutancáten, que depois mudou seu nome para Tutancâmon.

Mas, sendo ele tão grandioso, por que é frequentemente considerado um herege e um louco? E que história é essa de faraó monoteísta?

A grande mudança

Seu reinado como Amenhotep IV estendeu-se por 5 anos, durante os quais ele seguiu as políticas de seu pai e as tradições religiosas do Egito. No entanto, no quinto ano, ele passou por uma dramática transformação religiosa, mudou sua devoção do culto tradicional a Amon para o de Atom e, nos 12 anos seguintes, acabou popularizando-se como o "rei herege", por ter abolido os ritos religiosos tradicionais do Egito e instituído a primeira religião estatal monoteísta.

O período de seu reino é comumente conhecido como Período de Amarna, já que ele também mudou a capital do Egito de Tebas para a cidade que ele mesmo fundou, nomeada por ele de Aquetáton, a qual, mais tarde, veio a ser conhecida como Amarna (ou também Tell el-Amarna). O Período Amarna é um dos mais controversos da história egípcia e tem sido estudado e debatido mais sobre ele do que qualquer outro.

A imagem dos faraós concebida pelo público vem, substancialmente, daquela que nos é dada pelas grandes produções cinematográficas, segundo a qual o faraó aparece como um monarca todo poderoso, governador absoluto, rodeado de uma corte de servos, obrigando uma multidão de escravos a construir monumentos em sua honra.

Mas, embora muitos dos faraós tenham sido, sem dúvida, déspotas – a ideia da monarquia absoluta tem aqui os seus primórdios, a verdade é que esse termo abrange uma grande variedade de governantes, índoles e interesses diversos.

Os faraós, os reis do Antigo Egito, eram dotados de poderes absolutos na sociedade, decidindo sobre a vida política, religiosa, econômica e militar. Como a transmissão de poder no Egito era hereditária, ele não era escolhido por meio de voto. Dessa forma, muitas dinastias perduraram centenas de anos no poder.

Estátua de Aquenáton, c. 1348 a.C., esculpida em pedra calcária. Museu Egípcio do Cairo.

Na civilização egípcia, como já mencionado, os faraós eram considerados deuses vivos. Os egípcios acreditavam que esses governantes eram filhos diretos do deus Osíris, portanto agiam como intermediários entre os deuses e a população.

Os impostos arrecadados no Egito concentravam-se nas mãos do faraó, sendo responsabilidade dele decidir a forma com que os tributos seriam utilizados. Grande parte do valor arrecadado ficava com a própria família do faraó, sendo usado para a construção de palácios, monumentos, compra de joias etc. Outra parte era utilizada para pagar funcionários (escribas, militares, sacerdotes, administradores) e para fazer a manutenção do reino.

Aquenáton não deveria se tornar faraó. Filho de Amenhotep III, que dominou a primeira metade do século XIV a.C., controlando uma corte de luxo e magnificência sem precedentes, que dava grande ênfase à teologia solar, o príncipe Amenhotep, como era então chamado, era o irmão mais novo da coroa. Após a morte inesperada do favorito ao trono – Tutmés, Amenhotep se tornou o herdeiro aparente – e, quando seu pai morreu, em 1377 a.C., ele assumiu o reinado como Amenhotep IV. Estima-se que seu reinado tenha começado quando ele atingiu a idade de 15 anos e tenha durado cerca de 17 anos (1351-1334 a.C.).

Amenhotep IV passou a sua infância e adolescência no palácio de Malcata, na margem oeste de Tebas, onde permaneceu até ao quinto ano do seu reinado. Desde cedo, sua educação foi levada a cabo essencialmente por sua mãe, a rainha Tiye. Dada sua enorme afinidade ao culto do deus sol, certamente a rainha foi uma fonte de conhecimento inesgotável, pela qual Amenhotep IV assimilou algumas das ideias que veio a utilizar na sua própria doutrina.

Amenhotep IV pode ter sido corregente com seu pai, Amenhotep III, e é possível perceber como o disco solar conhecido como "Atom" já aparece em várias inscrições do período do reinado de seu pai. Naturalmente Atom não era novo no governo de Aquenáton, antes de sua conversão, esse era simplesmente outro deus cultuado como tantos outros no Antigo Egito.

Além disso, no reino de Amenhotep III, à medida que o culto a Amon era cada vez mais predominante, consequentemente o clero era munido de mais poder político, administrativo e religioso. Ao mesmo tempo que ganhava protagonismo, por outro lado, o clero também se corrompia e se dedicava a práticas libertinas, ostentando uma enorme riqueza. Adotando uma postura materialista, o clero distanciava-se das suas funções principais e tentava dominar a cena política. Acontece que quando Amenhotep III governava, esse sacerdócio centrado no deus Amon vinha crescendo em poder já há muitos anos. Assim, crê-se que ao Amenhotep IV subir ao trono, tais sacerdotes haviam alcançado tanta riqueza que estavam quase em pé de igualdade com a casa real, tanto em poder quanto em influência. O que provavelmente não agradou os olhos dos faraós no poder.

Nos primeiros anos de governo, Amenhotep III teria ajudado seu filho a fortalecer o reinado e a conter as hostilidades advindas das transformações religiosas que ia pondo em prática. No entanto, na família real não foram apenas pai e filho a assumir um papel importante na realização dessas grandes reformas; a sua mãe, a rainha Tiye, e a sua amada esposa Nefertiti, juntamente com altos dignitários do reino, realizaram ações indispensáveis para assegurar que a inovação religiosa pudesse ocorrer em toda a sua plenitude.

O precioso acompanhamento de Amenhotep IV, no que diz respeito à sua mãe e esposa, passou por uma formação específica destinada à sua condição de regente e também por um grande equilíbrio político conseguido por meio de uma engenhosa diplomacia, que teria permitido alguma serenidade e a diminuição das tensões sociais ao mesmo tempo em que as reformas iam decorrendo.

No fim, Amenhotep IV acabou mudando a sede de seu poder do palácio tradicional em Tebas para um que ele construiu na cidade que fundou, à qual chamou de Aquetáton, cujo significado é "horizonte de Atom". A partir daí, mudou seu nome para Aquenáton e continuou as reformas religiosas que resultou em desprezo por alguns, mas em admiração por outros.

O culto ao deus Atom

Desde a ascensão da 18ª dinastia e o início do Novo Império, vimos que Amon, sincretizado com Rá, tornou-se o deus supremo de todo o Antigo Egito. Ele era o deus principal da cidade de Tebas e constituía o deus-mor da tríade tebana juntamente com sua esposa Mut e seu filho Khonsu. Com o tempo, Amon fundiu-se também com Hórus tornando-se, então, Rá-Horaqueti, adquirindo agora uma cabeça de falcão e sendo reconhecido como o "Hórus dos Dois Horizontes", governante da terra e do céu, e do submundo. Por muito tempo, no passado, essa também foi uma das formas de Atom, embora, em um aspecto menor.

Então por séculos, os egípcios adoraram um panteão elaborado e amado que representava esse equilíbrio cósmico. Uma supervisão serena sustentava uma sociedade com uma profunda crença na harmonia cósmica e uma tradição de ordem diante do caos e contrária à mudança.

O novo rei, no entanto, diante da força do culto de Amon, temeu um eventual ataque à sua supremacia e, tentando asseverar o controle do reino, foi delineando uma estratégia que pudesse conter a ascensão do clero de Amon. Aquenáton, agora, havia decretado uma mudança radical: Atom, o disco solar, com sua iluminação vivificante, não era um mero deus entre tantos outros, mas a única divindade no poder. Não tinha corpo ou imagem, apenas a representação abstrata do disco solar. Conhecido desde a antiguidade como o Rá-Horaqueti vivo, Atom foi concebido como o rei dos reis, sem rainha, sem inimigos ameaçadores, somente ele, o único e supremo deus. As imagens de Atom não o representavam como uma figura humana ou zoomórfica, conforme tradicionalmente os egípcios retratavam seus deuses; é apresentado, ao contrário, como um disco solar contendo vários raios terminados em mãos adornadas com o hieróglifo Ankh ("vida"), símbolo de seu cuidado e proteção sobre toda a vida. Aquenáton acreditava ser ele próprio o único filho de Atom, consequentemente, seu profeta escolhido e, portanto, o único intercessor entre a divindade e a humanidade.

AQUENÁTON, O FARAÓ MONOTEÍSTA

Estela de calcário com a representação de Aquenáton (esquerda), Nefertiti e suas três filhas. Na imagem é possível notar que o deus Atom é retratado como um disco solar com vários braços no lugar de raios. Frequentemente, suas mãos seguram a cruz Ankh próximo ao rosto do faraó e seus entes, símbolo da vida doada por Atom.

A partir daí começou a revolução. Pela primeira vez na história, um faraó queria substituir o panteão de deuses egípcios por uma única divindade. A proposta, contudo, foi considerada uma heresia por muitos, especialmente aqueles mais prejudicados – a casta sacerdotal. Mas, como o faraó era considerado um deus na terra, ele tinha poderes ilimitados para modificar o que quisesse e ninguém ousaria interferir em suas decisões.

Assim, ele decretou a extinção dos 2 mil deuses adorados no Egito há mais de um milênio. Suas aparências humanas e animalescas foram substituídas pela forma abstrata do sol e de seus raios.

Evidentemente, o faraó buscou apagar a memória das outras divindades e durante o seu reinado não poupou esforços para remover e destruir por todo o Egito as referências aos demais deuses do panteão, em especial às de Amon. Assim, os nomes de Amon e de outros deuses foram apagados em monumentos por todo país, seus templos foram fechados e as antigas práticas proibidas.[1]

Para isso, ele contou com a ajuda do seu exército, com o qual foi possível garantir, algumas vezes pela força e pela violência, as reformas desejadas. Ele feriu e matou muitos que se opuseram à sua forma de ver a deus. Amenhotep IV mandou remover as inscrições de monumentos que mencionavam outros deuses e alterou também as inscrições da palavra "deuses" na forma plural, passando-as para a palavra *deus*, no singular. Com essas reformas, naturalmente ele teria a oposição de parte do clero de Amon, em particular o que se situava em Tebas, agora, a antiga capital.

Na verdade, para uma sociedade acostumada ao sincretismo e à adoração de inúmeras divindades, é natural pensar que a adoração a Atom, que nem mesmo tinha uma forma específica e cuja intermediação provinha exclusivamente por meio do faraó, que se via como o próprio deus encarnado, foi algo totalmente inédito e, certamente, foi incompreensível para grande parte da população da época.

Quando anunciou que o novo culto, na sua maioria, dispensava a existência de sacerdócio, a relação entre o clero e o faraó agravou-se ainda mais. O culto de Atom deveria ocorrer sempre por meio do rei, o sacerdote e filho de Atom. Para os poderosos sacerdotes tradicionais, que haviam dedicado suas vidas inteiras aos deuses antigos, a mudança de doutrina era uma catástrofe, pois essas instituições desempenhavam um papel importante na vida

---

[1] Zahi Hawass. **The Golden King**: the world of Tutankhamun. Washington, DC: National Geographic Society, 2004, p. 42-43.

econômica e social do país.² Além disso, eles praticamente haviam governado o Egito, mas agora eram dispensáveis – e formavam um grupo perigoso de inimigos para Aquenáton. Quando então o novo faraó anunciou que ele era a única pessoa com acesso direto a Atom, ele tornou desnecessário o sacerdócio intercessor.³ Conseguindo assim, não apenas diminuir o seu poder, como também enfurecer um grande número de pessoas.

Parece que seus súditos aceitaram a mudança forçadamente, talvez por medo de serem reprimidos de alguma forma; assim, pelo menos publicamente eles demonstravam afeição pela nova religião. Pois, julgando pelas imagens desenterradas em casas particulares, sugere que a maioria das pessoas preferia adorar secretamente o panteão tradicional dentro de seus lares.⁴ Em todo o caso, o fato é que os antigos ritos, os cânticos e as danças, os grandes festivais e as oferendas no Nilo e nos templos, foram todos interrompidos. Os suntuosos templos de Tebas e Mênfis não mais honravam suas divindades e os cultos aos antigos deuses foram totalmente silenciados.

É curioso que para muitos estudiosos que datam o êxodo bíblico um século depois de Aquenáton, suas crenças monoteístas são consideradas as bases precursoras do monoteísmo israelita. Desse modo, para eles, o monoteísmo mosaico teria sido algo que os israelitas aprenderam no Egito, de alguma forma, influenciados pelas iniciativas de Aquenáton. Há outros que especulam que Moisés pudesse ter sido um dos sacerdotes de Atom, que, então, teria fugido da acusação após a morte de seu líder Aquenáton.⁵ É óbvio que qualquer uma dessas teorias é muito improvável, além de serem puramente especulações, por carecerem de qualquer evidência que seja.

---

2   Barbara Watterson. **The Egyptians**. Oxford: Wiley-Blackwell, 1997, p. 111.
3   Brian Fagan. "Did Akhenaten's monotheism influence Moses?" in **Biblical archaeology review**, v. 41, n. 4 (jul.-ago, 2015), versão online.
4   Idem.
5   Na verdade, um dos primeiros autores a propor essa teoria foi Sigmund Freud, para ele, após sua fuga, Moisés perpetuou o monoteísmo por meio de uma religião diferente, sendo, mais tarde, assassinado por seus seguidores que acabaram o reverenciando e se comprometeram irrevogavelmente com a ideia monoteísta que ele representava. Cf. Sigmund Freud. **Moisés e o monoteísmo, compêndio de psicanálise e outros textos**. Obras Completas Volume 19. São Paulo: Companhia das Letras, 2018.

Em primeiro lugar, segundo aqueles que datam o êxodo ao redor do séc. XIII a.C., é muito difícil que ainda houvesse algum grupo nesse período que continuasse mantendo o monoteísmo de Aquenáton. Por questões políticas e econômicas essa não era uma religião vantajosa, além de conter elementos que não eram de nenhum modo atraentes para a concepção religiosa da época. Sem mencionar o fato de que muito do que ele fez e deixou, foi apagado da história egípcia após sua morte. Seria necessário que pelo menos um pequeno grupo de pessoas mantivesse cegamente a fé monoteísta dentro do Egito por quase 100 anos de Aquenáton a Ramessés II. Além do mais, por qual razão, tal fé teria se extinguido entre os egípcios e permanecido ativa exclusivamente entre um grupo de escravos estrangeiros?

Em segundo lugar, para os que datam o êxodo mais tarde, na metade do século XV, seria mais provável pensar o contrário, a saber, que o impacto da fé monoteísta israelita foi tão forte sobre a religião e a hegemonia egípcia que, mesmo anos mais tarde, um faraó egípcio decidiu sincretizar esse conceito com a própria religião do Egito.

Amarna: a Antiga Aquetáton

Como vimos, Amarna é o nome moderno para o local da antiga cidade egípcia de Aquenáton. A cidade foi construída pelo faraó, como a nova sede de seu governo e isenta da presença de qualquer outro templo ou divindade que não fosse o deus Atom. Pouco depois da morte do rei, no entanto, o território foi abandonado e não foi visto novamente na história até o fim de 1700, quando foi redescoberto, e os restos da cidade foram mapeados pela ciência moderna.

A cidade localiza-se a pouco mais de 300 quilômetros ao sul do Cairo, no coração do médio Egito, o sítio arqueológico de Amarna ocupa uma grande baía de deserto ao lado do rio Nilo. Esse semicírculo de terra estéril, preso pela margem leste do rio e enormes penhascos de calcário, parece muito uma grande bacia de poeira, com cerca de 11 quilômetros de comprimento e 5 quilômetros de largura, cheia de outeiros arenosos. Porém, 33 séculos atrás, esse local foi o lar de dezenas de milhares de antigos egípcios, levados para lá pela vontade de um único homem – o faraó Aquenáton. Embora o local não pareça muito propício para habitação, como de fato jamais houve outra construção ali depois da cidade de Aquenáton, a região situa-se bem ao centro entre as duas antigas capitais: Mênfis e Tebas, que, segundo Aquenáton, teria sido escolhida pela própria vontade do deus Atom, revelada ao rei por inspiração divina.

Nomeada pelo faraó como Aquetáton, a cidade foi construída como um importante centro de culto para a nova religião do faraó. Uma vez que essa transferência de capital, bem como a mudança do nome do rei, aconteceu somente a partir do quinto ao sexto ano de seu reinado, sabe-se que a cidade foi construída às pressas e, portanto, a maioria dos edifícios foi concebida com tijolos de barro, os quais deterioraram com o tempo, não deixando muita história para contar nos dias de hoje. Contudo, edifícios mais importantes, como o Palácio Norte e o Grande Templo de Atom, incorporaram o uso de pedra de origem local em sua construção.

O Grande Templo de Atom era uma estrutura no centro da cidade, e a maior parte de seu espaço era a céu aberto, ou seja, sem nenhum tipo de telhado. Parece que o rei ordenou a construção de enormes templos, sem telhados, nos quais o disco solar pudesse ser cultuado diretamente. Por isso não eram necessárias imagens ou esculturas de culto no templo, já que o próprio sol estava bem acima deles. Entrava-se por um grande arco feito de tijolos de barro e seguia-se por uma longa progressão de pátios contendo inúmeras mesas de oferendas. Por outro lado, sabe-se que havia várias estátuas de Aquenáton e sua família colocadas ao redor do templo, talvez como uma representação daquele que era a encarnação da divindade na terra e pelo qual todos os seres poderiam ter acesso à divindade.

Em outras palavras, não apenas a religião, os nomes, e a capital sofreram alterações, mas até mesmo a arquitetura egípcia. Esse novo modo de construir os templos em Amarna demonstrava um desejo de romper com o passado. Os templos tradicionais eram fechados e se afunilavam, com o piso levemente levantado, o teto caído e pouquíssima entrada de luz. Mas o

Uma maquete com reconstrução hipotética de como seria o Grande Templo de Atom no centro da antiga Aquetáton. Atualmente em exposição no Amarna Visitor Centre.

culto a Atom com santuários ao ar livre, trouxe algo que jamais havia sido feito dessa forma e em grande escala.

Aquetáton tornou-se a sede de todos os poderes administrativos e religiosos do império, chegando a abrigar mais de 50 mil pessoas. Outras construções como os palácios reais, silos, necrópoles, jardins e centenas de casas faziam parte das construções da nova capital. E tudo isso realizado em apenas 10 anos, naturalmente, por meio da mão de obra de milhares de escravos estrangeiros.[6] Hoje, contudo, pouco resta da antiga cidade além de suas

---

[6] Autores como Stephen Rosenberg teorizam a possibilidade de a escravidão israelita no Egito ter ocorrido no período da construção de Amarna e, consequentemente, o relato do êxodo na época de Tutancâmon. A base para essa hipótese estaria na menção de Êxodo 1:14 sobre a quantidade de tijolos exigida dos israelitas para edificar as construções egípcias. Assim, uma vez que o número de israelitas era de cerca de 600 mil homens, a resposta para a razão de tamanha produção de tijolos seria, segundo Rosenberg, para a construção monumental e apressada de uma cidade inteira, ou seja, Aquetáton. No entanto, essa teoria esbarra em outras informações colhidas no relato, como: o fato das construções estarem relacionadas às cidades de Pitom e Ramessés (Êx 1:11), localizadas no Delta do Nilo; as pragas como ofensas aos deuses egípcios (Êx 12:12), que tecnicamente não eram mais adorados no Período Amarna; a distância em anos desde o nascimento de Moisés ao êxodo (c. 80 anos, cf. Dt 34:7; At 7:30), comparado com o tempo curto de governo de Aquenáton a Tutancâmon (c. 30 anos), etc. cf. "Who was the pharaoh of the Exodus?" in **The Jerusalem Post**, 1º abr. 2015, disponível em: https://www.jpost.com/opinion/who-was-the-pharaoh-of-the-exodus-395885, acessado em 07/06/2022.

fundações em grande parte escondida entre as dunas de areia, mas sua notoriedade na história egípcia a torna um dos sítios arqueológicos mais importantes do país. A cidade teve uma vida curta, assim como a nova religião do faraó, com a ordem tradicional e a base de poder em Tebas, imediatamente restauradas após sua morte por meio do reinado de seu filho Tutancâmon. Com o tempo, o local foi saqueado em busca de materiais e riquezas, e pouco resta visível além dos túmulos esculpidos nas falésias próximas.

No entanto, em meados de 1887, uma camponesa cavando entre as ruínas da esquecida cidade encontrou por acaso um antigo tablete de argila escrito em caracteres cuneiformes, a partir disso escavações subsequentes revelaram pouco mais de 380 desses tabletes.[7] A maior parte desses tabletes eram cartas de correspondências, principalmente de cunho diplomático, entre a administração egípcia e seus representantes em Canaã e na Mesopotâmia. Entre os principais poderes da época que enviaram as cartas ao Egito, estão: o Império Hitita, a Babilônia e a Assíria. Contudo, grande parte das cartas foi enviada de cidades da Síria e de Canaã, estados-vassalos das autoridades egípcias, embora desfrutassem de um certo grau de autonomia.[8]

As cartas cobrem um período de menos de 30 anos, desde os últimos o fim do reinado de Amenhotep III até o terceiro ano de Tutancâmon (c. 1332 a.C.), quando Amarna foi completamente abandonada. Assim, grande parte dessas correspondências abrangem principalmente o reino de Aquenáton. As cartas de Amarna são incomuns na pesquisa egiptológica, pois foram escritas em uma linguagem mista entre o acadiano e o cananita, usando os caracteres cuneiformes, método de escrita da antiga Mesopotâmia, que fora adotado na diplomacia e comércio internacional a partir do segundo milênio a.C.[9]

Esse achado é extremamente relevante, pois revela um tesouro de conhecimento sobre as relações políticas e os costumes sociais de seu tem-

---

[7] William Moran. **The Amarna letters**. Baltimore, MD: The Johns Hopkins University Press, 2000, p. xv; Nicholas Reeves. **Akhenaten**: Egypt's false prophet. Londres: Thames & Hudson, 2001, p. 62-63.
[8] Meir Ben-Dov. **Historical atlas of Jerusalem**. Nova Iorque: Continuum, 2002, p. 35.
[9] Moran. **The Amarna letters**, p. xiv.

po. Especialmente importantes são aquelas que correspondem ao reino de Aquenáton, a maioria envolvendo pedidos urgentes de ajuda militar. Nelas, são apresentadas algumas das preocupações dos governantes levantinos, como disputas com outros governantes locais, suas inquietações quanto à administração egípcia, e discussões sobre comércio e tributos.

Antes de tudo, vale ressaltar que as cartas testemunham o controle organizado do Egito sobre a região de Canaã, por meio de uma rede de alianças com pequenas cidades-estados. Cada cidade era rodeada por um número menor de vilas, fazendas ou cidades, que juntas formavam o território da cidade-estado. Assim, o controle era feito por alianças no estilo suserano--vassalo, nas quais o suserano, o território com maior autoridade e poder, oferecia proteção e paz em troca de um contínuo pagamento de impostos por parte do governo vassalo.

Desse modo, tal dinâmica de controle, bem como o conteúdo das cartas enviadas no período de Aquenáton, lança luz sobre o estado em que se encontrava o império. Ao que tudo indica, a reforma de Aquenáton não foi simplesmente uma tática política visando obliterar o crescente poder sacerdotal – o rei realmente acreditava na nova religião proposta por ele. E a nova fé acabou tornando-se a obsessão de sua vida. Seu fanatismo religioso fez com que sua principal atividade como governante fosse praticamente ampliar e adornar a nova capital com suntuosas construções. Para isso, o rei teve de utilizar os recursos e as economias do estado. Essa superatenção sobre a religião e a cidade, é contrastada pelo desinteresse e abandono das relações políticas externas. Isso porque Aquenáton ignorou e nunca respondeu às inúmeras mensagens de socorro das cidades-estados, não enviou as tropas solicitadas, e a região vizinha caiu nas mãos inimigas – o exército egípcio estava tão ocupado com missões de perseguição religiosa que o Egito perdeu territórios, poder, posses e *status* no continente.

Apenas para se ter uma ideia, Rib-Hadda, o rei de Biblos, uma das cidades mais leais e com a mais antiga relação político-comercial com o Egito, chegou a enviar mais de 50 cartas a Aquenáton pedindo ajuda para combater os invasores amorreus, mas não obteve resposta e Biblos acabou

Exemplar de uma das mais de 380 cartas de Amarna. Especialmente importante é a de número 286, intitulada "Um trono concedido, não herdado". Na qual Abdi-Heba, governador de Jerusalém do séc. XIV a.C., escreve a Aquenáton solicitando ajuda militar contra os invasores Habiru.

sendo perdida para o Egito.[10] Contudo, dentre as correspondências advindas de Canaã, os estudiosos bíblicos estão particularmente mais interessados naquelas concernentes ao governante de Jerusalém.

Em uma de suas cartas, Abdi-Heba, rei de Jerusalém, queixa-se ao faraó dos ataques que estava enfrentando de um grupo nômade a quem ele designa como *Habiru*. Um grupo que parece estar atacando uma ampla área do território cananeu, incluindo a Síria e o Líbano. Em uma das cartas ele diz:

> "Diga ao rei, meu senhor: mensagem de Abdi-Heba, teu servo. Eu caio aos pés de meu senhor, o rei, 7 vezes e 7 vezes... ó rei, meu senhor, não há guarnição, e assim, que o rei possa prover uma para sua terra!... que o rei dirija sua atenção aos arqueiros, a fim de que os arqueiros do rei, meu senhor, venham. O rei não tem terras. Pois os Habiru saquearam todas as terras do rei. Se houver arqueiros este ano, as terras do rei, meu senhor, permanecerão. Mas se não houver arqueiros, estão perdidas as terras do rei, meu senhor. Ao escriba do rei, meu senhor: mensagem de Abdi-Heba, teu servo. Apresento palavras eloquentes ao rei, meu senhor. Estão perdidas todas as terras do rei, meu senhor."[11]

Quando esses documentos foram traduzidos, alguns estudiosos perceberam a incrível semelhança fonética entre o termo Habiru e a forma que

---

10 Watterson. **The Egyptians**, 112.
11 Moran. **The Amarna letters**, EA 286, p. 326-327.

ha – bi – ru

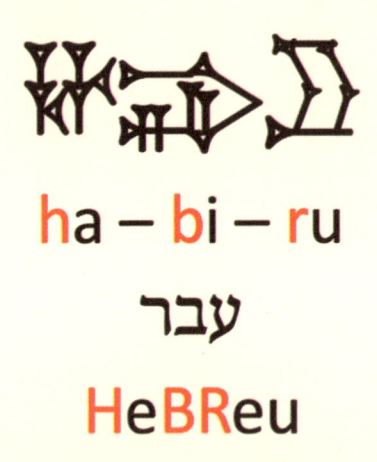

עבר

HeBReu

Comparação fonética entre as palavras habiru (acadiano), 'ivri (hebraico) e hebreu (português).
CARDOSO, Wilian.

a Bíblia descreve como os egípcios chamavam os israelitas: *hebreus*.[12] Além da similaridade entre os nomes, a descrição dos Habiru atacando cidades em Canaã, precisamente no século XV, é paralela à mesma época em que o relato bíblico descreve o estabelecimento de Israel em Canaã inicialmente sob a liderança de Josué e, mais tarde, pelos juízes israelitas (cf. 1Rs 6:1; Js e Jz). Essas coincidências têm levantado a possibilidade de que esse grupo possa estar relacionado aos hebreus bíblicos, ou seja, o povo de Israel que estava se estabelecendo em Canaã.

Naturalmente, há aqueles que se opõem a essa conclusão, uma vez que o termo Habiru aparece também em outros textos acadianos, sendo usado em referência a povos desterrados e muitas vezes problemáticos que perambulavam por todo o Crescente Fértil. Por isso, devemos ser cautelosos ao entender que nem todos os Habiru eram israelitas, mas os israelitas poderiam ser designados como Habiru.[13] Na verdade, segundo observa Na-

---

[12] Cf. Êx 1:15-16, 19; 2:6-7; 3:18; 5:3; 7:16; 9:1, 13; 10:3; v. também Gn 39:14, 17; 40:15; 41:12; 43:32. É no mínimo curioso que, entre os livros do Pentateuco, o uso da designação "hebreu" seja majoritariamente recorrente dentro do livro de Êxodo. Além disso, das 21 vezes que aparece no Pentateuco, apenas 5 delas são uma autodesignação do narrador aos descendentes de Abraão, todas as demais indicam a forma como esses descendentes eram reconhecidos pelos egípcios, ou seja, não como israelitas, mas sim como hebreus. Talvez seja por isso que Êxodo 21:2 e Deuteronômio 15:12, ao lidarem com as regras de aquisição de um servo hebreu por um israelita, o termo "hebreu" não reflete um grupo étnico, isto é, os israelitas apenas, mas uma classe social que incorporava pessoas de mesma raiz geofamiliar, embora não da mesma raiz genealógica. Além do mais, o segundo livro bíblico com mais referências ao termo "hebreu" é 1 Samuel (8x), um livro que igualmente descreve os israelitas ainda em processo de migração e estabelecimento na terra de Canaã e especialmente em conflito com os filisteus. Pelos quais o termo "hebreu" parece soar de forma pejorativa e degradante, precisamente como as cartas de Amarna e outros textos mesopotâmicos se reportam aos Habiru.
[13] Veja a nota 170. S. Douglas Waterhouse. "Who are the Habiru of the Amarna letters?" in **Journal of the Adventist Theological Society**, v. 12, n. 1 (2001), p. 42,

dav Na'aman, renomado professor e pesquisador de história bíblico-judaica da Universidade de Tel Aviv: "a julgar pela condição dos israelitas como um bando de nômades em busca de terra, vivendo à margem da sociedade, conforme lemos nos livros de Juízes e Samuel, os israelitas são idênticos aos Habiru dos antigos textos do Oriente Próximo".[14]

Portanto, se os Habiru das cartas e os hebreus israelitas do livro de Êxodo são o mesmo grupo, encontramos outra confirmação histórico-arqueológica de que 1º) o texto de 1 Reis 6:1 está correto em relação ao tempo de ocorrência do Êxodo bíblico durante a 18ª dinastia e anterior ao reinado de Aquenáton; e, 2º) a presença de um grupo de errantes sem-terra na região Siro-Palestina, tentando conquistar suas cidades, coincide com o mesmo período e lugar que a Bíblia descreve os israelitas se assentando em Canaã nos livros de Josué, Juízes e Samuel.

Fazendo arte em Amarna

Outro fenômeno singular de Amarna é o estilo artístico das obras encontradas ali. É singular, pois marca outro desvio importante no Período Amarna em relação às eras egípcias anteriores e posteriores. Diferente das imagens de outras dinastias, a arte do Período Amarna retrata Aquenáton como um homem de rosto comprido, queixo pontudo, olhos estreitos e amendoados, lábios carnudos, barriga protuberante, seios grandes, e aparência andrógina. A família real também é desenhada de forma desproporcional, com pescoços, nuca e braços alongados e pernas finas. Alguns egiptólogos teorizaram que isso fosse um tipo de distúrbio genético, mas dificilmente um problema como esse afetaria tantas pessoas ao mesmo tempo. A explicação mais plausível, no entanto, está relacionada às crenças religiosas do rei. Assim como o deus Atom era descrito como um disco solar com raios longos que terminavam com mãos, pode ser que as pessoas devotas ao deus sejam retratadas à semelhança da divindade, em outras palavras, teriam sofrido uma transformação por sua fidelidade a Atom. Além disso, uma vez

---

[14] Nadav Na'aman. "Habiru and Hebrews: the transfer of a social term to the literary sphere" in **Journal of Near Eastern Studies**, v. 45, n. 4 (out. 1986), p. 285.

que Atom era considerado, ao mesmo tempo, pai e mãe da humanidade, é possível que as feições andróginas e a representação anatômica com tronco arredondado e extremidades delgadas serviam para destacá-lo como o deus em forma humana.

Outro aspecto exclusivo da arte em Amarna é a intimidade retratada nas imagens que mostram a família real desfrutando da companhia um do outro em momentos privados, como comendo, bebendo ou brincando com os filhos. Em muitas cenas, o faraó aparece como um homem de família gentil que amava sua esposa e filhos. Algo jamais visto antes. Na verdade, as imagens dos demais faraós, seja antes ou após o Período Amarna, normalmente descrevem o rei como uma figura solitária, às vezes ressaltando suas virtudes, seja como um corajoso caçador, um valente guerreiro em uma

Estela descrevendo Aquenáton e sua família adorando o deus Atom enquanto são tocados por seus raios. Cada membro da família é representado com o mesmo alongamento.

Autor desconhecido/ Domínio Público CC 2.0

batalha, ou glorioso na presença dos deuses. Para Aquenáton, contudo, as cenas descontraídas em família eram uma demonstração da prosperidade alcançada sob a influência da graça e do amor de seu deus.

Embora Aquenáton estivesse errado quanto aos seus valores religiosos, o que ele fez foi, sem dúvida, uma grande melhoria comparada à religião tradicional que adorava qualquer coisa que se movimentasse. Longe de ser um herege, antes de tudo, ele foi um homem de convicção, pronto para desafiar a tradição a fim de seguir seus ideais. Criativo e firme, foi um iconoclasta em todos os sentidos, revolucionando a história do Egito em diferentes aspectos. Entre eles, sua arte excêntrica ainda hoje nos deixa intrigados e sem respostas conclusivas. O estilo de arte desenvolvido em Amarna revela um governante obstinado que, aparentemente, tentou tornar o povo responsável por sua conduta diante de sua divindade. O fato é que ele tentou, mas a força de uma cultura, às vezes, é mais determinante que a força de um ideal.

Todos os que o sucederam no trono, no entanto, o consideraram um maluco e um "rei herege", cuja memória precisava ser apagada da história, incluindo seu filho, Tutancáton, que desfez toda a reforma realizada pelo pai, restaurando a prática e o retorno da antiga religião, a começar pela mudança de seu nome para Tutancâmon, agora em honra ao deus Amon-Rá. Possivelmente, esse foi um movimento dos enfurecidos sacerdotes que manipularam o jovem menino para realizar os seus desejos de retornar a capital para Tebas e retomar o culto antigo.

A partir daí, líderes militares e sacerdotes uniram forças para destruir toda a memória de sua existência, de modo que restem poucas informações sobre ele. Muitos sucessores, especialmente Horemheb (c. 1320-1292 a.C.), derrubaram os templos e monumentos construídos por Aquenáton visando honrar seus deuses, além de profanarem suas imagens, seu nome e os nomes de seus familiares. Seu sarcófago, por exemplo, revela que seu rosto foi deliberadamente apagado e junto com ele o cartucho que originalmente continha o seu nome. Essa era uma forma dos sacerdotes de Tebas se vingarem de seu rei, apagando o seu nome e assim tirando dele qualquer chance de vida eterna.

Aquenáton afirmou ser o único que tinha acesso ao agora único deus – Atom, tornando desnecessário um sacerdócio intercessor. Por conta disso, muitos historiadores e egiptólogos modernos acreditam que todo esse esforço em estabelecer o monoteísmo, tenha sido empenhado pelo rei unicamente com o objetivo de enfraquecer o poder dos sacerdotes de Amon, pois esses possuíam mais terras e riquezas do que o próprio faraó, além de elevada influência. Essa é, realmente, uma hipótese válida e parece ter sido uma tentativa também executada por seu pai, o faraó Amenhotep III. Por outro lado, para aqueles que acreditam que o êxodo bíblico tenha acontecido durante a 18ª dinastia, é simplesmente curioso o fato de ambos os eventos marcados pelo culto monoteísta estarem tão próximos no tempo e no espaço. O que aconteceu nós realmente não sabemos. A relação histórica entre a reforma de Aquenáton e o êxodo israelita é um mistério ainda carente de evidências adicionais. O mais longe que podemos chegar está nos fatos fornecidos pelas teorias. E elas não passam disso – teorias. Mas, as coincidências são notáveis.

Enfim, diante de tudo que temos e sabemos sobre esse estranho episódio da história egípcia, infelizmente temos mais perguntas do que respostas, como: o que realmente motivou o faraó a revolucionar séculos de cultura e religião egípcias? Teria sido unicamente a ascensão do poderio sacerdotal ou será que experimentar a morte do primogênito de todos os homens no Egito algumas décadas antes foi uma motivação? De qualquer modo, refletindo sobre a história de Aquenáton podemos também nos questionar: até que ponto estamos dispostos a enfrentar as tradições do mundo por um princípio considerado verdadeiro? Que tipo de mensagem deixamos para aqueles que veem nossa imagem nas redes sociais? Que tipo de poder precisamos experimentar da parte de Deus para chamar nossa atenção para uma mudança real?

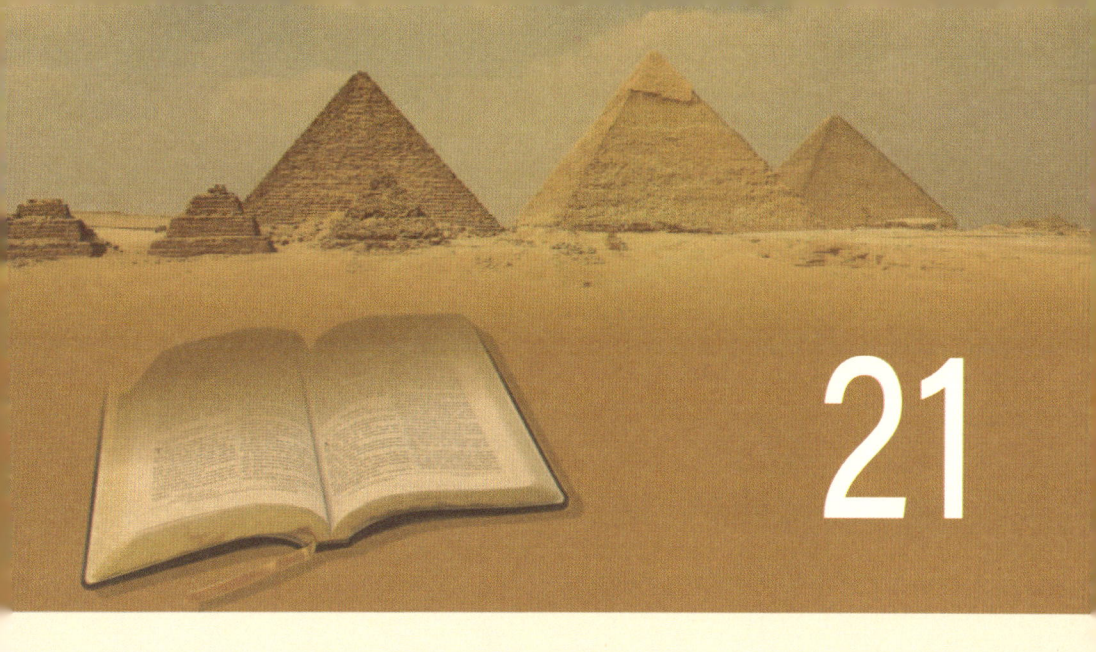

O Egito e o reino de Israel

As relações entre o Egito e o período monárquico de Israel são muito importantes para a compreensão e localização do texto bíblico na história. Muitos leitores da Bíblia, no entanto, se prendem unicamente aos episódios de Abraão, José e Moisés, esquecendo-se que há várias menções aos egípcios em textos subsequentes, especialmente relacionados ao período monárquico de Israel.

No intervalo que compreende os séculos XI a VI a.C., os hebreus passaram de um conglomerado de tribos, cada uma com seus respectivos líderes, para um sistema monárquico sob o comando de um único regente. Com os três primeiros reis, Saul, Davi e Salomão, o reino unificado de Israel foi se estendendo, ganhando efetivo domínio no norte e leste de Canaã, além de conquistar Jerusalém e fazer dela sua nova capital.

Em 930 a.C., após a morte de Salomão, uma disputa política fez com que o reino dos hebreus fosse dividido em duas partes: Israel, reino do Norte, com capital em Samaria, e Judá, reino do Sul, com capital em Jerusalém. Ambos os territórios passaram a ter dinastias próprias, de modo que havia um rei em Judá e outro em Israel governando concomitantemente, na maioria das vezes, sem relações diplomáticas um com o outro.

Foi devido a esse conflito interno que, em 722 a.C., a Assíria, aliada do reino de Judá, capturou Israel, levando as tribos do norte ao cativeiro. Mais tarde, em 587 a.C., foi a vez da queda do reino do sul, quando a Babilônia destruiu o templo em Jerusalém e levou os judeus ao cativeiro que durou até ao ano 538 a.C., quando veio o domínio medo-persa.

Em termos de cronologia egípcia, esse hiato de tempo equivale ao Terceiro Período Intermediário, que vai da 21ª até aos 80 anos iniciais da 26ª dinastia saíta (1070-525 a.C.). Os livros de Samuel, Reis, Crônicas, Isaías e Jeremias aludem a esse contexto e mencionam, ainda que poucas vezes, contatos e conflitos de Israel com o Egito.

Alguns autores duvidam da historicidade desses relatos uma vez que não temos a correspondência deles na documentação egípcia contemporânea. Ocorre, no entanto, que os reis do Egito nesse período governavam a partir de Mênfis e do Delta do Nilo, onde pouquíssimos registros históricos sobreviveram. Normalmente, as inscrições egípcias bem preservadas dessa época vêm de Tebas e de outros sítios localizados no sul do Nilo. Mesmo assim, elas não costumam aludir a nenhum povo estrangeiro. São em sua maioria textos ritualísticos e funerários, de modo que é natural a ausência de menção de povos e localidades bíblicas em textos egípcios que vão de cerca de 1100 a 580 a.C.

Edomitas e egípcios

Segundo 1 Reis 11:14-22, Hadade, príncipe de Edom, ao ter seu território conquistado por Davi, fugiu com alguns servos de seu pai, primeiro para Midiã, atravessando o deserto, até chegar ao Egito em 1040 a.C. Ali, ele ficou refugiado por cerca de 28 anos, período em que foi bem tratado pelo faraó a ponto de se casar com a própria irmã de uma consorte do rei chamada Tafnes.

Esse nome, certamente de origem egípcia, lembra foneticamente uma cidade egípcia mencionada com soletração e hieróglifos diferentes tanto em fontes egípcias quanto no texto hebraico.[1] Contudo, a mera semelhança fonética não faz com que um lance luz sobre o contexto do outro. Sabe-se que são nomes parecidos e o máximo que se tem é sua procedência etimológica. Para McKenzie[2] o topônimo queria dizer *T-h-p-nhsi* com o sentido de "a fortaleza da Núbia", ao passo que para Federn, não se trata de um nome próprio, mas sim de uma "hebraização" do hitita *daḫamunzu* ou do egípcio *ta khemet nesut* que significa "a mulher do rei".[3]

Embora não tenhamos nenhum outro elemento histórico para validar essa passagem ou os indivíduos por ela mencionados, é notória a historicidade do relato. Mesmo assim, autores como Paul Ash[4] e Bernd Schipper[5] suspeitam que a narrativa bíblica não corresponda a fatos concretos.

Em primeiro lugar, eles desacreditam na possibilidade de existência de um reino edomita no século X a.C., uma vez que não encontramos no registro arqueológico quaisquer edifícios correspondentes a esse reinado. De fato, não havia, até o momento em que esses livros foram publicados, nenhuma evidência extrabíblica concreta de que um rei governou em Edom no fim da Idade do Bronze (3300-1200 a.C.) ou no período do Ferro I (1200-1000 a.C.), nem evidências arqueológicas de ocupação sedentária antes do Ferro II (1000-586 a.C.). Por causa disso, muitos autores datavam passagens como esta de 1 Reis 11 como relatos lendários produzidos após o oitavo século a.C., pois somente a partir daí temos indícios de um reino edomita fortemente estabelecido e hostil a Israel.

Contudo, pesquisadores da Universidade de Tel Aviv, liderados por Ezra Ben-Yosef, do Departamento de Arqueologia e Culturas Antigas do Orien-

---

1 Papiro Anastasis IV, Jr 16:2; 43:7, 8, 9; 44:1; 46:14 e Ez 30:18. Henri Gauthier. **Dictionnaire des noms géographiques contenus dans les textes hiéroglyphiques**. Cairo: Société royale de géographie d'Égypte, 1929, v. 6, p. 73.
2 John McKenzie. **The dictionary of the Bible**. Nova Iorque: Simon and Schuster, 1995, p. 865.
3 Walter Federn. "Daḫamunzu (KBo V 6 iii 8)" in **Journal of cuneiform studies**, v. 14, n. 1:33 (jan. 1960).
4 Paul S. Ash. **David, Solomon and Egypt**: a reassessment. Sheffield: Sheffield Academic Press, 1999, p. 109ss.
5 Bernd Ulrich Schipper. **Israel und Ägypten in der Königszeit**: Die kulturellen Kontakte von Salomo bis zum Fall Jerusalems. Göttingen: Vandenhoeck & Ruprecht, 1999, p. 186.

te, e Tom Levy, da Universidade da Califórnia, em San Diego, descobriram novas evidências que podem ajudar a resolver o quebra-cabeças de um reino edomita primitivo. Publicado na revista *Plos One*, o estudo encontrou evidências no deserto de Arabá de uma "rede de alta tecnologia" de produção de cobre no antigo território edomita.

A datação por radiocarbono nas minas de cobre de Timna, comparada à datação das minas de Faynan, na Jordânia, demonstraram que a maior parte da atividade de mineração e fundição local ocorreu desde o século XI a.C. – no período monárquico de Israel – até a segunda metade do século IX a.C., que corresponde a um tempo após a saída dos egípcios. Logo, a produção de cobre local se deve a outro povo que não os egípcios e que por todos os indícios deveria ser o reino de Edom.[6]

A ausência de restos arquitetônicos edomitas nessa ocasião deve-se ao fato de que eles eram um reino nômade ou seminômade do deserto, cujos membros moravam em tendas. Todo arqueólogo sabe que os nômades são quase invisíveis na história, pois não deixam restos materiais suficientes no registro arqueológico.

Outro elemento usado para duvidar da historicidade do texto bíblico seria a suspeita de que a fuga de Hadade para o Egito fosse apenas um conto popular. Tal ideia preconcebida, além de baseada no argumento do silêncio, não procede porque temos registros semelhantes de outros grupos étnicos de Canaã que buscaram refúgio no Egito em um momento de crise. Um pouco antes 2300 a.C., vários clãs fugindo da fome e da guerra pediram ajuda ao faraó Unas; e 500 anos depois, Merikare e Amenemés I tiveram de impedir as constantes incursões cananeias que vinham ao Egito em busca de refúgio. Ademais, uma correspondência datada de 1205 a.C., enviada por um escriba egípcio, que trabalhava na fronteira de Wadi Tumilat, nos

---

[6] Uzi Avner. "Egyptian Timna – Reconsidered", in Juan Manuel Tebes (ed.). **Unearthing the Wilderness**: studies on the History and Archaeology of the Negev and Edom in the Iron Age. Leuven, Paris, Walpole, MA: Peeters, 2014, p. 103–162; Erez Ben-Yosef. "Rethinking Nomads – Edom in the Archaeological Record", in David Arnovitz e Sara Daniel (eds.). **The Koren Tanakh of the land of Israel**: Samuel – the making of the monarchy. Jerusalém: Koren Publishers, 2021, p. 282–283.

dias do faraó Merneptá, narra o movimento de tribos nômades de Edom que estariam cavando poços no território do Egito.[7]

O fato de não termos no relato bíblico o nome do faraó e sua esposa foi outro motivo para a negação da historicidade do texto. No entanto, essa omissão não era tão incomum se lembrarmos, por exemplo, que Ramessés II, casou-se com duas princesas hititas sucessivas e, exceto por uma nomeação real à primeira esposa, nenhuma delas, nem mesmo o monarca hitita, teve o seu nome registrado nas inscrições oficiais do Egito.

Salomão como genro do Faraó

O reinado de Salomão em Jerusalém pode ser datado entre 970 e 930 a.C. Em 1 Reis 3:1 e 9:16 menciona-se seu casamento, provavelmente ocorrido no primeiro quadriênio de seu governo, com uma princesa egípcia, filha do faraó, cujo nome, à semelhança das esposas de Ramessés II, também não é mencionado no registro bíblico.

Se tomarmos a cronologia bíblica por base, podemos supor que o faraó que se tornou sogro de Salomão poderia ser Siamom (978-959 a.C.)[8] da 21ª dinastia ou, menos provavelmente, seu sucessor, Psusenés II, também designado *Pasebaqueniute II*. Seu governo ocorreu durante o chamado Terceiro Período Intermediário que foi marcado por uma fragmentação do país com a mudança da capital para Tânis e depois para Bubástis, época de turbulência, na qual os sacerdotes de Tebas assumiram o controle do sul do Egito, formando um governo paralelo.

Certamente, o Egito devia estar ciente de que não tinha mais um poder imperial sobre a terra de Canaã. Como resultado, o faraó pode ter estado mais disposto a fazer um acordo nupcial entre sua filha e Salomão. Afinal, não era incomum a ocorrência de casamentos por motivação política entre reis do Antigo Oriente Médio. Até faraós casavam-se com princesas estran-

---

[7] Redford. **Egypt, Canaan and Israel in ancient times**, p. 228, 318.
[8] Kitchen. **On the reliability of the Old Testament**, p. 109; Alberto R. Green. "Solomon and Siamun: a synchronism between early dynastic Israel and the twenty first dynasty of Egypt", in **Journal of Biblical literature**, n. 97, (1978), p. 353-367.

geiras. A novidade estaria no caráter inverso da narrativa: uma princesa egípcia casando-se com um monarca estrangeiro. Isso não era algo comum.

Veja, por exemplo, essa troca de correspondência entre o rei babilônico Kadashman-Enlil II e o faraó egípcio Amenhotep III, conforme preservada nas famosas cartas de Amarna (séc. XIV a.C.): "Além disso, meu irmão, quando escrevi para você sobre se casar com sua filha, de acordo *com sua prática de não dar [uma filha],* você me escreveu: 'Desde tempos imemoriais, nenhuma filha do rei do Egito é dada [em casamento] a ninguém'. ... Eu escrevi assim ... [Então] envie-me uma linda mulher como se fosse sua filha. Quem vai dizer que 'ela não é filha do rei!' Mas mantendo a sua decisão, você não enviou ninguém".[9]

Esse texto data de 300 anos antes de Salomão, por isso não podemos ter certeza de que essa seria ainda uma prática egípcia adotada em seu tempo. O que temos parece apontar noutra direção. Durante a 22ª dinastia, que coincide parcialmente com os últimos anos de Salomão, e, na 23ª, encontramos novos faraós que casavam suas filhas até com plebeus. E bem antes disso, temos o caso de Anquesenamon, a viúva de Tutancâmon e neta de Amenófis III (o mesmo que afirmava que os faraós não casavam suas filhas com estrangeiros), que se ofereceu em casamento a um príncipe hitita para escapar de se casar com um plebeu.

Outro caso emblemático é o do faraó Shoshenq ou Sisaque I que tinha um filho-herdeiro (Osorkon) e ambos eram líbios, não egípcios. Assim, Osocor I, que era estrangeiro como seu pai, recebeu a filha de Psusenés II em casamento no século X a.C. Tais exemplos podem não ser um paralelo exato em relação ao texto bíblico, mas contribuem para tornar plausível sua realidade.

Salomão fora um rei famoso por sua sabedoria e também por seus muitos relacionamentos conjugais e extraconjugais que trouxeram problemas para si e para o reino. Mas o povo tinha orgulho dele. Logo, não haveria por que retratá-lo de modo negativo em relação às mulheres, se essa não fosse a realidade dos fatos. Defeitos de líderes amados geralmente são ocultados;

---

[9] Moran. **The Amarna Letters**, p. 8-9.

não faz sentido supor que o autor bíblico os inventasse gratuitamente, para manchar imagem de um ícone do povo.

A referida conquista de Gezer, cidade que após tomada e queimada pelo faraó foi entregue como presente de casamento para Salomão e sua esposa, tem indícios de destruições egípcias causadas pelo fogo. As escavações mostraram que a cidade foi realmente destruída, com uma nova cidade, novas fortificações, uma nova porta e um complexo palaciano construídos sobre as ruínas anteriores.

Essas destruições são vistas em diferentes níveis de ocupação humana do sítio. É como se fosse um bolo de aniversário com camadas, cada uma representando um período diferente. Numa dessas destruições, causada por uma conflagração violenta, é possível ver uma camada de cinzas indicando que toda a cidade fora queimada. Hoje, a maioria dos arqueólogos entende que esse incêndio foi resultado da campanha do faraó Tutmés III da 18ª dinastia, o mesmo que está entre os identificados com o faraó do êxodo.

Mais acima, é possível encontrar outra camada de cinzas indicando nova destruição, dessa vez causada por Merneptá em 1210 a.C. e, mais acima, outra camada imediatamente abaixo da porta que Ygael Yadin e outros identificaram como sendo de Salomão. Se proceder essa identificação arquitetônica com a figura histórica do rei bíblico, a camada de destruição logo abaixo dela, seria naturalmente o resultado de algum incêndio ocorrido depois da destruição de Merneptá e pouco antes da construção salomônica. Logicamente, estaríamos falando do ataque egípcio liderado por seu futuro sogro (provavelmente Siamom) que investiu fortemente contra a cidade.

Mais tarde, outro nível de destruição de Gezer evidencia mais um incêndio ocorrido não muito depois de Salomão e atribuído ao faraó Sisaque I em 925 a.C. Ao que tudo indica, essa camada de destruição coincide com aquele evento logo após a morte de Salomão e a divisão do reino unido de Israel, durante a campanha travada por Sisaque contra Jeroboão, rei de Israel, em 924 a.C. (1Rs 14:25).

Para esse evento de Sisaque I, temos cinco possíveis evidências extrabíblicas: a grande cena e a lista de nomes de lugares em Judá, Israel e Jordânia em Karnak; um fragmento de uma cena semelhante em El-Hibeh; parte de uma estela de Sisaque I de Megido; uma alusão ao sarcófago de um dos seguidores de Sisaque e uma estela quebrada em Karnak sobre um incidente na fronteira. O último incidente poderia muito bem ter fornecido a Sisaque I o motivo necessário para invadir Canaã após a morte do rei Salomão.

Um olhar mais atento à cultura material escavada ao longo da estrada costeira do Mediterrâneo também demonstrará algo deduzível na Bíblia: os israelitas não tiveram muito controle político ou econômico sobre os filisteus. Gezer estava apenas provisoriamente no domínio de Israel e durante as muitas guerras em curso, ela servira como uma fortaleza fronteiriça entre israelitas e filisteus (2Sm, 1Cr 5:25; 14:16; 20:4). Foi somente à medida que os filisteus começaram a ser uma ameaça para o comércio egípcio ao longo da rota costeira que o faraó Siamom atacou várias cidades filisteias, incluindo Gezer, para impedir a expansão dos filisteus derrotados para o interior do território. Então, ele cedeu a cidade a Salomão, na esperança de que esse guardasse a estrada costeira, garantindo acesso comercial ao Egito. Foi somente nessa época que Gezer ficou totalmente sob o controle israelita.

Existe, por fim, uma edificação em Jerusalém que foi por muito tempo associada à esposa egípcia de Salomão. Trata-se de uma tumba monolítica situada no bairro de Siloam, na periferia de Jerusalém Oriental, no sopé do Monte das Oliveiras. Ela foi esculpida em uma única rocha sólida tendo um claro estilo arquitetônico egípcio que incluía inscrições, das quais sobraram apenas duas letras hebraicas, e um teto piramidal que também já não existe. A tumba tinha ainda um banco de pedra, indicando que se destinava a apenas um único sepultamento, certamente de alguém muito importante na região.

Sua depredação vem de longos séculos, possivelmente dos dias de Adriano (135 d.C.) ou da era bizantina (séculos IV a VI), quando monges cristãos usaram seu interior como moradia. Ao que tudo indica, partes de sua estrutura em calcário foram arrancadas para reutilização noutras edificações locais. A identificação do edifício como sendo a tumba da filha do faraó foi pela primeira vez proposta por Louis Félicien de Saucy, que explorou o local no século XIX. Percebendo o estilo da arquitetura, ele concluiu que ali seria o sepulcro da esposa egípcia de Salomão. Contudo, pesquisas posteriores feitas por Gabriel Barkay e David Ussishkin concluíram que o edifício dataria dos séculos IX a VII a.C., o que o colocaria cronologicamente fora do tempo de Salomão.[10]

Portanto, grande parte dos acadêmicos acredita que, conquanto essa tumba testemunhe a presença egípcia em Jerusalém no período monárquico de Judá, a pessoa sepultada ali deveria ser alguém que viveu num período posterior a Salomão. Nada, porém, impede que descobertas posteriores venham a revisar a data proposta para esse complexo funerário.

Tumba com arquitetura egípcia nas proximidades de Jerusalém.

---

[10] David Ussishkin. "The necropolis from the time of the Kingdom of Judah at Silwan, Jerusalem", *in* **The Biblical Archaeologist**, v. 33, n. 2 (Mai., 1970), p. 44.

Cavalarias egípcias

Ao falar das riquezas de Salomão, a Bíblia diz que o rei tinha 1.400 carros de guerra e 12 mil cavaleiros, os quais ele espalhou pelas cidades onde governava, deixando uma parte em Jerusalém, a capital do reino (1Rs 10:26). Quanto aos cavalos, 1 Reis 4:26 fala de 40 mil animais, ao passo que 2 Crônicas 9:25 apresenta um número mais modesto de apenas 4 mil. Dessa afirmação, interessa-nos a nota que diz: "os cavalos de Salomão vinham do Egito e da Cilícia" (1Rs 10:28).

As pesquisas de campo provaram que o cavalo não é um animal originário do Egito. Conforme sabemos, os cavalos foram levados para lá pelos hicsos durante o Segundo Período Intermediário. Os mais antigos restos de cavalos localizados ali são ossos escavados em Avaris e Buém, sendo que a datação desse último permanece contestada.

Nas guerras entre a 17ª dinastia tebana contra os hicsos, ambos os lados tinham cavalarias, embora não para montaria e sim para puxar carros de guerra. Mais tarde, o reino de Cuxe, localizado na Núbia, ao longo do vale do Nilo, no que hoje é o norte do Sudão e o sul do Egito, também ficou famoso por sua criação de cavalos facilitada pelas boas pastagens da Alta Núbia. Na estela do rei Piye há uma menção à importância dos equinos para a região.

No Novo Império, os cavalos se multiplicaram exponencialmente, tornando-se animais da elite militar e das classes superiores. Em geral, os egípcios não montavam nesses animais, reservando seu uso a carruagens militares ou civis sempre puxadas por dois cavalos emparelhados.

A Cilícia, que fica na Anatólia, atual Turquia, também era pródiga na criação de cavalos selecionados e os exportava conforme indica o texto bíblico. Seu território, contudo, era dominado pelos hititas que, via de regra, estavam em guerra contra os egípcios, forçando o faraó a criar sua própria cavalaria tanto para fins militares quanto comerciais. Assim, tanto as carruagens quanto os cavalos poderiam facilmente ter sido comprados do Egito como diz o relato de 1 Reis.

Neco, rei do Egito

O rei Neco do Egito, mencionado oito vezes na Bíblia (2Rs 23:28-30; 34; 2Cr 35:20-24; Jr 46:2-3), é comumente identificado com o faraó Necao ou Neco II, um dos monarcas da 26ª dinastia, que governou o Egito de 660-595 a.C. Pelo texto bíblico, sabemos que ele foi o responsável pela morte do rei Josias, na batalha de Megido, ocorrida em 609 a.C.

Quando Neco II assumiu o trono, o maior aliado do Egito ainda era o império assírio, mesmo que já há algum tempo começasse a dar sinais de colapso. Vários reinos vassalos estavam se rebelando contra o controle da Assíria e embora alguns fracassassem, como foi o caso de Ezequias, rei de Judá (2Rs 18:7, 13-18) outros haviam obtido sucesso como Nabopolasar, rei da Babilônia.[11]

Foi em uma dessas políticas externas que Neco I, avô de Neco II, havia se aliado a Assurbanipal, rei da Assíria, a fim de expulsar juntos os faraós rivais da Núbia que ameaçavam invadir o norte do Egito. Desse modo, após sua morte em batalha, seu substituto, Psamético I, continuou a aliança feita por seu pai, sendo ele mesmo nomeado pelos assírios para ocupar o trono do Egito.

Foi assim que Neco II, seu sucessor imediato na 26ª dinastia, assumiu um reino estabilizado e até certo ponto glorioso, porém, sujeito aos assírios como qualquer outro vassalo do Antigo Oriente. Porém, cerca de 2 anos antes de sua coroação, Nínive, a capital dos assírios, caiu sob o ataque de uma coalizão envolvendo babilônios, medos e outros reinos menores. Logo, era hora de o novo faraó honrar os acordos feitos na época de Neco I e ir em socorro do rei da Assíria, que nesta época era Assurubalite II (612-609 a.C.).

As tropas assírias restantes tinham se reagrupado em Harã, atual Síria, e estavam no aguardo do reforço egípcio antes que fossem dizimadas pelos

---

[11] Embora a Bíblia registre uma ação miraculosa de Deus em devastar o exército assírio antes que atacassem Jerusalém, evento este testemunhado nos escritos de Heródoto, outras cidades da Judeia, como Laquis, foram totalmente dizimadas por Senaqueribe, rei da Assíria, e o rei Ezequias foi obrigado a lhe pagar tributo, usando para isso o próprio tesouro do templo em Jerusalém.

exércitos inimigos (2 Rs 23:29-30). O próprio Neco II foi à frente de seu exército para ajudar o país aliado, embora alguns autores entendam que seu real objetivo não era tanto ajudar os assírios e sim manter o equilíbrio entre as potências mesopotâmicas. Afinal, se a Assíria fosse totalmente eliminada, a Babilônia preencheria o vazio deixado como um poder sem controle, criando uma ameaça sem precedentes para o Egito.

Alguns autores acreditam que a seguinte passagem contida nas Histórias de Heródoto refira-se a à campanha de Neco para socorrer os assírios em Harã. Diz o texto: "Neco tendo abandonado a empresa [do canal], voltou suas vistas para as expedições militares. Mandou construir grande número de trirremes e lançá-las no mar Setentrional, no golfo Arábico [Golfo de Suez] e no mar da Eritreia [Mar Vermelho]. Veem-se, ainda hoje, os estaleiros onde esses barcos foram construídos. Sua frota prestou-lhe serviço na ocasião precisa. Neco travou também em terra uma batalha contra os Sírios, perto de Magdala. Vitorioso, capturou Caditis, importante cidade da Síria. Consagrou a Apolo a roupa que trajava nessas expedições, enviando-a aos Brânquidas, no país dos Milésios. Faleceu pouco mais tarde, depois de haver reinado 16 anos, deixando a coroa a Psámis, seu filho".[12]

A realidade dos fatos não nos permite ler o relato de Heródoto com muito otimismo para o lado dos egípcios. Neco II não conseguiu impor sua autoridade na Síria com nenhuma vitória decisiva, embora tenha conseguido forçar os babilônios a se refugiarem a leste do Eufrates, estendendo sua própria influência até Sidon. Mas o domínio egípcio sobre a Síria era frágil, contando apenas com alianças forjadas sob coação, como a situação imposta a Jerusalém.

Seja como for, o texto não menciona explicitamente os assírios e Harã, mas o fato é que Neco II realmente marchou pelo litoral mediterrâneo da terra de Israel, atravessando o território filisteu que agora estava sob o controle de Josias, rei dos judeus. Esse, por sua vez, foi ao encontro do exército egípcio a fim de interceptar sua passagem. Os motivos da interferência judaica numa guerra que aparentemente não lhes dizia respeito podem se relacionar ao próprio senso de independência de Josias.

---

[12] Heródoto. **Histórias**, 2:159.

Dentro desse contexto, os assírios não pareciam ser sua maior ameaça e se o rei dos judeus permitisse aos egípcios atravessarem seu território, isso poderia ser interpretado pelos babilônios como uma aliança de Judá com a Assíria, podendo trazer futuros ataques da coalizão babilônica contra o território judeu. Afinal de contas, era do conhecimento de todos em Jerusalém que, desde os dias de Ezequias, seria inútil confiar num eventual socorro do rei do Egito. Logo, o melhor seria não provocar os babilônios que, aliás, já haviam se mostrado mais amistosos, embora suas intenções também não fossem as melhores (2Rs 20:19).

Neco ficou perturbado com a recusa de Josias e enviou-lhe uma mensagem recheada de tons religiosos, segundo a qual, Deus lhe havia ordenado o ataque, de modo que Josias estaria se interpondo entre o faraó e o cumprimento de uma sentença divina. Josias, é claro, não acreditou no pseudo-oráculo e foi ao encontro das tropas de Neco, alcançando-os na planície de Esdrelão, também conhecida como vale de Jezreel, próximo à fortaleza de Megido.

Durante a batalha, o rei judeu foi gravemente atingido e levado de volta à cidade de Jerusalém, onde morreu em decorrência de seus ferimentos. O povo chorou lamentando sua morte e até o profeta Jeremias escreveu um poema em sua homenagem (2Cr 35:25).

Com a resistência do exército judeu, Neco chegou tarde demais para ajudar os aliados. Harã tinha sido tomada pela coalizão e os egípcios tiveram de recuar para mais tarde enfrentar os babilônios em Carquemis (Jr 46:2-3). Não podendo resistir por muito tempo, Neco II se viu obrigado a voltar para o Egito sem nenhuma vitória expressiva e no retorno destituiu do trono a Jeoacaz, sucessor de Josias, levando-o consigo em exílio e ordenando que seu irmão, Eliaquim, também conhecido como Joaquim, assumisse o governo no lugar dele. Neco impôs ainda um tributo compensatório aos judeus no valor de 100 talentos de prata (3,4 toneladas) e um talento de ouro (cerca de 34 quilos). Poucos anos depois, Neco sentiu de perto a ameaça babilônica, quando Nabopolasar enviou seu filho, Nabucodonosor, com um forte exército em direção ao Egito. Dessa vez, o próprio faraó é que foi obrigado a pagar pesado tributo para os babilônios e ficar submisso a eles até sua morte em 595 a.C.

Neste relevo, o faraó Neco II (à direita) é visto de frente para a deusa Hator (à esquerda). A inscrição no topo pode ter lido uma vez: "Eu concedo a você todos os países em submissão.

A avaliação precisa do Egito feita por Rabsaqué (2Rs 18:21), infelizmente, se tornou realidade. Tanto Israel quanto Judá, que se apoiaram na vara desse "bordão de caniço esmagado", foram mortalmente feridos. O Egito e a Babilônia continuaram a lutar entre si nas décadas seguintes, sem que nenhum dos lados obtivesse uma vitória decisiva. Contudo, após o domínio babilônico sobre o reino de Judá, há frequentes menções de locais do Baixo Egito pelos profetas Jeremias e Ezequiel, visto que muitos judeus fugiram para lá. Fica claro pela mensagem dos profetas desse período, escrevendo a seus compatriotas que desceram ao Egito, que você pode fugir, mas não pode se esconder dos olhos de Deus. Ele sabia onde eles estavam e traria julgamento sobre todos aqueles que trocam a confiança em seu Deus salvador pela fidelidade àqueles que no passado foram seus cruéis escravizadores.

Conclusão

O Egito é uma das primeiras e mais grandiosas civilizações do mundo antigo e figura com destaque por toda a narrativa bíblica. Mas a relação entre Israel e o Egito é complexa e multifacetada. Embora inicialmente visto como um lugar de refúgio em tempos de fome ou ameaça, o Egito acabou se tornando um lugar símbolo de opressão, escravidão e ateísmo.

Por um lado, é certo que a aliança divina foi estabelecida com Abraão, mas segundo a história de José, a nação de Israel tem seu nascimento no Egito. Se o êxodo é o momento de nascimento de Israel como nação, então o Egito é o útero. Por isso, grande parte da cultura bíblico-israelita foi afetada por essa nação. Sendo o principal vizinho mais próximo, influente e poderoso ao redor de Israel por centenas de anos, manteve interações com esse que moldaram os eventos políticos, sociais e culturais entre as duas nações. Não apenas as histórias, mas costumes, figuras de linguagem e até mesmo a própria escrita contêm relances da influência da antiga cultura egípcia.

Infelizmente, a fim de compreender melhor as Escrituras, como a criação, o dilúvio, o santuário, ritos, costumes etc., tendemos a procurar paralelos e relações em outros lugares e, muitas vezes, deixamos o Egito de lado. Mas, graças à egiptologia, a arqueologia desenvolveu-se, e hoje sabemos muito mais sobre a cultura egípcia do que a de qualquer outro povo antigo.

Até aqui, vimos como muitas histórias e muitos costumes bíblicos podem ser entendidos à luz das descobertas e da compreensão da cultura egípcia. A arqueologia, juntamente com a História e a Geografia, bem como o estudo linguístico e literário dos idiomas antigos, são ferramentas poderosas que envolvem uma investigação sistemática de todos os vestígios do passado. Acima de tudo, revelam com clareza a ligação histórica entre o povo da Bíblia e a nação egípcia, trazendo à tona os restos da herança cultural desses povos. Esses restos visíveis, enterrados no solo, constituem o elo físico entre o passado, o presente e o futuro.

Como vimos, a cultura egípcia, suas tradições e sabedoria são fascinantes. Quando comparados à luz dos relatos bíblicos podemos experienciar ainda mais o amor de Deus e o poder de Sua palavra de uma forma muito mais significativa do que normalmente experimentamos com nossa leitura simples. A mesma abordagem, logicamente, vale para outras culturas e outros povos além do egípcio. Qualquer um que estude a cultura mesopotâmica, ou outros povos do Levante, consegue perceber como as páginas da Bíblia tornam-se cada vez mais coloridas à medida que conhecemos o mundo dos eventos nela narrados, seus personagens e seus autores.

Muitas histórias são mais bem compreendidas quando vistas à luz do Antigo Egito. E isso serve não apenas para histórias grandes, comoventes e abrangentes, como o Êxodo, mas também para os indivíduos menores que desempenharam seus papéis nessas narrativas. Isso nos ajuda a encontrar significado em nossa própria vida e a nos encaixar no que podemos considerar uma história majestosa e abrangente da qual também fazemos parte.

Pense na história de José, por exemplo: foi condenado por um crime que não cometeu e lançado em uma prisão, a princípio, para nunca mais sair dali. Geralmente, quando pensamos sobre isso, tendemos a imaginar uma prisão nos moldes de hoje, onde as pessoas ficam sentadas atrás das grades. Os prisioneiros egípcios, no entanto, eram levados para trabalhar nas minas de extração de pedras preciosas ou de metais, muitas vezes no deserto do Sinai, tendo sua vida colocada sob grande risco. Sem qualquer salubridade ou segurança, imagine as experiências terríveis que essas pessoas passavam e a enorme incerteza diária em não saber se aquele seria o seu último dia de vida. Possivelmente, José passou por essa situação. Então, quando buscamos entender José, trabalhando em uma mina terrível e, ainda assim, fazendo o lugar funcionar e prosperar, somos levados a refletir em nossa própria vida e ações. O homem que passou por tanto sofrimento e injustiça, ao obter grande poder nas mãos, usou-o não para a vingança pessoal, mas para a salvação de muita gente. Dessa perspectiva, a história se torna mais real e muito mais significativa, e podemos nos identificar em maior intensidade com isso e aplicá-la um pouco mais à nossa vida.

Devemos lembrar que mesmo sendo um livro sagrado, a Bíblia não caiu do céu, mas é fruto da mente de homens humanos que, como você e eu, são parte de uma cultura, de um pensamento e de uma história específica. Todos esses elementos foram aproveitados pela inspiração divina, a fim de que a mensagem celestial pudesse fazer sentido aos ouvidos de qualquer um. A mensagem é do céu, mas a linguagem é da Terra. Por isso, Deus quer que não apenas compreendamos Sua mensagem nos moldes de nossa própria cultura, mas também que sejamos capazes de investigá-la, questioná-la e não apenas lê-la superficialmente. Moldar um comportamento ou executar uma ação diária usando como respaldo uma passagem bíblica, apenas porque foi recomendada por uma autoridade ou compreendida sem o estudo sério, sincero e pessoal, é estar muito aquém da forma como Deus espera que nos relacionemos com Sua palavra.

Quanto mais entendermos o que estava acontecendo historicamente, melhor entenderemos o subtexto da Bíblia. Podemos simplesmente ler o Livro Sagrado e entender as principais mensagens mesmo sem conhecer a história do Egito, mas as nuances surgirão quando se estiver mais familiarizado com o cenário histórico. Coisas que talvez não tenham sido pensadas antes serão abertas à mente e darão mais ferramentas com as quais o Senhor pode trabalhar enquanto tenta iluminar aquele que se debruça com zelo, respeito e amor sobre as páginas de Seu livro sagrado.

Bibliografia

"death in Ancient Egypt" in **Britannica**. Disponível em: https://www.britannica.com/science/ death/Ancient-Egypt. Acesso em: 18 abr. 2022.

"Story of Isis and Osiris", versão provida por **Albany Institute of History and Art**. Disponível em: https://www.albanyinstitute.org/ancient-egyptian-art-and-culture.html. Acesso em: 18 abr. 2022.

ADOLPHUS, John. **History of France from 1790-1801**. Londres: George Kearsley, 1803, v. 2.

AGAI, Jock M.; SARAGIH, M. Y. "The Contribution of Napoleon Bonaparte to Egyptology" in **Budapest International Research and Critics Institute**, v. 4, n. 3 (ago. 2021).

AHARONI, Yohanan. **The land of the Bible**: a historical geography. Filadelfia, PA: The Westminster Press, 1979.

ALDRED, Cyril. **Jewels of the pharaohs**: Egyptian jewelry of the dynastic period. Londres: Thames and Hudson, 1971.

ALING, Charles. **Egypt and Bible history**: from earliest times to 1000 B.C. Grand Rapids, MI: Baker, 1981.

ALLEN, James P. **Genesis in Egypt**: the philosophy of ancient Egyptian creation accounts. New Heaven, CT: Yale Egyptological Seminar, 1988.

ALLEN, James P. **Middle Egyptian**: an introduction to the language and culture of Hieroglyphs. 3ª ed. Cambridge: Cambridge University Press, 2000.

ALLEN, James P. **The Ancient Egyptian pyramid texts**. Atlanta: Society of Biblical Literature, 2005.

ANATI, Emmanuel. "The time of exodus in the light of archaeological testimony: epigraphy and palaeoclimate" in **Har Harkom**. Disponível em: https://www.harkarkom.com/exodustimeVERS1.Htm. Acesso em: 30 mar. 2023.

ANDREU-LANOE, Guillemette. **Egypt in the age of the pyramids**. Itaca, NY: Cornell University Press, 1997.

ARISTÓTELES. **Metereology**. Livro 1, cap. 15. Documento online traduzido por E. W. Webster. Disponível em: https://pinkmonkey.com/dl/library1/gp011.pdf. Acesso em: 03 fev. 2023.

ARNOLD, Dorothea. **When the pyramids were built**: Egyptian art of the Old Kingdom. Nova Iorque: Metropolitan Museum of Art, 1999.

ASH, Paul S. **David, Solomon and Egypt**: a reassessment. Sheffield: Sheffield Academic Press, 1999.

ASSMANN, Jan. **Death and salvation in Ancient Egypt**. Itaca, NY: Cornell University Press, 2005.

ATALAY, Bülent. **Math and the Mona Lisa**: the art and science of Leonard da Vinci. Washington: Smithsonian Books, 2006.

AUSTEL, Hermann J. " שׁ שׁ ", in HARRIS, Watke et al. **Dicionário internacional de Teologia do Antigo Testamento**. São Paulo: Edições Vida Nova: 1998.

AVNER, Uzi. "Egyptian Timna – Reconsidered", in Juan Manuel Tebes (ed.). **Unearthing the Wilderness**: studies on the History and Archaeology of the Negev and Edom in the Iron Age. Leuven, Paris, Walpole, MA: Peeters, 2014.

BADAWY, Alexander. **Ancient Egypt and the Near East**. Cambridge: MIT Press, 1966.

BAINES, John. "Literacy and Ancient Egyptian Society" in **Royal Anthropological Institute of Great Britain and Ireland**, v. 18, n. 3 (set. 1983).

BAKER, David L. **The Decalogue**: living as the people of God. Londres: IVP, 2017.

BELL, George. "Downfall of Antichrist" in **The Evangelical Magazine**, v. 4 (1796).

BEN-DOV, Meir. **Historical atlas of Jerusalem**. Nova Iorque: Continuum, 2002.

BEN-TOR, Daphna. **Pharaoh in Canaan**: the untold story. Jerusalem: The Israel Museum, 2016.

BEN-TOR, Daphna. **Scarabs, chronology, and interconnections**: Egypt and Palestine in the Second Intermediate Period. Fribourg, Gottingen: Academic Press Fribourg, 2007.

BEN-YOSEF, Erez. "Rethinking Nomads – Edom in the Archaeological Record", in David Arnovitz e Sara Daniel (eds.). **The Koren Tanakh of the land of Israel**: Samuel – the making of the monarchy. Jerusalem: Koren Publishers, 2021.

BIALE, David. "The God with Breasts: El Shaddai in the Bible" in The University of Chicago Press, **History of Religions**, v. 21, n. 3, fev. 1982.

BIETAK, Manfred. "Perunefer: the principal New Kingdom naval base", in **Egyptian archaeology,** 34 (2009).

BIETAK, Manfred. **Avaris:** capital of the Hycsos. Londres: British Museum Press, 1996.

BIETAK, Manfred; FORSTNER-MULLER, Irene. "The topography of New Kingdom Avaris and PerRamesses" in Mar Collier; Steven Snape (eds.). **Ramesside studies in honour of K. A. Kitchen**. Bolton, Lancashire: Rutherford Press, 2011.

BLUMENTHAL, Rabbi David R. Rashi sobre Gn 15:13; Seder Olam 1; Mechilta de Rashbi sobre Ex 12:40; Mechilta de Rabi Ismael, "Masechta de Pascha" 14. Cf. David R. Blumenthal. "The rabbinic chronology of Lech Lecha" in **The Torah**. Disponível em: https://www.thetorah.com/article/the-rabbinic-chronology-of-lech-lecha. Acesso em: 13 jul. 2022.

BONWICK, James. **The Great Pyramid of Giza: history and speculation. Mineola,** NY: Dover, 2003.

BORCHEL-DAN, Amanda. "First written record of Semitic alphabet, from 15th century BCE, found in Egypt" in **The times of Israel**. Publicado em 22 de maio de 2018. Disponível em: https://www.timesofisrael.com/first-written-record-of-semitic-alphabet-from-15th-century-bce-found-in-egypt/. Acesso em: 26 abr. 2022.

BREASTED, James H. **Ancient records of Egypt**: the eighteenth dynasty. Vol. 2. Chicago: The University of Chicago Press, 1906.

BREWER, Douglas J. **Ancient Egypt**: foundations of a civilization. Harlow: Pearson, 2005.

BRIANT, Pierre. **From Cyrus to Alexander**: a history of the Persian empire. Winona Lake, IN: Eisenbrauns, 2002.

BRIER, Bob; HOBBS, Hoyt. **Ancient Egypt**: everyday life in the land of the Nile. Nova Iorque: Sterling, 2013.

BRUGSCH-BEY, Heinrich. **Egypt under the pharaohs**: a history derived entirely from the monuments. 3a ed. Londres: John Murray, 1902.

BUCHWALD, Jed Z.; JOSEFOWICZ, Diane G. **The Riddle of Rosetta**: how an English polymath and a French polyglot discovered the meaning of Egyptian hieroglyphs. Princeton: Princeton University Press, 2020.

BUDGE, Ernest A. Wallis. **The Mummy**: A Handbook of Egyptian Funerary Archaeology. Revised and enlarged edition. Nova Iorque: Cosimo, 2011.

BUNSON, Margaret R. "Memphis" in **Encyclopedia of Ancient Egypt**. Revised edition. Nova Iorque: Facts on File, Inc., 2002.

BURLEIGH, Nina. **Mirage**: Napoleon's scientists and unveiling of Egypt. Nova Iorque, NY: Harper Collins, 2007.

BURRELL, Kevin. **Cushites in the Hebrew Bible**: negotiating ethnic identity in the past and present. Leiden: Brill, 2020.

BUTZER, Karl W. **Early hydraulic civilization in Egypt**: a study in cultural ecology. Chicago: The University of Chicago Press, 1976.

BYERS, Gary. "New evidence from Egypt on the location of the Exodus sea crossing: Part II", in **Bible and Spade**, v. 19, n. 1 e 2 (2006).

CASSON, Lionel. **Libraries in the Ancient World**. New Haven, CT: Yale University Press, 2001.

CAVENDISH, Marshall Corporation. **Ancient Egypt and the Near East**: an illustrated history. Cape Town: Cavendish Square, 2010.

CERAM, C. W. **A Picture History of Archaeology**. Londres: Thames and Hudson, 1957.

CHAUVET, Violaine. "Saqqara" in Donald B. Redford (ed.). **The Oxford Encyclopedia of Ancient Egypt**. Vol. 3. Oxford: Oxford University Press, 2001.

CHETWYND, Tom. "A Seven Year Famine in the Reign of King Djoser with other Parallels between Imhotep and Joseph" in **Catastrophism and Ancient History**, IX, n. 1, jan., 1987.

CLINE, Eric H. **Biblical Archaeology**: a very short introduction. Oxford: Oxford University Press, 2009.

COLE, Juan. **Napoleon's Egypt**: invading the middle east. Nova Iorque, NY: Palgrave Macmillan, 2007.

COLLADO-VÁZQUEZ, S.; CARRILLO, J. M. "Cranial Trepanation in The Egypti an" in **Neurología**, v. 29, n. 7, Set. 2014.

DAVID, Rosalie. **Pyramid builders of Ancient Egypt**: a modern investigation of pharaoh's workforce. Nova Iorque: Routledge, 2003.

DAVIES, Norman de G. **The Tomb of Ḳen-Amūn at Thebes**. Nova Iorque: Plantin Press, 1935, v. 2, plate IX, A.

DAY, John. "Where was Tarshish?", in Iain Provan e Mark Bola (eds.). **Let Us Go Up to Zion**. Leiden: Brill, 2012.

DEVER, William G. **Who were the early Israelites and where did they come from?**. Grand Rapids, MI: William B. Eerdmans, 2006.

DIODORO. **The Historical Library of Diodorus, the Sicilian**: in fi fteen books. To which are added the fragments ff Diodorus, and those published by H. Valesius, I. Rhodomannus, and F. Ursinu. Memphis, TN: General Books, 2012.

DORMAN, Peter F. "The career of Senenmut" in Catharine H. Roehrig. **Hatshepsut**: from queen to pharaoh. Nova Iorque: The Metropolitan Museum of Art, 2005.

DOWN, David K.; ASHTON, John. **Unwrapping the Pharaohs**: how Egyptian archaeology confirms the biblical timeline. Green Forest, AR: Master Books, 2006.

DREWS, Carl; HAN, Weiqing. "Dynamics of wind setdown at Suez and the Eastern

Nile delta" in **Plos One**, 30 de ago., 2010. Disponível em: https://journals.plos.org/plosone/article?id=10.1371/journal.pone.0012481. Acesso em: 31 jan. 2023.

DURHAM, John I. **Word Biblical commentary: Exodus**. Vol. 3. Dallas, TX: Word Books, 1987.

ECO, Umberto. **The Search for the Perfect Language**. Cambridge, MA: Blackwell Pub. Ltd., 1995.

EDWARDS, I. E. S.; GADD, C. J.; HAMMOND, N. G. L. **The Cambridge ancient history**: early history of the Middle East. Vol. 1, pt. 2. 3a ed. Cambridge: Cambridge University Press, 2006.

EL AGUIZY, Ola; HAYKAL, Fayza. "Changes in Ancient Egyptian Language" in **Égypte/Monde arabe** [online], Première série, Les langues en Égypte, mis en ligne le 08 juillet 2008, le 19 avril 2019. Disponível em: http://journals.openedition.org/ema/1025. Acesso em: 23 abr. 2022.

EL SHAZLY, E. M. "The ostracinic branch, a proposed old branch of the River Nile", in **Discussions in Egyptology**, v. 7 (1987).

EL-DALY, Okasha. **Egyptology: the missing millennium, ancient Egypt in medieval Arabic writing**. Londres: UCL Press, 2005.

ELLIOT, E. B. **Horæ Apocalypticæ**: a commentary on the Apocalypse, critical and historical; including also an examination of the chief prophecies of Daniel. 5ª ed. Londres: Seeley, Jackson, and Halliday, 1862, v. 3.

ERMAN, Adolf. **Life in Ancient Egypt**. Londres: Macmilian and Company, 1894.

ESTRABÃO. **Geography**: book XVII in http://www.perseus.tuft s.edu/hopper/text?doc=Strab.+17.1&fromdoc=Perseus%3Atext%3A1999.01.0239 Acesso em: 18 out. 2021.

FAGAN, Brian M.; DURRANI, Nadia. **A brief history of archaeology**: classical times to the twenty-first century. 2ª ed. Nova Iorque: Routledge, 2016.

FAGAN, Brian. "Did Akhenaten's monotheism influence Moses?" in **Biblical archaeology review**, v. 41, n. 4 (jul.-ago, 2015), versão online.

FAULKNER, Raymond O. **The papyrus Bremner-Rhind**. Bruxelas: La Foundation Egyptologique Reine Elisabeth, 1933.

FEDERN, Walter. "Daḫamunzu (KBo V 6 iii 8)" in **Journal of cuneiform studies**, v. 14, n. 1:33 (jan. 1960).

FELDMAN, Louis H.; KUGEL, James L.; SCHIFFMAN, Lawrence H. Filo. *On the Life of Moses*, 1,17, in **Outside the Bible**: ancient writings related to Scripture. Philadelphia: Jewish Publication Society, 2013.

Filo de Alexandria. *On the life of Moses*, Livro II.70. in F. H. Colson (trad.). **Philo** (Loeb Classical Library). Vol. 4. Cambridge, MA: Harvard University Press, 1935.

FINKEL, Irving; TAYLOR, Jonathan. **Cuneiform**. Londres: The British Museum, 2015.

FINKELSTEIN, Israel; SILBERMAN, Neil A. **A Bíblia desenterrada**: a nova visão arqueológica do antigo Israel e das origens dos seus textos sagrados. Petrópolis, RJ: Vozes, 2018.

FLEMING, Fergus; LOTHIAN, Alan. **The way to eternity**: Egyptian myth. Amsterda: Duncan Baird Publishers, 1997.

FORD, Chantal. "Just how the hell were the Egyptian Pyramids actually built?" in **Contiki**. Disponível em: https://www.contiki.com/six-two/18341/how-were-the-egyptian-pyramids-built/real-talk/. Acesso em: 19 mai. 2022.

FRAZER, James George. **The Golden Bough**: a study in magic and religion. Auckland, NZ: The Floating Press, 2009.

FREND, William H. C. **The Archaeology of early christianity:** a history. Minneapolis: Fortress Press, 1996.

FRIEDMAN, Zaraza. "nilometer" in Helaine Selin (ed.). **Encyclopaedia of the History of Science, Technology, and Medicine in Non-Western Cultures**. 3ª ed. Amherst, MA: Springer, 2016.

FRITZ, Glen. "Proof of Mount Sinai in Arabia", in **Ancient Exodus**. Disponível em: https://ancientexodus.com/proof-of-mount-sinai-in-arabia/. Acesso em: 30 mar. 2023.

GARDINER, Alan H. (ed.). **Hieratic Papyri in the British Museum**. Third series: Chester Beatty gift. Vol. 1: text. Londres: British Museum, 1935.

GARDINER, Alan H. **Egypt of the pharaohs**. Nova Iorque: Oxford University Press, 1964.

GARDINER, Alan H. Gardiner. **The admonitions of an Egyptian sage**: from a hieratic papyrus in Leiden. Hildesheim: G. Olms Verlag, 1969.

GAUDET, John. **Papyrus**: the plant that changed the world from Ancient Egypt to today's water wars. Nova Iorque: Pegasus books, 2014.

GILKEY, Langdon B. "Cosmology, Ontology, and the travail of Biblical language" in **The jornal of religion**, v. 41, n. 3 (jul. 1961).

GOLDENBERG, David M. **The Curse of Ham**: race and slavery in early Judaism, Christianity, and Islam. Princeton, NJ: Princeton University Press, 2003.

GOLLASCH, Stephan; GALIL, Bella S.; COHEN, Andrew N. **Bridging divides**: maritime canals as invasion corridors. Holanda: Springer, 2006.

GREEN, R. "Solomon and Siamun: a synchronism between early dynastic Israel and the twenty fi rst dynasty of Egypt", in **Journal of Biblical literature**, n. 97, (1978).

GRIMAL, Nicolas. **A History of Ancient Egypt**. Oxford: Blackwell Publishing, 1992.

GUASCH-JANÉ, Maria Rosa. "food" in Lisa K. Sabbahy. **All things Ancient Egypt**:

an encyclopedia of the ancient Egypt world. Vol. 1 (A-K). Santa Bárbara, CA: ABC-CLIO, 2019.

GUNKEL, Hermann. **Genesis**. Macon, GA: Mercer University Press, 1997.

HABACHI, Labib. **Tell el-Dab'a I**: Tell el-Dab'a and Qantir the site and its connection with Avaris and Piramesse. Viena: Verlag der Osterreichischen Akademie der Wissenschaft en, 2001.

HAMILTON, Victor P. " מִשְׁנֶה " in HARRIS, R. Laird. **Dicionário internacional de teologia do Antigo Testamento**, 1998.

HAMLIN, Talbot. **Architecture through the Ages**. Nova Iorque: Putnam, 1954.

HAR-EL, Menashe. **The Sinai journeys**: the route of the exodus. San Diego: Ridgefield Publishing, 1983.

HARPER, Alfred E. "Recommended dietary allowances and dietary guidance" in ORNELAS, Kriemhild C., KIPLE, Kenneth F. (eds.). **Cambridge world history of food**. Nova Iorque: Cambridge University Press, 2000.

HARRIS, Geraldine Harris. **Gods and pharaohs from Egyptian mythology**. Nova Iorque: Peter Bedrick Books, 1992.

HARRIS, James E.; WEEKS, Kent R. **X-Raying the pharaohs**: the most important breakthrough in Egyptology since the discovery of Tutankhamon's tomb. 15a ed. Nova Iorque: Charles Scribner's Sons, 1973.

HART, George. **Egyptian myths**. Austin, TX: University of Texas, 2004.

HAWASS, Zahi. **The Golden Age of Tutankhamun**: divine might and splendor in the New Kingdom. Cairo: The American University of Cairo Press, 2004.

HAWASS, Zahi. **The Golden King**: the world of Tutankhamun. Washington, DC: National Geographic Society, 2004.

HELCK, H. W. 1972. **Hymn to the Nile Flood**. Disponibilizado por University College London em https://www.ucl.ac.uk/museums-static/digitalegypt/literature/fl oodtransl.html. Acesso em: 13 mar. 2022.

HELD, Colbert; CUMMINGS, John T. **Middle East Patterns, Student Economy Edition**: places, people, and politics. 6ª ed. Nova Iorque: Routledge, 2016.

HEMPTON, David. **Religion and Political Culture in Britain and Ireland**. Cambridge: Cambridge University Press, 1996, p. 98.

HERÓDOTO. **An Account of Egypt**. Los Angeles, CA: Enhanced Media Publishing, 2016.

HERÓDOTO. **História**, Livro II, *Euterpe*, CLVIII; John Van Seters. **Changing perspectives 1**: studies in the history, literature and religion of biblical Israel. Nova Iorque: Routledge, 2014.

HERÓDOTO. **História**. Rio de Janeiro: Nova Fronteira, 2019.

HILLEL, Daniel. **The Natural History of the Bible**: an environmental exploration of the Hebrew Scriptures. Nova Iorque: Columbia University Press, 2006.

HOFFMEIER, James K. "The Hebrew exodus from and Jeremiah's Eisodus into Egypt in the light of recent archaeological and geological developments", in **Tyndale bulletin**, v. 72 (dez., 2021).

HOFFMEIER, James K. "The Wives' Tales of Genesis 12, 20, & 26 and the Covenants at Beer-Sheba" in **Tyndale Bulletin**, 43.1, 1992.

HOFFMEIER, James K. "What is the Biblical Date for the Exodus? A response to Bryant Wood", in **Journal of the Evangelical Theological Society**, v. 50, n. 2 (Jun. 2007).

HOFFMEIER, James K. **Ancient Israel in Sinai**: the evidence for the authenticity of the wilderness tradition. Oxford: Oxford University Press, 2005.

HOFFMEIER, James K. **Israel in Egypt**: the evidence for the authenticity of the exodus tradition. Nova Iorque: Oxford University Press, 1996.

HOLLADAY JR. John S. "Maskhuta, Tell el-", in David N. Freedman (ed.). **Anchor Bible dictionary**. Vol. 4. Nova Iorque: Doubleday, 1992.

HORAPOLO. **The Hieroglyphics of Horapollo**. Princeton, NJ: Princeton Uni. Press, 1993.

HUBBARD, David A. "Pentateuch" in J. D. Douglas, et al (eds.). **New Bible dictionary**. 2ª ed. Drowners Grove, IL: InterVarsity Press, 1982.

HUBNER, Manu Marcos. "O Alfabeto Hebraico: origem divina versus humana" in **Cadernos de língua e literatura hebraica**, v. 1, n. 10 (julho 2021).

HUMPHREYS, Colin J. **The miracles of exodus**: a scientist's discovery of the extraordinary natural causes of the biblical stories. Nova Iorque: Harper Collins, 2004.

JACOBY, Douglas A. **A Quick Overview of the Bible**: understanding how all the pieces fit together. Eugene, OR: Harvest House Pub., 2012, ebook.

JOSEFO, Flávio. *Antiguidades Judaicas*, Livro II, 9:6, in W. Whiston. **Josephus complete works**. Grand Rapids, MI: Kregel, 1985.

KAMIL, Jill. **The Ancient Egyptians**: life in the Old Kingdom. Cairo: AUC Press, 1996.

KEIL, Carl F.; DELITZSCH, Franz. **Commentary on the Old Testament**. Peabody, MA: Hendrickson, 1996.

KEMP, Barry J. **Ancient Egypt**: anatomy of a civilization. Nova Iorque: Routledge, 2018.

KITCHEN, K. A. "Red Sea", in Merril C. Tenney (ed. geral). **The Zondervan pictorial encyclopedia of the Bible**. Vol. 5. Grand rapids, MI: Zondervan, 1976.

KITCHEN, K. A. **On the reliability of the Old Testament**. Grand Rapids: Eerdmans Publishing, 2006.

KYLE, Richard. **The Last Days Are Here Again**: a history of the end times. Grand Rapids, MI: Baker Books, 1998.

LAMBDIN, Thomas O. "Egyptian loan words in the Old Testament", in **Journal of the American Oriental Society**, v. 73, n. 3 (jul.-set., 1953).

LE ROY. Froom. **The Prophetic Faith of Our Fathers.** Washington, DC: Review and Herald, 1946, v. 2, p. 591-596; v. 3.

LEEMING, David A. **Creation myths of the world**: an encyclopedia. 2a ed. Santa Barbara, CA: ABC-CLIO, 2010.

LEHNER, Mark. **The Complete Pyramids**: Solving the Ancient Mysteries. Londres: Thames & Hudson, 2008.

LEHNER, Mark; HAWASS, Zahi. **Giza and the Pyramids**: the definitive history. Chicago: University of Chicago Press, 2017.

LEMUSIO, Joe. "The exodus pharaoh" in **Archaeology and Biblical research**, v. 2, n. 3 (verão, 1989).

LIBBY, Willard F. "Radiocarbon Dating" in Nobel Lectures: Chemistry 1942-1962. Amsterdã: Elsevier Publishing Company, 1964.

LICHTHEIM, Miriam. **Ancient Egyptian literature**. Vol. 1: the old and middle kingdoms. Berkeley, CA: University of California Press, 2006.

LICHTHEIM, Miriam. **Ancient Egyptian literature**. Vol. 3: the late period. Berkeley, CA: University of California Press, 2006.

LIPSON, Carol. **Rhetoric Before and Beyond the Greeks**. Nova Iorque: SUNY Press, 2004.

LLOYD, Alan B. (ed.). **Gods, priests, and men**: studies in the religion of pharaonic Egypt by Aylward M. Blackman. Londres: Routledge, 2011.

LOKTIONOV, Alexandre. "Convicting 'Great criminals': a new Look at Punishment in the Turin judicial papyrus" in **Égypte nilotique et méditerranéenne**, n. 8 (2015).

LOPES, Reinaldo José. "Por que há tão poucas evidências históricas do Êxodo?" in **Super Interessante**, 31, out. 2008. Disponível em: https://super.abril.com.br/historia/por-que-ha-tao-poucas-evidencias-historicas-do-exodo/. Acesso em: 01 jul. 2022.

LUCAS, A.; HARRIS, J. R. **Ancient Egyptian materials and industries**. 4ª ed. Londres: Edward Arnold, 1962.

LUCKENBILL, Daniel D. **Ancient records of Assyria and Babylonia**. Volume 2: historical records of Assyria from Sargon to the end. Chicago: University of Chicago Press, 1926.

MACDONALD, Burton. "Excavations at Tell el-Maskhuṭa", in **The Biblical archaeologist**, v. 43, n. 1 (1980).

MACKENZIE, John. **The dictionary of the Bible**. Nova Iorque: Simon and Schuster, 1995.

MAISELS, Charles K. **Early civilizations of the old world**: the formative histories of Egypt, the Levant, Mesopotamia, India and China. Nova Iorque: Routledge, 2005.

MATHEWS, Kenneth A. **New American Commentary**: Genesis 11:27-50:26. Vol. 1b. Nashville: Broadman and Holman, 2005.

MAZAR, Amihai. **Archaeology of the Land of the Bible - 10,000-586 B.C.E.** Nova Iorque, NY: Doubleday, 1992.

MENDELSSOHN, Kurt. **The Riddle of the Pyramids**. Londres: Thames & Hudson, 1974.

Michael G. Hasel. **Domination and resistance**: Egyptian military activity in the Southern Levant, 1300-1185 BC. Leiden: Brill, 1998.

MIEROOP, Marc Van de. **A history of Ancient Egypt**. Oxford: Wiley-Blackwell, 2010.

MOHAMED, E. A. "The ancient Egyptian bread and fermentation" in **Microbial Biosystems**, 5(1). Ismailia: Botany Department, Faculty of Science, Suez Canal University, 2020.

MONTET, Pierre. **Géographie de l'Égypte Ancienne**. Pt. 1. Paris: Imprimerie nationale et librairie C. Klincksieck, 1957.

MORAN, William. **The Amarna letters**. Baltimore, MD: The Johns Hopkins University Press, 2000.

MORRIS, Ellen Fowles. **The architecture of imperialism**: military bases and the evolution of foreign policy in Egypt's New Kingdom. Leiden: Brill, 2005.

NA'AMAN, Nadav. "Habiru and Hebrews: the transfer of a social term to the literary sphere" in **Journal of Near Eastern Studies**, v. 45, n. 4 (out. 1986).

NAVEH, Joseph. **Early history of the alphabet**: an introduction to west semitic epigraphy and paleography. Jerusalem: Magness Press, 1997.

NAVILLE, Edouard. "The Geography of the Exodus", in **The journal of Egyptian archaeology**, v. 10, n. 1 (abr., 1924).

NAVILLE, Edouard. **The store-city of Pithom and the route of the Exodus**. Londres: Messrs. Trubner & Co., 1885.

NICHOL, Francis D. **Seventh-Day Adventist Bible commentary**. Washington, DC: Review and Herald, 1977.

NOEGEL, Scott B. "The Egyptian 'Magicians'" in **The Torah**. Disponível em https://www.thetorah.com/article/the-egyptian-magicians. Acesso em: 11 nov. 2022.

NOONAN, Benjamin J. **Non-Semitic Loanwords in the Hebrew Bible**. University Park, PA: Eisenbrausn, 2019.

O' CONNOR, David. "Narmer's Enigmatic Palette", in **Archaeology odyssey**, v. 7, n. 5 (set. 2004).

OBSOMER, Claude; FAVRE-BRIANT, Sylvie. **Hierogliphic Egyptian: a practical grammar of middle egyptian**. Bruxelas: Safran Publishers Book, 2016.

OLOO, Adams. "The Quest for Cooperation in the Nile water conflicts: the case of Eritrea" in **African Sociological review**, 11, 1, 2007.

OSWALT, John N. " כּוּשִׁי ", in HARRIS, R. Laird et al. **Dicionário Internacional de Teologia do Antigo Testamento**. São Paulo: Vida Nova, 1998.

PARKINSON, Richard. **Cracking Codes**: the Rosetta stone and decipherment. Berkeley, LA: University of California Press, 1999.

PARRY, Dick. Engineering the Pyramids. Cheltenham, RU: The History Press, 2004.

PATTERSON, R. D. "סוּפּ " in HARRIS, R. Laird et al. **Dicionário Internacional de Teologia do Antigo Testamento**. São Paulo: Vida Nova, 1998.

PELTIER, Leonard F. **Fractures**: a history and iconography of their treatment. São Francisco, CA: Norman Pub., 1999.

PETROVICH, Douglas. **The world's oldest alphabet**: Hebrew as the language of the proto-consonantal script. Jerusalem: Carta Jerusalem, 2016.

PINCH, Geraldine. **Egyptian Mythology**: a guide to the gods, goddesses, and traditions of ancient Egypt. Oxford: Oxford University Press, 2004.

PINCH, Geraldine. **Handbook of Egyptian mythology**. Oxford: ABC-CLIO, 2002.

PINCH, Geraldine. **Magic in Ancient Egypt**. Londres: British Museum Press, 1994.

PLÍNIO, o Velho. **Natural history**: a selection. John F. Healy (trad.), livro 6. Nova Iorque: Pinguin Books, 2004.

PLÍNIO, o Velho. **Natural History:** book XXVII (caps. 16-18), in http://www.perseus.tuft s.edu/hopper/text?doc=Perseus%3Atext%3A1999.02.0137%3Abook%3D36%3Achapter%3D16 Acesso em: 18 out. 2021.

PLUTARCO. **Moralia** (v. 5). Cambridge, MA: Harvard University Press, 1936.

PLUTARCO. Vida de Rómulo 3, 5, in **Vidas paralelas**: Teseu e Romulo. Coimbra: Imprensa da Universidade de Coimbra, 2008.

POLLAN, Michael. **Cozinhar**: uma história natural da transformação. Rio de Janeiro: Ed. Intrínseca Ltda., 2012, ebook.

PRITCHARD, James (ed.). The Code of Hammurabi, 116, 214, 252 in **Ancient Near East texts**: relating to the Old Testament. Third edition with supplement. Princeton: Princeton University Press, 1969.

QUIBELL, James Edward. "When did Coptic become extinct?" in **Zeitschrift für ägyptische Sprache und Altertumskunde**, 39 (1901).

QUIRKE, Stephen. **Ancient Egyptian religion**. Londres: The British Museum, 1992.

QUIRKE, Stephen. **Exploring Religion in Ancient Egypt**. Oxford: Wiley Blackwell, 2015.

QUIRKE, Stephen. **The Cult of Ra**: sun worship in Ancient Egypt. Londres: Thames & Hudson, 2001.

RAY, John. **The Rosetta Stone and the Rebirth of Ancient Egypt**. Cambridge, MA: Harvard University Press, 2007.

REDDING, Richard; HUNT, Brian V. "Pyramids and Protein" in **Ancient Egypt research associates**. Disponível em https://www.aeraweb.org/news/pyramids-and-protein/. Acesso: em 19 mai. 2022.

REDFORD, Donald B. "Thebes" in David N. Freedman (ed.). **The anchor Bible dictionary**. 6ª ed. Nova Iorque: Doubleday, 1992.

REDFORD, Donald B. **Egypt, Canaan, and Israel in Ancient Times**. Princeton: Princeton Uni. Press, 2020.

REDMOUNT, Carol A. Redmount. "The Wadi Tumilat and the 'Canal of the pharaohs'", in **Journal of Near Eastern studies**, v. 54, n. 2 (abr., 1995).

REEVES, Nicholas. **Akhenaten**: Egypt's false prophet. Londres: Thames & Hudson, 2001.

REGALADO, Ferdinand O. "The location of the sea the Israelites passed through", in **Journal of the Adventist Theological Society**, v. 13, n. 1 (2002).

RENDSBURG, Gary A. "Beasts or bugs?: solving the problem of the fourth plague" in **Bible review**, v. 19, n. 2 (abr. 2003).

RENDSBURG, Gary A. "Reading the plagues in their Ancient Egyptian context" in **The Torah**. Disponível em https://www.thetorah.com/article/reading-the-plagues-in-their-ancient-egyptian-context. Acesso em: 12 nov. 2022.

RENDSBURG, Gary A. "YHWH's war against the Egyptian Sun-God Ra" in **The Torah**. Disponível em: https://www.thetorah.com/article/yhwhs-war-against-the-egyptian-sun-god-ra. Acesso em: 12 nov. 2022.

RICHARDSON, Joel. **Mount Sinai in Arabia**. S/L: Winepress, 2019.

ROBINSON, Andrew. "The Meaning of Egyptian Hieroglyphs" in **BBC Focus Science and Technology**, UK, n. 257 (verão 2013).

ROBINSON, Andrew. **Lost languages**: the enigma of the world's undeciphered scripts. Londres: Thames & Hudson, 2009.

ROGERS, Jerry R.; BROWN, Glenn O.; Jurgen D. Garbrecht (eds.). **Water resources and environmental history**. Salt Lake City, UT: American Society of Civil Engineers, 2004.

ROLLER, W. (trad.). **The geography of Strabo**: an English translation, with introduction and notes. Cambridge: Cambridge University Press, 2014.

RYHOLT, Kim S. B. **The political situation in Egypt during the Second Intermediate Period**: c. 1800-1550 B.C. Copenhague: Museum Tusculanum Press, 1997.

SCALF, Foy. **Book of the Dead**: becoming god in ancient Egypt. Chicago, IL: The Oriental Institute of the University of Chicago, 2017.

SCHIPPER, Bernd Ulrich. **Israel und Ägypten in der Königszeit**: Die kulturellen Kontakte von Salomo bis zum Fall Jerusalems. Gottingen: Vandenhoeck & Ruprecht, 1999.

SCHOVILLE, Keith. "The Rosetta Stone in Historical Perspective" in **Journal of the Adventist Theological Society**, v. 12, Iss. 1, art. 1 (2001), p. 4-5. Disponível em: https://www.andrews.edu/library/car/cardigital/Periodicals/Journal_of_the_Adventist_Theological_SocIety/2001/2001_01.pdf. Acesso em: 14 jul. 2021.

SCHWEIZER, Andreas. **The Sungod's journey through the netherworld**: reading the ancient Egyptian Amduat. Itaca, NY: Cornell University Press, 2010.

SCOLNIC, Benjamin E. "A new working hypothesis for the identification of Migdol", in James K. Hoffmeier; Alan Millard (eds.). **The future of biblical archaeology**. Grand Rapids MI: Eerdmans, 2004.

SEENEY, Emmet. **The Genesis of Israel and Egypt**. Nova Iorque: Algora Pub., 2008.

SETERS, John Van. **The Pentateuch**: a social-science commentary. Sheffield, IN: Sheffield Academic Press, 1999.

SETON-WILLIAMS, M.V. **Egyptian legends and stories**. Ontario: The Rubicon Press, 1990.

SHAW, Ian. **The Oxford History of Ancient Egypt**. Oxford: Oxford University Press, 2000.

SHAW, Ian. "Pharaonic Egypt" in Peter Mitchell; Paul Lane (eds.). **The Oxford handbook of African Archaeology**. Oxford: Oxford University Press, 2013.

SHAW, Ian; NICHOLSON, Paul. "nome" in **The British Museum dictionary of Ancient Egypt**. Cairo: British Museum Pub., 2002.

SHEA, William H. "Amenhotep II as Pharaoh of the Exodus", in **Bible and Spade**, v. 16, n. 2 (primavera de 2003).

SHEA, William H. "Date for the recently discovered Eastern Canal of Egypt", in **Bulletin of the American Schools of Oriental Research**, 226 (1977).

SHEA, William H. "Leaving Egypt: encounter at the sea" in **Adventist review**, v. 167, n. 22 (31/Maio/1990).

SHEA, William H. "The date of the Exodus", in David M. Howard Jr. e Michael A. Grisanti (eds.). **Giving the sense**: understanding and using Old Testament historical texts. Grand Rapids, MI: Kregel, 2003.

SHOUP, John A. **The Nile**: an encyclopedia of geography, history, and culture. Santa Barbara, CA: ABC-CLIO, 2017.

SILVERSTEIN, Adam. "The Book of Esther and the 'Enū ma Elish'" in Bulletin of the school of Oriental and African Studies, University of London, v. 69, n. 2 (2006).

SIMPSON, John. **Queen of Sheba**: treasures from ancient Yemen. Londres: British Museum Press, 2002, p. 8; Kenneth Anderson Kitchen. On the Reliability of the Old Testament. Grand Rapids, MI: Wm. B. Eerdmans Publishing, 2003.

SINGER-AVITZ, Lily. "The date of the Qurayyah painted ware in the southern levant" in **Antiguo Oriente**, v. 12 (2014).

SMITH, Robert O. **More Desired than Our Own Salvation**: the roots of Christian Zionism. Oxford: Oxford University Press, 2013.

SNAPE, Steven R. **The Complete Cities of Ancient Egypt**. Londres: Thames & Hudson, 2014.

SNEH, Amihai; WESSBROD, Tuvia; PERATH, Itamar. "Evidence for an Ancient Egyptian frontier canal", in **American Scientist**, v. 63, n. 5 (set.-out., 1975).

SOKOLOW, Nahum. **History of Zionism**: 1600–1918 (v. 1). Londres: Longmans, Green and Co., 1919.

SPARKS, Kenton L. **Ethnicity and identity in Ancient Israel**. Winona Lake in Eisenbrauns, 1998.

STEINER, Richard C. **Early Northwest Semitic Serpent Spells in the Pyramid Texts**. Winona Lake: Eisenbrauns, 2011.

TALLET, Pierre. **Les papyrus de la Mer Rouge I**: 'Le journal de Merer' (papyrus Jarf A et B). Cairo: Ifao, 2017.

TAYLOR, John H. **Ancient Egyptian Book of the Dead**: journey through the afterlife. Londres: British Museum Press, 2010.

THOMAS, Susanna. **Seneferu**: the pyramid builder. Nova Iorque: Rosen Publishing Group, 2003.

TRIGGER, B. G.; KEMP, B. J.; O'Connor, D.; LLOYD, A. B. **Ancient Egypt**: a social history. Cambridge: Cambridge University Press, 2001.

UNSETH, Peter. "Hebrew Kush: Sudan, Ethiopia, or where?" in **Africa journal of Evangelical Theology**, v. 18, n. 2 (1999).

USSISHKIN, David. "The necropolis from the time of the Kingdom of Judah at Silwan, Jerusalem", in **The Biblical Archaeologist**, v. 33, n. 2 (Mai., 1970).

VAN DER VEEN, Peter Van ; Christoffer Theis; Manfred Görg. "Israel in Canaan (Long) Before Pharaoh Merenptah? A fresh look at Berlin Statue Pedestal Relief 21687", in **Journal of Ancient Egyptian Interconnections**, 2 (2010).

VERNER, Miroslav. "Pyramid" in Donald B. Redford (ed.). **The Oxford Encyclopedia of Ancient Egypt**. Vol. 3. Oxford: Oxford University Press, 2001.

VERNER, Miroslav. **The Pyramids**: the mystery, culture, and science of Egypt's great monuments. Nova Iorque: Grove Press, 2002.

VYSE, Howard. **Operations carried on at the pyramids of Gizeh in 1837**: with an account of a voyage into upper Egypt, and an appendix. Vol. 1. Londres: James Fraser, Regent Street, 1840.

WAGNER, Christian, et al. "Sliding Friction on Wet and Dry Sand" in **Physical review Letters**, PRL 112, n. 175502, 2014.

WATERHOUSE, Douglas. "Who are the Habiru of the Amarna letters?" in **Journal of the Adventist Theological Society**, v. 12, n. 1 (2001).

WATTERSON, Barbara. **The Egyptians**. Oxford: Wiley-Blackwell, 1997.

WEINFELD, Moshe. "Pentateuch" in **Encyclopedia judaica**. Vol. 13. Jerusalém: Keter, 1971.

WELSBY, Derek A. **The kingdom of Kush**. Londres: British Museum Press, 1996.

WENHAM, Gordon J. **Números**: introdução e comentário (série Cultura Bíblica). São Paulo: Vida Nova, 1985.

WENTE, Edward; SICLEN III, Charles Van. "A Chronology of the New Kingdom", in **Studies in honor of George R. Hughes**. Chicago, IL: The Oriental Institute, 1977.

WHEELER, Gerald. "Ancient Egypt's silence about the Exodus", in **Andrews University seminary studies**, v. 40, n. 2 (2002).

WHEELER, Tompaul. **Bible Readings**: straight answers from God's word. Hagerstown, DC: Review and Herald, 2008.

WHITE, Jon E. Manchip. **Everyday Life in Ancient Egypt**. Mineola, NY: Dover Publish, 2011.

WHITE, Jon E. Manchip. **Ancient Egypt**: its culture and history. Nova Iorque: Dover Publications, 2013.

WILHELM, Gernot. "Schule" in Michael P Streck, et. al (eds.). **Reallexikon der assyriologie und vorderasiatischen archäologie**. Vol. 12. Berlim: De Gruyter, 2009.

WILKINSON, Richard H. **Reading Egyptian Art**: hieroglyphic guide to ancient Egyptian painting and sculpture. Londres: Thames & Hudson, 1992.

WILKINSON, Richard H. **The Complete Gods and Goddesses of Ancient Egypt**. Londres: Thames & Hudson, 2003.

WILKINSON, Toby. **The Nile**: a journey downriver through Egypt's past and present. Nova Iorque: Alfred A. Knopf, 2014.

WILLIAMS, George. "Sinai" in William Smith (ed.). **Dictionary of Greek and Roman geography**. Vol. 2. Londres: I. B. Tauris & Company, 2005.

WILSON, Penelope. **Hieroglyhs**: a very short introduction. Oxford: Oxford University Press, 2003.

WISEMAN, Donald J. "Archaeological confirmation of the Old Testament" in Carl F. H. Henry (ed.). **Revelation and the Bible**: contemporary evangelical thought. Dallas, TX: Digital Publications, 2002.

WOOD, Bryant G. "In search of Mt. Sinai", in **Associates for Biblical research**, (4 abr., 2008). Disponível em: https://biblearchaeology.org/research/chronological-categories/exodus-era/4133-in-search-of-mt-sinai. Acesso: em 30 mar. 2023.

YEIVIN, S. "Ya'qob'el". **The journal of Egyptian archaeology**, v. 45 (dez., 1959).

YURCO, Frank J. "3,200-Year-Old Picture of Israelites Found in Egypt" in **Biblical archaeology review**, v. 16, n. 5, set.-out. 1990.

ZAESKE, Susan. "Unveiling Esther as a Pragmatic Radical Rhetoric" in **Philosophy & Rhetoric**, v. 33, n. 3, On Feminizing the Philosophy of Rhetoric, 2000.

ZOBEL, Judah. "tēḇâ" in BOTTERWECK, G. **Theological Dictionary of the Old Testament**. Grand Rapids, MI: Eerdmans, 1975.

Créditos imagens

Página 12
https://www.shutterstock.com/pt/image-photo/bratislava-slovakia-december-14-tutankhamuns-gold-242036137
Jaroslav Moravcik / Shutterstock.com

Página 13
https://www.brooklynmuseum.org/opencollection/archives/image/67900 -
Domínio Público
Prisse d'Avennes, 1807-1879.

Página 13
https://www.fotoarena.com.br/detalhes/foto/id/alb2926661?ide=&b=album –
W. Buss/De Agostini/Album / Album / Fotoarena

Página 14
https://commons.wikimedia.org/wiki/File:Howard_Carter_und_Lord_Carnarvon_1922.jpg
Imagem em Domínio Público
Harry Burton (1879–1940)

Página 15
https://www.metmuseum.org/art/collection/search/545131
Domínio público
Rogers Fund, 1936

Página 20
https://de.wikipedia.org/wiki/Datei:Helffrich-1.jpg

CRÉDITOS IMAGENS

Domínio Público
Johannes Helffrich
https://digi.ub.uni-heidelberg.de/diglit/helffrich1579
Livro digitalizado – Domínio público

Página 25
https://www.shutterstock.com/image-photo/old-egyptian-hieroglyphs-on-ancient-background-1917274085
Triff/Shutterstock.com

Página 27
https://www.shutterstock.com/pt/image-photo/london-uk-circa-june-2017-rosetta-779399323
Claudio Divizia /Shutterstock.com

Página 32
https://commons.wikimedia.org/wiki/File:Egyptian_Obelisk_at_Kingston_Lacy_-_panoramio.jpg – CC 3.0
Adrian Farwell

Página 33
https://en.wikipedia.org/wiki/Jean-Fran%C3%A7ois_Champollion#/media/File:Jean-Fran%C3%A7ois_Champollion,_by_L%C3%A9on_Cogniet.jpg
Léon Cogniet (1794–1880)
https://en.wikipedia.org/wiki/Jean-Fran%C3%A7ois_Champollion#/media/File:Thomas_Young_(scientist).jpg
Henry Adlard
Coleção: National Portrait Gallery

Página 34
https://www.fotoarena.com.br/detalhes/foto/id/c0286439?ide=&b=spl – Crédito: British Library / Science Photo Library / Science Photo Library / Fotoarena

Página 50
https://www.shutterstock.com/pt/image-vector/ancient-egypt-map-historical-most-important-211163719
Peter Hermes Furian / Shutterstock.com

Página 53
https://commons.wikimedia.org/wiki/File:Egipto,_1882_%22Escala_del_medidor_del_Nilo%22_(21247840310).jpg

Domínio Público
Impr. Impériale

Página 57
https://www.shutterstock.com/pt/image-photo/blue-isis-goddess-food-tray-carrying-56882338
BasPhoto / Shutterstock.com

Página 65
https://it.wikipedia.org/wiki/Mito_di_Iside_e_Osiride#/media/File:BD_Ani_before_Osiris.jpg
Publicado por James Wasserman; facsimile de E. A. Wallis Budge; Artista original desconhecido.

Página 73
https://commons.wikimedia.org/wiki/File:Book_of_the_Dead_of_Hunefer_sheet_3.jpg
Domínio Público
Hunefer

Página 75
https://commons.wikimedia.org/wiki/File:Book_of_the_Dead_of_Hunefer_sheet_5.jpg – Domínio Público
Hunefer

Página 84
https://www.metmuseum.org/art/collection/search/543863
Presente de J. Pierpont Morgan, 1912

Página 87
https://www.metmuseum.org/art/collection/search/548300
Domínio Público
Purchase, Edward S. Harkness Gift, 1926

Página 89
https://www.brooklynmuseum.org/opencollection/objects/113552 - sem restrição de copyright
Antonio Beato, Italian and British, ca. 1825-ca.1903

Página 96
https://commons.wikimedia.org/wiki/File:02_meidum_pyramid.jpg
Domínio Público

CRÉDITOS IMAGENS   395

Jon Bodsworth

Página 97

https://pt.wikipedia.org/wiki/Ficheiro:Bent_Pyramid_featuring_the_original_polished_limestone_outer_casing_that_the_pyramids_used_to_have_(14797064881).jpg – CC 2.0
Jorge Láscar from Melbourne, Australia

Página 99

Retrace - Original: https://www.britannica.com/story/whats-inside-the-great-pyramid

Página 103

https://archive.org/details/amongtheruins00laya/page/n122/mode/1up?view=theater – Dominio publico
https://commons.wikimedia.org/wiki/File:Discoveries_among_the_ruins_of_Nineveh_and_Babylon;_with_travels_in_Armenia,_Kurdistan_and_the_desert-_being_the_result_of_a_second_expedition_undertaken_for_the_Trustees_of_the_British_museum_(1859)_(17544956763).jpg
Layard, Austen Henry, 1817-1894
John Gardner Wilkinson (1797–1875)

Página 123

(Fotoarena)

Página 126

Exemplo dos cinco nomes reais do faraó Tutmés III (18ª din., 1479-1425 a.C.)

Página 131

https://archive.org/details/althebrischein00grimuoft/page/n113/mode/1up - Domínio Público

Página 141

https://commons.wikimedia.org/wiki/File:Egyptian_Museum_-_Ramses_II_Ptah_and_Sekhmet.jpg – CCBYSA 4.0
Daniel Mayer

Página 152

https://www.metmuseum.org/art/collection/search/545281
Domínio Público
Rogers Fund and Edward S. Harkness Gift, 1920

Página 153

https://www.shutterstock.com/pt/image-photo/ruins-egyptian-karnak-temple-largest-openair-2272074789

Abrilla / Shutterstock.com

Página 158
https://www.shutterstock.com/pt/image-photo/karnak-temple-sphinxes-alley-ruins-1034827522
Anton Master / Shutterstock.com

Página 173
https://commons.wikimedia.org/wiki/File:Sunrise_at_Creation.jpg –
Domínio Público
Artista original desconhecido

Página 179
https://commons.wikimedia.org/wiki/File:Senwosret_III,_ca._1836-1818_B.C.E._Granite.jpg – Domínio Público

Página 183
https://commons.wikimedia.org/wiki/File:Histoire_de_l%E2%80%99Art_Egyptien_by_Theodor_de_Bry,_digitally_enhanced_by_rawpixel-com_110.jpg
– CC BY SA 4.0
Rawpixel

Página 186
https://en.wikipedia.org/wiki/Aperel#/media/File:Aperel.png – imagem pequena - 500 × 443 pixels

Página 189
https://commons.wikimedia.org/wiki/File:Egyptian_Chariot_(colour).jpg –
Domínio Público
Carlo Lasinio (Gravador), Giuseppe Angelelli, Salvador Cherubini, Gaetano Rosellini (Artistas), Ippolito Rosellini (Autor)

Página 190
https://www.metmuseum.org/art/collection/search/544428 -
Purchase, Edward S. Harkness Gift, 1926

Página 191
https://commons.wikimedia.org/wiki/File:Sphinx_Amenemhat3_Budge.jpg
Domínio Público
E. A. Wallis Budge (1857-1934)

Página 192
https://commons.wikimedia.org/wiki/File:Pharaoh_Ahmose_I_slaying_a_Hyksos_(axe_of_Ahmose_I,_from_the_Treasure_of_Queen_Aahhotep_II)_Colorized_per_source.jpg – Domínio Público

CRÉDITOS IMAGENS

Georges Émile Jules Daressy (19 Março 1864 – 28 Fevereiro 1938)

Página 196
https://en.wikipedia.org/wiki/Narmer_Palette#/media/File:Narmer_Palette.jpg – DP
Artista: Anônimo

Página 198
https://art.thewalters.org/detail/29621/scarab-with-cartouche-of-king-sheshi/ - CC 1.0
Domínio Público

Página 201
https://en.wikipedia.org/wiki/Famine_Stela#/media/File:Sehel-steleFamine.jpg%20 – CC BYSA 3.0
Morburre

Página 206
https://en.wikipedia.org/wiki/Four-room_house#/media/File:Israelite_pillared_house.jpg – CC BYSA 3.0
Nick Laarakkers at nl.wikipedia

Página 213
https://commons.wikimedia.org/wiki/File:Scarab_Nuya_by_Khruner.jpg – CC BYSA 4.0
Khruner

Página 230
https://www.metmuseum.org/art/collection/search/544450 - Domínio Público
Rogers Fund, 1929

Página 233
Fotoarena

Página 234
https://en.wikipedia.org/wiki/File:Hatshetsup-temple-1by7.jpg
Licença livre
Ian Lloyd

Página 248
https://commons.wikimedia.org/wiki/File:Narmer_Palette_smiting_side.jpg
Domínio Público

Página 252
https://commons.wikimedia.org/wiki/File:Ra_slays_Apep_(tomb_scene_in_Deir_el-Medina).jpg

Hajor, Out.2004. Liberado sob cc.by.sa and/or GFDL.

Página 255
Fotoarena

Página 256
Arquivos Nacionais dos Países Baixos

Página 264
Fotoarena

Página 278
https://archive.org/details/admonitionsofegy00gard/page/n9/mode/1up
Domínio Público

Página 190
https://www.metmuseum.org/art/collection/search/544249
Domínio Público
Presente da Egyptian Research Account e da British School of Archaeology no Egito, 1907.

Página 284
https://en.wikipedia.org/wiki/File:The_Merneptah_stele,_including_inscription._Wellcome_M0008443.jpg
Domínio Público – creative commons 4.0

Página 288
https://www.metmuseum.org/art/collection/search/553922
Domínio Público

Página 291
https://www.metmuseum.org/art/collection/search/545891
Domínio Público

Página 307
https://de.wikipedia.org/wiki/Datei:Petrie_1906_table30.PNG – DP
William M. Flinders Petrie, 1906.
Domínio Público

Página 314
https://www.metmuseum.org/art/collection/search/325949
Domínio Público
Rogers Fund, 1968

Página 316

https://commons.wikimedia.org/wiki/File:Egipto,_1882_%22El_canal_de_Seti_I._Tomado_de_un_bajo-relieve_grabado_en_el_muro_septentriional_exterior_del_templo_de_Karnak%22_(21053206233).jpg
Domínio Público
Ebers, Georg Moritz, 1837-1898

Página 341

https://pt.wikipedia.org/wiki/Aquen%C3%A1ton#/media/Ficheiro:Akenaton.jpg
Domínio Público
Qwelk

Página 344

https://commons.wikimedia.org/wiki/File:HouseAltar-AkhenatenNefertitiAndThreeOfTheirDaughters.png – Domínio Público
Autor desconhecido

Página 349

Imagem: Aidan McRae Thomson

Página 352

https://www.metmuseum.org/art/collection/search/544695
Rogers Fund, 1924

Página 355

https://commons.wikimedia.org/wiki/File:La_salle_dAkhenaton_(1356-1340_av_J.C.)_(Mus%C3%A9e_du_Caire)_(2076972086).jpg
Domínio Público – Creative Commons 2.0
Autor desconhecido

Página 371

https://art.thewalters.org/detail/4666/relief-with-hathor-and-king-necho-ii/
Domínio Público - Creative Commons 1.0

Página 373

https://www.shutterstock.com/pt/image-vector/map-ancient-egypt-most-important-landmarks-2245485201
Ilustrator 76 / Shutterstock.com

Índice Remissivo

Abertura da boca, cerimônia 74, 75

Abidos 24, 35, 44, 57, 179, 214, 258, 282

Abraão 9-10, 54, 75-76, 93-94, 106, 134-135, 150, 163-164, 174-180, 182, 187, 205, 208, 224, 226-228, 255, 282, 336, 354, 359, 373

Admoestações de Ipuwer 140, 275, 279, 290

Alexandria, 22, 29, 146, 245, 328

Alfabeto 31, 113, 116, 118-119, 127-131, 134, 320

Aliança 177, 228, 286, 327, 369, 371, 373

Altar 330, 333

Alto Egito 24, 38-39, 43, 60, 88, 90, 124, 138-139, 147-148, 150, 182

Amarna
 Cartas 351, 353-354, 364
 Cidade 35, 150, 157, 341, 348-351, 355-357
 Período 149, 341, 355-356

Amenemés I 177, 362

Amenemés III 179-180, 191, 201

Amenemés IV 180

Amenhotep I 217, 218, 220, 236

Amenhotep II, 13, 142, 220, 287, 290-293

Amenhotep III, 142, 220, 340, 342-343, 351, 358, 364

Amenhotep IV, 340, 341, 342, 343, 346

Amon, Amon-Rá 81, 145, 149, 155-160, 170, 177, 233-234, 236, 272-273, 275, 302, 341, 343-344, 346, 357-358

Amose (rainha) 218, 233

Amósis I 148, 156, 191-192, 220, 232, 236, 269, 287, 302

Antigo Império 41, 43-44, 58, 74, 81-82, 86, 92, 106, 113, 138-139, 147, 250

ÍNDICE REMISSIVO

Anúbis 72, 76, 145, 233
Ápis, touro 143, 272
Apófis 190, 252, 253, 254, 264, 265, 266
Aquenáton 43, 116, 150, 157, 186, 214, 219-220, 340, 342-345, 347-353, 355-358
Arabá 362
árabes 19, 34, 81-82, 86, 107, 111, 182, 236, 302-303, 307-308, 327, 329, 335-336
Arábia 15, 250, 295, 331-338
Arão 69, 253, 254, 257-259, 266, 271, 273
Aristóteles 304, 313
Arqueologia 15-16, 20, 23, 34-36, 47, 130, 136, 151, 204, 280, 323, 325, 333, 361, 373, 374
Assíria 145, 351, 360, 369-371
Assuã 199
Atom 157, 170, 222-223, 307-308, 340-341, 343-350, 355-356, 358
Avaris 187-192, 202-207, 211, 217, 221-222, 282, 302, 311, 315, 368
Baal-Zefom 301, 308-309, 311, 314, 315
Babilônia 10, 163, 165, 166, 168, 185, 241, 242, 351, 360, 369, 370, 372
Baixo Egito 38-39, 42-43, 60, 89-90, 124, 126, 137-138, 143, 148, 186-189, 250, 276, 319, 372
Beni Hassan 182, 234
Bezerro de ouro 143, 333
Bietak, Manfred 204, 221, 315

Bronze 36, 88, 178, 189, 206, 361
Cades-Barneia 328, 330
Cajado 149, 182, 250, 253-254, 257-259
Calendário 51, 158, 326
Câmara funerária 64, 83, 93, 100
Caminho de Hórus 316
Campanha militar 22, 153, 291
Canaã 10, 37, 42, 58, 93-94, 144, 149, 152-154, 175-177, 179, 182, 185, 191, 198, 202-203, 205-206, 208, 217, 222, 227-228, 267-268, 280, 284-286, 297, 312, 314, 317-318, 351-355, 359, 362-363, 366
Canal de Suez 298, 304, 310, 312, 324
Carro de guerra 41, 189, 368
Casamento 63, 159, 218-219, 228, 231, 240, 363-365
Cevada 57, 59, 107, 176, 202, 273, 276-277
Champollion 26, 29-34, 36, 41, 113, 130, 239
Cilindro 315
Código
  de Hamurabi 185
  de Justiniano 21
Conquista
  de Avaris 189, 191, 221, 302
  de Gezer 154, 286, 365, 366
Consu *ver* Khonsu
Côvado 53, 54
Cronologia 15, 40-41, 44-48, 128, 177, 208, 220-221, 225-226, 229,

240, 287, 290-291, 302, 331, 360, 363
Culto 149, 150, 156-157, 159, 170, 186, 196, 210, 264, 340-344, 346, 349-350, 357-358
Cusae 192
Cuxe 16, 37, 368
Dario I 304, 313
Decálogo 71
Deir el-Bahari 233, 235-236, 239
Delta 27, 37, 60, 137-138, 143-144, 148-149, 187, 189, 203-204, 213, 250, 267, 282, 285, 294, 297-299, 301-302, 304, 312-317, 319-320, 323-324, 350, 360
Dendera 24, 197, 200
Deserto
do Negueve 176
do Saara 19, 40, 42, 49
do Sinai 211, 295, 298, 307, 338, 374
Dez Mandamentos 71, 209, 296, 327, 331-333
Diário de Merer 101-102, 104
Diodoro 24
Djoser 86, 88-93, 95, 97, 124, 199, 201
Edom 222, 330, 335, 337, 360-363
Elefantina 192
Elias 327
Escriba 114, 129, 182, 185-186, 223-224, 242, 246, 258, 353, 362
Esfinge 19-20, 100-101, 107, 128, 142, 146, 191, 234, 292

Estela
da Fome 199, 201
de Merneptá 285, 287
de Piye 368
de Sisaque I 366
Estrabão 24, 304
Etã 298, 306-308, 312
Eusébio 333
Exército
Egípcio 9, 144, 212, 289, 346, 352, 370
Hicso 188
Êxodo
Israelita 10, 43, 143, 152, 154, 177, 209, 210-212, 219-221, 223-229, 240-241, 254, 257, 280, 282, 284-288, 290-291, 293, 295-297, 300-301, 309, 313, 318-319, 322, 326, 331, 337-338, 347-348, 350, 358, 365, 373
Livro do 15, 69, 71, 106, 149, 159, 177, 209-212, 214-217, 221-222, 225-227, 230, 242, 244, 246, 253, 257, 267, 269, 276-279, 281, 285, 289-290, 295, 301, 317-318, 320, 323, 325-327, 329, 332, 338, 350, 354-355, 374
Filisteus 152, 299, 311, 354, 366
Fortaleza 138-139, 307, 316, 361, 366, 371
Gardiner, Alan 11, 82, 111, 129-130, 195, 218, 275-276, 317
Gênesis 37, 43, 45, 58, 93, 127, 130, 135, 150, 161, 163-172, 175, 177, 179, 181, 183, 195, 201, 217, 223-

224, 226-227, 253, 322, 336
Gizé 11, 19, 22, 35, 41, 43, 46, 77, 79, 98-101, 106, 146, 292
Golfo
de Ácaba 295-296, 320, 327, 330, 332-335, 337, 339
de Suez 295-299, 304, 310, 320, 327-328, 370
do Pelúsio 299, 304
Gósen 143-144, 192, 204, 294, 298, 301, 336
Habiru 353-355
Hallat al Badr 331-332
Hapi 54-57, 200, 246, 270
Har Karkom 330-331
Hator 131, 145, 196, 200, 233, 251, 272-274, 372
Hatshepsut 14-15, 43, 142, 214, 218-220, 230-237, 239-240, 243-244, 247, 251, 267, 287
Heb-sed, festival 90-91
Heliópolis 170, 186
Heracleópolis 147
Heródoto 19, 24, 51, 107, 108, 271, 304, 310, 321, 369, 370
Hicsos 41, 43, 58, 148, 156, 187-192, 202-204, 207, 209, 216-217, 222, 268, 287, 314, 368
Hieróglifos 24-32, 34, 41, 93, 111-117, 120-121, 123-125, 127, 129-132, 134, 149, 172-173, 182, 200, 204, 207, 306, 344, 360
Hino
a Hapi 55
a Osíris 300

Hipótese documentária 161, 168
Hofra, faraó 194
Horebe 337
Hórus 57, 63-64, 123-124, 126, 152-153, 197, 200, 234, 249, 265, 288-289, 317, 344
Imhotep 87- 89, 92, 95, 145, 273
Ísis 20, 57, 63-65, 74, 127, 145, 196, 218, 251, 272-274
Ismaília 304, 308
Istmo de Suez 192, 295, 298, 305, 307, 320, 323-325
Jabal
al-Lawz 295, 332-335, 339
Hashem el-Tarif 330
Maqla 295, 333
Musa 327-329
Sin Bishar 329
Jeremias 10, 81, 143-145, 166, 186, 360, 371-372
Jerônimo 333
Jerusalém 35, 127, 130, 161, 179, 216, 268, 353, 359-360, 362-363, 366-371
Jetro 337-338
José 13, 43, 58, 75, 92-93, 146, 152, 175, 180-185, 187, 190-195, 197-202, 204-205, 208, 212-216, 226, 229, 257, 280, 284, 359, 373-375
Josefo 188, 216, 245, 321, 327-328, 330, 333
Josias 369-371
Josué 210, 223, 249, 354-355

Judá 145, 155, 227, 359-360, 365, 367, 369, 371-372

Khonsu 156, 158, 273, 344

Lago
   Amargos 299, 304, 309, 310, 324, 330
   Ballah 299-300, 311-314, 316, 318, 323-324
   Manzala 299
   Shihor 299, 316-318, 320, 324
   Timsah 299, 304, 307-313, 324

Leão 72, 100, 142

Levante 15, 175-176, 188, 205, 269, 304, 316, 374

Linho 59, 119, 140, 198, 242, 273, 277

Literatura 9, 69, 77, 122-123, 128, 161, 163-164, 166, 178, 252, 330

Livro dos Mortos 65, 68, 70-71, 73-75, 93, 170, 173, 197, 260, 265, 288

Mâneto 40-41, 44, 46, 137, 139, 187, 214, 216

Mar Mediterrâneo 298, 318, 321, 324

Mar Vermelho 212, 234, 240, 289-291, 294-296, 298-301, 304-305, 310, 312, 318, 320-321, 323-324, 326-328, 330, 332, 335, 339, 370

Mastaba 81-82, 85

Médio Império 41, 43-44, 58, 80, 106, 109, 116, 123, 155, 177-178, 182, 191, 197, 226-227, 314

Menés, faraó 39, 60, 137

Mênfis 28, 43, 80-81, 85-86, 93, 95-96, 137-147, 155, 170, 177, 192, 272-273, 315, 347, 349, 360

Merneptá, faraó 153-154, 285-286, 363, 365

Midiã 133, 248, 328-332, 334, 336-338, 360

Migdol 299, 308-309, 311, 314, 316-318

Mineração 328, 336, 362

Minimalismo 211-212, 323-325

Mitologia 20, 24, 62, 86, 109, 142, 177, 315

Monoteísmo 43, 157, 347, 348, 358

Monte Sinai 128, 130, 211, 295-296, 326-339

Mut 155-156, 158-159, 344

Napoleão 16-17, 20-23, 26-28, 34

Narmer 137, 196, 249

Neco I 369

Neco II 304, 313, 369, 370, 371, 372

Necrópole 85-86, 142, 148, 179

Nefertari 197, 217, 237

Nefertiti 116, 340, 343, 345

Nilo 14, 27, 37-38, 40-43, 46, 49-60, 63, 79-80, 86, 94, 100-101, 104-106, 109, 128, 132-133, 137-138, 143, 145, 148, 150, 156, 158, 171, 174-175, 177, 182, 188-199, 201, 203-205, 213, 233, 235, 240-243, 246, 250, 263, 270, 289, 294, 298, 302, 304-306, 309, 316, 319-320, 324, 336, 347, 348, 350, 360, 368

Nilômetro 53, 55, 199

Nômade 154, 206, 287, 353, 362

Nomarca 38, 182

Nomos 38, 39, 139

Novo Império 10, 15, 42, 44, 58, 70, 93, 106, 142-143, 147-151, 156, 170, 189, 191, 193, 207, 217, 219, 227, 246, 263, 267, 282, 303, 305, 307, 316, 344, 368

Núbia 16, 41, 43, 58, 179, 191, 198, 219, 267-268, 361, 368-369

Obelisco de Filas 31, 32

Opet, festival 148, 158

Oriente Médio 17, 35, 38, 42, 58, 125, 162, 182, 205, 212, 363

Osíris 57, 62-65, 68, 71-74, 76, 84, 142, 179, 189, 233-234, 258, 260, 265, 273-274, 342

Ouro 11, 63, 124, 126, 140, 234, 278, 371

Palermo, pedra 44

Palestina 15, 21, 35, 355

Paleta 196, 249

Papiro (planta) 26, 59, 104, 132-134, 174, 196, 202, 242, 319, 320

Papiro Anastasis 222, 269, 303, 306, 361

Pedreira 101, 191

Península do Sinai 131, 134, 153, 178, 248, 296, 311, 327, 329-331, 334-339

Pentateuco 71, 127, 129-131, 161, 168-169, 181, 199, 210, 224, 257, 293, 302, 354

Pentateuco Samaritano 227

Período romano 36, 44, 74

Per-Item 307

Petrie, Flinders 34-36, 47, 74, 95, 129, 308

Pi-Hairote 310-312, 314, 316

Pirâmide
  Curvada 97, 109
  de Djoser 43, 88, 90, 92
  de Unas 93
  dos Degraus 146
  Escalonada 86, 89, 91, 95-96
  Falsa 96
  Verdadeira 96-99
  Vermelha 43, 98

Pitom 221-223, 267, 284, 305, 307, 350

Plínio, o Velho 24, 304, 305

Plutarco 24-25, 62, 243, 264

População
  cananeia 189
  de escravos 105-106, 144, 153, 171, 184-185, 188, 201, 211, 213, 216, 227, 262-263, 267-270, 275, 280, 284, 287, 291, 336, 341, 348, 350
  de Tebas 150
  do Egito 108, 113-114, 262-263, 342, 346

Praga 144, 159, 180, 240, 266-267, 270-276, 279, 280, 282, 284, 290, 292, 320, 350

Primeiro Período Intermediário 43, 82, 108, 138, 147

Protossinaítico 129, 131, 169

Ptolomeu II 40

Ptolomeu V 28, 199

Punto 234

Rá-Horaqueti 123, 344
Ramessés
   II, faraó 43, 55, 122-123, 140-141, 150, 154, 189, 197, 220-223, 225, 235, 236, 258, 284-287, 302, 308, 348, 363
   III, faraó 150, 207, 215
   Pi- (cidade) 150, 221-223, 285, 301-302, 329
Ramo pelusiano 302, 304
Relevo 57, 153-155, 258, 308, 313, 316-318, 320, 372
Revolução Francesa 20- 21
Sacara 84-86, 91, 94, 96, 138, 142-143, 146, 185-186
Sacerdócio 343, 346-347, 358
Sacrifício 159, 280, 329, 338
Salomão 225, 336, 359, 363-368
Samaria 359
Sarcófago 69, 77, 83, 85, 92-93, 132, 214, 237, 258, 289, 357, 366
Segundo Período Intermediário 43, 148, 187, 189, 197, 214, 227, 305, 368
Septuaginta 130, 181, 227, 254, 272, 319, 321, 333, 336
Serabit el-Khadim, 131
Serápis 273
Serdab 85
Serpente, 77, 88, 124, 190, 250, 252-255, 258-259, 264-266, 315
Sesóstris III, 177-179, 304, 313

Seti I 152-153, 186, 236, 258, 285, 313, 316-318, 320
Shasu 222
Sinai 135, 153, 168, 182, 211, 280, 295, 298, 303, 306-307, 316-318, 323, 326-330, 332-339
Síria 15, 22, 42, 152-153, 155, 179, 188, 219, 336, 351, 353, 369-370
Sopdet 51
Sucote 222, 302-307, 312
Sur 298, 311, 313
Tânis 302, 363
Tebas 48, 80-81, 126, 143-145, 147, 148-151, 154, 156-157, 170, 177, 190-191, 200, 215, 217, 221, 235, 341-344, 346-347, 349, 351, 357, 360, 363
Tell
   el-Dab'a 192, 203, 222, 282, 302, 315
   el-Maskhuta 303, 305-308, 310
   el-Retaba 222, 305, 307-308
   Shaqafiya 305
Templo
   de Atom 349-350
   de Hatshepsut 150, 233, 234
   de Karnak 148-150, 153, 155, 157-158
   de Luxor 157-158
   de Ptah 138, 139, 141
   de Ramessés 57, 150
   de Salomão 225
   de Set 221, 258, 282

de Seti I 258, 282
de Tebas 232
Terceiro Período Intermediário 43, 360, 363
Textos das Pirâmides 74, 93, 169, 259, 300
Textos dos Sarcófagos, 170, 259
Tjeku 222, 303-308
Tot 72, 258, 265-266, 271, 273
Touro 143, 197
Trigo 59, 107, 176, 202, 276
Turquesa 268, 328
Tutancâmon 11-15, 43, 74, 150, 157, 214, 219-220, 237, 243, 257-258, 340, 350-351, 357, 364
Tutmés I 218-220, 233-234, 236-237, 365
Tutmés II 218-220, 231, 236, 240, 244
Tutmés III 126, 154, 203, 218-220, 231-232, 235-236, 239, 268-269, 287-293, 365
Tutmés IV 292
Unas 93, 259, 362
Vale dos Reis 150, 233, 236, 292
Via Maris 152-153, 294, 299, 311, 317
Wadi Tumilat 303-314, 362
Xexi, faraó 194, 198
Yam-Suf 318-321, 323

grupo novo século

Compartilhando propósitos e conectando pessoas
Visite nosso site e fique por dentro dos nossos lançamentos:
www.gruponovoseculo.com.br

Ágape

- facebook/novoseculoeditora
- @novoseculoeditora
- @NovoSeculo
- novo século editora

gruponovoseculo.com.br

Edição: 1ª
Fonte: Minion Pro